国家出版基金项目

湖北省社会科学基金重点项目
湖北省学术著作出版专项资金项目
湖北传承发展优秀传统文化重点项目
湖北省荆楚文化研究中心重点支持

荆楚文化史

隋唐宋元卷

湖北省荆楚文化研究会组织编写

总 主 编：刘玉堂

本卷主编：吴成国

长江出版传媒 | 湖北教育出版社

图书在版编目（CIP）数据

荆楚文化史. 隋唐宋元卷 / 刘玉堂主编 ; 吴成国本卷主编. -- 武汉 : 湖北教育出版社, 2022.12(2025.2重印)
ISBN 978-7-5564-5608-6

Ⅰ. ①荆… Ⅱ. ①刘… ②吴… Ⅲ. ①文化史—湖北—隋唐时代②文化史—湖北—宋元时期 Ⅳ. ①K296.3

中国版本图书馆CIP数据核字(2022)第239252号

荆楚文化史.隋唐宋元卷　JINGCHU WENHUASHI.SUITANGSONGYUAN JUAN

出品人	方　平	策　划	刘　艺
责任编辑	朱思思	责任校对	李庆华
封面设计	李　枫　何亦明	责任督印	刘牧原

出版发行	长江出版传媒	430070	武汉市雄楚大道 268 号
	湖北教育出版社	430070	武汉市雄楚大道 268 号

经　销　新　华　书　店
网　址　http://www.hbedup.com
印　刷　武汉中远印务有限公司
地　址　武汉市黄陂区横店街货场路粮库院内
开　本　710mm×1000mm　1/16
印　张　33
字　数　490 千字
版　次　2022 年 12 月第 1 版
印　次　2025 年 2 月第 2 次印刷
书　号　ISBN 978-7-5564-5608-6
定　价　158.00 元

《荆楚文化史》编纂委员会

主　任：王生铁

副主任：武清海　李佑才

委　员（按姓氏笔画为序）：

王树华　尹弘兵　叶　植　任　放　刘玉堂　安向荣　杜建国

李德华　吴成国　邱久钦　张　武　张　硕　张继才　陈昆满

罗运环　胡嘉猷　柳菊兴　姚伟钧　袁北星　夏日新

主　编：刘玉堂

副主编：李德华　陈昆满　杜建国

总　序

刘玉堂

“地利西通蜀，天文北照秦。风烟含越鸟，舟楫控吴人。”诗圣杜甫笔下的荆楚大地，令多少人为之心驰神往！而这方神奇土地孕育的荆楚文化，又令多少人为之梦萦魂牵！

荆楚文化的空间范围大致与今湖北行政区划相当，时间范围从远古到当代。之所以称荆楚文化，是因为其源头和主干楚文化是以湖北为中心发展壮大的，而且荆、楚又往往互称并举。荆楚文化史研究的主要范畴是湖北文化诞生、发展和演变的历史。至于本书称《荆楚文化史》而不称《湖北文化史》，主要由于“湖北”的概念是宋代才有的，始于北宋初年以洞庭湖为界分荆湖南、北二路，其中荆湖北路即指湖北。“荆楚”的概念则始于先秦，有族类名和地域名之分，前者如《诗·商颂·殷武》：“维女（汝）荆楚，居国南乡。”后者如《楚辞·大招》：“自恣荆楚，安以定只。”无论是族类名还是地域名，其对应的空间范围虽略有出入，但基本上都是以今湖北为中心，鉴于本书的时间跨度为远古至当下，故名之为《荆楚文化史》更为切近。

《荆楚文化史》的编撰兹事体大，因而对相关问题的说明尤为必要。

一是荆楚文化的时间界限。当代人治国别史或地域史，一般止于晚清或民国，而本书则上起远古，下至当下，突破了史学界心照不宣的“当代人不治当代史”的传统。本书如是考量，无意于标新立异，只是想把荆楚文化的最新面貌展示出来，以增强现实感，突出时代性，进而坚定文化自信。

二是荆楚文化的空间界定。本书的空间范围固然是以今湖北行政区划为主，但现今的湖北省境，基本上是明清以来逐步规范形成的，在此前的数千年中，湖北与周边诸省之间的行政归属变动不居。因此，本书虽然明确强调研究的空间范围原则上不超出当今湖北行政区划，但如涉及思想影响、文化交流、人物迁徙、商旅流通乃至政治背景和经济状况等问题，尤其是牵涉到湖北局势发展的重要事象时，有关叙述或分析会越出今湖北省界的范围。

三是荆楚文化的内容定位。一般文化史研究，视角有宏观和微观之分，也即通常所谓广义文化与狭义文化之别，前者包括物质文明成果和精神文明成果的总和，后者仅限于精神文明成果。如采取宏观视角，难免失之于宽泛，而且极易与《湖北通史》一类著述雷同；如采取微观视角，则未免失之于狭窄，以致某些重要的文化内容不能得到应有的反映。有鉴于此，本书采取了介于宏观与微观之间的"中观"视角，即除重点考察微观层面的思想、学术、文学、艺术、教育、科技、宗教、民俗之外，还涉及时代变迁的社会背景和生态、移民、城建、商旅、交通等文化事象。当然，由于各个时代的文化状貌不尽相同，故允许各卷在保持基本内容一致的前提下合理取舍。

概而言之，《荆楚文化史》旨在经由多维度和全方位的考察，梳理出荆楚文化发生、成长和演变的线索，揭示出荆楚文化的基本特征、分衍状态和流迁趋势，勾勒出荆楚文化与其他区域文化乃至外域文化间多向的碰撞、交流和融合的轨迹，进而客观地评价荆楚文化在中华文化发展过程中所起的强大而持久的作用与影响。

一、荆楚的自然环境与民族氛围

在人类生存的地球上，有一条神奇的纬线——北纬30°线。它既是旧大陆古代文明的中轴线，又是长江流域的中轴线。中国的荆楚地区，埃及的古都孟菲斯，号为"神之门"的巴比伦，波斯帝国极盛时期的首都苏萨，以及南亚最早的两座古城之一哈拉巴，都无一例外地聚集在这一纬线附近。

从自然环境来看，荆楚正好处在东西之中、南北之间。说荆楚处在东西之中，这是因为中国的地势从西到东由高变低，呈三级阶梯之状：青藏高原为第一阶梯，南起云贵高原、中经四川盆地和黄土高原、北至内蒙古高原为第二阶梯，华中迤东的丘陵和平原为第三阶梯。荆楚正好处在第二阶梯与第三阶梯交接地带：鄂西在第二阶梯的东部，鄂中迤东在第三阶梯的西部。说荆楚处在南北之间，这是因为鄂北连接着秦岭、大巴山、桐柏山和大别山，鄂中迤南则为江汉平原和江南低山丘陵。荆楚整个地貌呈箕形：中部的江汉平原既平又低，西部、北部、东部是山地，只有南部向洞庭湖敞开。山环水绕的自然环境，温暖湿润的气候特征，不仅使荆楚的山郁郁葱葱，而且在境内形成不同流量的河流，汇入横穿其腹地的中国第一大河长江，众多水系如银练飘舞在广袤的荆楚大地上，构成纵横交错的水网，古云梦泽淤积遗留的大小湖泊，似明镜镶嵌于辽阔的江汉平原，调节着长江中游的旱涝。得中独厚的自然环境，不能不说是天赐荆楚。

就民族氛围而言，荆楚也恰好位居东西南北之中。汉藏语系的四大语族，最迟在周代已具雏形。汉语族的先民在北，壮侗语族的先民在东，苗瑶语族的先民在南，藏缅语族的先民在西。四个语族相互接触、彼此交错的中心，就在荆楚。北来的姬、姜等姓和殷人的遗民是汉语族的先民，东部的扬越属于壮侗语族的先民，南方的楚蛮多数应是苗瑶语族的先民，西部的巴人属于藏缅语族的先民。正是在这壮丽的民族景观中，蕴含着蓋然勃兴的历史机缘。

荆楚独特的自然环境和民族氛围，既有利于接纳来自四面八方的文化信息，又能保持强大的定力，外求诸人以博采众长，内求诸己而独创一格，从而在某种程度上形成了大同小异的风气，其主体居民沉浮与共、休戚攸关，桀骜多于驯顺，狂放多于拘谨，独创多于固守，喜游心于天人之际，驰骋于艺文之间，不乏苦志慧心和奇思丽想。

二、荆楚文化的演进轨迹

居东南西北之中，当四通八达之会，荆楚历史波谲云诡，荆楚文化异彩纷呈，令人兴“大江东去，浪淘尽，千古风流人物”之叹。

属于“人猿相揖别”的旧石器时代遗址，在今湖北郧阳、郧西、丹江口、长阳、五峰、宜都、枝江、建始、大冶等县市区及荆州、神农架、襄阳、咸宁、武汉等地共发现200多处，涵盖了旧石器早、中、晚三个不同的发展阶段，其中最有代表性的是建始直立人和江陵鸡公山遗址。建始直立人距今215万年至195万年，早于元谋人、蓝田人、北京人，填补了中国人类发展史上从猿到人进化史中“直立人”这一关键环节的空白，对于探索人类的起源与演化具有重要价值。江陵鸡公山遗址下层的上限为距今5万年，其上层的下限为距今1万年。先前所发现的旧石器文化遗址大多在洞穴内，江陵鸡公山旧石器文化遗址却处于弥迤平原和汪茫水乡中。我们可以确信，江陵鸡公山旧石器文化的主人，只要没有因遭遇特别严重的天灾人祸而灭绝，应该属于后世荆楚人的远祖之列。

在“只几个石头磨过”的新石器时代，荆楚地区的文化遗址近3000处，更重要的是文化谱系相对完整：年代最早的是距今8000年的城背溪文化，继之大溪文化兴起，其后是屈家岭文化和石家河文化相继勃兴。屈家岭遗址是我国长江中游地区发现最早、最具代表性的大型新石器时代聚落遗址，也是长江中游地区第一个以遗址发现地命名的新石器文化。比屈家岭稍晚的石家河文化，不仅出现了初具规模的城址，而且发现了冶金的遗迹，代表了长江中游地区史前文化的最高水平，成为探索中华文明起源的一个重要标本。据《战国策·魏策》记载：“三苗之居，左彭蠡之波，右洞庭之水，文山在其南，而衡山在其北。”尽管关于文山和衡山的地望古今学者多所稽考而莫衷一是，但对于荆楚地区曾为三苗部落的腹地，则是学术界比较一致的见解。因此，荆楚地区先后诞生的大溪文化、屈家岭文化和石家河文化，庶几可以视作三苗部落的文化遗迹。

夏禹执政前后，一度效法尧舜对三苗实行的怀柔政策，却未能产生预期效果，三苗仍不愿服从夏王朝的统治，一场征伐三苗的战争不可避免，而双方实力的悬殊早已注定了三苗失败的结局。禹在征服三苗后，同样采取了尧舜流徙三苗之君的方式，迁徙三苗上层统治集团于西北边陲的“三危”，历经变服从俗，很可能成为后世羌族的祖先。对于三苗故地的遗部，禹则委派夏族人前往统治，意在对其实行严密的监控，达到巩固夏王朝统治地位的目的。涉及夏代荆楚地区经济社会状况的文献寥若晨星，仅有《尚书》《墨子》《世本》《帝王世纪》的相关零星记载，使我们依稀获得以上并非完整的信息。

殷商之世，以荆楚为中心的长江中游一带被殷人称作“南土”或“南乡”，前者见之于《左传·昭公九年》，后者见之于《诗·商颂·殷武》。从商汤起，经太甲到太戊的三代六王，是商王朝的巩固时期，统治者致力于内政，对方国部落则以羁縻为主，局势相对平静，荆楚地区也未见重大战争发生。从商王中丁开始，内患频生，中丁被迫迁都于隞。可能是荆人趁商都新迁而发难，也可能是中丁出于长治久安的考虑，总之在中丁都隞不久，荆楚东部的今武汉北部黄陂出现了商朝移民，继而建立了长江流域已知最早也是最大的早商城邑——盘龙城。盘龙城的建立，促进了中原商文化与荆楚文化的交流与融合，考古发现的江陵荆南寺遗址和沙市周梁玉桥遗址的商代文化层，就是以土著文化为主体并吸收中原商文化及其周边地区同时期文化因素而形成。尽管后来商王武丁曾大举征伐荆楚，商王朝与荆楚地区的文化交流则未曾中断，早熟的中原青铜文化南下，激活了荆楚固有的文化因子，促进了荆楚地区铜的采冶和铸造，以及城邑设置和农业区域经济中心的萌芽。

跌宕起伏的周代，从周初楚人嫡祖季连后裔鬻熊因辅佐周文王有功被徙“居丹阳”，至公元前278年秦将白起拔郢止，今荆楚地区一直是楚国的腹地。虽说春秋早期以前荆楚地区也曾诸国林立，其中不乏殷商遗民建立的权国和周王的同姓姬姓随国（曾国）这类颇有影响的封国，以及罗、卢、鄢、邓、谷、庸、麇（微）、鄂、唐、厉、绞等国，但权国春秋早期已被楚灭国改设为县，随国约春秋中期已成为楚国的附庸，其他国家要么亡于楚国，要么望风归附。从某种程度上说，周代荆楚地区的文化即楚文化。楚人在八百年的漫长岁月中，创造了震古烁今的文化，不啻与中原文化并肩而立，甚至与西方的古希腊文化难分轩轾。东西方文化各自从不同的方向出发，分别登上了人类文明轴心时代的巅峰，楚文化对中华文明乃至世界文明的贡献，足以令世人称奇。如果将中华文明比作浩瀚无垠的宇宙，那么，作为荆楚文化源头和主干的楚文化，就是宇宙中一条璀璨夺目的星河，澎湃于其中的“筚路蓝缕”的进取精神、“大象无形”的开放气度、“一鸣惊人”的创新意识、“上善若水”的和谐理念、“九死未悔”的爱国情怀和“一诺千金”的诚信品格，以其巨大的能量，穿越时空，生生不已！

“秦王扫六合，虎视何雄哉！”在秦王朝的统治下，荆楚文化惨遭洗劫，创巨痛深。先前济济多士，此时流失殆尽，自由活泼的文化气氛，被秦朝的坚甲利兵和严刑峻法扫荡一空。幸有云梦睡虎地秦简出土，才使人们得以了解秦代荆楚文化的些许信息。这批秦简包括《语书》《为吏之道》《秦律十八种》《效律》《秦律杂抄》《法律答问》《封诊式》《日书》《编年记》，尽管内容涉及秦朝政治、经济、法律、文化诸方面，仍然留下了荆楚文化的烙印。其中《为吏之道》作为一部官吏指南，吸收了源于荆楚的道家思想，如“强良不得”，与马王堆帛书《老子》甲本“强良者不得其死”如出一辙。从艺术风格来看，《为吏之道》与荀子“成相辞”毫无二致，而荀子曾任楚兰陵县令，其著作当受楚文化浸润，从《荀子·成相》到《为吏之道》，似可寻绎楚地民歌的传承脉络。通过秦简《编年记》，我们得以掌握秦始皇南巡经过故楚地安陆的确切时间和路线。秦简《日书》中的“秦楚月名对照表”，表明秦代荆楚地区因国家强制官方不得不使用秦历，但民间仍习惯沿用楚国旧历。从秦简展示的秦代隶书原貌观察，其“蚕头燕尾”“一波三折”的特征，显然受到战国中期荆门包山楚简书法艺术的渗透。

文化多承楚制的汉代，伴随着经济社会的恢复发展，荆楚文化也逐渐复苏，在思想与学术、文学与艺术、科技与教育等领域都获得长足的进步。西汉时荆楚地区的经学如“离离原上草”，虽荣枯无常，却绵延不绝，至东汉时马融任南郡太守，荆州的经学已蔚然成风。东汉末年刘表任荆州刺史期间，养士抚民，推崇学术，遍注群经，广求遗书，荆州成为全国最大的学术中心，官府藏书甲于天下。汉代是“铺采摛文”的文学体裁——赋的鼎盛时期，荆楚虽少见汉赋名家，但汉赋的名篇佳作无不同荆楚有千丝万缕的联系。它们或搁笔于荆楚，或从内容和形式上“拓宇于楚辞”，或直接以描绘荆楚山川之美和人文之胜为题材，比即《文心雕龙·辨骚》所谓“枚、贾追风以入丽，马、扬沿波而得奇”。汉代乐舞广纳博采，荆楚地区独领风骚，崔骃《七依》描绘的“振飞縠以舞长袖，袅细腰以务抑扬”，分明是楚舞“长袖细腰”的再现。当阳汉墓的画像石和老河口汉墓的画像砖，其雕刻技艺相较于南阳画像石毫不逊色。在当阳、襄阳、云梦等地东汉墓中发现的陶楼，展示了汉代官僚豪族风格各异的庭院式建筑。汉代荆楚学校教育“庠序盈门”，科技尤其是数学和医学成果丰硕，江陵张家山汉墓出土竹简《算数书》是比《九章算术》更早的数学专著，而《脉书》和《引书》则堪称汉代荆楚医学的上乘之作。

魏晋南北朝是中国历史上一个战乱频仍、朝代迭更的特殊历史时期，荆楚地区先后处于孙吴、东晋和南朝宋、齐、梁、陈的统治之下，其文化冲突中有交融，碰撞中有演进。东汉末年至三国时期最著名的三大战役，就有两大战役即赤壁之战和夷陵之战都发生于荆楚；西晋灭吴的战略谋划，也是在荆州襄阳形成。真可谓“一部三国史，半部荆州书”。释道安襄阳弘法、习凿齿撰《汉晋春秋》和盛弘之《荆州记》的编撰，象征着荆楚学术于乱世中别开生面。与之相映生辉，“清新庾开府”“俊逸鲍参军”均为荆楚文学奉献出扛鼎之作，前者《哀江南赋》把骈赋创作推向了巅峰，后者《登黄鹤矶》开创了山水诗派峻厉奇矫的新风。被称为“清商曲辞”的西曲歌《石城乐》《襄阳乐》《江陵乐》，成为乐府诗中最能撞击人们心扉的歌曲。艺苑的盛事，不啻是儿童及女子歌舞“襄阳白铜鞮”舞动京华，更有宗炳的画论独步一时。南朝荆楚画家宗炳是著名的山水画家兼理论家，不仅创立了“应会感神，神超理得”的绘画美学理论，而且在技艺上提出了“竖划三寸”“横墨数尺”的山水画透视学原理。至于庾亮在武昌建立学舍和设置学官，无疑是东晋时期荆楚教育的一抹亮色。

隋唐是我国文化发展的黄金岁月，统一且相对稳定的政治格局，使社会经济得到了空前发展，政治中心的东移与经济中心的南移相互交织，共同演奏出波澜壮阔的盛世华章，混同南北的隋唐文化因之具有朝气蓬勃、兼容并收的恢宏气象。凭借独特的区位优势，荆楚大地成为南北、东西文化碰撞与融合的重要平台。在道教被视为国教的唐代，江陵已成为南北道教文化交流的中心。隋代智颛于当阳创建玉泉寺，其佛学理论也成熟于斯；分别以慧能和神秀为代表的禅学南北两宗，分流于荆楚蕲黄的东山，是隋唐时期荆楚文化的突出成就。在哲学和美学上，禅宗虽说未必超越道家，但常有突兀冷峻的奇想妙得，甚至使儒家瞠乎其后。如果说，段成式《酉阳杂俎》、余知古《渚宫旧事》、皮日休《皮子文薮》和孙光宪《北梦琐言》代表着荆楚博大精深的学术，那么“冲淡之中有壮逸之气”的孟浩然、“语奇体峻”的岑参、“不雕自饰”的张继和“酒隐安陆，蹉跎十年”的李白等人的诗篇，则交织出荆楚文学的万丈锦绣。唐代民间歌舞盛行，荆楚百姓在努力创造物质财富的同时，也尽情享受着“竹枝歌”、“郢中田歌”和“起舞激楚”的“采莲”舞带来的精神愉悦。“书中仙手”李邕和“落笔洒篆文，崩云使人惊”的李阳冰，则分别以其行书、篆书神品，成为书坛“示来者以轨则”的树立法度之人。荆楚唐代官学可考的有荆州州县学和襄阳州学，培养出的进士刘洎、岑文本、张柬之均官至相位。唐代竟陵陆羽撰写的世界第一部茶学专著《茶经》，不仅使饮茶成为朝野风尚，而且使得东西方“俱受其惠”。

宋元时期中国由南北分裂至天下一统，荆楚地区社会经济一直在曲折中前行。与之相应，学术包容、文学开新、书艺立宗、教育振兴、科技精进，无不浸染时代气息。经学上“学《易》醇深”的朱震、补程颐之缺失的项安世、传理学于北方的“隐君”赵复和“江汉同调”的砚弥坚等，营造了荆楚思想学术界云蒸霞蔚的景象。文学上张景力主文学革新、安陆“二宋”（宋庠、宋祁）为文“无一点尘气”，尤其是苏轼谪居黄州“驰骋翰墨，其文一变”，荆楚文坛新风劲吹；“江西诗派”中坚潘大临、北宋词人魏玩和僧仲殊以及南宋词人王质、杨冠卿等，在宋代词苑各擅风流；“填词不减宋人之工”的滕斌，使“渐于衰”的元词为之一振。艺术上，武昌湖泗窑把白瓷和青瓷分别向南北推移，在中国陶瓷发展史上的地位尤为重要。米芾书法如“天马脱衔，追风逐电”，米氏父子绘画“不取工细，善用水墨”，创造了被世人称之为“米氏云山”的独特表现手法。宋代荆楚官学的稳定发展和书院功能的演变，构成了荆楚教育的双璧。科技上庞安时“尤精于伤寒，妙得长沙（即张仲景）遗旨”，其《伤寒总病论》补张仲景《伤寒杂病论》之缺失。英山毕昇发明的活字印刷术，标志着印刷史上一项重大变革的完成，对中国乃至世界文化的影响既深且巨。

明清两朝，看上去似乎政治中心再度向北转移，经济中心继续向东倾斜，但荆楚地区毕竟处于绾毂中华的地位，仍不乏荦荦可观者。以学术观之，则有“嘉鱼二李”（李承芳、李承箕）和“黄安（或天台）三耿”（耿定向、耿定理、耿定力）傲然而立；特立独行的“异端”思想家李贽，在大别山麓的黄安、麻城写下了惊世骇俗的《藏书》。经学名宿则有“穷经巨擘”郝敬、“不为泛滥卮言”的陈士元和首倡“学统”的熊赐履，以及“根柢于诸经”的胡承诺。刘子壮的经世实学、熊伯龙的无神论和程大中、秦笃辉的“汉宋兼治”皆名重一时。史学方面也有章学诚的方志学和杨守敬的历史地理学风靡史林。以文学而论，不仅有“独抒性灵、不拘格套”的“公安派”和力倡“尖新幽冷”的“竟陵派”，而且有“触物感兴，陶写自如”的明初诗人魏观、王廷陈、吴国伦等人掀起的文学复古思潮。清代词曲盛行，荆楚虽未见自成一统的流派，但仍有杜濬、顾景星、徐石麟等感时伤怀的词人。就艺术而言，以画家吴伟为领袖的“江夏画派”名动天下，张裕钊和杨守敬的书法饮誉东瀛，而最突出者莫过于汉调同徽班进京促成了京剧的诞生。在教育领域，传统官学教育和私学教育两个体系已臻定型，义学的推行和宗学的发端也并行不悖。科技领域最突出的成就在医药学，李时珍呕心沥血撰成的《本草纲目》，无疑是荆楚对中国乃至世界医药学的杰出贡献。

近代伊始，长江中游地区经历了惨烈的战祸，南皮之学乘势而起。导致清朝覆灭的辛亥首义，爆发于湖北武昌。五四运动前后，荆楚大地成为新旧文化博弈的主要战场之一，恽代英创办的利群书社、董必武创立的武汉中学、中华大学主办的《光华学报》、华中大学开设的时政讲堂，已然成为传播新文化的重要阵地。此后南军北伐，先取长江中游，继取长江下游，荆楚始终得风气之先。以“朴诚勇毅”著称的荆楚子民，始终冲锋在新民主主义革命前沿：江岸铁路的风雷、汀泗桥头的硝烟、农讲所里的火种、“八七”会议的宣言，无一不是惊天动地的壮举；在红安七里坪、洪湖瞿家湾、阳新龙港、大悟宣化店……无不展现出荆楚儿女气壮山河的风范。抗日战争爆发，武汉一度成为全国的文化中心；解放战争的帷幕，在大别山南麓的鄂北拉开。无数事实证明，近代以来中国几乎所有重大变革的起点都在荆楚。一个有辉煌历史传统的省份，一个有深厚文化蓄积的地域，在革故鼎新之际，必有出类拔萃的思想学术和文学艺术。清代末年和民国期间的荆楚，就处在这么一个龙从云、虎从风的历史转折阶段，其文化呈两极发育的趋向：一极是政治与哲学思想的际会风云，其代表是张之洞的《劝学篇》和熊十力的《新唯识论》；一极是文学与艺术的异峰突起，其代表是闻一多的《红烛》和曹禺的《雷雨》。二者都是一流的水准，分别伫立于所处时代的高峰。近代荆楚的教育、科技，也在战火纷飞中勉力赓续，甚至出现了一些意想不到的成果。

自中华人民共和国成立至 2018 年，荆楚文化焕发出新的生命活力。坚持科学理论导航，以马克思主义为指导的哲学社会科学竞辉齐光：李达的马克思主义哲学研究、周鲠生和韩德培的国际法研究、黄焯的语言文字研究、唐长孺的中国历史研究、吴于廑的世界历史研究、张舜徽的中国历史文献研究和皮高品的图书馆学研究，以及《汉语大字典》的编纂、两届“荆楚社科名家”的学术成果，无不是站立在所在学科的前沿。紧扣时代脉搏，社会主义文艺园地鲜花怒放：依文学创作而论，小说有姚雪垠的《李自成》、报告文学有徐迟的《哥德巴赫猜想》、散文有碧野的《情满青山》、诗歌有曾卓的《悬崖边的树》，还有数位茅盾文学奖和鲁迅文学奖得主的作品，充分展示了文学鄂军的雄厚实力；就艺术创作而言，以高百岁为开山的京剧、以陈伯华为领军的汉剧、以沈云陔为旗手的楚剧、以王玉珍等主演的《洪湖赤卫队》为标志的歌剧和以夏雨田为代表的曲艺，以及以“杂技皇后”夏菊花为灵魂人物的汉派杂技和以中国画变革“三面旗帜”之一的周韶华为表率的荆楚绘画等，赢得了荆楚艺苑的满园春色。进入 21 世纪，荆楚文化在全国的影响力与日俱增：第八届中国艺术节、第六届中国京剧节、第二届中国歌剧节和第八届中国舞蹈大赛等大型文化活动相继在湖北举办，荆楚已然成为神州大地的一方文化高地。发挥资源优势，深入挖掘和大力整合荆楚文化资源，加强荆楚文化的保护与传承，《荆楚文库》这一迄今湖北规模最大的文献整理研究出版工程正顺利实施。与此同时，荆楚文化“走出去”的步伐铿锵有力，足迹遍及全球。立足创新驱动，致力于荆楚优秀传统文化的创造性转化和创新性发展，推动文化事业和文化产业快速前行，为实现全省经济社会发展提供思想保障、智力支持和道德滋养，让生生不息的荆楚优秀传统文化的文脉延续到文化创造中、血脉激活在生命智慧里、根脉滋长于社会生活间，为更加坚定文化自信、不断铸就中华文化新辉煌做出荆楚新贡献。

三、荆楚文化的主要特征

探讨荆楚文化的主要特征，离不开对楚文化特质的把握。由张正明先生率先提出并经众多学者不断完善的楚文化的“六大支柱”和“五种精神”，堪称楚文化特质的精练概括，前者即炉火纯青的青铜冶铸、绚丽精美的丝织刺绣、巧夺天工的木竹漆器、义理精深的老庄哲学、惊采绝艳的屈骚文学、恢诡谲怪的美术乐舞，后者即筚路蓝缕的艰苦创业精神、追新逐奇的开拓进取精神、兼收并蓄的开放融会精神、崇武卫疆的强军爱国精神、重诺贵和的诚信和谐精神。正是这“六大支柱”和“五种精神”，对荆楚文化特征的形成产生了重大而深远的影响。

在楚文化的根基上发展而来的荆楚文化，其鲜明特征最突出者有如下数端。

一是尊天重人。“天即自然”，尊天，即尊崇和顺应自然，这是源于楚地的道家思想的精髓，老子就力主“道法自然”，其名言就是“人法地，地法天，天法道，道法自然”。庄子也强调“毋以人灭天”，追求一种“天地与我并生，万物与我为一”的境界。荆门郭店出土楚简中有一部道家佚籍《太一生水》，比今本《老子》更为系统地表达了道家的宇宙生成论和生态文明观，主张“圣人无为，故无败……是以成辅万物之自然而弗敢为”，极力强调尊崇和顺应自然。重人，即尊重人的天性和重视民生。早期生息于湖北随州一带的炎帝神农为改善民生“播种五谷”“身亲耕，妻亲织”，为解除民疫“遍尝百草”“一日遇七十余毒”。早在春秋初期，随国大夫季梁就提出“民为神主”的观点：“夫民，神之主也。是以圣王先成民，而后致力于神”，“所谓道，忠于民而信于神也”。季梁的这一观点，比孟子的“民贵君轻”早300多年，虽誉之以石破天惊亦不为过。

二是尚和贵诚。《老子》极力推崇的“上善若水”的理念，既是老子万物“冲气以为和”的智慧结晶，又是荆楚文化崇尚和谐的绝妙象征。尚和的终极目标，在于实现社会和谐与人类和平。楚相孙叔敖断然中止造成市场混乱的“以小改大”的钱币的流行、撤销劳民伤财的“升高车厢”的政令，堪称力促社会和谐、维护国家稳定的明智之举。如果说，楚庄王大力倡导的“止戈为武”“禁暴戢兵”，代表了古代战争与和平关系的最先进的思想观念，那么，楚共王秊行的“抚有蛮夷，以属诸夏”，则是这种思想观念的有效践行，而为汉匈睦邻“和亲”异域的王昭君，更是致力于民族团结和人类和平的光辉典范。贵诚，以诚信为安身立命之本，这也是荆楚文化的一个优良传统。伯牙、子期“高山流水”的琴台知音典故，将人世间的诚信演绎到极致；在楚国边境昭关偷渡伍子胥的渔夫为解除其疑虑而投身江流，用血肉之躯见证了诚信至高无上的价值；楚人后裔季布“一诺千金”的故事，已成为中华民族诚信品格的经典表达；“中国考古学之父”李济对前辈学者学术观点的大胆质疑，充分显示出荆楚学人诚信处世、严谨治学的精神风范。

三是狂放达观。荆楚雄奇的高山峡谷、浩渺的江水湖光是狂放达观特征产生的地理因素，而崇尚个性的价值取向和狂野梦幻的原始巫风则是狂放达观的人文因素。如果说，狂放在楚狂接舆和伟大爱国主义诗人屈原以及闻一多身上体现得淋漓尽致，那么，达观则通过庄子“鼓盆而歌”和六祖慧能的偈语“本来无一物，何处惹尘埃”已见端倪。无论是释道安和习凿齿的襄阳晤对“弥天释道安”和“四海习凿齿”，还是以“醉吟先生”自号的皮日休的诗歌和呈“风樯阵马”之势的米芾的书法，乃至历代流寓荆楚的文坛巨擘笔下的诗词如以“我本楚狂人”自诩的李白的《七绝·黄鹤楼送孟浩然之广陵》、“老夫聊发少年狂”的苏轼的《念奴娇·赤壁怀古》，无不展露出狂放的天性和达观的襟怀。自许“楚人”的张之洞为奥略楼所题楹联“昔贤整顿乾坤，缔造多从江汉起；今日交通文轨，登临不觉亚欧遥”，则于欣慰中透出自信，达观中尽显超迈。

四是兼容并蓄。荆楚居神州之中，可谓“九省通衢”，人口交流的频率和规模远在其他地区之上，从而表现出多元混融的价值取向。夏商之际楚国的公族从中原南下“南土”，与江汉地区土著先民三苗遗裔融合，形成了具有独创精神的楚人。魏晋南北朝时期，大量北方移民夹杂着西域胡人以侨州郡县的形式居于荆襄之地，催生出胡音汉韵的西曲歌。元末明初和明末清初的先后两次“江西填湖广”和“湖广填四川”

大移民，更是激发了荆楚文化的活力，汉口镇因之从“天下四聚”之一一跃成为“驾乎津门，直逼沪上”的长江中上游地区最大都市。正是由于荆楚文化具有兼收并蓄的特质，所以，在晚清以来中西文化的激烈碰撞中，荆楚文化对西方文化显示出较强的兼容性，从而在中国近代文化转型中勇立潮头。

五是守正图新。守正指不忘初心、坚守信念、秉持正义、追求真理。秦将白起拔郢之时，屈原毅然纵身汨罗，以生命诠释其爱国恤民的赤胆忠心。楚国将亡之际，楚人南公发出惊天誓言：“楚虽三户，亡秦必楚。”言犹在耳，楚人陈胜、吴广揭竿而起，刘邦、项羽奋力亡秦。荆楚文化中这种坚守信念、不忘初心的基因，个性鲜明，薪尽火传。辛亥革命爆发前一周年，楚人后裔冯特民在《汉声》杂志上发出振聋发聩的呐喊：“我坚信，推翻封建帝制，只有推翻秦朝的楚人来完成！”一年后的辛亥武昌首义，验证了这位先哲的预言，这并非偶然的巧合，而是历史的必然。图新，指善开风气、敢为人先、开拓创新、追求卓越。荆楚文化凭借其区位优势和创新主体所特有的精神，在不同历史阶段的不同领域都不乏创新之举。春秋初年楚武王首创县制，是制度层面的重大创举；春秋五霸之一楚庄王“始为军政”，是军事体制的重大革新；禅学南北两宗在荆楚黄梅东山形成并分流，是学术文化领域的重大创造；被达尔文誉为“东方医药巨典”的《本草纲目》，属于科技文化领域内的重大创获；晚清张之洞督鄂期间大力实施的“办实业、兴教育、练新军、修铁路、通商贸”的“湖北新政”，更是一种全方位的创新。

四、荆楚文化在中华文明发展史上的地位与影响

习近平总书记2018年4月27日参观湖北省博物馆精品文物展时指出，“荆楚文化是悠久的中华文明的重要组成部分，在中华文明发展史上地位举足轻重”。这是对荆楚文化的精辟阐释和高度评价，是我们继承和弘扬荆楚优秀文化乃至中华优秀传统文化，促进其创造性转化和创

新性发展的自信之基、立足之本和动力之源。

荆楚文化在中华文明史上的地位与影响，在政治与伦理、思想与学术、文学与艺术、科学与技术等诸多领域都有突出表现。

首先看政治与伦理。

屈原风骨对中华民族精神锻造所起的巨大而深远的作用，是荆楚文化对中华文明最显著的贡献。楚国伟大的政治家、思想家、文学家屈原，堪称跨越时空而体现中华民族精神的光辉典范。他“志洁行廉”的政治品格、“九死未悔”的爱国精神、“上下求索”的创新意识、“哀民多艰”的民生情怀，在不同的时代、不同的社会、不同的国度，都具有异乎寻常的感染力和影响力。正是因为如此，1953年世界和平理事会所倡议纪念的“世界四大文化名人”中，屈原赫然在列，是中国也是亚洲唯一的入选者，这是中华民族的荣光，也是荆楚儿女的骄傲！

楚国首创县制对中国行政建制设置的发凡起例作用，是荆楚文化对中华文明的重要赋能。春秋早期，楚武王熊通在灭掉位于江汉平原西部的权国后，在其基础上设立了权县，这是中国历史上第一次将县作为一级行政单位设置。自秦王朝统一以来，作为地方行政机构的州、郡、府、县等时有变易，唯有县一直保存至今（州之名虽存，但其政区意义已变，即仅用作少数民族地级行政区名称），成为中国行政建制中一个最关键的环节和最具标志性意义的文化符号，而其发明者正是极具开创精神的楚人。

“湖北新政”对中国近代社会转型的促进，是荆楚文化对中华文明的重大影响。在晚清“新政”中，湖广总督张之洞的“湖北新政”独树一帜，其内容主要有办实业、兴教育、练新军、修铁路，无一不是开中国近代社会转型风气之先，真可谓“缔造多从江汉起”。尤其是他组建的汉冶萍公司，是当时亚洲第一家大型钢铁联合企业，曾经得到毛泽东主席的高度评价：提起中国民族工业、重工业，不能忘记张之洞。“湖北新政”对中国近代社会转型影响之大由此不难想见。

被誉为“此复神州第一功”的辛亥武昌首义对中国制度变革的推

动，是荆楚文化对中华文明做出的一个十分突出的成就。辛亥革命推翻了中国两千多年的君主专制制度，以巨大的震撼力和深刻的影响力推动了近代中国社会变革。首义后颁布的第一个近代宪法性质的文件《鄂州约法》，在我国法制史上第一次公开承认人民民主权利，开启了民主共和建设的大门。这一破一立所体现的中国政体变革，对中国政治的影响十分深远，是中华民族伟大复兴征程中一座巍然屹立的丰碑。

荆楚文化对中华伦理的浸润，从荆楚"五孝"已足可寻绎。孝老爱亲是中华民族的传统美德，由此形成的孝亲文化是中华传统文化的重要组成部分。在我国广为流传的"二十四孝"中，就有"五孝"同荆楚密切相关，即老莱子"彩衣娱亲"、丁兰"刻木事亲"、董永"卖身葬父"、黄香"温衾凉席"和孟宗"哭竹生笋"。故老相传，老莱子是春秋晚期今湖北荆门人，丁兰是汉代今湖北南漳人，董永虽为汉代今山东人，但其卖身葬父则事发今湖北孝感。据文献记载，黄香是东汉时期今湖北云梦人，孟宗是三国时期今湖北孝昌人。毫无疑问，荆楚是中华孝文化典型最集中、底蕴最深厚、影响最深远的地区之一。

其次看思想与学术。

季梁"民为神主"学说和楚庄王"止戈为武"的理念，分别代表着荆楚文化在中国古代民本意识和人类和平思想形成过程中无可替代的地位。

季梁是春秋早期位于今湖北随州一带的随国的一位思想家、政治家和军事家。据《左传·桓公六年》所记，季梁的学说以"民为神主"为中心："夫民，神之主也……故务其三时，修其五教，亲其九族，以致其禋祀，于是乎民和而神降之福，故动则有成。""上思利民，忠也；祝史正辞，信也。"根据此前的认知，是神为民之主，民须忠于君而信于神。而按照季梁的理论，则是民为神之主，君须忠于民而信于神。这种意识出现在春秋早期，可谓空谷足音！战国中期孟子著名的"民贵君轻"的理论，很可能受到了季梁的启发。

如果说"民为神主"是民本意识的先声，那么，楚人"止戈为武"

的理念，则是人类和平思想的前导。“止戈为武”，是春秋五霸之一楚庄王的名言。“止”，即停止；“戈”，即干戈，指兵器，象征战争。“止戈为武”的字面意思是说“武”这个字由“止”和“戈”两个字构成，实际上是指使用武力的目的是停止战争，换言之，战争的目的不是挑起更大的战争，而是为了实现和平。楚庄王对战争与和平关系的认识，堪称人类和平思想的经典表达，不仅代表了中国古代战争与和平观念的最高认知水准，即使在当下乃至未来，仍然具有十分重要的世界性的理论意义和实践价值。

荆楚文化对中华学术的贡献，突出体现在茶文化和佛道文化两个方面。

虽说神农氏已发明茶饮，但将饮茶上升到学术层面则始于唐代竟陵人陆羽。陆羽醉心茶事，遍访神州，写下了世界上第一部茶学专著——《茶经》。其内容从茶的起源到种茶、制茶、烹茶之法，从饮茶器具到名茶产地和品茗之道，条分缕析，广博精深，标志着中华茶文化的形成，陆羽也因之被世人称为“茶圣”。《茶经》还被译成英、法、俄、日等多种文字出版，打开了中华茶文化海外传播的门户。19 世纪前后，以蒲圻（今赤壁）羊楼洞砖茶为标志的湖北茶叶开始输往俄、英等国，中外“茶叶之路”正式开通，全国最大的茶叶贸易市场汉口也被称为“东方茶港”。

禅宗唐代初期正式形成于今湖北黄梅东山，因而又称“东山法门”。其始于四祖道信，兴于五祖弘忍，成于六祖慧能。唐玄宗时，慧能的弟子神会入洛阳大行禅法，禅宗因而成为中国佛教最大的宗派，以至有“天下禅林，皆出东山法门”之说，其影响及于宋明理学。武当山位于今湖北十堰市，自唐太宗李世民敕建五龙祠始，历代帝王极力推崇武当真武神。明成祖朱棣更是奉真武为护国之神，依“皇室家庙”的规格和法式广建宫观，武当山由此以“治世玄岳”的崇高地位成为全国道教中心。

再次看文学与艺术。

楚辞和“优孟衣冠”“汉调进京”，分别代表着荆楚文化对中国文学和艺术巨大而深远的影响。

以屈原、宋玉为代表的楚国作家群体所创作的楚辞，既是同《诗经》并峙的中国文学的两大高峰之一，又是中国文学的两大源泉之一。相比于《诗经》，楚辞的节奏韵律更善于变化，状物写景更富于想象，表情达意更趋于委婉。历代第一流的人文学者，几乎没有不受楚辞浸润的，用刘勰《文心雕龙·辨骚》的话说，是“气往轹古，辞来切今，惊采绝艳，难与并能”，“其衣被词人，非一代也！”

春秋时期，楚国乐人优孟以善于模仿人物声形表演而闻名于世，“优孟衣冠”因之成为中国戏曲表演艺术的代名词。清代乾隆时期，荆楚“汉调”偕徽班进京，京城流传的京剧“班曰徽班，调曰汉调”，正是指的京剧唱腔主要承袭汉调皮黄腔即西皮、二黄而来。京剧界享有盛誉的“荆楚三杰”，即崇阳米应先、罗田余三胜和江夏谭鑫培，对京剧的成熟和发展做出了举世公认的成就。不仅如此，与京剧、越剧、评剧、豫剧并称为中国五大剧种的黄梅戏，也因清代中晚期发源于鄂皖赣交界处的黄梅多云山而得名。荆楚文化对中国戏曲艺术的贡献由此可见一斑。

最后看科学与技术。

荆楚文化对中华科学与技术的贡献，集中体现在农耕、青铜、活字印刷术和医药几个方面。

炎帝神农氏是与黄帝轩辕氏并称于世的两位中华民族人文始祖之一，是海内外中华儿女景仰的我国原始社会氏族部落的杰出首领。众多文献记载表明，湖北随州是炎帝神农部落的发祥地，该部落正是以随州为中心，沿汉水向长江流域和黄河流域南北拓展的。相传炎帝神农有八大功绩，其中最重要的是制造生产工具和种植五谷，不愧为中华农耕文明的开创者，为中华民族和中华文明的绵延壮大做出了卓越的贡献。

湖北大冶铜绿山古铜矿上起商末，下至汉初，是我国迄今发现的开采时间最长、矿石品位最高、采冶技术最先进、炼炉保存最完整、青铜产量最大的古铜矿遗址。青铜是上古时期的头等经济资源和战略资源，大冶铜绿山古铜矿的开发，对楚国的迅速崛起和保障周王朝以及中原地区的用铜需求，尤其是古代中国青铜文明的繁荣发展，乃至近代汉冶萍公司的组建等，都发挥了十分关键的作用，在中华青铜文明发展史上的地位至关重要。

宋代今湖北英山人毕昇发明的活字印刷术，标志着印刷史上重大变革的完成，极大地促进了文化传播的速度。这一重大技术还相继传到日本、朝鲜和欧洲各国，对世界印刷业发展和文化传播与交流都产生了难以估量的影响，马克思称其变成科学复兴的手段，变成精神发展创造的必要前提和最强大的推动力。

明代荆楚蕲州（今蕲春）人李时珍穷尽毕生心血撰写的《本草纲目》，在海内外影响巨大，被达尔文誉为“中国古代百科全书”和“东方医学巨典”。宋代荆楚蕲水（今浠水）人庞安时所著《伤寒总病论》、明代荆楚罗田人“医圣”万全所著《万密斋医学全书》、清代荆楚广济（今武穴）人杨济泰所著《医学述要》等，无一不是中国医药史上的杰作，对中国医药学的贡献令世人瞩目。

五、结语

从某种意义上说，荆楚地域是南方的“中原”，早在春秋战国时期，就有作为长江文明表率的楚文化横空出世，不仅与中原诸夏文化竞相媲美，而且与西方古希腊文化争奇斗艳。秦汉以后，这里仍有丰厚的文化积淀、宽松的文化环境和应时的文化机缘，因而得以成为道家的摇篮、禅宗的温床、南学的中心和新学的重镇，在科技领域和艺文园地也不乏奇思妙想和佳构鸿篇。

体大思精、源远流长的荆楚文化，生于钟灵毓秀之地，长于人文荟萃之乡，成于风云际会之域，沐风栉雨，傲雪凌霜，含英咀华，明丽天然。其和以直，旷以逸，文而质，博而精，浩瀚若海，厚重如山，大而弥新，久而弥坚，傲然卓立于中国地域文化之林，摇曳多姿，纷华照眼！

人以文化，文以人兴。荆楚的灵山秀水、世风民情和人文氛围，塑造了荆楚历史上奇特的人才景观，所谓“惟楚有材”，就是对荆楚人才盛况的艳羡！拭净岁月的铅华，打开绚丽多姿的中华文明长卷，荆楚大地风华绝代的英雄豪杰、贤哲逸士、墨客骚人接踵摩肩：中华民族人文始祖之一炎帝神农氏，伟大的爱国诗人屈原，汉赋鼻祖宋玉，音乐家钟仪、钟子期，和平使者王昭君，政治家熊绎、熊通、季梁、孙叔敖、刘秀、张居正、杨涟，军事家熊侣、孟珙、熊廷弼、徐海东、王树声，边塞诗人岑参、山水田园诗人孟浩然和忧国恤民诗人皮日休，茶圣陆羽，著名宗教人物道信、弘忍、神会和胡紫阳、张君房，书画双绝的米芾和“江夏画派”开山吴伟，活字印刷术发明者毕昇，医圣李时珍，文学家“安陆二宋”“公安三袁”“竟陵钟谭”，历史地理学家杨守敬、曹廷杰，民主斗士闻一多，哲学大师熊十力、汤用彤，经济学家王亚南，语言文字学家黄侃，散文家兼书法家张裕钊，作家废名、聂绀弩、张光年、欧阳山，文艺理论家胡风，剧作家曹禺，思想家鬻熊、环渊、鹖冠子、朱震、赵复、徐复观、殷海光，历史学家习凿齿、宗懔、段成式，方志学家王葆心，考古学家李济、黄文弼，天文学家甘德，数学家李潢，地质学家李四光，气象学家涂长望和无产阶级革命家陈潭秋、李汉俊、董必武、李先念……荆楚的山水因他们而增色，荆楚的文化因他们而生辉，荆楚的历史因他们而丰满！

九万里风鹏正举，三千年楚凤腾飞。试看今日之荆楚文化，正如庄子笔下的大鹏，乘天地之正，御六气之辩，“水击三千里，抟扶摇而上者九万里”，“绝云气，负青天”，雄姿英发，气冲河汉！

目　录

绪 论

研究中国文化，既要注意到其时代性，又要注意到其地域性，这样的认识对荆楚文化史的研究同样富有指导意义。湖北古称“荆楚”，本书作为荆楚文化史丛书的一卷，其研究任务从“时代性”上说，主要是揭示作为区域文化的“荆楚文化”在公元581年至1368年前后共计788年所历经的隋、唐、宋、元王朝时期的表现、发展及特征；从“地域性”上说，需要在隋、唐、宋、元时期的“荆楚”之下再作进一步地域分，以展现荆楚各地文化发展多姿多彩的地域差异，去追寻隋唐宋元时期荆楚文化那曾经辉煌的“江汉风流万古情”[①]。

一、时间与空间：荆楚文化勃发的时空背景

581年至1368年，中国历史历经隋、唐统一的王朝后陷入五代十国的分裂割据，到分为北宋和南宋两个阶段，再到由少数民族建立的大一统王朝元朝，前后共计788年。虽然荆楚文化在隋、唐、宋、元时期各有时代差异，但我们总体上将这一时期视作荆楚文化的勃发时期。

隋朝的国号源自随州和随国，反映了当时荆楚文化在全国影响力的提升。北周武帝保定二年（562年），杨坚担任随州刺史。天和三年（568年），其父杨忠去世，杨坚袭父爵为随国公。大象二年（580年），他又进爵为随王。次年，杨坚以“受禅”的名义代周称帝，即皇帝位于临光殿，定国号为大隋，改元开皇。之所以由“随”改“隋”，按照元代史学家胡三省的看法，“随”字的偏旁“辶”不吉利，有“奔走不安”

① （唐）杜甫：《江陵节度阳城郡王新楼成王请严侍御判官赋七字句同作》，见（清）彭定求等：《全唐诗》卷二三二，中华书局1960年版，第2561页。

之意，杨坚便命去掉“辵”旁而作“随”，企望大隋王朝国祚长久[①]。故有论者说，“在隋立国和完成统一大业的历史过程中，湖北处于特殊的地位，发挥过特殊的作用”[②]。隋朝虽是一个短暂的王朝，但在魏晋南北朝数百年分裂割据之后，隋朝“创造了一个中央集权帝国的结构，在长期政治分裂的各地区发展了共同的文化意识，这一切同样了不起。人们在研究其后的伟大的唐帝国的结构和生活的任何方面时，不能不在各个方面看到隋朝的成就，它的成就肯定是中国历史中最引人注目的成就之一”[③]。

凭借独特的区位优势，唐朝荆楚大地成为南北东西文化碰撞、交流和融合的大舞台，荆楚文化呈现勃发复兴之势。唐朝是后世史家和百姓心目中中国古代的黄金盛世：国家统一，疆域辽阔；经济繁荣，民族和睦；对外交流日益频繁，整个社会充满自信。同时，经济与文化重心的南移相互交织，共同演绎着波澜壮阔的历史华章。唐朝也是我国文化发展史上的重要时期，思想活跃，文化发达，兼容南北的唐朝文化，具有朝气蓬勃、海纳百川的宏伟气象。

承接盛唐气象，宋代文化精致繁荣，理学、文学、史学、艺术以及科学技术等领域硕果累累，成就最高。史学大师陈寅恪先生说：“华夏民族之文化，历数千载之演进，造极于赵宋之世。”[④]邓广铭先生则说：“宋代是我国封建社会发展的最高阶段，其物质文明与精神文明所达到的高度，在中国整个封建社会历史时期之内，可以说是空前绝后的。”[⑤]在此背景下，荆楚大地文化名人辈出，群星灿烂，在学术与思想、文学

---

① （北宋）司马光：《资治通鉴》卷一七五《陈纪九·宣帝太建十三年（581年）》胡三省注，中华书局1956年版，第5433页。

② 李文澜：《湖北通史·隋唐五代卷》，华中师范大学出版社2018年版，第25页。

③ （英）崔瑞德：《剑桥隋唐史》，中国社会科学出版社1990年版，第147页。

④ 陈寅恪：《邓广铭〈宋史职官志考证〉序》，《陈寅恪集·金明馆丛稿二编》，生活·读书·新知三联书店2001年版，第277页。

⑤ 邓广铭、漆侠：《宋史专题课》，北京大学出版社2008年版，第4页。

与艺术、科举与教育、生产与科技文化等方面都取得长足的进步。

元朝是我国历史上由少数民族建立的大一统王朝。元世祖忽必烈改革旧制，确立了以中原王朝传统制度为主干的中央集权体制，并使长期遭受战争破坏的社会经济逐步恢复。这个时期，中国幅员辽阔，各民族、各地区之间的交往更加频繁。但元朝统治者将各民族分为不同等级，推行民族歧视政策，阶级矛盾与民族矛盾不断积累，终于爆发了红巾军大起义，“湖北是元末农民大起义的重点活动区域，也是南方红巾军的指挥中心所在”①。在各地起义军的冲击下，元朝统治最终土崩瓦解。元朝时期，荆楚文化虽然缺少特别的创造，但却抓住勃发的尾声，多点多面、多元多彩，理学北传，元曲精妙，宗教文化和交通文化也都得到一定的发展，从而为中国古代社会后半期荆楚文化的昌盛奠定了坚实基础。

隋唐时期，今湖北省地域范围从未隶属于统一的行政区划，“隋代及唐前期湖北地区分属互相并立的十余州，唐后期分别由四个道（镇）（山南东道、荆南镇、鄂岳镇及黔中道）管辖”②。唐末五代，烽火连天，所谓“唐室既衰，五季迭兴，五十余年，更易八姓，寓县分裂，莫之能一”③，湖北也被分割得破碎不堪，五代各政权对湖北地区都有分割，自开平元年（907年）高季昌专擅荆南一方，到宋太祖乾德元年（963年）高继冲降宋，前后57年，高氏荆南经历了“从藩镇到割据小国、再至亡国的过程”④。

湖北之名，得名于宋代。北宋初，始以洞庭为界，分荆湖南、北路，其中荆湖北路简称湖北路，为湖北省省名之端绪。但宋初荆湖诸州的政区变动较为频繁，太宗太平兴国（976—983年）时，曾将荆湖分为南、北两路；太平兴国末，又以北路兼总南路，采取分中有合的方式。

---

① 雷家宏、王瑞明：《湖北通史·宋元卷》，华中师范大学出版社2018年版，第534页。

② 李文澜：《湖北通史·隋唐五代卷》，《前言》第1页。

③ （元）脱脱等：《宋史》卷五八《地理志一》，中华书局1985年版，第2093页。

④ 李文澜：《湖北通史·隋唐五代卷》，第448页。

据《元丰九域志》载，“荆湖路，咸平二年（999年）分南、北路”[①]，所以学界一般认为，“荆湖定制分为南、北两路，实在咸平二年”[②]。具体来说，“赵宋时的湖北，以荆湖北路、京西南路为主体。……地跨5路，计有3个府、12个州、4个军、3个监，是北宋时的腹心地带，吴蜀咽喉，川广贸迁之会”[③]。

元王朝是中国古代幅员最广、版图最大的朝代，为了有效统治广阔的地域，遂创设了行省制度，“湖北地区分属河南江北、湖广、四川等行省，而大部分在河南江北和湖广行省”[④]。其中，湖广行省的设置源于荆湖等路行中书省，是在平定南宋的过程中筹建和发展起来的[⑤]，荆湖行省是其最初的称呼，又有荆湖占城行省、鄂州行省及潭州行省等名称，至元十四年（1277年）以后才使用湖广行省的称谓，由于湖广行省位置冲要[⑥]，驻屯军队较他省多。

二、气候与土壤：荆楚文化勃发的自然条件

隋唐宋元时期，湖北气候温暖湿润，从而为荆楚文化的勃发提供了比较适宜的自然条件。

气候包括气温和干湿状况两大基本要素，著名科学家竺可桢在《中国近五千年来气候变迁的初步研究》一文中系统地总结了中国气候变迁的基本规律，表现在五千年来温度变化上，可以明显地总结出四个温暖期和四个寒冷期。[⑦]其中，第三个温暖期从600年到1000年，即隋唐时期；第三个寒冷期从1000年到1200年，即两宋时期；第四个温暖期从

① （宋）王存：《元丰九域志》卷六“荆湖路”，中华书局1984年版，第258页。

② 周振鹤主编，李昌宪著：《中国行政区划通史·宋西夏卷》，复旦大学出版社2017年版，第74页。

③ 雷家宏、王瑞明：《湖北通史·宋元卷》，第7页。

④ 雷家宏、王瑞明：《湖北通史·宋元卷》，第385页。

⑤ 李治安：《行省制度研究》，南开大学出版社2000年版，第239页。

⑥ 李治安：《行省制度研究》，第245—247页。

⑦ 竺可桢：《中国近五千年来气候变迁的初步研究》，《考古学报》1972年第1期。

1200年到1300年，即宋末元代温暖期；第四个寒冷期从1300年到1900年，即明清严寒期。由此可知，隋唐五代，中国处于温暖期，而两宋基本上处于寒冷期，唐宋之际经历了由暖转寒的气候变化。

中国古代农业经营与发展，在很大程度上依赖气候条件。作为植物的粮食和任何经济作物，都离不开日照和降水，因此，气候的好坏，对农业的发展有根本性的影响。在传统农业时代，气候条件决定着农业生产的水平，而粮食等资源的供给与社会需求之间的矛盾变化，即人地关系，是气候变化对王朝兴衰影响的实质体现。气候处于温暖湿润的适宜期，社会发展进入良性循环：粮食产量大幅增加，带动人口数量上升；土地、劳动力增加之后，又会继续扩大耕地面积，进一步推动粮食增产，王朝因此处于盛世。而当气候处于又冷又干的不适宜时期，社会则转向恶性循环：农业歉收，形成饥荒，流民遍地；阶级矛盾和民族矛盾尖锐，农民起义和民族战争频繁发生，王朝在多重矛盾与冲突之下，最终只能走向衰落。

湖北省地处亚热带季风气候区，降水充沛，江河纵横，湖泊遍布，渠道交错，库塘众多，拥有各种类型的内陆水域。历史时期湖北水灾频繁，旱灾也不时发生，但隋唐时期水旱灾害都相对稀少，发生频率低于前后各个时期。《湖北省志·地理（下）》对湖北省历史上的水灾进行了统计，从公元2世纪至18世纪的1700年间（缺6世纪数据），湖北总共发生可统计的水灾484次，平均3.5年发生一次水灾，而隋唐则是11.5年发生一次水灾，远远低于1700年间的平均数。从公元3世纪至18世纪的1600年间（缺6世纪数据），发生可统计的旱灾190次，平均7.3年发生一次旱灾，而隋唐时期是11年发生一次旱灾，也大大低于1600年间的平均数。[①] 可见，隋唐是湖北历史上水旱灾最少的时期之一。

① 湖北省地方志编撰委员会编：《湖北省志·地理（下）》，湖北人民出版社1987年版，第1185—1187、1203—1205页。

根据气候史学家的研究，唐五代温暖期农作物的生长期比当代长 10 天以上，两宋寒冷期作物的生长期则比当代短。气候变化的幅度会随纬度增高而增大，并且北方气候变迁幅度大于南方，因此两宋时气候转寒所导致的生长期缩短，南方没有北方严重。① 气候变化也影响了粮食作物的产量。在我国，气温每变化 1℃，产量的变化约为 10%。唐五代温暖期北方麦的单位面积产量比前代增长了 10.3%，宋金寒冷期则比前代减少了 8.3%。② 水稻是需要高温的作物，其产量受温度的影响尤为显著。低温不仅影响其发芽，同时也不利于结实，易增加空秕率。宋代南北方普遍变冷，但南方变幅小于北方，加上其他有利条件，因此粮食亩产量普遍高于北方。

气候变化还影响了粮食作物的分布。年平均气温每下降 1℃，我国粮食作物的分布区域就会向南移 1 到 2 个纬度，反之则向北移 1 到 2 个纬度。唐五代温暖期北方农业区向周边扩展，关中、河南、黄淮平原、华北平原等地都大面积种植水稻。两宋寒冷期水稻种植范围则明显缩小，除河北平原淀泊地带、黄淮平原淤灌区在一段时期内还能继续维持水稻种植，北方其他地区的水稻种植只能零星分布，面积大为缩减，这使得荆楚地区的农业相对于北方地区更占优势，自唐代以来水稻两季轮作以及稻麦复种的发展趋势并没有受到太大影响。

总之，在气温降低、雨量减少的双重作用下，北方粮食作物单位面积产量明显下降。荆楚地区气温变幅小，雨量仍然比较充足，加上其他有利条件，亩产量和总产量反而有所提高，这就为荆楚文化的发展提供了有利的天时。到了宋元时期，荆楚农业在整个中国农业版图中已经占据十分重要的地位了。农业的发展提供了丰富的农副产品，从而为文化繁荣、社会进步提供了扎实的物质基础。可以说，隋唐宋元时期荆楚文

---

① 龚高法、张丕远：《气候寒暖变化及其对农业生产的影响》，《纪念科学家竺可桢论文集》，科学普及出版社 1982 年版，第 195—212 页。

② 倪根金：《试论气候变迁对我国古代北方农业经济的影响》，《农业考古》1988 年第 1 期。

化的勃发，与比较适宜的气候是分不开的。

气候之外，要算地利，即适合水稻种植的土壤的形成。包括荆楚在内的长江中游地区在战国秦汉时期由于湖沼四布、榛莽丛生、土质紧密，其耕地被视为劣等。随着这一地区的开发，其土质逐渐优化，唐宋时期其土壤肥力已有较大提高。由于常年种植水稻，在水稻熟化的培育下，江汉平原地区逐渐形成广为分布的水稻土，原来的土壤特性受到不同程度的改变，形成水稻土所特有的形态、理化和生物特征，从而更加适合种植水稻。此外，先民们通过筑堤围田，建立起既能灌溉又能排涝的水网系统，为荆楚农业生产提供了旱涝保收的水利条件。这种耕田，就是圩田。圩田，又称围田、垸田，是在沿江、滨湖的低洼地区临水筑堤，堤内外开灌排沟渠的农田。湖沼淤泥有机质十分丰富，一旦解决了积涝问题，昔日涂泥之地立即就能变为膏腴的土地。土质优化以后，促进了粮食单产的提高。宋代江汉平原亩产可达谷 4 石或米 2 石，这个数量比汉朝增长一半以上，比唐朝的平均亩产也增长了十分之一以上。

宋元时期平均气温低于唐代，土质优化对粮食产量提高的促进作用更加突出。气候、水文、植被、土壤的变化除了各自对社会经济产生影响外，四者之间相互制约的关系所引起的自然环境的变化，也对社会经济产生影响。如伴随寒冷而来的干旱会使水资源减少，水资源减少又使天然植被受到损害，而植被的破坏既导致水土流失又使生态环境恶化。这种自然环境诸因素的连锁变化，对北方经济所产生的负面效应，是显而易见的。而当时长江中游地区气温降幅较小，雨量较充沛，使水资源保持相对稳定，天然植被因此未受大的损害，从而不会引起严重的水土流失和生态环境恶化。这种自然环境诸因素之间较为和谐的关系，对宋元时期荆楚农业经济所产生的良好影响，也是十分显著的。

三、交通与人口：荆楚文化勃发的长足动力

宋代著名学者杨时在给友人的信中写道：“夫荆湖，望高地重，譬之据九达之衢，舟车之会，四方百物，盖衔尾结辙而至，明玑翡翠，夜

光之璧，照乘之珍，为不乏矣。有人于此持千金之资，坐市区，售奇货，宜无不获也。”[①]这段话明确指出了湖北物资丰富，市场兴旺，商贸繁荣得益于其地理位置的优越，交通的便利。发达的交通，人口的增加，本地人才的涌现，外地人才的流入，成为荆楚文化勃发的长足动力。

湖北地处华中，是我国东南西北交通运输的交会点，周边与今河南、安徽、江西、湖南、重庆、陕西等省市相邻，是西北各省进入长江、通江达海的重要交通走廊。在秦汉魏晋南北朝时期，湖北社会经济总体上并不发达，交通因此大受影响，其作用主要体现在战争和政权更替方面，经济文化功能并不显著。唐宋时期，随着长江中游经济得到开发，江汉平原逐渐成为鱼米之乡和天下粮仓，湖北交通对于社会经济与文化交流的作用日益突出，长江和汉水逐渐成为黄金水道和交通大动脉，也是文化传播的大通道。元朝灭亡南宋统一中国的关键所在，是先得汉江，再控长江，方能有“天马浮江，兵强将锐，所征无敌”[②]之效。

荆楚地区河流密布，水系发达，水路交通便捷，唐代湖北水运成为南粮北调基地及贡品的漕运线，荆襄道和上津驿道曾为京师联络江南的唯一纽带。苏轼、陆游的诗作中，可见江陵、沙市从北宋到南宋一派船运、商贸的热闹景象。襄阳地处汉水中游，为汉水最大港口，港口经济腹地上至陕西汉中、商县，北达河南南阳，南通长江到荆州、汉口。隋唐开始，鄂州以及江夏（今武汉）水运交通堪比荆州，而唐设鄂岳镇，统辖江汉以东诸州，鄂岳从而成为唐朝一个重要的军事、经济区。

在陆路交通运输方面，隋唐宋元时期湖北地区形成以襄阳、荆州、鄂州（与水路一样，含江夏、夏口即今武汉在内）为枢纽的道路运输格

① 杨时：《谢程漕》，《龟山集》卷一八，影印文渊阁本《四库全书》第1125册，商务印书馆1986年版，第281—282页。

② （元）王宥：《归妇吟序》，缪荃孙编：《藕香零拾》所收《山房随笔补遗》，中华书局1999年版，第608页。

局，元代在湖北设置的四通八达的驿站体系就基于这个格局。汉至隋唐时期，从洛阳经襄阳到江陵的驿道，是沟通南北政治、经济中心的大动脉。汉魏六朝，夏口是江汉平原的战略要地。开皇九年（589 年），隋文帝改郢州为鄂州，州治设于江夏（今武汉市武昌区），唐朝又把江夏郡改回鄂州。南宋绍兴四年（1134 年），岳飞上奏主动请战，进兵襄阳，先取六郡，以图进一步恢复中原；宋高宗批复岳飞兼荆南鄂岳州制置使，驻屯鄂州（州治在今武汉市武昌区），岳家军兵发鄂州，这是南宋军在襄汉地区首次发动的大反攻，屡战屡胜，收复襄阳等六郡。[①]

一个地区人口密度状况是该地区发达程度的标志和衡量尺度之一。在古代社会里，生产力的水平往往表现在劳动力的增减上，而人口的增加，往往标志着生产力的发展。人才的基础是人口，没有人才，文化创造也无从谈起。“人才如树，文化如土，人才济济，反映了文化土壤的肥沃。相反，人才稀少，则表明当地文化土壤的贫瘠。”[②] 按唐诗篇数来说，据不完全统计，唐代出自荆楚地区的诗篇达 2000 多首，就一个地区产生诗作的数量来说，仅次于都城长安。[③] 按本土文人的数量看，据陈尚君《唐诗人占籍考》，唐代今湖北地域上有诗存世且为《全唐诗》及《全唐诗补编》收录者计 52 人，他们分别是：山南东道襄州（今襄阳市）23 人、荆州 19 人、复州（今天门、仙桃市）3 人、峡州夷陵郡（今宜昌市）1 人、归州巴东郡（今秭归县、巴东县）2 人、淮南道安州安陆郡（今安陆市）1 人、黄州齐安郡（今黄冈市）1 人、江南西道鄂州江夏郡（今武汉市武昌区）2 人[④]；而从诗人的人数和成就上说，据研究者的统计分析，荆州诗人总计存诗 744 首 23 句，其中仅岑参就有 387

① 李怀军主编：《武汉通史 · 宋元明清卷》，武汉出版社 2006 年版，第 87 页。

② 张全明：《试析宋代中国传统文化重心的南移》，《江汉论坛》2002 年第 2 期。

③ 统计数字参考王辉斌：《历史地了解荆楚大地——〈唐代诗人咏湖北〉前言》，《唐代诗人咏湖北》，湖北人民出版社 1987 年版。

④ 陈尚君：《唐代诗人占籍考》，陈尚君：《唐代文学丛考》，中国社会科学出版社 1997 年版，第 153—164 页。

首1句（因断句较为复杂，同一联断句的均算为一句），襄州诗人总计存诗736首14句，其中仅皮日休就有338首（另有联句8章不计），孟浩然270首6句，因此“以襄阳、荆州为中心的江汉地区，诗人较多，成就较大，约占所有荆楚文人的60%”[①]。

此一时期的本土文化名人是颇令后人景仰与自豪的。罗福惠先生在《湖北近三百年学术文化》一书中列举了唐宋时期湖北本土的文化名人[②]，他们贡献了大批具有独创性的成果，具有全国性、历史性的影响，是当之无愧的第一流文化名人。如杜审言是五言律诗的奠基人，对近体诗的形成与发展贡献巨大；孟浩然是山水田园派诗歌的开创者之一；陆羽号称“茶圣”，开创中国茶学；米芾与蔡襄、苏轼、黄庭坚合称“宋四家”，书画和诗文俱佳；“江汉先生”赵复推动理学北传，从祀孔庙等。

古代增加地区人口的办法主要靠移民，且有的移民并非官方主动所为，而是战争、动乱所致。移民大潮，不仅为荆楚地区提供了大量的劳动人手，提高了地区人口素质，而且也引来了不少的文化精英。流寓荆楚的文人墨客各有原因，他们或为荆楚风物所吸引，或被荆楚山河所陶醉，他们或写景咏物，或感时怀古，自然也受到荆楚文化的熏陶，留下了许多永垂文坛的佳作。他们的著作不仅在荆楚文化史上值得浓墨重彩地书写传之后世，在中华文化史上还占有一席之地，有的甚至影响巨大。李白是中国古代最杰出的浪漫主义诗人，其诗作文辞优美，想象瑰丽，气概豪迈，被世人誉为“诗仙”。在他流传下来的900多首诗中，描写楚地风情或写于湖北的就有近200首，湖北有幸成为“诗仙”李白的第二故乡。李白放歌荆楚，既成就了个人盛名，展现出无与伦比的文学天赋与诗歌才华，也为唐代荆楚文化的发展做出了巨大的贡献。晚唐大诗人杜牧的《赤壁》《兰溪》《题木兰庙》《云梦泽》《题桃花夫人庙》

---

① 曾羽霞：《唐代荆楚本土文人文学创作情况述论》，《文艺评论》2015年第12期。

② 罗福惠：《湖北近三百年学术文化》，武汉出版社1994年版，第5页。

等都作于黄州，无不精妙绝伦，脍炙人口。苏轼的文学、书法在黄州皆创造了奇迹，其人生观、世界观、价值观在黄州可以说是发生了脱胎换骨的巨变，苏东坡成就了黄州赤壁，黄州赤壁也成就了这位举世无双的奇才。

四、教育与科举：荆楚文化勃发的深厚根基

荆楚地区自古崇文重教，素有兴学育人之风。唐宋时期，境内教育事业逐步发展，州县普遍立学，私人办学蔚然成风，东山书院、南湖书院、雪堂书院、河东书院、南阳书院、竹林书院、万松书院、江汉书院、长庚书院、白鹤书院、石桥书院等书院林立，培养了很多杰出人才。此外，官民合力办学的机制，经世致用的学风，超尘拔俗的教育宗旨，都为荆楚教育注入活力，为荆楚文化的繁荣与发展打下了深厚根基。

追溯隋唐以前荆楚地区的官学教育，较为出彩的当属东汉时期的襄阳。汉代襄阳地区分属南阳郡和南郡，文献记载在地方官学教育上最著名的是东汉时期做过南阳太守的鲍德和刘宽，鲍、刘在南阳任上大兴文教之举，也曾惠及襄阳。[①] 这样的官学教育历史，为襄阳在隋唐时期和宋代分别进入“文化发展新时期”“文化发展的高峰期”[②] 打下了湖北其他地区没有的良好基础。

唐代湖北教育新局则始于黄州，黄州成为唐宋间湖北地区异军突起的文教重镇。唐宋元数百年间，黄州、蕲州并治，儒学、书院兴起，科举肇兴。自唐后期杜牧、李播，到宋王禹偁知黄州、苏轼贬谪黄州，这些文人先后在黄州重视教育所付出的努力，终使蕲黄名响荆楚，走向全国，正如陆游在《入蜀记》中称赞黄州道：“然自牧之（杜牧字牧之）、王元之（王禹偁字元之）出守，又东坡先生、张文潜（张耒字文潜）谪

① 襄阳市政协文史委编：《襄阳文化简史》，湖北人民出版社 2018 年版，第 91—93 页。
② 襄阳市政协文史委编：《襄阳文化简史》，第 14、16 页。

居，遂为名邦。”[①] 在兴学浪潮的大力推动和黄州模范作用的引领下，荆楚各地大多数州县建立了官学，掀起兴学热潮。通城原是崇阳县的一个集镇，宋神宗熙宁五年（1072 年），割崇阳之三乡建县。元丰年间，县令邹余、吴履中先后建造学宫资深堂，劝学兴教，请著名的文学家黄庭坚作记。“资深”二字，源于《孟子·离娄下》中的一段话：“君子深造之以道，欲其自得之也。自得之，则居之安；居之安，则资之深；资之深，则取之左右逢其原，故君子欲其自得之也。”[②] 大意是要让学生自主学习，自求自得，自己钻研所得的知识才牢固，才能活学活用。南宋时期荆楚地方官学所推行的举措，在某些方面超过了北宋。

书院，起源于官府修书这一传统文化事业。书院作为相对独立于官学系统之外的民间性学术研究和文化传播的综合教育机构，它所倡导的不附利禄、明辨通达的学风，无疑向当时的学术教育界吹入了一股清新的空气。宋代是荆楚地区书院创始阶段，白新良统计宋代湖北书院数量为 12 所，蔡志荣和李国钧考证宋代湖北书院的数量为 17 所。[③]

隋唐时期，荆楚学子在科举考试的成绩不算突出。清人徐松《登科记考》统计，唐朝有进士 2000 余人，但能考知姓名的却很少，就在这些人中又有很多籍贯不明。唐代荆楚地区进士及第者一共有 43 人，大多集中在襄州和荆州。据牟发松教授在《唐代长江中游的经济与社会》一书中统计，其中襄州有 13 人，荆州有 8 人，鄂州有 3 人，邓州有 15 人，安州有 2 人，复州和峡州各有 1 人；若去掉邓州 15 人，今湖北地区只有 28 人，这与中原地区存在着巨大的落差。他认为，“本区进士数量在不同地区不同时期的分布再一次表现出与本区经济开发状况的某种

① 陆游著、蒋方校注：《入蜀记校注》卷四，湖北人民出版社 2004 年版，第 141 页。

② 杨伯峻译注：《孟子译注》，中华书局 2005 年版，第 189 页。

③ 分见白新良：《明清书院研究》，故宫出版社 2012 年版；蔡志荣：《书院与地方社会：以明清湖北书院为中心考察》，中国社会科学出版社 2014 年版；李国钧：《中国书院史》，湖南教育出版社 1994 年版。

契合”[①]。

科举考试最高级别为殿试，第一名称为“状元”。千万考生能考中进士者已是凤毛麟角，而能获得“状元”称号的，历史上也不过数百人。根据周蜡生统计，算上地方割据政权录取的状元和武状元，中国古代总共有886名状元，而其中能考证出名或姓的状元，则只有674人[②]。杜陟，襄州襄阳人，生卒年不详，从现有资料看，他是荆楚地区唯一的唐朝科举考试状元。唐文宗大和五年（831年），杜陟在科举考试中一鸣惊人，高中状元。宋代荆楚士子在科举考试中取得了重大突破，不仅涌现出冯京、宋庠、郑獬、毕渐等4位状元，占到了湖北古代全部科举状元人数的五分之二，进士数量也不少，可谓科甲辈出。毕渐是北宋荆州潜江人，绍圣元年（1094年）参加科举考试，成为北宋乾德三年（965年）潜江设县以来潜江历史上唯一的科举考试状元，故而近代国学大师、潜江文化名人甘鹏云在《潜江旧闻录》中夸赞乡土人物语带自豪地写道：“潜江设县，肇始赵宋，自乾德三年迄于祥兴蹈海，都三百十五年，其间人物仅毕渐一人。”[③]

五、特征与地位：对勃发期荆楚文化的一些认识

说清楚荆楚文化在某一历史时期的特征与地位，是有一定难度的话题。这里，仅谈谈隋唐宋元时期荆楚文化给我们留下最深的印象是什么？

一是兼容并蓄的文化心态

如前所述，隋唐宋元时期荆楚良好的地理空间，立乎东南西北之中，连接渝、陕、湘、赣、豫、皖等省，从人文空间而论，荆楚又介于华夏蛮夷之间，因此，荆楚文化天然就有一种强大的包容性，所谓“亦夷亦夏，非夷非夏”，历史上荆楚先民一直有着“融会通达”的历史传

① 牟发松：《唐代长江中游的经济与社会》，武汉大学出版社1989年版，第316页。

② 周蜡生：《历代状元知多少》，《湖南大学学报（社会科学版）》2001年第3期。

③ 甘鹏云原著，吴勇点校：《潜江旧闻录》卷八，湖北教育出版社2002年版，第15页。

承与文化特征。优越的水陆交通，东西南北人才的流动，周边各地区的文化因素不断融入荆楚文化系统，强化了荆楚文化的多样性和交融性。

唐代，李皋在襄阳研制“车船”。德宗贞元年间（785—804 年），曹王李皋出任襄州刺史及山南东道节度使等职，为把北车的技术运用于南船之上，他运心巧思，在战舰两侧安装双轮，以轮代桨，蹈动舰轮，翔风鼓浪，迅若挂帆，快如奔马，运用灵活。[①] 这种车船是人力踏动轮船，专作军用。李皋是习惯坐车的北方人，借用车子两轮技术改造战舰，不但是他个人英才的展现，也是北车南船两种文化兼容并蓄的极佳体现。因此，有学者说：“凭借独特的区位优势，荆楚大地成为南北、东西文化交流和融合的大舞台。隋唐时期荆楚文化的发展，既是在前代积淀深厚的本土文化滋养下，逐渐吸纳周边文化因素的过程，又是在整合各种文化因素的基础上，不断向四方辐射的过程。”[②]

以宋词创作为例，亦可见本地词人和流寓荆楚的词人交融，共同发出荆楚词坛的强音。词学名家唐圭璋先生《全宋词》辑有词作者 2132 人，其中有籍贯可考的词作者 880 人，湖北籍词作者 17 人。湖北籍的词作者不到两宋总词人量的 0.8%，只占两宋有籍贯可查词人量的 1.9%。且生活于南宋的只有杨冠卿、王澜、余玠、万俟绍之等 4 人。南宋荆楚词人如此之少，的确令人不解，难怪有学者如此评论：“宋代湖北词体创作严重不振，是词体创作的严重沉寂区，这对于曾经创造过辉煌的楚文化，诞生过屈原、宋玉、范晔、庾信、杜审言、孟浩然、皮日休等一大批文学大家的湖北来说，实在是匪夷所思。”[③] 实际上，如果我们把视野放宽到长期寓居在荆楚，或者放歌江汉平原大地的词人，其人数和词作数量何止百计？北宋苏轼贬谪黄州，对他个人来说，“黄州时期成为

① 《旧唐书·李皋传》载，李皋“常运心巧思为战舰，挟二轮蹈之，翔风鼓浪，疾若挂帆席，所造省易而久固”。见（后晋）刘昫等：《旧唐书》，中华书局 1975 年版，第 3640 页。

② 刘玉堂、赵毓清主编：《中国地域文化通览》，中华书局 2013 年版，第 193 页。

③ 陆业龙、裴金华：《宋代湖北词体作者统计分析》，《探索与争鸣》2006 年第 9 期。

他的文学创作的巅峰时期，成功实现了从苏轼到苏东坡的转型”①；对黄州来说，则是大幸，苏东坡为黄州留下750多篇（首）诗、词、文、赋，至今仍是黄冈文化的宝贵财富。南宋时期，荆楚词坛就以寓居词人王质、詹玉，和本土词人杨冠卿等人成就最高。其中，王质、杨冠卿是前期词人代表，詹玉是后期词人代表。

二是开拓进取的创新精神

楚人的开拓进取精神彪炳史册，激励后人，开拓进取，不断创新。唐代初年诗人、襄阳杜氏的代表人物杜审言（约645年—约708年），著名诗人杜甫的祖父，被后人评论为中国五言律诗的奠基人，他的五律《和晋陵陆丞早春游望》，被明朝文学批评家胡应麟赞许为初唐五律第一。五言古诗，起于汉代，盛行于魏晋南北朝，而五言律诗却形成于唐朝，杜审言是唐朝初年写五律诗人中成就和影响最大者。何以有如此成就？回答是：创新。杜审言的诗以格律谨严和浑厚见长，唐初文坛江左余风占据主流，文学形式仍推崇南朝，杜审言不墨守成规，敏锐地把握住律诗发展的趋势——对偶的复杂化，他的五言律诗自觉并成功地运用了对偶，成为初唐近体诗完成的一个重要标志。文学评论界一般都认为，五言诗成熟于杜审言，他的这一特点一直影响到诗圣杜甫。杜审言的另一贡献，是一扫南朝齐梁浮艳文风的笼罩，开阔了唐诗的视野，树立起一种诗的“气象”。杜审言的《登襄阳城》中“楚山横地出，汉水接天回”二句，胸襟开阔，气象雄浑，不仅是咏襄阳诗中难得的佳句，也是初唐诗歌中具有亮点的名句。②

苏东坡《赤壁赋》《后赤壁赋》的最大“亮点”也是创新。赋，作为中国传统文学的一种样式，产生于战国，盛行于汉代，故有“汉赋”之称誉。苏东坡创作《赤壁赋》《后赤壁赋》时，“对汉赋所固有的传统的体裁要求、表述要求、修辞要求，都不再就范遵从”；“一改汉赋之

① 黄冈市政协主编：《黄冈文化简史》，湖北人民出版社2016年版，第123页。

② 襄阳市政协文史委编：《襄阳文化简史》，第169—171页。

制、之貌、之辞律，将人物、事件、情景、哲理熔于一炉，且融合了游记、散文、政论、故事、诗歌等多种文学元素，使汉赋这一古老的文学体裁焕然一新，被誉为‘二赋奇伟甚，双珠可夜明’的神品”[①]。清代吴楚材、吴调侯编《古文观止》一书，共选历代散文222篇，苏东坡写于黄州的《方山子传》《赤壁赋》《后赤壁赋》3篇入选。因此，有论者说：“宋元时期荆楚地区社会经济在曲折中发展，开拓与进取的脚步未曾停息。与此相应，思想学术、文学艺术、教育科技深邃与雅致并行，学术包容、文学开新、书艺开宗、教育复兴、科技精进，无不浸染时代气息。尤其是推动理学北传、填补瓷艺空白、发明印刷技术等突出贡献，既是经济社会发展的表征，又是南北文化融合的结晶。”[②]

关于此一时期荆楚文化的历史地位，我们也想谈两点。

其一，荆楚文化在隋唐宋元时期得到了蓬勃发展。

思想上不乏大家。拿儒学思想来说，皮日休尊孔崇孟，王禹偁知黄州践行仁政思想，安陆名儒令狐揆，“直声动天下”的江陵唐介，“推广师说”于荆州的杨时，洪适知荆门、薛季宣武昌县令、为官荆州的张孝祥和“南轩先生”张栻等实践民本思想，朱熹弟子吴必大与万人杰，“江汉先生”赵复和“江汉同调”砚弥坚，他们传播儒学思想光耀荆楚。程颐、程颢“鲁台望道”，“汉上先生”朱震治《易》，胡安国治《春秋》，陆九渊“心学”，项安世“通经博古”，理学思想家彪炳史册。

再如艺术，仅以宋代襄阳为例。米芾集书法家、画家、鉴定家、收藏家于一身，书风精妙俊迈，诸体皆精，《蜀素贴》《多景楼诗贴》《研山贴》等名作备受推崇，行书开创了王羲之之后又一高峰，与苏轼、黄庭坚、蔡襄并称“宋四家”，连同是书法家的苏轼也称米芾的字为“超妙入神之字”[③]。米芾在画道上又独创“米氏云山”之法，引得后世争

① 黄冈市政协主编：《黄冈文化简史》，第127页。

② 刘玉堂、赵毓清主编：《中国地域文化通览》，第228页。

③ （宋）苏轼：《与米元章二十八首》，见《苏轼文集》卷五八，中华书局1986年版，第1783页。

相效仿。位于岘山山麓的《李曾伯纪功铭》（又名“《襄樊铭》”），是湖北书刻上乘、保持完好的宋代大型摩崖石刻。因为这些，襄阳跻身中国十大书法名城之列。

隋唐宋元时期不管是本土文人还是流寓文人，他们的作品中大量描写荆楚山水风光、景物、人物等，推介了荆楚。襄阳人孟浩然（689—740 年）诗今存 200 余首，近 1/3 是咏颂荆楚的，特别是他家乡襄阳一带的万山、岘山和鹿门山等一一写进了自己的诗作中，在他看来，走遍大江南北，“山水观形胜，襄阳美会稽”①；他对荆楚山水是无比热爱，以至于“遍观云梦野”②。唐代另一诗人张祜有“襄阳属浩然”③之句，孟浩然被后人亲切地称为“孟襄阳”。李白两次在湖北居住，其许多重要篇章就是在湖北创作而成的，荆楚的许多地方都被他写进诗中，如《渡荆门送别》《荆门浮舟望蜀江》《秋下荆门》《襄阳歌》等，这类诗既得荆楚江山之助，又为荆楚江山增色。

此间的文化创造发展了荆楚文化。如李白深受楚文化传统的熏陶，称自己“我本楚狂人”④，对楚文化的代表者屈原表达了高度的敬仰之情，“屈平词赋悬日月”⑤。说李白传播了楚文化，发展了荆楚文化，应不为虚。唐人对云梦泽的认知无疑是他们传播楚文化、发展荆楚文化的又一例证。虽然当代有学者考证，古云梦泽只限于长江北岸江汉平原范围内，它并未跨过长江。也就是说，不存在跨长江南北的大云梦泽⑥。但在唐人眼中，云梦泽是地跨长江南北的，洞庭湖亦在其内，如李吉甫

---

① （唐）孟浩然：《登望楚山最高顶》，见（清）彭定求等：《全唐诗》卷一五九，第 1625 页。

② （唐）孟浩然：《陪独孤使君同与萧员外证登万山亭》，见（清）彭定求等：《全唐诗》卷一六〇，第 1646 页。

③ （唐）张祜：《题孟处士宅》，见（清）彭定求等：《全唐诗》卷五一一，第 5837 页。

④ （唐）李白：《庐山谣寄卢侍御虚舟》，见（清）彭定求等：《全唐诗》卷一七三，第 1773 页。

⑤ （唐）李白：《江上吟》，见（清）彭定求等：《全唐诗》卷一六六，第 1716 页。

⑥ 参考谭其骧：《云梦与云梦泽》，《长水集》下，人民出版社 1987 年版，第 111—117 页；石泉、蔡述明：《古云梦泽研究》，湖北教育出版社 1996 年版。

《元和郡县图志》所述[①]。单说孟浩然，他不仅留下了“猎响惊云梦，渔歌激楚辞”[②]诗句，还写下了“气蒸云梦泽，波撼岳阳城”[③]这样的名句。云梦、云梦泽、楚辞、楚人、楚文化，从荆楚走向全中国。

其二，勃发期的荆楚文化在中华文化史上占有一席之地。

勃发期的荆楚文化在中华文化史上占有一席之地，有的甚至影响巨大。举其大端：

宗教方面，天台宗的创始人智𫖮，在中国佛教史上尊为“智者大师”；佛教的中国化始于禅宗，禅宗的本土化始于黄梅。从唐诗看荆楚文化对中华文化的贡献：杜审言是唐代五言律诗的奠基人；孟浩然则是中国田园山水诗的开创者，他的独特诗风“淡秀清旷”[④]，连杜甫都称道“复忆襄阳孟浩然，清诗句句尽堪传”[⑤]，成为唐诗中独树一帜的“孟浩然体”，是荆楚文人对唐代诗坛的重要贡献；就李白与中国文化的关系看，程千帆先生有“李（白）诗大源出于《楚辞》”[⑥]之说。崔颢的《黄鹤楼》诗，千古传诵，南宋诗论家严羽《沧浪诗话》评之为“唐人七言律诗，当以崔颢《黄鹤楼》为第一”[⑦]，而在当代学者评定的唐诗排行榜上，排在榜首的也是崔颢的《黄鹤楼》[⑧]。以诗而论，唐代诗歌成就最为光彩夺目，达到古典诗歌的高峰，唐诗成为中华文化宝库中的一颗明珠。有论者说：“产生这种盛况的原因是多方面的，其中荆楚大地是孕育诗歌奇葩的沃土之一，当是不应忽视的原因。荆楚地区的文

---

① （唐）李吉甫撰、贺次君点校：《元和郡县图志》卷二七，中华书局 1983 年版，第 657 页。

② （唐）孟浩然：《陪张丞相自松滋江东泊渚宫》，见（清）彭定求等：《全唐诗》卷一六〇，第 1659 页。

③ （唐）孟浩然：《望洞庭湖赠张丞相》，见（清）彭定求等：《全唐诗》卷一六〇，第 1633 页。

④ 刘文刚：《孟浩然年谱》，人民文学出版社 1995 年版，第 7—9 页。

⑤ （唐）杜甫：《解闷十二首》，见（清）彭定求等：《全唐诗》卷二三〇，第 2517 页。

⑥ 程千帆：《唐诗鉴赏辞典·序言》，见萧涤非、程千帆、马茂元等：《唐诗鉴赏辞典》，上海辞书出版社 1983 年版，第 5 页。

⑦ （宋）严羽著、郭绍虞校释：《沧浪诗话校释》，人民文学出版社 1983 年版，第 197 页。

⑧ 王兆鹏、邵大为、张静、唐元：《唐诗排行榜》，中华书局 2011 年版。

化景观（物质的、非物质的）有其独特的魅力，荆楚壮丽的河山，神奇的楚文化传统，优美的神话传说，历尽沧桑的历史古迹以及多彩浪漫的风土人情，是形成唐诗楚风的基础，这一点是其他任何地方都不可替代的。”[①] 在中国茶文化史上，陆羽所创造的一套茶学、茶艺、茶道思想，以及他所著的《茶经》，是一个划时代的标志。在当代学者的宋词排行榜上，独占鳌头的是苏东坡书于黄州的《念奴娇・赤壁怀古》[②]。千古宋词，千古苏轼，千古“大江东去”赤壁词，众心所向，实至名归。因为苏东坡，黄冈地方文化研究者认为，“以苏东坡居黄为代表的东坡文化，是中国文化史上的高峰，也是当代黄冈文化的‘显学’”[③]。北宋蕲州罗田县（今英山县草盘镇五桂墩村）人毕昇所发明的活字印刷术，是中华文化贡献给人类的“四大发明”之一。有专家指出，毕昇活字印刷术的发明，是印刷史上的一次伟大革命，是中国古代四大发明之一，它为中国文化的发展开辟了广阔的道路，为推动世界文明的发展做出了重大贡献[④]。

孟浩然有诗云：“人事有代谢，往来成古今。”[⑤] 刘玉堂教授在《荆楚文化在中华文明史上举足轻重》一文中指出：“荆楚文化是湖北文化的代名词，从空间范围来讲，它大致相当于现在湖北的行政区划；从时间范围来讲，它上起远古，下迄当代；从传统文化角度来理解，荆楚文化它的时间下限应该是近代。”[⑥] 走进隋唐宋元时期，触摸荆楚文化蓬勃发展的脉搏，一种贯通古今，神交古人，思载万千之感油然而生，如大文豪苏东坡所云：大江东去，浪淘尽，千古风流人物。

---

① 李文澜：《湖北通史・隋唐五代卷》，《前言》第 5—6 页。

② 王兆鹏、郁玉英、郭红欣：《宋词排行榜》，中华书局 2012 年版。

③ 黄正林：《黄冈文化简史・序》，见黄冈市政协主编：《黄冈文化简史》，第 1 页。

④ 张秀民：《中国印刷术的发明及其影响》，人民出版社 1958 年版，第 70—78 页。

⑤ （唐）孟浩然：《与诸子登岘山》，见（清）彭定求等：《全唐诗》卷一六〇，第 1644 页。

⑥ 刘玉堂：《荆楚文化在中华文明史上举足轻重》，《湖北日报》2018 年 6 月 11 日。

第一章　儒学思想与学术

思想如奔腾向前的江河，汇聚着不断发展的民族智慧和认识成果，凝聚着哲人们的沉思和心血。而思想文化史的研究任务“应该是透过历史陈迹，把曾经活跃在其中的活的思想运动，它的发展和演变再现出来，让人们看到它在产生时的千姿百态和生气勃勃的力量，看到民族智慧的灿烂的光辉”①。荆楚文化在隋唐宋元时期的蓬勃发展，突出表现在思想上。“天不生仲尼，万古长如夜。”②蜀道馆舍壁间的这一联语，经由《朱子语类》的传播，成为对孔子最有名的定评，思想之于人类的意义由此可见一斑。

中国传统宗法制社会由前期向后期过渡，在隋和唐初已有转化的迹象，到宋代才完成这一转化过程，这一转化过程对思想界的影响十分巨大。“在唐代，思想界基本上是儒、道、佛并立的局面，有些思想家想重新恢复儒学的正宗地位，在反对佛、道的同时，或明或隐地吸收了佛学思辨哲学的若干方面，在这点上，韩愈堪称代表。这种思想倾向开启了后来宋代理学的先河。”而“宋代理学是在儒学、佛学、道教相结合的基础上孕育发展起来的，它以儒家思想内容为主，同时也吸收了佛学和道教思想，这是它的特点”；“理学产生后，中国文化多元的局面基本结束了。作为中国文化新形式的理学，成了当时中国文化总体结构的核心”③。

从思想发展的阶段性看，隋唐时期荆楚地区儒学思想相对沉寂，其发展时期则主要在宋元时期。皮日休是一位不可忽视的思想家，他尊孔

① 金春峰：《汉代思想史》，中国社会科学出版社 1987 年版，《自序》第 1 页。

② （宋）黎靖德编、王星贤点校：《朱子语类》卷九三，中华书局 1986 年版，第 2350 页。

③ 张岂之主编：《中国思想史》（修订本），西北大学出版社 2016 年版，第 255、324、330 页。

崇孟，可以视作唐代对儒学思想传播与弘扬做出过贡献的荆楚文人。而宋元时期，不管是客籍湖北的儒生还是本土儒生，既有如知黄州的王禹偁、安陆名儒令狐挨、“直声动天下”的唐介、为官荆州的杨时、张孝祥和张栻、知荆门的洪适、任武昌县令的薛季宣、兴国军吴必大和大冶万人杰追随朱熹，以及“江汉先生”赵复和“江汉同调”砚弥坚等人，他们因或践行传统儒学的“仁政”“民本”思想，或播扬理学特别是二程的洛学、朱子之学，或致力于儒学的北传和儒学的复兴而光耀荆楚；又有如程颢、程颐“鲁台望道”开创程朱理学，胡安国治《春秋》彰显理学特征，朱震和项安世治《易》，以及陆九渊的“心学”，理学是中国及世界哲学的一次巨大飞跃，他们因是精致完备的宋明理学体系的创立者而彪炳史册。

学术是民族文化的重要组成部分，从整个中国学术史上看，中国学术的发展，与历史的发展相适应，显示出明显的阶段性。《中国学术通史》主编张立文先生主张，“隋唐是中国学术的融突期。盛唐之际，经济繁荣，社会开放，儒、释、道三教兼容并蓄，冲突融合”。“宋明是中国学术的造极期”[①]。这样的认识已被学界所接受。但学术史视野下的隋唐宋元时期荆楚地区的学术，自唐代始即已达到相当的高度。近代作家、批评家黄人在《清文汇·序》中写道：“有一代之政教风尚，则有一代之学术思想。”[②]以隋唐宋元时期荆楚地区的学术思想观之，信矣！

---

① 张立文主编、张怀承著：《中国学术通史（隋唐卷）》，人民出版社 2004 年版，《总序》第 10、11 页。

② 沈粹芬、黄人等辑：《清文汇》，北京出版社 1996 年版。

第一节　光耀荆楚的儒学思想传播者

一、尊孔崇孟的皮日休

皮日休（约 834—约 883 年），唐代思想家、文学家。字逸少，后改字袭美，竟陵（今湖北天门）人，一说襄阳人。早年曾隐居襄阳鹿门山，自号鹿门子、间气布艺、醉吟先生。其先祖皮初曾任襄阳太守。唐懿宗咸通八年（867 年），中进士，曾任著作郎、太常博士、毗陵副使等职。面对唐王朝的腐朽黑暗和人民的疾苦，皮日休从儒家学说中接受更多的则是孔子的“仁者爱人”和孟子的“民为贵，社稷次之，君为轻”这些具有进步倾向的民本思想，也许这就是他于僖宗广明元年（880 年）参加黄巢农民起义军的根本原因。①

皮日休思想中强烈的现实意识和忧悯情怀来自于他所面对的唐朝社会，晚唐社会的重重矛盾，是皮日休为文的出发点。对此，元代辛文房《唐才子传》就曾指出，“时值末年，虎狼放纵，百姓手足无措，上下所行，皆大乱之道，遂作《鹿门隐书》六十篇，多讥切谬政”②。咸通年间，他两次上奏。第一次，他要求把《孟子》作为学习科目。他认为，述圣人之道，以经书为最；史书次之，又次者为诸子文章；而诸子文章中的《孟子》始终阐述的是圣人之道。皮日休主张，独尊儒术，首要尊孔。唐代尊孔之所以胜过前朝，是因为唐人看到孔子是儒学旗帜，孔子的学说是整个统治政策的理论基础和体现。正因为唐代统治者把孔子抬高到前所未有的地位上，所以唐朝的统治才持续了数百年。皮日休很推

① 关于皮日休参加黄巢农民起义的原因，学术界有被动说、中立说和自觉说等三种观点。其中，缪钺先生持被动从军说，但他亦在《皮日休的事迹思想及其作品》（《四川大学学报：哲学社会科学版》1955 年第 2 期）中指出：“当他为黄巢军队所得之后，由于他平日思想中原有进步成分，同情人民疾苦，愤恨时政腐败，又由于黄巢一贯的争取读书人的政策，于是他不至于像周朴那样顽固拒绝，而愿意参加起义军了。”

② （元）辛文房撰、徐明霞校点：《唐才子传》卷八，辽宁教育出版社 1998 年版，第 109 页。

崇孟子的民本思想。在他看来，《孟子》书中的民本色彩，与商汤、周武的所作所为是相同而不悖的。孟子是孔子的真传和“亚圣”。《孟子》虽有“轻君”思想，但轻的是昏君，其学说虽深奥，但“《孟子》之功利于人亦不轻矣”，特别可以在国家衰败时“救时补教”[①]，使儒道可行，圣化可补，并能有效地抵制庄、列等荒唐之言的困扰。皮日休认为，统治者要得民心，要像以往的儒家先贤那样实行“教化”从推崇孟子到主张行教化。对民众的压榨与巧取豪夺，只能加速统治者的灭亡。相反，善于教化引导，以纲常伦理约束之，则可保持相对安定的局面。

皮日休把王通、韩愈作为当朝孔孟的继承者，第二次上书时请求让韩愈在太学里享受祭祀。孟子、荀卿，保护辅佐孔子学说，而王通、韩愈则是孔孟的继承者。在《请韩文公配享太学书》中，皮日休高度赞扬王通、韩愈在唐代儒学发展中的作用，认为只有王通能上承孟子、荀卿，继承儒学正统，使被遮蔽多年的儒学一朝得释。而韩愈则能以身行道，在佛道盛行，儒学衰危之时维护、弘扬孔学。他推崇王通、韩愈等人的目的，不仅为当世之用，为儒学复兴，更是为了今后社会文化的发展。他提出让韩文公配享太学，理由是“圣人之道，不过乎求用。用于生前，则一时可知也；用于死后，则百世可知也”[②]。仅就继承和发扬韩愈“尊孟”思想而言，皮日休的功劳甚至超过将韩愈与孟子并提的韩愈弟子李翱，“算得上是唐宋间思想嬗变过程中不应忽视的一个过渡性人物”[③]。也正因为如此，皮日休的学说对后来的儒家思想产生了较大影响，受到后世文人学者的推崇。

两次上书之外，皮日休还专门写了《十原》，挖掘儒家思想的核心和本质。他说：“夫原者，何也？原其所自始也。穷大圣之始性，根古人之终义，其在十原乎？”[④] 例如《原化》，他宣扬“圣人之化”：“圣

① （唐）皮日休著，萧涤非、郑庆笃整理：《皮子文薮》，上海古籍出版社 1981 年版，第 89 页。

② （唐）皮日休著，萧涤非、郑庆笃整理：《皮子文薮》，第 87 页。

③ 徐洪兴：《思想的转型——理学发生过程研究》，上海人民出版社 1996 年版，第 98 页。

④ （唐）皮日休著，萧涤非、郑庆笃整理：《皮子文薮》，第 21 页。

人之化，出于三皇，成于五帝，定于周、孔。其质也，道德仁义；其文也，《诗》《书》《礼》《乐》。此万代王者未有易是，而能理者也。”[①]皮日休作《十原》，不仅强调“文贵穷理”，也强调“理贵原情”[②]，这也是体现其思想和学术创见的《皮子文薮》的追求：既突出教育的政治性和道德性，也强调理的合理性和可行性；不仅要与传统的伦理道德相一致，也要顾及黎民百姓的基本情况和要求。鲁迅先生将皮日休《皮子文薮》和陆龟蒙《笠泽丛书》中的小品文，评价为“一塌糊涂的泥塘里的光彩和锋芒”[③]。

皮日休还以儒家思想为指导，在《鹿门隐书》六十篇中论述了一些为文做人的道理，称得上是儒家人生教科书。他说：“民之性多暴，圣人导之以其仁；民性多逆，圣人导之以其义；民性多纵，圣人导之以其礼；民性多愚，圣人导之以其智；民性多妄，圣人导之以其信。”这是教导人们儒家的“仁义礼智信”可以分别改掉人性中的“暴逆纵愚妄”。“毁人者，自毁之。誉人者，自誉之。夫毁人者，人亦毁之，不曰自毁乎？誉人者，人亦誉之，不曰自誉乎？”阐明了诽谤别人等于自毁，赞誉别人等于自誉的道理。“洁者，不观其穷，观其富也。慎者，不观其危，观其势也。苟当穷能洁，当危能慎，戒也；非真也。”说明一个人是否真正廉洁、谨慎，不能看他在穷困和处于凶险环境时的表现，而要看他在富贵和有权势时能否做到。“文学之于人也，譬乎药。善服，有济。不善服，反为害。”[④]把文学作品比作药。对症吃药，能治病；胡乱吃，反而对自己有害。这些道理即使放到今天，也仍然具有警示和启迪作用。

唐宋之交，皮日休对儒家思想的改造和发展，反映出儒佛道各家在多次交锋后的进一步相互浸透，及其在儒学正统派思想上发生的重要变

---

① （唐）皮日休著，萧涤非、郑庆笃整理：《皮子文薮》，第 21 页。

② （唐）皮日休著，萧涤非、郑庆笃整理：《皮子文薮》，第 2 页。

③ 鲁迅：《南腔北调集》，人民文学出版社 1973 年版，第 136 页。

④ （唐）皮日休著，萧涤非、郑庆笃整理：《皮子文薮》，第 92、93、94 页。

化。研究唐末五代思想史，皮日休是一位不可忽视的人物。实际上，就思想与学术的创见而言，皮日休在政治、伦理、美学、哲学等思想史的各个领域中都有许多独到的见解，这使他“在中国思想史的发展进程中理所当然地成为一个不可缺少的中间环节”，其作品“是中国历史上包含着大量的人民性和民主性精华的珍品之一”①。正是在这个意义上，皮日休在唐代荆楚籍文人中具有重要的地位，有论者说，“皮日休是一位道、儒兼修的学者，一位忧国忧民的知识分子，更是一位善于思考的思想家”②。

皮日休的尊孔崇孟思想影响其文学思想与成就，他以“明道”作为自己为文的宗旨。作为晚唐著名诗人及散文家，皮日休与陆龟蒙齐名，世称“皮陆”，其诗文主要收录在《皮子文薮》和《松陵集》中。皮日休十分尊崇中唐古文运动领袖人物韩愈，韩愈曾在《原道》中提出尧、舜至孔子、孟子的儒家道统，皮日休在《原化》中便勾勒出自周公、孔子到孟子、韩愈的道统，这里也可看出皮日休对韩愈的推崇。古文运动的核心理论便是“文以明道”，皮日休对“文以明道”的继承和学习，是其对儒家传统文论承继的突出体现。在《文薮序》中说：

> 咸通丙戌中，日休射策不上第，退归州东别墅，编次其文，复将贡于有司。发箧丛萃，繁如薮泽，因名其书曰“文薮”焉。比见元次山纳《文编》于有司，侍郎杨公浚见《文编》，叹曰：“上第，污元子耳！”斯文也，不敢希杨公之叹，希当时作者一知耳。赋者，古诗之流也，伤前王太佚，作《忧赋》；虑民道难济，作《河桥赋》；念下情不达，作《霍山赋》；悯寒士道壅，作《桃花赋》。《离骚》者，文之菁英，伤于宏奥，今也不显《离骚》，作

① 许苏民：《一塌糊涂的泥塘里的光彩和锋芒——论皮日休的思想及其历史地位》，《江汉论坛》1987 年第 6 期。

② 襄阳市政协文史委编：《襄阳文化简史》，第 157 页。

《九讽》。文贵穷理，理贵原情，作《十原》。太乐既亡，至音不嗣，作《补周礼九夏歌》。两汉庸儒，贱我《左氏》，作《春秋决疑》。其余碑、铭、赞、颂、论、议、书、序，皆上剥远非，下补近失，非空言也。较其道，可在古人之后矣。古风诗，编之文末，俾视之，粗俊于口也。亦由食鱼遇鲭，持肉偶膘。《皮子世录》著之于后，亦《太史公自序》之意也。凡二百篇，为十卷，览者无诮矣。①

皮日休在《悼贾并序》中提出："圣人之文与道也，求知与用，苟不在于一时，而在于百世之后者乎？"② 这是对杜甫"文章千古事，得失寸心知"③ 主张的继承和发展。具体来说："在艺术性上，皮日休的长篇散文恣肆汪洋，波澜起伏，词精意新，大有韩愈之风；小品文则简短犀利，一针见血，并多用比喻、对比、寓言、象征等表现手法，以达到鲜明有力的效果，从而很好地为特定的批判现实的内容服务。"④

现存皮日休诗文都作于他参加黄巢起义军以前。他对当时封建统治下的黑暗政治，早就有所不满。他认为：古时候官府设置官吏，是为了驱逐强盗；现在官府设置官吏，是自己去做强盗。因此，他肯定人民可以反抗暴君。作为有强烈社会责任感的人，皮日休自觉担负起安定社会秩序，重整社会风气的重任。于是他大声疾呼，认为唯有复兴儒学才能扭转晚唐混乱的社会局面，才能挽救晚唐的绮靡的文风。

皮日休认为，诗歌的诗体发展并不是一成不变的。《松陵集》前四卷为古体，五到九卷为近体，第十卷为杂体，按照这种古体、近体、杂体的编排顺序，这种诗歌分类方法在诗歌分类史上算是十分简洁了。他

① （唐）皮日休著，萧涤非、郑庆笃整理：《皮子文薮》，第 2 页。

② （唐）皮日休著，萧涤非、郑庆笃整理：《皮子文薮》，第 17—18 页。

③ （唐）杜甫：《偶题》，见（清）彭定求等编：《全唐诗》卷二三〇，第 2509 页。

④ 曹流、吴成国：《文脉相传 五世而昌——唐宋襄阳皮氏世家》，见舒怀、罗逸群主编：《中国文化世家（荆楚卷）》，湖北教育出版社 2004 年版，第 91 页。

在《松陵集·序》中指出：

> 诗有六艺，其一曰“比”。比者，定物之情状也，则必谓之才。才之备者，于圣为六艺，于贤为声诗。噫！春秋之后，《颂》声亡寝，降及汉氏，诗道洊作。然《二雅》之风，委而不兴矣。在诗有三言、四言、五言、六言、七言、九言之作。三言者，曰“振振鹭，鹭于飞”是也。五言者，曰“谁谓雀无角，何以穿我屋”是也。六言者，曰“我姑酌彼金罍”是也。七言者，曰“交交黄鸟止于桑”是也。九言者，曰“泂酌彼行潦挹彼注兹”是也。盖古诗率以四言为本。而汉氏方以五言七言为之也，其句亦出于周诗。五言者，李陵曰“携手上河梁”是也。七言者，汉武曰“日月星辰和四时”是也。尔后盛于建安，建安以降，江左君臣得其浮艳，然诗之六艺微矣。逮及吾唐开元之世，易其体为律焉，始切于俪偶，拘于声势。《诗》云：“觏闵既多，受侮不少。”其对也工矣。《尧典》曰：“声依永，律和声。”其为律也甚矣。由汉及唐，诗之道尽矣。吾又不知千祀之后，诗之道止于斯而已。即后有变，而作者，余不得以知之。①

皮日休这里论述了诗体由四言到五言再到七言的变化发展规律，诗人说“由汉及唐，诗之道尽矣”，以后还会发生变化，至于变成什么样，诗人不得而知了。皮日休以发展的眼光论述了诗体发展变化的规律，是很有见地的。

皮日休的诗，包括两种不同的风格。一种继承白居易新乐府传统，语言平易近人，以《正乐府》10首、《三羞诗》3首为代表。《正乐府》的《卒妻怨》《橡媪叹》《贪官怨》《农夫谣》《哀陇民》写人民种种不同遭遇之苦，具体而生动地反映了当时社会的阶级矛盾和他同情人民、抨

---

① （唐）皮日休著，萧涤非、郑庆笃整理：《皮子文薮》附录一《皮日休诗文》，第235页。

击暴政的态度。《正乐府》10首中的《卒妻怨》写道：

河湟戍卒去，一半多不回。家有半菽食，身为一囊灰。
官吏按其籍，伍中斥其妻。处处鲁人髽，家家杞妇哀。
少者任所归，老者无所携。况当札瘥年，米粒如琼瑰。
累累作饿殍，见之心若摧。其夫死锋刃，其室委尘埃。
其命即用矣，其赏安在哉？岂无黔敖恩，救此穷饿骸。
谁知白屋士，念此翻欸欸。[①]

这是《正乐府》中现实性、战斗性最强的一篇。这首诗从“河湟戍卒去”写起，“一半多不回”即士卒在戍守中死去，朝廷官吏便在名册中将他的名字立即勾去，将他们的妻子也赶走。从这可看出，唐代统治者只知道利用士兵而对士兵们的家属的死活却毫不关心。接着诗人对社会更广阔的面貌进行描述，瘟疫肆虐，米价昂贵，尸横遍野，而统治者将人民驱逐到河湟戍守，对牺牲的士兵却一点奖赏都没有。造成这些苦难的罪魁祸首就是吃人的晚唐的统治者，诗人对这些统治者进行无情地揭露和批判，对受苦受难的人民群众深表同情。

《三羞诗》其二写人民所受征兵之苦，其三写人民遭旱蝗而流离饥饿之苦。诗人咸通七年（866年）落第后，路过许昌，有感于连年战争给百姓带来的深重灾难，对朝廷的穷兵黩武进行批判，揭露了将帅们依靠战争发横财的丑恶行为，人民却惨遭死亡，承受各种苦难，表现了诗人对人民的关怀。诗人在《三羞诗》其三这首诗的序中写道：“丙戌岁，淮右蝗旱。日休寓小墅于州东，下第后，归之。见颍民转徙者，盈途塞陌。至有父舍其子，夫捐其妻，行哭立丐，朝去夕死。呜呼！天地诚不仁耶？皮子之山居，榹有袭，镬有炊，晏眠而夕饱，朝乐而暮娱。何能于颍川民，而独享是为？将天地遗之耶？因羞不自容，作诗以唁之。”

① （唐）皮日休著，萧涤非、郑庆笃整理：《皮子文薮》，第107—108页。

本诗写咸通七年淮右地区发生蝗灾、旱灾，诗人目睹人们背井离乡、流离失所、抛弃亲人、村落空荡的惨状。“荒村墓鸟树，空屋野花篱。儿童啮草根，倚桑空羸羸”[①]。想到自己平时虽然不事劳动，却在凶年衣食无忧，对此深表惭愧，同时也表达了对朋友帮助的感激之情。

皮日休另一种诗，走韩愈逞奇斗险的一路，以在苏州时与陆龟蒙唱和描写吴中山水之作为代表。为了唱和需要，皮日休在《松陵集》里的诗歌不可避免地走向精雕细琢、“竞强斗巧”。这种竞巧不仅体现在诗体、题材上，还体现在语言上。皮日休在吴中的生活是清幽、闲放的，他写的虽然都是生活琐碎，还带有逞强斗巧的成分，但从中表现了诗人的闲情逸致、高雅闲趣的情怀，茶诗谈趣，字里行间充斥着“闲”“隐”“雅”“趣”“醉”“情”等各种情调。皮日休在具体创作中常以一些高雅的意象入诗，诸如“诗”“酒”“茶”“渔”“樵”“松”“桂”“鹤”“竹”“屏”等。如《初冬偶作，寄南阳润卿》云：“寓居无事入清冬，虽设樽罍酒半空。白菊为霜翻带紫，苍苔因雨却成红。迎潮预遣收鱼笱，防雪先教盖鹤笼。唯待支硎最寒夜，共君披氅访林公。”[②]这是一首七律咏怀诗，写初冬之时对友人的怀念之情。诗中“白菊”“苍苔”“鱼笱”“鹤笼”等意象，历来都是与文人们高雅生活联系在一块的，诗人巧妙地将生活琐事与高雅情趣结合在一起，体现了创作上的翻空出奇与巧妙。这类诗还有《新秋言怀寄鲁望三十韵》《奉和鲁望秋日遣怀次韵》《江南书情二十韵寄秘阁韦校书贻之商洛宋先辈垂文二同年》《白莲诗》等。

皮日休还写过一些咏史诗，如《汴河怀古二首》。其文云：“万艘龙舸绿丝间，载到扬州尽不还。应是天教开汴水，一千余里地无山。尽道隋亡为此河，至今千里赖通波。若无水殿龙舟事，共禹论功不较多？”[③]

---

① （唐）皮日休著，萧涤非、郑庆笃整理：《皮子文薮》，第 103 页。

② （唐）皮日休著，萧涤非、郑庆笃整理：《皮子文薮》附录一《皮日休诗文》，第 201 页。

③ （唐）皮日休著，萧涤非、郑庆笃整理：《皮子文薮》附录一《皮日休诗文》，第 219—220 页。

汴河，即通济渠。隋炀帝时，发河南、淮北诸郡民众，开通大运河，消耗了大量民力、物力。唐诗中有不少作品是吟写这个历史题材的，大都指称隋亡于大运河。皮日休生活的时代，政治腐败，已走上了隋亡的老路。对于历史的鉴戒，一般人的感觉已很迟钝了，而作者却以诗文的形式有意重提这一教训。

此诗以议论为主，在形象思维、情韵等方面较李商隐《隋宫》不免略逊一筹；但在立意的新奇、议论的精辟和“翻案法”的妙用方面，自有其独到处，仍不失为晚唐咏史怀古诗中的佳品。当然，皮日休在批判隋炀帝的同时，也不抹杀隋朝大运河在客观上所起的积极作用。他在《汴河铭》中曾指出：“则隋之疏淇、汴，凿太行，在隋之民，不胜其害也，在唐之民，不胜其利也。今自九河外，复有淇、汴，北通涿郡之渔商，南运江都之转输，其为利也博哉！”[①] 隋炀帝开凿大运河，对隋代的人民“不胜其害”，却能沟通南北人员和经济的往来，收百代之利。这和“至今千里赖通波”“共禹论功不较多”等诗句的评价是一致的。

二、“有德于民”的好官“王黄州”

《水经注·江水》引袁山松《宜都记》言：“山水有灵，亦当惊知己于千古矣。”[②] 湖北山水有灵，仅两宋时期，外来儒者在湖北为官的就有：王禹偁、寇凖、苏轼、杨时、胡安国、洪适、薛季宣、张孝祥、张栻、陆九渊，他们是湖北的知己。这里，先说被后人称作“王黄州”的王禹偁。

北宋名臣王禹偁（954—1001 年），字元之，济州巨野（今山东巨野）人，被誉为“北宋政治改革派的先驱”“关心民瘼、敢说敢为的好官”“诗文革新的旗手”“据实直书、不畏时忌的史家”[③]。王禹偁太平兴国八年（983 年）进士，官至翰林学士，由于他刚介正直，敢于直

① （唐）皮日休著，萧涤非、郑庆笃整理：《皮子文薮》，第 41 页。

② （北魏）郦道元著、陈桥驿校证：《水经注校证》，中华书局 2007 年版，第 793 页。

③ 徐规：《王禹偁事迹著作编年》，商务印书馆 2003 年版，第 1 页。

言讽谏，屡受贬谪，人称“直臣”。真宗咸平元年（998 年）的十二月二十九日落知制诰，出知黄州（今湖北黄冈市），时年 45 岁。第二年闰三月抵达黄州。咸平四年（1001 年）春移知蕲州（今湖北黄冈蕲春县），四月到任，五月十七日卒于任所，享年 48 岁。刚直不阿的王禹偁是北宋第一位贬谪到黄州的士大夫，他在黄州、蕲州共居住两年两个月的时间，在两年多的任期内，他深谋远虑，做了许多为国为民的大事，很好地实践了儒家“仁政”“德治”思想，后世称其为“王黄州”。

王禹偁通过科举考试跻身官僚阶层，接受儒家思想的长久浸润[①]。王禹偁自小即接受儒家学说的正统教育，如他自己所言“总角之岁……授经之外，日诵律诗一章”[②]。他还曾经说道：“予自幼服儒教，味经术，尝不喜法家流，少恩而深刻。”[③]儒教与经术自幼年时期起，已深深植入其脑海。淳化三年（992 年）春，其诗曰：“吾生非不辰，吾志复不卑。致君望尧舜，学业根孔姬。”[④]又说：“步骤依班马，根源法孔姬。”[⑤]直抒仰慕周文王、孔子治国思想的胸臆。“我爱三代时，法度有深根。”[⑥]更是鲜明地表露出其对三代社会的向往。儒家思想以“仁政”“德治”为内核，追求修身正己，忠君为民，其中，忠君是为官第一要义。王禹偁被贬至黄州，虽不免心有不甘，但忠赤依旧。诚如他所言：“霜摧风败，芝兰之性终香。日远天高，葵藿之心未死。”[⑦]其忠于君王、社稷之情，日月可鉴。因而，王禹偁期待“男儿得志升青云，须教利泽施于

---

① 曾育荣、余志清：《出入之间：王禹偁的仕、隐取向及其抉择研究》，《决策与信息》2017 年第 3 期。

② （宋）王禹偁：《孟水部诗集序》，见《小畜集》卷二〇，四部丛刊初编本，第 133 册，上海书店 1989 年版。

③ （宋）王禹偁：《用刑论》，见《小畜集》卷一五，四部丛刊初编本，第 133 册。

④ （宋）王禹偁：《吾志》，见《小畜集》卷三，四部丛刊初编本，第 133 册。

⑤ （宋）王禹偁：《谪居感事》，见《小畜集》卷八，四部丛刊初编本，第 133 册。

⑥ （宋）王禹偁：《一品孙郑昱》，见《小畜集》卷六，四部丛刊初编本，第 133 册。

⑦ （宋）王禹偁：《黄州谢上表》，见《小畜集》卷二二，四部丛刊初编本，第 133 册。

民”[①]。

王禹偁心系苍生、心忧天下、勤于政事、致君泽民，公忠体国、仁政德治的仕宦理念，同样体现于知黄州期间[②]。贬谪黄州已是他十余年宦海生涯中的第三次被贬，其志不改，如其所言：“屈于身兮不屈其道，任百谪而何亏！吾当守正直兮佩仁义，期终身以行之。”[③]赴任途中，王禹偁经过古颍川郡凤凰陂，缅怀汉代治颍循吏黄霸，称赞其“仁政被一方”[④]的显赫治绩，并以此激励自身治郡信念。抵达黄州不久，王禹偁向朝廷郑重表达治理地方的决心：“谨当勤求人瘼，遵奉昭条，窒塞嚣讼之民，束缚奸猾之吏。敢言课最，庶免旷遗，况当求理之朝，必为无害之政。”[⑤]

下车伊始，他即踏勘黄州山川、城垣及唐末以来战争不断的形势，其上表称：“黄州地连云梦，城倚大江。唐时版籍二万家，税钱三万贯。今人户不满一万，税钱止及六千。虽久乐升平，尚未臻富庶。”[⑥]的确，当时的黄州与唐代相比，人户虽为1/2，税钱却仅及1/5，经济实力明显下降，总体上远远谈不上富足。与富足地区相比，获取免于冻馁的基本生存保障，更是黄州普通平民百姓的企望。有感于生民之多艰，作为地方官员，王禹偁在黄州期间的诗作多报国忧民之思，如《瑞莲歌》：“瑞莲信美产兹土，起予谩作闲歌辞。年年更愿再熟稻，仓箱免使吾民饥。”[⑦]关心民瘼的执着信念，清晰可见。咸平三年（1000年）十月二十日，黄州竟罕见结冰。王禹偁《十月二十日作》诗深切关怀忍饥挨冻的

---

① （宋）王禹偁：《对酒吟》，见《小畜集》卷一三，四部丛刊初编本，第133册。

② 葛婧：《王禹偁知黄州散论》，见曾育荣主编：《葛金芳教授七十寿庆文集》，中山大学出版社2016年版，第181—186页。

③ （宋）王禹偁：《三黜赋》，见《小畜集》卷一，四部丛刊初编本，第133册。

④ （宋）王禹偁：《凤凰陂》，见《小畜集》卷六，四部丛刊初编本，第133册。

⑤ （宋）王禹偁：《黄州谢上表》，见《小畜集》卷二二，四部丛刊初编本，第133册。

⑥ （宋）王禹偁：《黄州谢上表》，见《小畜集》卷二二，四部丛刊初编本，第133册。

⑦ （宋）王禹偁：《瑞莲歌》，见《小畜集》卷一三，四部丛刊初编本，第133册。

黄州州民，以百姓甘苦为念并反躬自省。

王禹偁还关心黄州儒学教育、修筑城垣防御工程、设立医院救助狱中病囚。咸平二年（999 年），王禹偁一到任黄州，见黄州儒学不兴，文庙破败不堪，他在《黄州重修文宣王庙壁记》中说："黄州文宣王庙旧殿三间，阽危不可入，以十数柱扶持之，犹惧其颠覆，以至迁像设于门庑之下，拆之则瓦木朽解，十不存一。……某自西掖谪守是郡，……因其旧赀鸠工，揆日，命左都押衙丁文燧督其役，月余而殿成。"从此，"文庙成为黄州士子研习儒学、弘扬教化之地，宋代黄州的文教有了一个良好的开端"[①]。咸平三年（1000 年），王禹偁上疏建议在江淮诸郡"渐葺城壁，缮完甲胄，则郡国有御侮之备，长吏免剽略之虞"[②]，宋真宗称许并采纳了他的建议。他在黄州修葺城垣，修缮甲胄，构筑较为完善的防卫工事，改善和提升了黄州城的防御能力。王禹偁看到黄州监狱里的犯人，"每有患时，疾者互相浸染，或致死亡"，就向朝廷建议在全国各路设置病囚院。咸平四年（1001 年），朝廷采纳了他的建议，"令诸路置病囚院，持仗劫贼徒流以上有疾者处之，余悉责保于外"[③]。作为北宋官员，王禹偁具有的人道主义精神由此可见。

作为宋初客籍湖北的作家，王禹偁忧思孤愤溢于笔端，他是白体诗派的代表作家和改革家，对湖北文学产生过较大影响。

王禹偁的诗文在宋初有巨大影响力，是宋初"白体诗派"最杰出的代表。他自幼喜读白居易诗，走上仕途后，酬唱应答之作，显示出自己是白体诗的积极创作者。王禹偁仕途不顺，连遭打击。王禹偁知黄州后，一度也消极过，有过放浪江湖的行为，宋人沈虞卿《小畜集原序》说王禹偁"在郡政化孚洽，容与暇景，作竹楼、无愠斋、睡足轩以玩意"[④]。但王禹偁内心的忧思孤愤仍常溢于笔端，他在黄州期间的

① 黄冈市政协主编：《黄冈文化简史》，第 117 页。

② （元）脱脱等：《宋史・王禹偁传》，第 9799 页。

③ （宋）李焘：《续资治通鉴长编》卷四八，中华书局 2004 年版，第 1052 页。

④ （宋）沈虞卿：《小畜集原序》，见《小畜集》，四部丛刊初编本，第 133 册。

代表作多报国忧民之思，与白体诗的清雅闲适已自不同，他的《三黜赋》《一品孙郑昱》《瑞莲歌》均反映王禹偁精神层面所坚持的儒家基本道义。

《月波楼咏怀》是王禹偁在黄州写作的一首五言古诗，全诗680字，是一首感情充沛、视野开阔的长诗。作者首先是对黄州的地势与现状的描写：

齐安古郡废，移此清江头。筑城随山势，屈曲复环周。
兹楼最轩豁，旷望西北陬。武昌地如掌，天末入双眸。
平远无林木，一望同离娄。山形如八字，会合势相勾。
三国事既远，六朝名亦休。近从唐末来，争夺互仇雠。
斯楼备矢石，此地控咽喉。终朝望烽燧，连岁事戈矛。

诗人鸟瞰黄州，展现的是黄州的城垣、山川大势以及唐末以来战争不断的形势。末尾又抒发了自己报国无门的悲愤心情："君恩无路报，民瘼无术瘳。唯惭恋禄俸，未去耕田畴。题诗郡楼上，含毫思夷犹。功名非范蠡，何必泛扁舟。"[①]

王禹偁又是古文的倡导者，是宋初诗文革新的先驱之一，"王禹偁在湖北创作的诗文，为北宋中后期的诗文革新播下了种子"[②]。流传甚广的王禹偁代表作是《黄州新建小竹楼记》，该文语言优美，骈散结合，情感忧伤又不失旷达，是宋代散文名篇。开篇先叙就地取材造竹楼，次叙水光山色、四季流转中的雨雪之声、诗琴棋娱之声，再叙谪居之乐。末尾又结合自身的宦游经历议论竹楼的"易朽"与"不朽"，说明竹楼易朽，但居其间者的人格却是不朽的。王禹偁逝世后，谏议大夫戚纶对

① （宋）王禹偁：《月波楼咏怀》，见《小畜集》卷六，四部丛刊初编本，第133册。

② 王齐洲、王泽龙：《湖北文学史》，华中理工大学出版社1996年版，第368页。

他的评价是："事上不曲邪，居下不谄佞。见善若已有，嫉恶过仇雠。"[①]这四句言论对王禹偁刚毅性格和坚定信念作了精准概括，世人也以戚纶此语为知言。

王禹偁以"王黄州"之名行世。林逋有"纵横吾宋是黄州"[②]一语，黄庭坚则有"往时王黄州，谋国极匪躬"[③]之语，苏轼亦云："元之自黄迁蕲州，没于蕲，然世之称元之者，必曰黄州，而黄人亦曰'吾元之也'。……元之为郡守，有德于民，民怀之不忘也固宜。"[④]可以说，"王黄州"之名不仅是对王禹偁知黄州的极高评价，更是他德治仁政、公忠体国一生的缩影。

三、安陆名儒令狐挨

令狐挨，字子先，安陆人，生卒年不详，大约生活在北宋中期，与"二宋"（宋庠、宋祁）是同时人[⑤]，官至山南东道节度使推官、襄州监税。

王得臣《麈史》记录了令狐挨的两件逸事。第一件，令狐年少时，曾同宋祁兄弟一起去拜谒安陆郡守。不巧郡守外出，于是三人立在门外守候。不久，郡守归来，车骑相从，气势逼人。宋祁兄弟为之感叹，"相顾叹慕，且曰：'我属至此亦足矣。'令狐曰：'何其隘耶？吾辈不出

① （宋）戚纶：《王禹偁耒词》，载曾枣庄、刘琳主编：《全宋文》（第7册，全360册）卷140，上海辞书出版社2006年版，第219页。

② （宋）林逋：《读王黄州诗集》，见《林和靖诗集》卷三，四部丛刊初编本。

③ （宋）祝穆：《方舆胜览》卷五〇，中华书局2003年版，第892页。

④ （宋）苏轼：《苏东坡全集》卷一一六，北京燕山出版社2009年版，第3174页。

⑤ "二宋"的生卒年为：宋庠（996—1066年），宋祁（998—1061年）。另据《孝感文化简史》知："清朝光绪三十三年（1907年），人们在德安府治西南二里胡家畈发现令狐挨墓，发掘横额逸块，书有'宋节度掌书记令狐子先之墓'12字，又得古砖数块，刻有'皇祐三年'的字样。残碑后被刊于金泉寺壁，至今犹存。"见吴成国：《孝感文化简史》，湖北人民出版社2018年版，第118—119页。皇祐三年，即1051年。

入将相，皆不足道。’”[1] 任何一个人的成长及其事业上的成就，除了家庭影响和老师教导之外，还必须有朋友之间的交往和启发，互相切磋，潜移默化。令狐揆超越宋祁兄弟的志向，自信能够出将入相，说明他对自身的学识和能力的充分自信，对前途和未来的高度期望。

第二件事，令狐揆担任掾属小吏一段时间后，辞官居乡里，于涓溪之南筑屋而居，耕钓之外，每日写书弹琴，逍遥快活。有一个冬日，令狐揆冒雪渡溪前往方士张君房处借书。一位名叫林逸的好事者擅长绘画，将其事绘成“令狐揆雪中渡郢溪图”。图中令狐揆骑着一匹瘦马，头戴华阳纱巾，穿黑色布衣，身边跟随一名小书童。其序并云：“张侯畜书万卷，掾常就阅，或假辍以归。每出入跨羸马，顶戴华阳纱巾，着墨襂布缀，系绦。小童携书簏负琴以随。冬中复来假书，时值微雪飘洒，景物萧索。掾渡溪以归，常服外加以皂缯暖帽，委辔长吟曰：‘借书离近郭，冒雪渡寒溪。’闻者毛骨寒耸。是知至人操履卓越，风韵体裁，乃与天地四时之气相参焉。”[2] 可见，令狐揆不仅志向远大，而且勤于读书求知，气度不凡，远近知名。

宋庠、宋祁与令狐揆交好，还写了不少唱酬诗歌。宋庠写有《送令狐揆南游》诗：“楚泽离愁不避春，柳梢梅萼送行人。绿波易荡销魂水，紫陌难遮拂面尘。道困秦仪犹掉舌，歧多杨阮始沾巾。剑缑髀肉无穷恨，羞向耕畴独问津。”[3] 宋祁《送令狐秀才赴举》云：“秦市千金怀拱璧，舜韶九奏待长离。刘桢病久曾淹卧，宋玉才多故剩悲。几日绣衣荣白昼，郡章惊绂驷车驰。”[4] 宋祁对令狐揆极为赞赏，称其有“宋玉”之才。另，宋祁《寄令狐揆二首》云：“楚山千叠隐南辕，汉渚风樯箭浪

① （北宋）王得臣：《麈史》卷中，上海古籍出版社 1986 年版，第 27 页。

② （北宋）王得臣：《麈史》卷中，第 26 页。

③ （北宋）宋庠：《送令狐揆南游》，《元宪集》卷一一，见影印文渊阁本《四库全书》第 1087 册，第 482 页。

④ （北宋）宋祁：《送令狐秀才赴举》，《景文集》卷一四，见影印文渊阁本《四库全书》第 1088 册，第 120 页。

翻。流水东西俱怨别，离亭长短共销魂。歌翻白雪知难和，注怯黄金故易昏。玉骨更羸诗笔苦，客裾犹欲曳何门。”① 表达了二人分离的不舍与惆怅。

宋仁宗天圣元年（1023 年），胸怀远大抱负的令狐挺与宋庠、宋祁一同参加乡试，试题是《仲尼五十而学〈易〉赋》和《周成汉昭孰优论》。第一题出自《史记·孔子世家》所记载的“孔子晚而喜《易》”和“读《易》韦编三绝”等事迹，考生略加铺陈即可。第二题要求考生对周成王和汉昭帝孰优孰劣进行讨论，宋祁答以两可之说，令狐挺却认为，汉昭帝事先察觉上官桀的阴谋，要比周成王轻信流言而怀疑周公更有政治远见。考完以后，宋祁看了令狐挺的底稿后不禁十分佩服。不料，宋祁首荐，令狐被黜。

天圣五年（1027 年），令狐挺再次应试，终于考中。宋庠作《赠令狐进士》以贺之：“阙里高谈擅席珍，多年嵇痹叹沈沦。封轺续食论乡士，綵服承颜断织亲。风直鹢郊伤六翮，机藏橛弩惜千钧。载肴谁就扬雄宅，覆瓿书成担石贫。”② 这首诗回忆了“二宋”和令狐挺往昔求学岁月的艰辛，为友人今日高中感到骄傲，并希望他仕途顺遂，一展宏图。可惜令狐挺及第后一直未居高位，历仕齐安（今湖北黄冈）理掾、山南东道（今湖北襄阳）节度推官，至襄州监税而终。

令狐挺为人耿介，长于著书，年轻时终日苦读，至老不倦。他所读的书内容丰富，无所不包，著有《万卷录》《易说精义》《晋年统纬》《默书》《琴谱》《兵途要辖》等数种。

令狐挺逝世之后，由其门人请太子中允句谌撰墓志铭。著名音乐家阮逸撰文，林逸手写，孟逸篆额，正巧这三人皆名“逸”，故史称“三逸碑”。

---

① （北宋）宋祁：《寄令狐挺二首》，《景文集》卷一八，见影印文渊阁本《四库全书》第 1088 册，第 151 页。

② （北宋）宋庠：《赠令狐挺进士》，《元宪集》卷一三，见影印文渊阁本《四库全书》第 1087 册，第 493 页。

四、“直声动天下”的唐介

在北宋政治舞台上，荆楚地区涌现出了安陆二宋（宋庠、宋祁）、王得臣、江陵唐介、江夏（今武汉市）冯京等杰出儒生官员，其中尤以唐介最为著名，他是荆楚本土儒生官员的杰出代表，一生为官，践行着儒家的正直价值观。《宋史》史臣将唐介与刚正不阿的包拯的传立在同一卷中，“享有‘真御史’之称的唐介，是有宋一代台谏职责践行者和捍卫者的典型代表之一”①。

唐介（1010—1069年），字子方，江陵人，北宋著名谏官。据同朝宰相王珪所作《唐质肃公介墓志铭》载，“公讳介，字子方。其先晋昌人，唐末避乱于余杭，自其祖始徙家江陵，今为江陵人”②。唐介出身贫寒，但奋发图强，仁宗天圣八年（1030年）进士及第，同榜者有欧阳修、富弼、孙忭、蔡襄、余靖、尹洙等人。先为鼎州武陵县尉，又迁岳州沅江县令③，后任莫州任丘（治今河北任丘市南）知县、德州通判。因政绩显著，皇祐二年（1050年），唐介被升至殿中侍御史，职掌监察、言事。他谏诤不避权贵，因弹劾宰相文彦博，被贬英州别驾。皇祐五年（1053年）召还，复为殿中侍御史，“言事益无所顾”④。后自请外任，先后任开封府判官、扬州知府、江东转运使等职。嘉祐三年（1058年），迁淮南、江、浙、荆湖发运使，又入为度支副使，进天章阁待制。次年，知谏院，言事如故。以论罢陈升之，出知洪州。历河北都转运使、

① 伍松：《唐介研究》，湖北大学2013年硕士学位论文，第1页。

②（宋）王珪：《唐质肃公介墓志铭》，载《华阳集》卷五七，见影印文渊阁本《四库全书》第1093册，第422页。

③《宋史》卷三一六《唐介传》记为“平江令”，但王珪《唐质肃公介墓志铭》则记为“岳州沅江令”，刘挚《忠肃集》卷一一《唐质肃神道碑》亦记为“岳州沅江令”。查宋代岳州下辖五县，沅江、平江均在其中，此处从王珪、刘挚所记。（元）脱脱等：《宋史》，第10326页；王珪所记注同上；（宋）刘挚：《唐质肃神道碑》，载《忠肃集》卷一一，见影印文渊阁本《四库全书》第1099册，第567页。

④（元）脱脱等：《宋史》卷三一六《唐介传》，第10328页。

知瀛洲。治平元年（1064 年），召为御史中丞。神宗即位后，唐介任三司使。熙宁元年（1068 年），除参知政事。因反对重用王安石，及王安石执政，又数与争论，神宗偏袒王安石，唐介忧愤成疾，背部疽病发作而死，享年 60 岁。

唐介一生以正直、敢言著称。在任地方官时，就表现出刚直不阿、秉公执法的品格。如在任岳州沅江县令时，曾发生县吏因勒索富而吝啬的百姓李氏未遂，便诬其从事官方严令禁止的“杀人祭鬼”陋俗的案件。岳州太守捕其全家，虽施以重刑，但李氏并不招供。太守又让唐介审讯之，唐介并不迎合上司，而是依法审案，他独立审理后认为犯罪证据不足。愤怒不已的太守仍不甘心，还奏请朝廷派御史异地继续审讯，结论与唐介同。为此，太守及以下官员获罪，而唐介“未尝自言”。此案可算是唐介第一场政治秀，他在整个查案、审案、判案过程中，充分展示出公正执法，不徇私枉法，不诬罔良人的正直品格。

又如，在任莫州任丘知县时，他对辽使经常勒索驿吏，致其家破财亡的劫掠行为十分不满，亲临驿站训喻驿吏勿惧辽使，强调“非法所应给，一切勿与。稍毁吾什器者，必执之”。唐介的坚定态度与做法有效打击了辽使的嚣张气焰，使其“皆帖伏以去”①。《宋史》本传还记载，唐介任德州通判时，不满转运使崔峄向百姓高价兜售库藏绢绸的敛财举动，一方面通过“留牒不下”方式予以阻拦，另一方面赶紧向安抚司上报情况，让其责备崔峄。崔峄对此大为恼怒，数次派人追逼唐介快快下文，唐介不为所动，终于没有执行这道命令。这又体现出唐介以利民为本的执政理念。

自任京官为御史后，唐介忠实履行谏官独立敢言的职责，其正直品性得到淋漓尽致的展现。如当他得知皇家寺院广圣院造龙凤车，且宫内库房为之提供奇珠宝玉用于装饰，不只奢靡，又搅扰清静圣地时，就向仁宗进谏道：“此太宗神御所在，不可喧渎；后宫奇靡之器，不宜过

① （元）脱脱等：《宋史》卷三一六《唐介传》，第 10326 页。

制。”[①] 仁宗采纳其谏言，下诏立即毁掉龙凤车。

再如，当得知外戚张尧佐骤任宣徽、节度、景灵、群牧四使时，唐介与御史中丞包拯、吴奎等谏官极力反对，认为升迁途径不正、权力过大，不合礼制，并请御史中丞王举正联合百官当廷公议此事，结果剥夺张尧佐宣徽、景灵两使职务。但不久，张尧佐又被任命为宣徽使、河阳知府。唐介气愤不已，决心谏诤到底。他动员谏官们道：“皇上是想封他宣徽使，而以河阳知府为名，我们不能就此罢休啊。”然同僚此时多明哲保身，态度消极，唐介只好孤军奋战，“独抗言之”。仁宗将责任推给中书省，表示任职令由中书省下达。唐介便上书弹劾宰相文彦博，检举文在蜀担任太守期间曾织造错金奇锦，通过宦官进献给张贵妃，为日后获得宰执地位做铺垫的传闻，指责其现在之所以大力提拔张贵妃伯父张尧佐，既为报答张贵妃提携之功，又为进一步巩固自身势力，并要求罢免他改用富弼为相，并言辞激烈地批评谏官吴奎“表里观望”，未能忠于职守。仁宗大怒，不仅拒看其奏章，还声称要将其贬谪偏远之地。而唐介先将其所上奏章慢慢读完，然后掷地有声说：“臣忠愤所激，鼎镬不避，何辞于谪？”并当面指责文彦博说：“彦博宜自省，即有之，不可隐。”[②] 唐介敢触龙颜，维护正义的大胆举动，虽为其招来远贬英州（今广东英德市）之祸，但也赢得罢免文彦博相位，贬黜吴奎的结果，而且也让朝廷上下得见其赤胆忠心。

从此，唐介坦率耿直、嫉恶如仇的美名轰动天下。仁宗怕唐介死在路上，自己背上伤害耿直大臣的恶名，就派中使护送他；梅尧臣、李师中等京官皆赋诗为其送行。如李师中《送唐子方之贬所》诗赞誉其：“孤忠自许众不与，独立敢言人所难。去国一身轻似叶，高名千古重于山。并游英俊颜何厚，未死奸谀骨已寒。天为吾君扶社稷，肯教夫子不

---

① （元）脱脱等：《宋史》卷三一六《唐介传》，第 10327 页。

② （元）脱脱等：《宋史》卷三一六《唐介传》，第 10327 页。

生还。”[①]士大夫们谈论“真正的御史”时，都必然说“唐子方”，而不敢直呼其名。而唐介在后来的御史职务中，一如既往地忠言直谏。如，他在知谏院时，针对仁宗在至和后（1054—1055年）“临朝渊默”，过于“无为而治”治国风格提出谏言，主张加强君臣交流，鼓励群臣进谏言事等。再如，他针对宦官越权行使中书“出命”之权、皇帝赏赐妃嫔过度、监司用人不当、行政机构臃肿导致扰民，以及宿卫官员徇私枉法，夜开禁门等诸多具体问题，提出杜绝宦官越权、减损赏赐、精择端良敦朴之士、精简机构、弹劾宿卫官员等相应整治意见，均被皇帝采纳。

后来继位的英宗、神宗均对唐介礼遇有加。英宗说：“您在先朝时有敢于仗义执言的美誉，因此我才任用您，不是听了左右人的建议才用您的。”召唐介回京任御史中丞，次年以龙图阁学士身份任太原知府。神宗召他回京任三司使，拜参知政事。唐介病重时，神宗问起他的病情就哭，还在唐介逝世之后亲往其宅第吊唁，因为画师所画的遗像不太准确，神宗还拿出皇宫中收藏的画像赐给他的家人。追赠礼部尚书，谥号“质肃”[②]。王珪《唐质肃公介墓志铭》中有“葬江陵龙山之东原”句[③]，表明唐介墓在家乡江陵。

唐介作为中国古代“直臣”的杰出代表，历来对他的评价非常之高。正直是传统社会儒家所倡导的价值理念之一，通常所谓“正人君子”，正是强调君子必须拥有“正直”的美德。唐介的同僚王珪写有《赠礼部尚书唐质肃公挽词二首》，其诗句有云：“昔在仁朝日，孤忠独犯颜。一身宁自顾，万里偶生还。”“恤恩天子厚，遗直世人哀。”[④]《宋

① （宋）魏庆之：《诗人玉屑》卷二《诗评第三·进退格》引《湘素杂记》，见影印文渊阁本《四库全书》第1481册，第61页。

② （元）脱脱等：《宋史》卷三一六《唐介传》，第10328—10330页。

③ （宋）王珪：《唐质肃公介墓志铭》，载《华阳集》卷五七，见影印文渊阁本《四库全书》第1093册，第422页。

④ （宋）王珪：《赠礼部尚书唐质肃公挽词二首》，载《华阳集》卷六，见影印文渊阁本《四库全书》第1093册，第39页。

史》本传卷末史臣论曰：“介敢言，声动天下，斯古遗直也。”[①]

五、“推广师说”的杨时

荆楚地区是理学重要流派——洛学[②]孕育、传播之地。不但洛学创立者程颢、程颐兄弟生长于湖北黄陂，而且程门高足谢良佐、杨时先后在荆楚大地传播洛学。

杨时与谢良佐不仅只是程门弟子，更是为洛学的存亡继绝作过贡献的人物。杨时（1053—1135年），字中立，号龟山，学者称龟山先生，他是北宋哲学家、文学家、官吏。祖籍弘农华阴（今陕西华阴东），南剑西镛州龙池团（今福建省三明市将乐县）人。杨时拜程颐为师，著名的成语故事“程门立雪”讲的就是杨时求学心切和对师者的尊敬。杨时、谢良佐与游酢、吕大临一起号称“程门四先生”。元符年间（1098—1100年），人称“上蔡先生”的谢良佐（1050—1103年）知德安府应城县，最先将洛学火种撒播到荆楚大地。当此之时，正是洛学遭禁的困厄时期，绍圣四年（1097年），“先生复以罪流窜涪陵，其立言垂训为世之大禁，学者膠口无敢复道”[③]。朱熹《伊洛渊源录》载，元符三年（1100年）自涪陵获释返归洛阳的程颐深有体察，他“见学者凋落，多从佛学”，唯独谢良佐与杨时“不变”，叹曰：“学者皆流于异端矣，惟有谢、杨二君长进。”[④]元人张光祖《言行龟鉴》卷一有相同的记载。“从思想史的发展脉络来看，杨时与谢良佐二人堪称洛学传承中功

---

① （元）脱脱等：《宋史》卷三一六《唐介传》，第10332页。

② 洛学，指宋儒程颢、程颐的学说，程颢、程颐出生并生长于湖北黄陂，后来定居河南洛阳，故其学说被称作“洛学”。洛学以儒学为核心，并将佛、道渗透其中，旨在从哲学上论证天理与人欲之间的关系，规范人的行为，维护封建秩序。

③ （宋）杨时：《中庸义序》，《龟山集》卷二五，见影印文渊阁本《四库全书》第1125册，第348页。

④ （宋）朱熹：《杨文靖公·遗事九条》，《伊洛渊源录》卷十，见影印文渊阁本《四库全书》第448册，第496页。

绩最大的程门高徒。”[①] 二程洛学主要沿着杨、谢二人的学脉传承下来。一条由杨时传罗从彦，再传李侗，最后传至朱熹，形成所谓“道南学派”。另外一条经谢良佐传胡安国，再传胡宏，最后传至张栻，形成所谓“湖湘学派”。二者实乃一体分流，双峰并峙。

宋徽宗靖国元年（1101 年），杨时因仕荆南府教授来到荆州，荆州遂成为杨时播扬洛学的重镇之一。杨时在荆播扬洛学的主要途径有二：一是讲洛学于府学；二是与胡安国、陈瓘、向子韶等讲友切磋学术。而无论讲学抑或学术研讨，往往贯穿洛学重《四书》、尚义理、辟佛道、批“新学”的精神旨趣[②]。

杨时于府学讲洛学旨在传播洛学，在讲学内容、方式与价值取向上，无不体现上述旨趣。讲学内容上，他以《论语》《孟子》为代表的“四书”典籍为传授核心，兼及《诗》《书》《礼》《易》《春秋》等“五经”。讲学方式上，他以阐释、发挥“四书”“五经”义理为根本。学生们发问亦以孔孟义理为多，涉及儒学诸多要义，如中庸至德、圣人之道、事君之道、学习之道等。价值取向上，杨时崇儒学，辟佛道。主张学者当志存高远，“以圣人为师”。在他看来，“以圣人为师，犹学射而立的然。的立于彼，然后射者可视之而求中”[③]。圣人以仁德、才智兼备为特征，而仁德乃诸德总称，包含“正己”等人格修养要求。杨时很看重此点，提出学者须先“正己”方能“行道”，反对为行道而“轻其去就”“以术行道”等“枉己”做法。这些从其弟子所记杨时在荆自讲及答弟子之辞的语录——《荆州所闻》即可获知。

讲学中，杨时立足儒学，通过比较儒、佛、道之异，批评佛学在心性论上于理义“未至”、庄子“夸言”等弊病。他虽承认佛学精深，但

---

① 连凡：《论谢良佐的学术地位及其哲学思想——以〈宋元学案〉为中心的考察》，《武陵学刊》2018 年第 4 期。

② 《荆州文化简史》编撰委员会：《荆州文化简史》，湖北人民出版社 2019 年版，第 346—348 页。

③ （宋）杨时：《语录 · 荆州所闻》，《龟山集》卷十，见影印文渊阁本《四库全书》第 1125 册，第 190 页。

坚持儒学更胜一筹。杨时崇儒学、辟佛道的价值取向，在宋代理学家中颇具代表性。前述程颐师褒奖其不为佛学所移，即有见于此。不过，杨时也未完全摆脱佛道思想影响，如其讲学时偶或援老子为证，所作诗文亦染一些佛老意味。此实为宋代理学家之共性。他们一方面辟佛道，另一方面又自觉或不自觉地濡染佛道，从而建构起以早期儒学为主体、融合佛道理论思维与价值观念的理学思想体系，顺应、推动了儒、佛、道“三教合一”的学术发展大势。

讲学中，杨时还勇于针砭时弊。他对当时外交、政治、教育等领域所存弊病多有指刺，尤其揭批了王安石新法实施过程中出现的“害民”问题。尽管此时他只从实践层面对王安石建立在“新学”理据上的“新法”加以抨击，未能从学理层面展开对“新学”的系统批判——此工作直至其另一著作《三经义辨》写出后才得以完成①，但毕竟已开启批判王安石的先河，为理学最终取“新学”而代之吹响了号角。

杨时与荆州内外学人探讨孔孟义理及儒佛关系等议题、自著理学论文等，则是其发扬光大洛学的重要途径。杨时初到荆州，在为上任教授胡安国饯行时，异于同僚“呼乐戏以俟”的做法，只备便饭，一边与安国“引觞徐酌”，一边“置《语》《孟》案间，清坐讲论，不觉日晷云暮也”②。此崇简尚静、以孔孟义理养心的超脱之举，不只展示理学家庄敬、内省的人生态度与高雅、清远的生活品位，亦是对洛学重《四书》、尚义理精神旨趣的切实践履。杨时在安国赴京后仍与之保持学术联系，作《答胡康侯论学书》《答胡康侯论持戒并说〈春秋〉书》等，仍就孔孟圣贤之道、儒佛关系等议题相互切磋、讨论。崇宁四年（1105年），当胡安国除授湖北提学改任湖南提学时，杨时作《送胡康侯使湖南》诗

① 《宋史·艺文一》录有“杨时《三经义辨》十卷”。另，《宋史·陈渊传》记，陈渊评价杨时及其《三经义辨》说：“杨时之学能宗孔、孟，其《三经义辨》甚当理。”见（元）脱脱等：《宋史》，第5071页、第11629—11630页。

② （宋）朱熹：《胡文定公》，《伊洛渊源录》卷一三，见影印文渊阁本《四库全书》第448册，第521页。

赠别，诗句饱含张大洛学、相与共勉之意："朝燕暮腾越，快意未为喜。圣门学须强，一篑亏可耻。扩之天地宽，于道乃云迩。为士贵弘毅，无忘味斯旨。"① 此外，杨时与闽籍学友陈瓘（1057—1124年，字莹中，福建沙县人）亦有书信联系。他不认同陈氏对《华严经》"布施"思想的称颂，并据《孟子》之言加以批驳，严守儒佛之界②。杨时在荆州期间，还撰有《书义序》《论语义序》《孟子义序》等理学论文，加上后来所作《中庸义序》《中庸解义》《题萧欲仁大学篇后》《经解·孟子解》等，兼之在荆州、京师、余杭、萧山等地的讲学语录，杨时遂构建起以"四书"学为核心的理学体系。

杨时荆州任职四年中，是他"推广师说，穷探力索"洛学的四年。杨时仕荆期间，恰为新党分子蔡京当国、发起新一轮迫害元祐党人的党锢时期，其师程颐自此至去世一直被剥夺聚徒讲学的权利。在此背景下，杨时与师兄谢良佐同具存续洛学薪火、引领荆楚学术的不朽贡献。

四年后，他因授余杭知县而调离荆州。后赴无锡创办东林书院，更加自由、深入地传扬洛学，无锡成为继荆州之后的另一洛学传播重镇。所著《三经义辨》力辟"新学"，对壮大理学声势起到关键作用。

杨时"推广师说"之功，时人和后人都给予了较高的评价。南宋诗人、词人、道学家、"东莱先生"吕本中（1084—1145年），在为杨时所撰《行状略》中写道，杨时在程门学成南归后，"沉浸经书，推广师说，穷探力索，务极其趣，涵蓄广大而不敢轻自肆也"③。明人朱衡《道南源委》除抄录吕本中这段话外，还称誉杨时"得伊洛之传，为闽中道学

① （宋）杨时：《诗一·送胡康侯使湖南》，《龟山集》卷三八，见影印文渊阁本《四库全书》第1125册，第461页。

② （宋）杨时：《书四·答陈莹中其一》，《龟山集》卷一九，见影印文渊阁本《四库全书》第1125册，第292页。

③ （宋）朱熹：《伊洛渊源录》卷十录吕本中《行状略》，见影印文渊阁本《四库全书》第448册，第496页。

正宗”[①]。杨时晚年告老还乡，传洛学于闽，终由三传弟子朱熹创立集理学之大成的“闽学”。故杨时在理学史上被视作“承洛启闽”、实现洛学向闽学过渡的关键人物。东南学者奉之为“程氏正宗”“道南一脉”，享有“闽学鼻祖”美誉。

六、“声名四海知”的洪适

洪适（1117—1184 年），字景伯，号盘洲，饶州鄱阳（今江西鄱阳县）人。洪适先后任台州（今浙江台州地区）通判、荆门军（今湖北当阳、荆门等市）知军、徽州知州、江东路提举常平茶盐公事、中书舍人、端明殿学士、签书枢密院事，后官至同中书门下平章事兼枢密使（宰相），逝世后朝廷赐谥号“文惠公”。洪适是南宋著名宰相、金石学家、诗人、词人。

绍兴二十五年（1155 年），洪适被任命为荆门军知军。洪适上任时，南宋早有一项已推行多年的制度，“自今守臣到任半年，先具民间利害或边防五事来，上因以察其材能”[②]。上任前，由于前任的欺瞒与吹嘘，荆门在洪适心目中“已成乐土”[③]。可是，洪适上任后实地调查，才知此地官吏横征暴敛，赋税过重，民不聊生，现状凄惨。洪适到荆门后，就向朝廷表达自己“爱民惠政”的决心：“兴怜困踬，初试凋残。岂止捐奉稍以活其妻孥，亦将观政事以品其人物。某敢不自鞭蹇步，庶效秋毫？敢作伪声，以八万流民而受赏？尚期他日，有五六老叟之送行，不致瘝官，是为报德。”[④] 他又在《谢魏潭州启》中写道：“考前召后杜于

① （明）朱衡：《道南源委》卷一，中华书局 1985 年版，第 12 页、第 14 页。

② （宋）李心传：《建炎以来系年要录》卷六三“绍兴三年（1133 年）二月甲寅条”，见影印文渊阁本《四库全书》第 325 册，第 824 页。

③ （南宋）洪适：《与交代赵知军启》，《盘洲文集》卷五七，见影印文渊阁本《四库全书》第 1158 册，第 620 页。

④ （南宋）洪适：《荆门到任谢宰相启》，《盘洲文集》卷五七，见影印文渊阁本《四库全书》第 1158 册，第 621 页。

往图，未能敷惠；眄曲沮清漳之遗址，何以销忧？”①他感到荆门老百姓没有得到实惠，有愧于前贤，心中充满忧虑。为此，洪适以此为切入点，深入民间，了解民情，感到民事“不可缓”，到任“未及三月”，便提前上“便民五事状”，接着上“宽恤四事状”：“应诏上宽恤四事：轻茶额钱，它州代贡礼物，辟试闱以复旧额，蠲官田令不种者输租。”②随后，上《论茶事状》《复解额申省状》，为民请命，积极兴利除害，为荆门人民做了力所能及的好事。上任伊始，洪适还曾敬告先圣，表示决心：“某诵圣人之书垂四十年，游宦之日居其半。谗巧堙厄，一纪家食，始得临民一障，不敢以远且小而忽之也”③。在荆门期间，洪适创作诗文 47 篇，计奏议 5 篇、启 23 篇、祭文 7 篇、序记 2 篇、诗 10 篇，这些作品表现出洪适对荆门人民的深切同情与挚爱，展示了文人士大夫的担当精神，蕴含了丰富的民本思想④。

一是建议减少摊派茶额。宋代茶叶实行专卖，荆门历任官员不顾实际需要，年年增加茶额。因为推销茶叶越多，茶税也越多。为了办足茶额，荆门军“遂以人户为率，计口均敷。如家有一丁则岁受茶三斤，其丁多至老小者以次增减，至有一家买十三斤者”。这种强制摊派做法“行之将及十年”，“豪商与猾吏通谋为奸”，恶行累累，致使“民力重困”，许多老百姓“不敢归业”，流离失所。关于榷茶，洪适提议或将现在每年茶额“蠲减一半”，或从绍兴二十九年（1159 年）开始，“只以客人（商）从便实住卖到茶数立为新额”⑤。

---

① （南宋）洪适：《谢魏潭州启》，《盘洲文集》卷五七，见影印文渊阁本《四库全书》第 1158 册，第 624 页。

② （元）脱脱等：《宋史》卷三七三《洪适传》，第 11563 页。

③ （南宋）洪适：《荆门谒先圣文》，《盘洲文集》卷七一，见影印文渊阁本《四库全书》第 1158 册，第 723 页。

④ 荆门政协文史委编：《荆门文化简史》，第 211—214 页。

⑤ （南宋）洪适：《荆门军奏便民五事状》，《盘洲文集》卷四九，见影印文渊阁本《四库全书》第 1158 册，第 567—569 页。

二是建议减少酒税白纳。在宋代，酒也实行专卖，方法是官榷与买扑。买扑由民户以买主身份通过竞争承包官府经营的酒业，缴纳酒税，独占某一地区酿酒沽卖。荆门军酒务及公使库每遇正旦、寒食、冬至等传统节日，各印一种名叫“关子”的兑换券付给居民，“令户户纳钱赴官沽酒，自一百至一贯。军城数百家，每一节出钱二百贯，只是略得些小恶酒”。更有甚者，荆门军“管下当阳县，每岁遇人户纳夏秋二税，并令先纳尝酒钱，以家业多少为率，自五百至三千”[①]。一年两次，将近二千贯，百姓负担极重。关于榷酒，洪适建议删除榷酒法中关于卖曲不合理条款。

三是建议减少营田课税。南宋初期，湖北兴办营田亏损严重，而官员为希功图赏，强行抑勒民户附种营田，认纳课利，以充虚数。洪适统计，荆门军管辖两县虚名“营田共一千七十七户，所纳秋课自五斗有至于四十二石者，共一千八百余石，又有夏料小麦在外，并是无田认纳”。而这些白纳的课子，必须由县尉、弓手揽纳，又增加了一层盘剥，“每石有费钱三千者；每户各有小麦七升，亦有费钱一千者，即是税上起税，实为重叠”，建议除免“其虚名营田勒人户附种白纳课子之数”[②]。

四是建议除免学田“无田认纳”。学田是用作赡学的官田。在荆门，学田也以“附种”为名，强行“依数填纳租课”。经过调查，洪适发现长林县纳学粮的共 233 户，有学田的才 35 户，其余都是“无田认纳”，他对百姓之苦感同身受，“若循旧不恤，勒令任租，则细民苦之无时而已”，“许令本军于长林县户绝田租内（纳）岁拨米麦各一百石以充学粮”，除免“其附种之数”[③]。

---

① （南宋）洪适：《荆门应诏奏宽恤四事状》，《盘洲文集》卷四九，见影印文渊阁本《四库全书》第 1158 册，第 572、573 页。

② （南宋）洪适：《荆门军奏便民五事状》，《盘洲文集》卷四九，见影印文渊阁本《四库全书》第 1158 册，第 569、570 页。

③ （南宋）洪适：《荆门军奏便民五事状》，《盘洲文集》卷四九，见影印文渊阁本《四库全书》第 1158 册，第 570、571 页。

五是建议减少荆门军代他州进贡。朝廷规定，每遇大礼年份，荆门军除了自身要进贡银200两、绢200匹以外，还要代靖州进贡银200两、绢200匹；代峡州进贡绢300匹。而荆门经战火破坏，凋残“实与淮南无异”，商旅不行，财赋不足，代贡极为困难。因此，关于代贡，因峡州税收超过荆门，建议“免纳峡州贡物”，可“为靖州依旧代纳”；“臣愚欲望圣慈许令荆门免纳峡州贡物，庶几不使一垒而供三州之赋”①。

首上前述“五事”外，洪适还在其后反映了三事：一是多交杂税。荆门军每岁人户秋苗有正税米，又有油麻豆粟杂色，亦是折米。二是不渔纳租。荆门军“有独石潭在汉江之旁，产鱼甚多，旧以鱼利添助支费”。后来将独石潭改为放生池，不准打鱼。可是，荆门军却“至冬月令县尉集沿江人户，将已前鱼利之数均勒认纳”②。三是解额不公。所谓解额，是指士人通过各类发解试，解送礼部参加省试的名额。荆门军旧有解额5人，到南宋减为1人。以“至绍兴二十六年，终场四十六人，亦只解发一人”；而“今湖北诸郡并是十五人以下解发一名”；洪适认为，这“显是多寡不均”；请求“比附本路邻近州军体例”，为荆门军“改立解额行下”③。

洪适关心民瘼，据实直书，这不仅为朝廷提供了真实信息，向朝廷提供建议，而且主动作为，寻求解决之策，并在自己权限内加以处理。照这样的治理思路，假以时日，荆门军必将起巨大变化。不料，洪适在荆门仅九个月时间就得以升迁，改知徽州，离开了荆门。洪适虽然知荆门军的时间不长，但其以民本思想为核心的为政理念，却甚获好评，长留人间。时人许及之（？—1209年）《次韵洪莘之太社真率之集三首》

① （南宋）洪适：《荆门军奏便民五事状》，《盘洲文集》卷四九，见影印文渊阁本《四库全书》第1158册，第567、572页。

② （南宋）洪适：《荆门应诏奏宽恤四事状》，《盘洲文集》卷四九，见影印文渊阁本《四库全书》第1158册，第573页。

③ （南宋）洪适：《复解额申省状》，《盘洲文集》卷五一，见影印文渊阁本《四库全书》第1158册，第581、582页。

其一有诗句云："畴昔三洪并，声名四海知。"①文天祥（1236—1283年）《跋王元高词科拟稿》则言："我朝言治者曰庆历、元祐、乾淳，厥亦惟欧阳子、苏公兄弟、周益国、三洪氏，以其宗工大手掌朝廷文字，以为之缫籍粉泽，功光当时，垂休无穷，岂曰小补之哉？"②

七、"民赖以宽"的县令薛季宣

薛季宣（1134—1173年），字士龙，亦作士隆，号艮斋，学者称艮斋先生。两浙东路温州永嘉县（今浙江温州）人，南宋哲学家，永嘉学派的创始人之一。绍兴三十一年（1161年），年仅27岁，薛季宣以恩荫任武昌县令。他在武昌的施政作为，对其后来学术思想产生了一定影响。

薛季宣在武昌任县令约三年，治理有方，颇有政声。时武昌动荡不安，素号难治，连续换了好几任县令。薛季宣在短暂的时间内，采取了许多得力的施政措施，"乃大治版籍，期会、简稽、出纳，悉就绳尺，密而不烦，严而不迫"，这些措施与作为的效果是，"既获乎上，民赖以宽，有所废置，皆争趋和"③。

铲除盗贼，加强武备。据吕祖谦《薛公墓志铭》记载，武昌"所治即孙吴故宫，自古江左重地也"，但"县故多盗，铁冶、营田棋布诸乡，亡命、奸人出没其间"。薛季宣借鉴河北、陕右弓箭手保甲法及淮西刘纲保伍要求，在武昌境内实行保甲法。"五家为保，二保为甲，六甲为队，因地形便合为总"。官族、士族、富族皆须加入保甲组织，得到保甲的保护，但必须出钱，作为活动经费。保甲法的实行，改变了过去农

① （南宋）许及之：《次韵洪莘之太社真率之集三首》，《涉斋集》卷六，见影印文渊阁本《四库全书》第1154册，第444页。

② （南宋）文天祥：《跋王元高词科拟稿》，见《文天祥全集》，中国书店1985年版，第242页。

③ （宋）吕祖谦：《宋右奉议郎新改差常州借紫薛公墓志铭》，（宋）薛季宣撰、薛旦编：《浪语集》卷三五，见影印文渊阁本《四库全书》第1159册，第587页。

民无组织的松散状态，“里闾皆以武力相高，气俗一变”[①]，社会秩序很快得以稳定。

对当时南宋屯兵问题，薛季宣有自己的看法。当时南宋朝廷屯兵夏口（今武汉市武昌区），薛季宣认为应屯兵武昌（今鄂州），“武昌居两道之冲。宿兵武昌，舣舟樊港，放求古迹，分军江北而屯之，以守则坚，以攻则速”[②]。由于武昌战略地位重要，薛季宣在武昌城、白鹿矶、安乐口均置戍，又从宣谕司得到战舰十艘，甲士三百，严加防范。

兴修水利，轻徭薄赋。过去武昌“环邑沟渎不渫，夏潦没道”，前任县令们虽然觉得易发水灾是个很头痛的问题，但认为工程太大，无人敢去做此事。薛季宣则依托保甲组织来完成修建排涝渠道的工程。他把修沟渠的任务明确划分并总层层落实到保甲。薛季宣亲自督察，在较短的时间内，完成了修渠任务，“武昌自是无水患”[③]。

薛季宣主张罢屯田，不与民争利。他从实际出发，给鄂守宋似孙写信，力陈南宋屯田之弊。认为赵充国、诸葛亮屯田之所以成功，是由于为士兵所耕之田为无主之弃地，不会与农民发生矛盾，反而减轻农民负担；其次是因为士兵原来身份为农民，熟悉农业，士兵屯田则驾轻就熟。南宋时北方流民大量迁徙到江淮之间，再加上原住居民，水利便利的良田，已垦辟殆尽。若军队屯田，必然与百姓争利。

薛季宣以身作则。当时南宋朝廷诸将出师，由于军令不整，常常侵害百姓，而内郡发粟输边时，文吏董役者则欺凌更甚，以至道殣相望，所以“民见调，辄与亲戚为死诀”，视此役为畏途。薛季宣深知个中原因，便亲自率领武昌县民 1800 人，运输 900 石粮食至信阳前线。薛季

① （宋）吕祖谦：《宋右奉议郎新改差常州借紫薛公墓志铭》，（宋）薛季宣撰、薛旦编：《浪语集》卷三五，见影印文渊阁本《四库全书》第 1159 册，第 587 页。

② （宋）薛季宣：《论屯戍》，（宋）薛季宣撰、薛旦编：《浪语集》卷二〇，见影印文渊阁本《四库全书》第 1159 册，第 326、327 页。

③ （宋）吕祖谦：《宋右奉议郎新改差常州借紫薛公墓志铭》，（宋）薛季宣撰、薛旦编：《浪语集》卷三五，见影印文渊阁本《四库全书》第 1159 册，第 587 页。

宣对运粮民夫队伍实行军事化管理，“既发，队伍次舍，悉仿行军”[①]，“行必为阵，日暮各以部曲相地顿舍，以枪为壁，鸣刁斗，设伏”[②]。而薛季宣则“亲与役夫同苦乐。病者挟医护视，始轻所负，剧则皆弛之，增剧则以马若舆载之。病者未至，队长毋得即安。号令齐壹，道上担肩相差如引绳，无敢少磋跌”。对此“整肃如是”的民众，路上观者纷纷问道：“此谁将军、部曲耶？”[③]

薛季宣直言敢谏，大胆地向朝廷和上级官员提出过许多好的建议，言辞激烈，切中时弊。诸如冗官冗兵问题、赋税问题、边备问题、人才问题、流民问题、营田问题等，都是为官一方的儒生出身官员所思所想的问题。一部《浪语集》虽仅三十五卷，但有不少篇章反映出薛季宣是一位勤勉为政、卓有宦声的好官。

从《浪语集》所录诗文看，住在西山脚下武昌县衙的薛季宣，从政之余，文思泉涌，写下了与武昌相关的20余篇文章和80多首诗，其诗或咏史怀古，或羁旅怀乡，或写景咏物，武昌的人、物、事、地无不入其诗。薛季宣的诗体现出那个时代一名官员的才华与情怀，正如他自己的诗句所言“万般诗外意”：

> 候客樊冈道，新晴致日佳。万般诗外意，百种梦中花。
> 蔓绿铺平野，江流衮涨沙。无如石头滑，龙首粲新芽。[④]

---

① （宋）吕祖谦：《宋右奉议郎新改差常州借紫薛公墓志铭》，（宋）薛季宣撰、薛旦编：《浪语集》卷三五，见影印文渊阁本《四库全书》第1159册，第588页。

② （宋）薛旦：《宋右奉议郎新改差常州借紫薛公行状》，（宋）薛季宣撰、薛旦编：《浪语集》卷三五，见影印文渊阁本《四库全书》第1159册，第578页。

③ （宋）吕祖谦：《宋右奉议郎新改差常州借紫薛公墓志铭》，（宋）薛季宣撰、薛旦编：《浪语集》卷三五，见影印文渊阁本《四库全书》第1159册，第588页。

④ （宋）薛季宣：《樊冈雨后弥望皆平芜绿草无复花矣》，（宋）薛季宣撰、薛旦编：《浪语集》卷四，见影印文渊阁本《四库全书》第1159册，第179页。

薛季宣在任武昌县令的三年时间里，所写诗文多与武昌相关。他先后在西山一带修建了胜亭、诚台、弦歌堂、正已堂、艮止亭等名胜，这些均成为其诗文吟咏的对象。武昌地名入诗题的有：《武昌怀古》《鄂城篇》《二同舍赋鄂城篇见和文高格古端不可及而仙尉王文措辞侈甚可以参诸台符羽檄间复次元韵戏酬》《西山野步》等。武昌地名入文题的有：《武昌祈晴祝文》《武昌休官白郡劄子》《武昌土俗编序》等。

薛季宣在武昌的诗作，数量最多、最值得关注的是他酴醾有意、风雨关情的写景诗和咏物诗，占据了其武昌期间创作诗歌总量的一半左右。酴醾，也作“酴醿”，花名，因颜色似酒，故从西部以为花名。武昌多生长酴醾花，酴醾花枝梢茂密，花繁香浓，入秋后果色变红。唐贾至即有“红粉当垆弱柳垂，金花腊酒解酴醾”[①]的诗句，而薛季宣对武昌的酴醾花情有独钟，“我爱酴醾花，烂漫春归后”[②]，为它写的诗作则有《酴醾雨后》《春老雨寒酴醾竟烂》《冬至和燠酴醾有华》《月下酴醾》《酴醾花谢有感》等。武昌的李花也是薛季宣所喜欢的，不仅见于诗题如《长湖以南李花弥满山谷诚台望之皓如也》《寒溪送客时李花盛开山谷弥望》《舟行樊港望竹间石上李花盛开》，也见于诗句中，如《樊山春望》“东鄂城东安乐宫，李花练绚玉玲珑”[③]，《春江夕泛二首》：“岩峦多李花，冰霜积梅林。为何纵松舟，且以开吾襟。迎送未云已，浮云逐行吟。”[④]

薛季宣不幸英年早逝，卒时年方四十，兄薛高在祭文中说他“文章

---

① （唐）贾至：《春思二首》，（清）彭定求等编：《全唐诗》卷二三五，第 2597 页。

② （宋）薛季宣：《冬至和燠酴醾有华》，（宋）薛季宣撰、薛旦编：《浪语集》卷六，见影印文渊阁本《四库全书》第 1159 册，第 190 页。

③ （宋）薛季宣：《樊山春望》，（宋）薛季宣撰、薛旦编：《浪语集》卷八，见影印文渊阁本《四库全书》第 1159 册，第 204 页。

④ （宋）薛季宣：《春江夕泛二首》，（宋）薛季宣撰、薛旦编：《浪语集》卷四，见影印文渊阁本《四库全书》第 1159 册，第 173 页。

事业，乃其余事”[①]，清人吴之振在《宋诗钞》中则说“其诗质直，少风人潇洒之致。然纵横七言，则卢仝、马异不足多也”[②]；《四库全书总目提要》也说薛季宣“于诗则颇工七言，极踔厉纵横之致。……不甚专心于词翰”[③]。薛季宣的诗表现了独特的艺术追求，与理学家倾向于说理不同，亦稍异于盛极一时的江西诗派的诗风，对于其后永嘉地区的诗歌发展产生了一定影响。可以说，薛季宣诗歌题材十分丰富，除了酴醾有意、风雨关情的写景咏物诗外，还有欲入江湖、不舍家国的羁旅怀乡诗，更有怅惘千秋、超越兴亡的咏史怀古诗。

以《弦歌堂记》为例，可见薛季宣散文成就也达到一定高度。弦歌堂是薛季宣任武昌县令时所建“以休其燕处”[④]之堂。据史载，孔子弟子子游任武城宰，以弦歌为教化之具，后因以“弦歌”为出任县令之典。薛季宣任武昌令，以“弦歌”命名其堂，其意亦在此。《弦歌堂记》虽然因堂而记，其实是薛季宣借题发挥，抒发自己执政理念的一篇重要文章，充分体现了薛季宣以德化民，礼教兴邦的执政观，所谓“兴礼乐，制田赋，一风教，致和平”[⑤]，是研究薛季宣施政武昌的重要历史史料，也是一篇古朴隽永的优秀散文。

综上，薛季宣不仅是一位勤勉为政的县令，也是一位才华横溢的文人，更是一位开宗立派的学者。

---

① （宋）薛旦编：《附录·祭文》，（宋）薛季宣撰、薛旦编：《浪语集》卷三五，见影印文渊阁本《四库全书》第1159册，第573页。

② （清）吴之振编：《宋诗钞》卷八〇，见影印文渊阁本《四库全书》第1462册，第531页。

③ （清）永瑢等撰：《四库全书总目提要》卷一六〇《集部十三·别集类十三·浪语集》，王云五主编民国万有文库本第31册，商务印书馆1931年版，第11页。

④ （宋）薛季宣：《弦歌堂记》，（宋）薛季宣撰、薛旦编：《浪语集》卷三一，见影印文渊阁本《四库全书》第1159册，第507页。

⑤ （宋）薛季宣：《弦歌堂记》，（宋）薛季宣撰、薛旦编：《浪语集》卷三一，见影印文渊阁本《四库全书》第1159册，第508页。

八、“莅政扬声”的张孝祥

张孝祥（1132—1169年），字安国，号于湖居士，南宋著名政治家、爱国词人。历阳乌江（今安徽和县东北）人，唐诗人张籍后裔，八岁随家渡江迁至芜湖，以避战乱。据《宋史》本传记载，张孝祥自幼读书过目不忘，才思敏捷，“下笔顷刻数千言”。绍兴二十四年（1154年），廷试第一，被高宗擢为状元，称赞其“词翰俱美”①。为人正直，曾疏请昭雪岳飞，为秦桧所忌。历礼部员外郎、起居舍人、权中书舍人。任建康留守，因赞助张浚北伐，罢职。后又相继任广南西路经略安抚使、潭州知府，为政简易，恩威并施，故政绩显著，声名远播。

《宋史》史臣赞张孝祥“早负才畯，莅政扬声”②，其“莅政扬声”主要表现在治荆有方。宋孝宗乾道四年（1168年）秋八月，张孝祥调任荆南知府、荆湖北路安抚使。有鉴于靖康之乱以来四十余年间，荆州“古之南郡，今者西门，控吴蜀之咽喉，兼襄汉之唇齿”，却遭“兵戈蹂践”，呈现“版籍凋残，无三万户”③的萧条景象，张孝祥上任之后，便将恢复国计民生、巩固边防安全作为施政重点。在不到一年任期内，张孝祥便推出并完成两项利国利民工程④。

修筑金堤。发端于万寿山之麓的金堤，环绕荆州城西南，是至迟在北宋后期修筑而成的长江大堤。为确保金堤安全，荆州地方官曾制定出每年调用民夫增筑、加固堤坝，并于汛期选派得力官吏对其进行巡护的护堤方案。荆州雨水连绵不断，并积水成灾，不仅导致金堤被冲坏，且严重威胁荆州城安全。

张孝祥秋八月到任伊始，鉴于水患的巨大危害，便将重修大堤、根

---

① （元）脱脱等：《宋史》卷三八九《张孝祥传》，第11942页。

② （元）脱脱等：《宋史》卷三八九《张孝祥传》，第11944页。

③ （宋）张孝祥：《荆州修堤设醮》，载张孝祥：《于湖集》卷二五，见影印文渊阁本《四库全书》第1140册，第675页。

④ 《荆州文化简史》编撰委员会：《荆州文化简史》，第312—314页。

治水患视作首要民生工程，提上议事日程。并于当年冬十月农闲时段组织人力、物力予以实施，“鸠材庀工作新堤”，希望守护一方安宁。在修堤前，张孝祥还延请道士们设立道场，举行祈福消灾仪式，他的《荆州修堤设醮》一文即是为记载并纪念此事而写。修堤共动用五千劳力，历时四十天完工。虽号为“新堤”，但并非全为新筑，实际上大多堤段是对原金堤的修复、完善，只有当旧堤中决坏严重以致“汇为深渊，不可复筑”的堤段，才被择选新址另筑。在官民双方齐心协力下，修筑后的新堤质量过硬。

新堤竣工后，为鉴往知今，确保新堤持久发挥作用，张孝祥还特意约请当地老年人至府邸，向他们请教旧堤之所以溃破的缘由，希望从中获得护堤启示。这些老人心明眼亮，直言指出官员后来疏于管理及其所存腐败现象，是造成旧堤防洪失效的重要因素。张孝祥听后大为感慨，他在翌年三月所撰纪念文章《金堤记》中特意提及老年人上述看法，希冀“以告来者，使知戒焉”[①]，从中吸取教训，加强对护堤工作的监管。荆州水患问题，正是得益于尹方公、张孝祥等地方官员的持续重视及所采取的得力措施，得到有效治理，史称“筑寸金堤，自是荆州无水患”[②]，一方安宁获得重要保障。

重建万盈仓。在修筑金堤、保障民生之后，张孝祥常和下属视察“官寺”，结果发现“无有不敝坏者”，其中尤以府仓最为严重，而府仓之所以破败至极，主要是由于之前的地方官对其重视不够。此外，荆州十年来因屯兵而致房源紧张，那些居无定所的士兵们便侵占府仓空间，随便搭建简易房以供居住，结果不仅导致府仓雪上加霜，呈现“上雨旁风，至栋桷委地”破败局面，也致使军粮受到严重影响——粮饷黑腐变质到连鸡猪等牲畜也不愿食用程度。显然，此问题若得不到及时处置，

① （宋）张孝祥：《金堤记》，载张孝祥：《于湖集》卷一四，见影印文渊阁本《四库全书》第1140册，第613—614页。

② （元）脱脱等：《宋史》卷三八九《张孝祥传》，第11943页。

势必严重动摇军心，影响边防安全。

张孝祥为稳定军心，巩固边防安全，决心在原址重建新府仓。恰逢此时朝廷赐给张孝祥峡州所产优质木材，张孝祥便立即写信给相关军政官员，要求他们帮助“撤旧屋而新之”。在各方共同努力下，用去九千枚木材、六千缗钱和千斛米，建成“屋一百五十盈”，名曰“万盈仓”。新仓既高大又安全，“外峻墙垣，内谨扃鐍，台门高广，听事深明，互势位置，称其为大有司也”。张孝祥对此十分满意，自信“自湖之南北，江之东西，举无与吾仓为俪者”。[①] 乾道五年（1169 年）三月，张孝祥特撰《荆南重建万盈仓记》予以纪念。应当说，建仓意义重大，可广“储诸漕之运”[②]，为荆州边防安全提供坚实物质保障。

因亲患病，张孝祥屡次疏请辞职归乡侍亲。孝宗皇帝对此深表惋惜，但只得同意，并于乾道五年三月“进显谟阁直学士致仕”，荆南士民感于张孝祥为荆州所作重要贡献，不舍其离去。是年夏，张孝祥不幸于芜湖中暑病逝，年仅三十八岁。得知噩耗后，孝宗皇帝十分痛惜，发出“用人不尽之叹”[③]。因其曾在荆任职，时人称其为“张荆州”。张孝祥对荆州的贡献不局限于修筑金堤与重建万盈仓两项重大工程，他对地方教育发展、军用库房建设等亦曾用心用力。例如，在其任内，他已启动“学宫”“军帑”等房舍的修复工程，尽管这些建设在其离任前尚未竣工。

九、“南轩先生”张栻

张栻（1133—1180 年），著名思想家、教育家、政治家；字敬夫，一字钦夫，号南轩，汉州绵竹（今四川绵竹）人，南宋名相张浚之子。与朱熹、吕祖谦并称“东南三贤”，世称“南轩先生”。自幼聪颖，深受

---

① （宋）张孝祥：《荆南重建万盈仓记》，载张孝祥：《于湖集》卷一四，见影印文渊阁本《四库全书》第 1140 册，第 614—615 页。

② （元）脱脱等：《宋史》卷三八九《张孝祥传》，第 11943 页。

③ （元）脱脱等：《宋史》卷三八九《张孝祥传》，第 11943 页。

庭训。后又师事湖湘学派创立者胡宏，“以古圣贤自期”，理学造诣愈加深厚，曾作《希颜录》。宏甚赏识之，谓“圣门有人矣”[①]。

张栻绍兴末随父谪居潭州（今湖南长沙市），创城南书院，又受聘岳麓书院主讲。期间，他邀挚友朱熹来岳麓书院讲学，二人相与切磋、论辩，互有影响，史称“朱张会讲”。张栻培养出胡大时、彭龟年、吴猎、游九言、游九功、宇文绍节、吴必大等众多政治、学术人才，并撰有《论语解》《孟子说》《南轩易说》《太极图说》《经世编年》等精深论著，继承并发展胡宏思想，集湖湘学派之大成。

淳熙五年（1178年），张栻因政绩卓著被孝宗擢为江陵知府、荆湖北路安抚使。他不辱使命，治荆有方，任上的主要政绩有：

肃贪腐，正官风、励军风。上任伊始，张栻发现荆州边备、军政存在的问题：不仅驻荆军队规模有限，久乏训练，而且官员贪腐、不作为现象严重，导致当地盗贼愈加猖獗。为整顿军政、重建秩序，他首先严惩贪官污吏，“一日去贪吏十四人”。继而抓捕和斩杀收容盗贼之奸民，并令贼党相互检举告发，给予立功赎罪奖励。此综合治盗手段，极大威慑盗贼，迫使“群盗皆遁去”[②]，社会治安根本改观。张栻为扩充武备，大力发展民兵。“淳熙初，张钦夫为帅，益修其政，义勇增多至万五百人，分为五军，又分五部”[③]。他教导民兵农闲时习武并不时检阅；注重改善军政关系，不仅“礼遇诸将，得其欢心”，扭转此前军将与帅守时常关系紧张的局面，而且“加恤士伍，勉以忠义”，士气随之高涨。北方金人感叹：“南朝有人。”[④]

崇先贤，褒忠良，砺士风。张栻深谙于边防要地荆州崇奉先贤、褒扬忠良，具有凝聚人心、拱卫家国的重要意义，故将唐张九龄，宋寇

---

① （元）脱脱等：《宋史》卷四二九《张栻传》，第12770页。

② （元）脱脱等：《宋史》卷四二九《张栻传》，第12773—12774页。

③ （宋）李心传：《建炎以来朝野杂记》甲集卷一八《荆鄂义勇民兵》，见影印文渊阁本《四库全书》第608册，第417—418页。

④ （元）脱脱等：《宋史》卷四二九《张栻传》，第12774页。

準、张孝祥等莅荆贤良予以表彰。如为纪念谪荆贤相张九龄，表彰其在荆“伤时感事，寤叹隐忧，则其心未尝一日不在于朝廷”[①]的忠贞品格，他于荆州城上建“曲江楼”，激发士子们的爱国情怀，楼名取自张九龄籍贯——韶州（今广东韶关）曲江。“曲江楼”之建，亦与张栻的兴学重教主张密不可分。作为理学家、教育家的他，每仕一地，总要探访当地学校，并召诸生告以孔孟之道，激励他们志存高远、奋发进取，“所至郡，暇日召诸生告语”[②]，以期砥砺士风，造就栋梁之材。当发现江陵府学大门正对着城墙，不利师生开阔视野及出入时，张栻主张于城墙凿开一通道，以利“宣畅郁湮，导迎清旷”[③]。事后，又请朱熹撰《江陵府曲江楼记》志之。

毁淫祠，正礼俗，厚民风。《礼记·祭法》规定：“夫圣王之制祭祀也：法施于民，则祀之；以死勤事，则祀之；以劳定国，则祀之；能御大灾，则祀之；能捍大患，则祀之。……及夫日月星辰，民所瞻仰也，山林、川谷、丘陵，民所取材用也。非此族也，不在祀典。”[④]意思是，社稷山川神灵及曾建功立业或立德立言之先贤才是合乎礼法的“正祀”或“典祀”，其他“不在祀典”的祭祀被视为“淫祀”，将被禁毁。张栻于荆州“以正礼俗、明伦纪为先。斥异端，毁淫祠，而崇社稷山川古先圣贤之祀”[⑤]。张栻崇奉张九龄、寇準，建曲江楼，祭寇莱公祠，却禁毁过荆州伍子胥祠。在张栻看来，“岂有假手于仇，覆其宗国，快心于其君耶？”[⑥]因楚人伍子胥为报父兄遭楚平王冤杀之仇，不惜引吴军

① （宋）朱熹：《江陵府曲江楼记》，载《晦庵先生朱文公文集》卷七八，见（宋）朱熹撰、朱杰人等主编：《朱子全书》第24册，上海古籍出版社、安徽教育出版社2002年版，第3749页。

② （元）脱脱等：《宋史》卷四二九《张栻传》，第12775页。

③ （宋）朱熹：《江陵府曲江楼记》，载《晦庵先生朱文公文集》卷七八，见（宋）朱熹撰、朱杰人等主编：《朱子全书》第24册，第3749页。

④ 杨天宇撰：《礼记译注》，上海古籍出版社1997年版，第795页。

⑤ （元）脱脱等：《宋史》卷四二九《张栻传》，第12775页。

⑥ （宋）张栻：《答沙市孙监镇》，《南轩集》卷二六，见影印文渊阁本《四库全书》第1167册，第639页。

攻楚，结果导致楚都被攻破、平王遭鞭尸等国难，此泄私愤之举显损忠君爱国之义，故禁毁其祠。此外，张栻重视德教，每当荆州百姓因事至府衙，他“必随事开晓，具为条教”[①]，努力培育儒家所倡“有耻且格”的淳厚民风。

张栻在荆州的施政作为，凸显了身为理学家的谦恭有礼、严肃认真的人生态度，戒慎忧患、奋发进取的理性精神[②]。

张栻始终存有“临事而惧”的忧患、戒慎之心。张栻怀持“临事而惧”的忧患、戒慎之心来荆州上任。面对荆州“承积弊之余，纲纪委地，无一事不当整顿”之“谫陋”困局，张栻深感忧虑，因其与荆州“至重”战略地位极不相称。因责任感、使命感而生的忧患意识一直萦绕于张栻内心深处，他写给朱熹的多封书信屡露此心迹，如“实不敢自保其久于此，惟是深惧一日必葺之义，思效万分”；“孤踪殊不敢自保，然苟尚留此，每事不敢不黾勉”。在对军政实施整顿时，张栻亦常怀戒慎之心，主张须先精密谋划，务求举措得当，“其间曲折之宜，正须精密乃可”，不敢草率、妄为。此外，他在肃清贪腐、捕杀盗贼过程中，既雷厉风行，又不忘诫己毋矫枉过正，“昔人哀矜勿喜之意，每切味之”[③]。

张栻存有“以得民为先”的爱民、养民之心。张栻高扬儒家以爱民、保民、养民、教民为核心的民本思想传统，在写给孝宗的《江陵到任谢表》中，明确提出“御侮以得民为先，当本根之力护”的施政策略。“得民”贵在“得民心”。在他看来，唯“以固结民心为本”，方能激发民众“尊君亲上、报国疾仇之心”，进而才能“以守固，以战克矣”。为“固结民心”，他首先改善社会治安，满足荆州民众最基本的安全需要，并为解决当时“田多未垦，茅苇弥望”“民贫悴尤甚”的经济

---

① （元）脱脱等：《宋史》卷四二九《张栻传》，第 12775 页。

② 《荆州文化简史》编撰委员会：《荆州文化简史》，第 351 页。

③ （宋）张栻：《答朱元晦》，《南轩集》卷二四，见影印文渊阁本《四库全书》第 1167 册，第 618—620 页。

凋敝问题创造条件。他深知此为当务之急，因“人情亦似乐之”。此外，他对义勇民兵亦采取“固结其心，爱养其力”做法，希冀在危急之际，他们效命疆场，“可共生死”①。

在张栻殚精竭虑的不懈努力下，荆州在不到一年半时间内发生了较大变化，呈现“岁丰人和，幕府无事”②“一路肃清，善良始有安居之乐”③的新气象。不幸的是，张栻在离任荆州的第二年，即于淳熙庚子（1180年）二月二日病逝，年仅四十八岁。逝世前的张栻仍心系庙堂，不忘尽忠，“犹手疏劝上亲君子远小人，信任防一己之偏，好恶公天下之理”。天下纷纷传诵之。孝宗闻讣后，“深为嗟悼”；四方贤士大夫则“往往出涕相吊，而江陵、静江之民尤哭之哀”④；“柩出，江陵老稚挽车号恸，数十里不绝”⑤。嘉定年间，张栻被赐谥曰宣；淳祐初（1241年），又获诏从祀孔庙。这是对张栻立德、立功、立言不朽业绩的极大肯定。

十、朱熹弟子吴必大与万人杰

南宋时期，鄂东地区追随朱熹的弟子有兴国军（今湖北阳新县）吴必大与大冶县（今湖北大冶市）万人杰等人，在治学道路上，他们曾师事过多位理学家，博采众长，留名青史⑥。

吴必大，字伯丰，南宋兴国军人。“以父任补官，为吉水臣。……

① （宋）张栻：《江陵到任谢表》《答朱元晦》，《南轩集》卷八、卷24，见影印文渊阁本《四库全书》第1167册，第487页、第618—619页。

② （宋）朱熹：《江陵府曲江楼记》，载《晦庵先生朱文公文集》卷七八，见（宋）朱熹撰、朱杰人等主编：《朱子全书》第24册，第3749页。

③ （宋）朱熹：《右文殿修撰张公神道碑》，载《晦庵先生朱文公文集》卷八九，见（宋）朱熹撰、朱杰人等主编：《朱子全书》第24册，第4138页。

④ （元）脱脱等：《宋史》卷四二九《张栻传》，第12774页。

⑤ （宋）朱熹：《右文殿修撰张公神道碑》，载《晦庵先生朱文公文集》卷八九，见（宋）朱熹撰、朱杰人等主编：《朱子全书》第24册，第4139页。

⑥ 《黄石文化简史》编撰委员会：《黄石文化简史》，湖北人民出版社2017年版，第190—193页。

早师张南轩、吕东莱，晚师文公，深究理学，议论操守，为儒林所重。”①可见，吴必大所追随过的三位老师，是南宋最为杰出的理学家：张栻、吕祖谦和朱熹。

吴必大是朱熹的得意门人和得力助手。朱熹文集中《答吴伯丰》有24篇，仅就数量上说，在朱熹门人的问答中并不多见。时兴国军属江南西路，在《答林德久》中，朱熹评价这位学生说：最近书院里居住的学生不多，也没有看到“卓然可望”的学者。“唯江西吴必大伯丰者，相从累年，明敏过人，尽能思索”，而且“自守劲正，不为时势所屈，甚不易得”。②又说他“思索通晓，气象开阔，朋友中少能及之”③。吴必大是朱熹的得力助手，参与编订过礼书中的祭礼部分。朱熹在《答黄直卿》中提到“彼中更有祭礼，工夫想亦不多。若伯丰、宝之能便下手，亦只需数月可也”，“礼书想已有次第，吴伯丰已寄得祭礼来”。④吴必大的个人著述似未能传世，明代孙能传撰《内阁藏书目录》卷五收录了吴必大所著《师诲》3册，并言该书是录其师朱晦庵与学生的讲学语录。惜吴必大英年早逝，朱熹在答弟子书中甚为惋惜和悲伤。《答林德久》中说：“今乃不幸短命而死，甚可伤悼耳。”⑤

万人杰，又名万桢，字正淳，号止斋，湖北大冶人。据《宋元学案》知，万人杰最初受学于当时著名理学家“二陆”，初师事陆九龄。南宋初期，陆九龄曾任职兴国军教授，万人杰“即来受学”，旋即事陆

① （清）黄宗羲原著、全祖望补修：《宋元学案》卷六九《沧洲诸儒学案上·县丞吴先生必大》，中华书局1986年版，第2318页。

② （宋）朱熹：《答林德久》，载《晦庵先生朱文公文集》卷六一，见（宋）朱熹撰、朱杰人等主编：《朱子全书》第23册，第2947页。

③ （宋）朱熹：《答黄直卿》，载《晦庵先生朱文公续集》卷一，见（宋）朱熹撰、朱杰人等主编：《朱子全书》第25册，第4654页。

④ （宋）朱熹：《答黄直卿》，载《晦庵先生朱文公续集》卷一，见（宋）朱熹撰、朱杰人等主编：《朱子全书》第25册，第4650、4646页。

⑤ （宋）朱熹：《答林德久》，载《晦庵先生朱文公文集》卷六一，见（宋）朱熹撰、朱杰人等主编：《朱子全书》第23册，第2947页。

九龄之弟陆九渊于槐堂问学。陆九渊评价万人杰："吾门惟曹立之、万正淳可不为利害所动。"①不久，万人杰见朱熹于南康（今江西赣州南康区），得到朱熹的力称，遂为朱子之学。朱熹曾单独夸奖万人杰，还将万人杰与其他门人作过比较："陆子寿兄弟近日议论与前大不同，却方要理会讲学。其徒有曹立之、万正淳者来相见，气象皆尽好，却是先于情性持守上用力，此意自好。但不合自主张太过，又要得省发觉悟，故流于怪异耳。若去其所短、集其所长，自不害为入德之门也。然其徒亦多有主先入不肯舍弃者，万、曹二君却无此病也。"②这里朱熹将曹立之、万人杰二位陆氏兄弟的弟子与其他门人作了比较。后来朱熹仍对万人杰有所嘉许，向自己的弟子、撰有《小学字训》的程端蒙（字正思）推荐万人杰："此间书院近方结裹，江浙间有朋友在彼相聚。兴国万正淳不知旧在南康曾相识否？其间一二人亦尽可讲论也。"③

万人杰一直追随朱熹，为朱熹理学思想的传播做出了重要贡献。起初，朱熹学说思想在南宋初期不被认同，被列为伪学而受到打击和压制，当时陪伴在朱熹身边为数不多的门人中就有万人杰。朱熹一则落款时间为淳熙庚子三月丁卯的《题落星寺》的题记说："朱公永、仲晦、蔡季通、汪清卿、程正思、邓邦老、陈彦忠、万正淳、俞季清来，朱氏子在侍。"④朱熹训示教导万人杰，也是万人杰与老师之间的答问，这种师生答问中，亦见学生的读书范围、思维局限与眼界水平。例如，朱熹指出，万人杰《论语疑义》的毛病在于"正淳之病，多要与众说相反。

① （清）黄宗羲原著、全祖望补修：《宋元学案》卷六九《沧洲诸儒学案上·万先生人杰》，第2322页。

② （宋）朱熹：《与吴茂实》，载《晦庵先生朱文公文集》卷四四，见（宋）朱熹撰、朱杰人等主编：《朱子全书》第22册，第2028页。

③ （宋）朱熹：《答程正思》，载《晦庵先生朱文公文集》卷五〇，见（宋）朱熹撰、朱杰人等主编：《朱子全书》第22册，第2330页。

④ （宋）朱熹：《题落星寺》，载《晦庵先生朱文公别集》卷七，见（宋）朱熹撰、朱杰人等主编：《朱子全书》第25册，第4984页。

譬如一柄扇子，众人说这一面，正淳便说那一面以诘之，及众人说那一面，正淳却说这一面以诘之”[①]。又如，朱熹问人杰：“学者多入于禅，何也？”万人杰回答之后，朱熹“反复教诲数十言”[②]。《朱子语类》是研究朱子思想的重要文献，书中由万人杰记录下来的朱熹语录达450条之多，万人杰的勤勉认真由此可见，也表现了万人杰为朱熹理学思想的传播做出了重要贡献。

而万人杰的一些言论可看出他对某些问题思虑之深。如，“或问：为政者当以宽为本，而以严济之？”万人杰曰：“某谓当以严为本，而以宽济之。《曲礼》谓‘莅官行法，非礼，威严不行’。须是令行禁止。若曰令不行，禁不止，而以是为宽，则非也。”又说：“今人说宽政，多是事事不管，某谓坏了这‘宽’字。”又如，万人杰论为政“不必议更张”：“为政如无大利害，不必议更张。则所更一事未成，必哄然成纷扰，卒未已也。至于大家，且假借之。故子产引《郑书》曰：‘安定国家，必大焉先’。”[③]张立文先生《朱熹思想研究》在讨论朱熹治国思想时引用《朱子语类》中万人杰关于“不必议更张”的言论，并指出把“安定作为国家政治中大且先的问题，可说是我国长期社会统治经验的总结”[④]。

作为朱熹弟子，万人杰也赢得了后人的尊重。据《大冶县志》记载，南宋以后的多位大冶县令非常尊敬万人杰，为其立祠纪念，并积极发展大冶儒学。

十一、“江汉先生”赵复与儒学的北传

靖康之变以后，随着宋室南迁，原本始于北宋的理学，在南方发展起来，而在金朝统治下的北方反而湮没无闻了。金末的儒学继承汉儒传

① （宋）黎靖德编、王星贤点校：《朱子语类》卷一一五《朱子十二·训门人三》，第2770页。

② （宋）黎靖德编、王星贤点校：《朱子语类》卷一一五《朱子十二·训门人三》，第2770页。

③ （宋）黎靖德编、王星贤点校：《朱子语类》卷一〇八《朱子五·论治道》，第2770页。

④ 张立文：《朱熹思想研究》，中国社会科学出版社1981年版，第140页。

统，注重经学章句，支离繁琐。不过，理学也没有绝迹，尚有二程的残支余脉继续存在，偶尔也有朱熹学说零星北传。元代疆域辽阔，政治统一，南北之间的思想文化交流没有阻碍，从而打破了长期以来南北“声教不通”的局面，南方理学才开始传到北方。首传理学于北方的是南宋理学家赵复。

赵复，字仁甫，元德安府（今湖北安陆市）人，宋元之际著名经学大师，时人称其为“江汉先生”，其生卒年不详。据邱居里《赵复考略》考证：“赵复的生年大约与杨奂、元好问等人相近，在1186到1190年前后。下至1235年德安之役，赵复约在45至50岁之间，与吴莱诗云‘皓首’‘老身’相合。再迟至1247年南游，赵复年龄在60岁上下，亦与郝经称之‘赵丈仁甫’相符。”[①]关于赵复早年经历，正史不曾详载，清代安陆城关人陈廷钧在其所辑《先儒赵子言行录》卷上《宋乡贡进士赵江汉先生事迹岁考略》记载，赵复为南宋乡贡进士，预廷试未及仕，以所闻濂洛关闽之学教授乡里。正史里关于其最早的记载，大概是南宋理宗端平二年（1235年）德安之战。据《元史》记载：太宗乙未岁，“命太子阔出帅师伐宋，德安以尝逆战，其民数十万，皆俘戮无遗。时杨惟中行中书省军前，姚枢奉诏即军中求儒、道、释、医、卜士，凡儒生挂俘籍者，辄脱之以归，复在其中。”[②]恰当时蒙古统治者对儒、道、释、医、卜士等有特殊政策，赵复方幸免于难，躲过了这个劫难。

当时姚枢正跟随杨惟中于军中探寻，赵复见姚枢“戎服而髯”，以为其乃西域人，“不以华人遇之”，迨至寝帐中，见其善琴瑟而好读书，惊叹“西域人知事此乎”。于是，二人秉烛夜谈，相见恨晚。

姚枢认为赵复是儒生奇士，便留他宿于军中，打算与其一起北还。赵复因故里惨遭元军屠戮，“九族殚残”[③]，决心自裁殉国。当天晚上，

① 邱居里：《赵复考略》，《北京师范大学学报》1990年增刊。

② （明）宋濂等：《元史》卷一八九《儒学·赵复传》，中华书局1976年版，第4313—4314页。

③ （元）苏天爵：《元朝名臣事略》，中华书局1996年版，第155页。

赵复趁姚枢熟睡之际，被发赤脚，奔到河边，想起国破家亡，不禁仰天恸哭，捶胸顿足，欲效屈子投水而死。而姚枢梦中惊醒，不见赵复，忙寻至河边，劝慰赵复："布衣未仕，徒死无益，不如随吾而北，可以传圣教。"[①] 经此劝解，赵复如梦初醒，决心随姚枢北还，传播理学，延续道统。

姚、赵二人到达燕京之后，赵复并未立刻得到蒙古统治者重用，仅仅受到了尚在潜邸的忽必烈召见。这个时候，忽必烈准备攻取南宋，便问赵复可否引导蒙古军南伐，赵复断然回绝。据《元史》记载："宋，吾父母国也，未有引他人以伐吾父母者。"[②] 忽必烈闻听此言，不仅没有大怒，反而为赵复忠贞不贰的报国之情所感动，于是不再强迫赵复入仕。《元史·赵复传》记载："（赵）复为人，乐易而耿介，虽居燕，不忘故土。……（赵）复家江汉之上，以江汉自号，学者称之曰'江汉先生'。"[③]《宋元学案》卷九十《鲁斋学案·程朱续传》亦云："先生虽在燕，常有江汉之思，故学者因而称之。"[④]《宋元学案》为其冠以"隐君"称号，益见其志。

此后，姚枢便以"南北道绝，载籍不相通，洛闽之学惟行于南，北方之士惟崇眉山苏氏之学"[⑤]，便奏请建立书院，传播宋儒理学。获准后，于南宋理宗嘉熙四年（1240 年），由杨惟中和姚枢创立太极书院，并选取宋代儒家典籍八千余卷藏于燕京，令赵复等人讲授伊洛之学。伊者，伊河；洛者，洛水，因程颐、程颢曾于伊河、洛水之间讲学，故后世将其学问称为"伊洛之学"，并以之代称"二程理学"。而赵复为讲授和传扬宋儒理学，将自己研究理学之心得撰成多书，以激励后学努力求学上进。据《元史》记载："（赵）复以周、程而后，其书广博，学者

① 柯劭忞：《新元史》，上海古籍出版社 1989 年版，第 906 页。

② （明）宋濂等：《元史》卷一八九《儒学·赵复传》，第 4314 页。

③ （明）宋濂等：《元史》卷一八九《儒学·赵复传》，第 4315 页。

④ （清）黄宗羲原著、全祖望补修：《宋元学案》卷九〇《鲁斋学案·程朱续传》，第 2995 页。

⑤ （明）冯从吾：《元儒考略》，见《丛书集成续编》，上海书店出版社 1994 年版，第 30 页。

未能贯通，乃原羲、农、尧、舜所以继天立极，孔子、颜、孟所以垂世立教，周、程、张、朱氏所以发明绍续者，作《传道图》，而以书目条列于后；别著《伊洛发挥》，以标其宗旨。朱子门人，散在四方，则以见诸登载与得诸传闻者，共五十有三人，作《师友图》，以寓私淑之志。又取伊尹、颜渊言行，作《希贤录》，使学者知所向慕，然后求端用力之方备矣。”①

“人心惟危，道心惟微；惟精惟一，允执厥中”这十六个字是儒学著名的“十六字心传”，是朱熹及其门人确定的道统系谱。而赵复以朱熹私淑弟子自居，其同样坚持维护理学之道统。而何谓道统？赵复认为伏羲、神农、唐尧、虞舜、孔丘、颜回、孟子、周敦颐、程颐、程颢、张载、朱熹，这是朱熹及其门人所遵循的道统。更进一步将程朱之理学视为儒学之正统，将朱熹视为儒学之集大成者。他还主张为学应先通《孝经》《小学》《论语》《孟子》《大学》《中庸》，次善《诗》《书》《礼》《易》《春秋》，将朱熹之注解作为求学之必要参考。至于“严夷夏之辨，独善于世外”，这并非元初理学家的普遍思想，而是赵复自身经历以及受朱熹思想影响的结果。

自从赵复北归，程朱理学始于北方传播。据元代郝经《与江汉先生论性书》记载：“靖康之乱，吾道遂南矣。自伊洛入于江汉，自江汉入于闽越，百有余年之间，蝉联荆楚，蔓衍巴蜀，蜂涌旁魄，弥亘岭海，如冬之日，至南而极，极则复北矣，盖天之道也。于是，近岁以来，吴楚巴蜀之儒家与其书，浸淫而北，至于秦雍，复入伊洛，泛入三晋、齐鲁，遂至燕云、辽海之间，而先生巍然以师道自处，学者云从景附。又为《伊洛发挥》一书，布散天下，使孔、孟不传之绪，家至日见。则道之复北，虽存乎运数，其倡明指示，心传口受，则自先生始。呜呼，先生之有功于吾道德于北方学者，抑厚耶！”②《元史·赵复传》也指出：

① （明）宋濂等：《元史》卷一八九《儒学·赵复传》，第4314页。

② （元）郝经：《郝文忠公陵川文集》，山西人民出版社2006年版，第342页。

"北方知有程、朱之学，自复始。"[①]

赵复为人随和耿介，善与人结交。史载其"虽居燕，不忘故土。与人交，尤笃分谊。"[②]他的学问广博，慕名而至者不可胜数。《陵川文集》卷二六《太极书院记》记载，赵复"学子从者百余人"[③]。许衡、郝经、刘因、张文谦、刘德渊等人，皆"得其书而尊信之"，继其学而传其道。其中，刘因得赵复真传，擅长性理之学，同时广收门徒，传播赵复理学。《元史》卷一七一《刘因传》记载，刘因"家居教授，师道尊严，弟子造其门者，随材器教之，皆有成就。"[④]《宋元学案》卷九十一《静修学案·静修门人》载，刘因弟子七人，其佼佼者有乌冲、郝庸、李道恒、刘君举、李天篪、林起宗、杜萧，另有私淑弟子安熙。[⑤]这些士大夫都成为理学传人，为元代理学的勃兴做出了贡献。

在赵复及其弟子的传播下，遂使"伊洛之学遍天下"[⑥]。据《宋元学案》卷九十《鲁斋学案·程朱续传》记载："（黄）百家谨案：自石晋燕、云十六州之割，北方之为异域也久矣，虽有宋诸儒叠出，声教不通。自赵江汉以南冠之囚，吾道入北，而姚枢、窦默、许衡、刘因之徒，得闻程、朱之学以广其传。由是北方之学郁起，如吴澄之经学，姚燧之文学，指不胜屈，皆彬彬郁郁矣。"[⑦]一时之间，赵复所在的太极书院俨然成为了元代北方的学术重心，其规模甚至一度超过了当时的国子学。

太极书院的创立一方面促进了以义理解经的理学在北方的传播，另

---

① （明）宋濂等：《元史》卷一八九《儒学·赵复传》，第4314页。

② （明）宋濂等：《元史》卷一八九《儒学·赵复传》，第4315页。

③ （明）宋濂等：《元史》卷一八九《儒学·赵复传》，第4314页。

④ （明）宋濂等：《元史》卷一七一《刘因传》，第4008页。

⑤ （清）黄宗羲原著、全祖望补修：《宋元学案》卷九一《鲁斋学案·静修门人》，第3027—3028页。

⑥ （元）郝经：《郝文忠公陵川文集》，第373页。

⑦ （清）黄宗羲原著、全祖望补修：《宋元学案》卷九〇《鲁斋学案·程朱续传》，第2995页。

一方面促进了南北学术思想的交流。赵复打破了汉唐章句注疏的经义之学在北方独占鳌头的局面，使北方士耳濡目染接受了新的理学思想的洗礼。到了忽必烈统治后期，元大都迎来了以研习和传承经学，尤其是宋代理学的新时代。国子学也由此成为全国宣扬理学的大本营，从而促使元大都成为全国性的儒学文化中心，而且在东平、真定、保定、京兆等几个大地区，形成了规模不小的地域性儒学中心[①]。

在赵复等理学家的努力下，蒙元政权主动认同以理学为核心的中华文化，并将理学变成官学，从而使程朱理学突破了南宋时学派与地域性的局限，成为国家意识形态，遂被中原士族、儒生士大夫视为中原汉族王朝之一，这也是蒙元政权封建化的表现之一。据郝经《送汉上赵先生序》云："虽然，穷乎此而达乎彼，果穷也耶？……今也传正脉于异俗，衍正学于异域，指吾民心术之迂，开吾民耳目之蔽，削芜漫，断邪枉，破昏塞，俾《六经》之义、圣人之道焕如日星，沛如河、海，巍如泰、华，充溢旁魄，大放于北方。如是，则先生之道非穷也，达也。"[②]可见，在赵复影响下，元代儒者纷纷树立起匡扶天下，传扬儒学，树立理学正统思想的志向。

元仁宗延祐二年（1315 年），理学被立为官学，成为科举考试的主要内容。据《元史》卷八一《选举志一》记载，元代科举"考试程式：蒙古、色目人，第一场经问五条，《大学》《论语》《孟子》《中庸》内设问，用朱氏章句集注。其义理精明，文辞典雅者为中选。第二场策一道，以时务出题，限五百字以上。汉人、南人，第一场明经经疑二问，《大学》《论语》《孟子》《中庸》内出题，并用朱氏章句集注，复以己意结之，限三百字以上；经义一道，各治一经，《诗》以朱氏为主，《尚书》以蔡氏为主，《周易》以程氏、朱氏为主，已上三经，兼用古注疏，《春秋》许用《三传》及胡氏《传》，《礼记》用古注疏，限五百字以

① 姜海军：《蒙元政权的儒化历程与程朱理学的官学化》，《南都学坛》2012 年第 6 期。

② （元）郝经：《郝文忠公陵川文集》，第 412 页。

上，不拘格律。第二场古赋诏诰章表内科一道，古赋诏诰用古体，章表四六，参用古体。第三场策一道，经史时务内出题，不矜浮藻，惟务直述，限一千字以上成”①。从科举内容看，程朱一脉儒学占据了主导地位。以赵复为代表的宋末元初理学家为宋理学“注入了清新、明朗、务实的思想，从而使宋理学在新的历史时期焕发出了生机与活力，成为明清思想的滥觞”②。

因为赵复在北方传播理学的确具有开创之功，故后世以其“陪祀孔庙”。清朝康熙年间，河南学政举赵复入孔庙作陪祀。雍正三年（1725年），赵复从祀孔子庙庭时加赠“先儒赵子”，以示尊崇。

十二、“江汉同调”砚弥坚

砚弥坚（1211—1289年），字伯固，元朝湖北应城（今湖北应城）人。砚姓在中国十分罕见，关于这个姓氏，史书也难究其出处，大概《元史》所载砚弥坚是砚姓中最早的名人之一。《滋溪文稿》卷七载：“公姓砚氏，莫究其始所出，每见儒者辄询问之。”③又《宋元学案》卷九十《鲁斋学案·江汉同调》记载：“砚弥坚，字伯固，应城人。砚氏莫究其始所出。”④“江汉同调”之谓，与“江汉先生”赵复同调也。

砚弥坚曾自修家谱，称祖上是颍州（今安徽阜阳颍州）人，北宋靖康（1126年）年间，金兵南下，黄淮间战事不断，高祖砚汝翼举家南迁，躲避战火，侨居于江陵。后宋金战端又起，复东迁于德安府之应城。其曾祖为砚震，祖父为砚珎，在砚珎时期，砚家已经在德安应城买田安家了。其父砚端礼与进士黄干之女喜结良缘，家道始兴。

砚弥坚的名字是其业师所起，其父砚端礼则省去“弥”字，以

① （明）宋濂等:《元史》卷八一《选举志一》，第2019页。

② 乌兰察夫、段文明:《理学在元代的传播和发展》，《内蒙古社会科学》1991年第2期。

③ （元）苏天爵:《元故国子司业砚公墓碑并序》，《滋溪文稿》卷七，中华书局1997年版，第107页。

④ （清）黄宗羲原著、全祖望补修:《宋元学案》卷九〇《鲁斋学案·江汉同调》，第3007页。

“坚”唤之。因此，砚弥坚常常在官场自称“弥坚”以示尊师重道，而私下自称“坚”，以示孝顺父亲。砚弥坚从小聪颖过人，7 岁以后就在其外祖父家的黄氏家塾学习，14 岁时开始学习诗词歌赋，成为府学后补生。府学是宋代州府一级的官办教育机构，能进入府学的大多是佼佼者。16 岁后，师从同乡进士王登学习。至 18 岁时，又师从袁州刘仁卿学习“议论”之术。博采众长，为砚弥坚日后的名扬四海奠定了基础。

南宋理宗端平二年（1235 年），蒙古攻南宋，攻克德安，砚弥坚和赵复等儒士俱被虏往北方。此时砚弥坚才 25 岁，却已经声名鹊起。《滋溪文稿》卷七《元故国子司业砚公墓碑并序》记载：“国初，岁在乙未，王师徇地汉上，公与江汉先生赵公复俱以名士为大将招致而北。”[①]《新元史・赵复传》记载：“与赵复同时至北方者，有应城砚弥坚，字伯固，亦名儒。”[②]砚弥坚是以“名士”的身份被蒙古军虏往北方，又与赵复皆“名儒”，因此，可见砚弥坚虽年纪轻轻，却已然闻名遐迩了。

被俘北方后，砚弥坚并未受到蒙古统治者的重视，直到南宋理宗嘉熙二年（1238 年），蒙古朝廷实施科举考试，欲选拔儒士治理国家，砚弥坚这才崭露头角。这一年，经中书令耶律楚材奏准，蒙古统治者在中原诸路举行了一次儒士考试，以论、经义、辞赋三科，共有 4030 人中选，其中四分之一的人来自驱口，因此而重获自由。中选者可在本地担任“议事官”，免其家赋役，其中一些人后来成为元朝名臣，史称“戊戌选试”。后因此举触犯了当权者的利益，考试及格者多未能做官。所以，戊戌选试实际上是蒙元时代最早一次恢复科举制度的失败尝试。据《滋溪文稿》卷七《元故国子司业砚公墓碑并序》载：“岁戊戌（1238 年），诏试儒士，公试西京，中选。”[③]砚弥坚参加了戊戌选试并中选，但很可能并没有做官，而是继续隐居读书。

---

① （元）苏天爵：《滋溪文稿》，第 107 页。

② 柯劭忞：《新元史》卷二三四《赵复传》，第 906 页。

③ （元）苏天爵：《滋溪文稿》，第 107 页。

南宋淳祐十二年（1252 年），元宪宗蒙哥开始大规模籍户，史称“壬子括户”。此时，砚弥坚落户河北真定，开始讲学传道。由于他“通诸经，善讲说”，因此远近儒士多慕名拜师，其中包括刘因、滕安上等人。不久，砚弥坚被朝廷擢为本郡教授。此后，“凡十余年，循循为教，始终不倦，作成后进居多”[①]。

至元二十四年（1287 年），元世祖为了教化民众，巩固统一，设置国子监。他征召砚弥坚担任国子司业，掌儒学训导之政。砚弥坚从真定教授“超迁七阶”为国子司业，朝廷并赐五品官服以示恩宠，足见其学识渊博，威望颇高。

至元二十五年（1288 年），砚弥坚因病辞归。次年（1289 年），卒于家，享年 78 岁。砚弥坚一生清廉，安贫乐道，其仙逝后，家徒四壁，幸赖友人相助，方才体面下葬。当时的名流周砥、阎复、李谦、焦养直等人纷纷致悼辞以哀之。砚弥坚寿终正寝后，葬于真定县新市乡临济村。砚弥坚一生著述很多，代表作有《郧城集》十卷、《东垣老人传》等。

第二节　彪炳史册的理学思想家

一、二程“鲁台望道”

唐末宋初，在佛、道二教夹击之下，儒学必须创建新的理论体系以捍卫儒家的正统地位，宋代儒者掀起了儒学复兴思潮运动，全盘否定汉唐经学偏重注解、名物训诂的解经方式，要求儒学回归原始儒家，直承孔孟。这一思潮，集前人思想精华，经 300 年雕琢，形成了一个内容包罗万象、形式严密完整的理论体系；并且造就了以濂学、关学、洛学、闽学为主流，以周、邵、张、二程、朱、陆等为代表的一代学派、学者

① （元）苏天爵：《滋溪文稿》，第 108 页。

群。数百年间，儒学名家层出不穷，共同推动儒学的振兴。其中，荆楚学者贡献巨大，不可磨灭。

理学的奠基者二程兄弟，即程颢和程颐，生于湖北黄陂且长于黄陂。二程后来定居洛阳，其学被称为“洛学”。二程的先祖居中山博野（今河北定县），在其祖父时迁居洛阳。其祖父程遹赠开封府仪同三司、吏部尚书，太平兴国年间任黄州府黄陂县令，积劳病故于任上。其父程珦以家世荫任郊社斋郎、黄陂县尉。庆历四年（1044 年），程珦调任庐陵县县尉，携家小赴任，从此离开黄陂。其父亲程珦因“官小禄薄”，又好赈济贫困的亲戚家族，“克己为义，人以为难”[①]。在这种并不富裕的家庭环境中，程颐兄弟俩勤奋好学，笃习儒家经典，鄙薄利禄，慨然以继承和弘扬孔孟道统为己任。青壮年时还游学外地，向周敦颐、胡瑗等儒家宿耆致礼请问。又讲学收徒，提倡理学，成为一代宗师。四方儒士，翕然从之。

哥哥程颢（1032—1085 年），字伯淳，世称明道先生。北宋仁宗嘉祐年间，程颢举进士。此后，曾任鄠县及上元县主簿、晋城县令、监汝州酒税、镇宁军节度判官、宗宁寺丞等职。程颢与王安石政见不合，后因反对新法，被贬至洛阳任京西路提点刑狱。宋哲宗即位，司马光执政，荐程颢为宗正寺丞，未及行即病逝。南宋宁宗嘉定十三年（1220 年），追谥纯公。南宋理宗淳祐元年（1241 年），追封河南伯，从祀孔子庙庭。关于程颢的品德与学术成就，其弟程颐在哥哥去世后作序作了很好的概括：“周公没，圣人之道不行；孟轲死，圣人之学不传。道不行，百世无善治；学不传，千载无真儒。无善治，士犹得以明夫善治之道，以淑诸人，以传诸后；无真儒，则贸贸焉莫知所之，人欲肆而天理灭矣。先生生于千四百年之后，得不传之学于遗经，以兴起斯文为己任，辨异端，辟邪说，使圣人之道焕然复明于世，盖自孟子之后，一人而已。然学者于道不知所向，则孰知斯人之为功；不知所至，则孰知斯

① （元）脱脱等：《宋史 · 程颢传》，第 12714 页。

名之称情也哉。”[①]

弟弟程颐（1033—1107年），字正叔，世称伊川先生。少年时，与兄程颢同学于周敦颐。宋仁宗嘉祐元年（1056年），程颐到太学读书。当时主管太学的教育家胡瑗以《颜子所好何学论》试诸生，程颐撰文曰：“然学之道，必先明诸心，知所养，然后力行以求至，所谓‘自明而诚’也。诚之之道，在乎信道笃，信道笃则行之果，行之果则守之固，仁义忠信不离乎心，造次必于是，颠沛必于是，出处语默必于是，久而弗失，则居之安，动容周旋中礼，而邪僻之心无自生矣。”[②]这篇文章受到胡瑗赏识，授程颐“处士”的学职。王安石当政时，未被起用，与兄程颢在洛阳讲学。

宋哲宗继位后，由司马光、吕公著等人推荐，程颐受命为崇政殿说书，其职务是教皇帝读书。程颐就职之前，就给皇帝上奏，提出了君子应重视“涵养气质，熏陶德性”，注重道德修养，还要经常接近品行高尚，敢于当面规劝君主之过失的臣僚。此外，他还提出，要让给皇帝讲书的侍讲官坐着讲，以示尊儒重道之心。这些建议表现了儒家学者宣扬“圣王之道”和以“帝王之师”自居的本色。就职以后，程颐经常借给皇帝讲书的机会，议论时政。由于他在君主面前，敢于议论朝政，褒贬人物，无所忌讳，这就一方面使其名声越来越大，吸引了许多读书人纷纷向他拜师问学，另一方面也引起了一些朝臣对他的不满，受到谏议大夫孔文仲的奏劾，被罢去崇政殿说书之职。不久，程颐被削职遣送至四川涪州（今四川绵阳市），交地方管制。程颐在被贬期间，完成著作《周易程氏传》。宋徽宗即位，迁程颐至峡州（今河南三门峡），短暂恢复其官位。但不久之后，程颐又受排斥，宋徽宗还下令追毁了他的著作，遂隐居龙门，遣散门徒，不久病死于家。南宋宁宗嘉定十三年（1220年），赐谥曰明公。南宋理宗淳祐元年（1241年），追封郿伯，从

① （元）脱脱等：《宋史·程颢传》，第12717页。

② （元）脱脱等：《宋史·程颐传》，第12718页。

祀孔子庙庭。

二程的主要著作，有他们讲学语录的汇编《河南程氏遗书》和《二程外书》，后人总纂为《二程全书》。其中包括程颢《语录》和《明道文集》；程颐《语录》《伊川文集》《经说》《程氏易传》。二程的学术理论，虽各有千秋，如程颢重内心体验而治理学，程颐重宇宙、社会而言理学；但是理论思想则是一致的，中心问题是性理问题，其实质是伦理道德。

“性”，在古代思想中主要指人性，有时也指物性。自孟子始，性与善恶联系起来。孟子认为，性是人生来具有的纯善本性。荀子则提出性恶论。后人在此基础上提出了“性善恶混”论和“性善情恶”论，用以解释人的行为有善亦有恶的事实。这一思想至宋，儒者把善之性解释为“仁、义、礼、智、信”五常，把恶之情解释为“喜、怒、哀、乐、爱、恶、欲”七情。宋儒张载用“天地之性”和“气质之性”指谓五常和七情，使伦理道德之性升华到天经地义的高度。二程在此基础上，以“天理”概念置换“天地之性”概念，将伦理道德再提高到人与动物的根本区别上，成为人的本质，甚至也是宇宙万物的本质。此后，宋儒学各家基本上都在这一意义上讨论做人问题、治国问题等。

理，是指法则或规律，二程将其引申为“天理”。何谓“天”？在二程看来，它不是宇宙天体或整个自然界，也不是人格化的上帝，而是一个至高至上的精神观念，体现着宇宙的最高法则。二程讲天理，主要强调两点：首先，世界根于同一个本原，万理只是一理，一物之理即万物之理。也就是说，人生之理与宇宙万物之理归于同一个理。其次，人伦，也是天理也。程颐指出：“在天为命，在义为理，在人为性，主于身为心，其实一也。”[①]“性即理也，所谓理，性是也。天下之理，原其所自，未有不善。”[②]也就是说，万物从理中派生来，理是万物生成的根

① （北宋）程颢、程颐：《二程遗书》卷一八，中华书局 1981 年版，第 204 页。
② （北宋）程颢、程颐：《二程遗书》卷二二上，第 292 页。

据。理不但派生万物，而且也决定了事物的功用。天命、义理和人性是一体的。二程共同创立了以“天理”为核心的“二程之学”，其学说皆以“理”或“道”作为全部基础，认为“理”是万物的“天理”，万物皆出于理，是世界的本源，成为“程朱理学”的开山祖师。

二程洛学在学术道统上，上宗先秦孟子的性理之学，下开程朱理学和陆王心学的先河，具有承前启后的重要作用。两程提出了“穷经以致用”的主张，突破了汉学不敢独立思考的墨守成规的治学方法，不失为一大进步。当然，在明清时期理学被定为意识形态支柱，长期束缚了人们的思想，阻碍了自然科学的发展，故其消极作用仍然是不可忽视的。

作为程朱理学的两位创始人，程颢、程颐兄弟的少年时期是在黄陂度过的，所以，至今黄陂留下了大量有关二程出生、儿时读书及游憩生活的民间传说[①]。黄陂城西有草庙巷（今武汉市黄陂区前川街文教巷），传说是二程出生地。滠水前川段左岸有一座鲁台山，他们因崇敬孔子，在鲁台山顶遥望东方鲁地，留下“鲁台望道”的典故。鲁台山东边有流矢湖，相传二程在此练习射箭，曾流矢于此。鲁台山下有聪明池，池前数步为前川，即“傍花随柳”处。程颢曾作《春日偶成》一诗记载春游之乐：“云淡风轻近午天，傍花随柳过前川。时人不识余心乐，将谓偷闲学少年。”这首名诗就诞生在黄陂滠河河畔的鲁台山一带，后来流传全国，被收入《千家诗》。为了缅怀二程，宋代黄陂建有清远亭，南宋改称双凤亭，自宋代以来文人墨客在此题词吟赋，流连忘返。

二、“汉上先生”朱震治《易》

朱震（1072—1138 年），荆门军长林沙洋人（今湖北省荆门市），北宋末、南宋初著名理学家、易学家。因其居于沙洋汉江之畔，世称“汉上先生”。《宋史·儒林传》《宋元学案》均有朱震生平传略。

---

① 黄陂有关二程的民间传说很多，如“双凤送子”“二程晒书”“双凤亭”“夜月楼”“望鲁台”“聪明池”“理趣林”“流矢湖”“程乡坊”“程夫子桥”等。详见皮明庥主编、李怀军分卷主编：《武汉通史·宋元明清卷》，第 73—74 页。

朱震年少时在故乡东山书院攻读，宋徽宗政和五年（1115 年）进士及第，其时已经 44 岁，曾担任州县官，以廉政著称。宋钦宗靖康元年（1126 年），他因精研《春秋》，被朝廷召为太学《春秋》博士。南宋高宗时，中书舍人侍讲胡安国向高宗极力推荐朱震。朝廷征召其为司勋员外郎，朱震称病不至。

绍兴四年（1134 年），时任参知政事的赵鼎再次向宋高宗举荐朱震。这一次，朱震入朝面君，以《易》《春秋》之旨应对，被任命为祠部员外郎，兼川、陕、荆、襄都督府详议官。朱震又上书建议："荆、襄之间，沿汉上下，膏腴之田七百余里，若选良将领部曲镇之，招集流亡，务农种谷，寇来则御，寇去则耕，不过三年，兵食自足。又给茶盐钞于军中，募人中粜，可以下江西之舟，通湘中之粟。观衅而动，席卷河南，此以逸待劳，万全计也。"[1]他主张，以荆襄为复兴基地，发挥荆襄的地理优势，妥善经营荆襄，安定人心，召集流亡，农战结合，三年即可以解决守军给养问题。此外，南宋朝廷还可以通过长江、汉水之利，运用湖南、江西的力量以充实荆襄，然后乘机收复中原，万无一失。朱震此言颇得宋高宗欣赏。

绍兴五年（1135 年），宋高宗恢复经筵，朱震表现出色，被连续擢升八次，官至左朝奉大夫。对此，《中兴小纪》记载说："范冲、朱震为翊善，朝论以二人为极天下之选。上亦尝谓（赵）鼎曰：'前日台谏因对，语及资善之建，皆曰如朱震、范冲。天生此二人，为今日资善之用，可谓得人矣。"[2]

绍兴八年（1138 年），朱震请求病休，没有得到允许。朝廷仍派他主管礼部贡举。不久，朱震因病去世于临安（今浙江杭州）。荆门州在沙洋县汉江大堤的关庙（铁中寺）后建有书院，为了纪念朱震，名之为汉上书院。

---

① （元）脱脱等：《宋史》卷四三五《儒林五・朱震传》，第 12907 页。

② （南宋）熊克：《中兴小纪》卷一八，福建人民出版社 1985 年版，第 246 页。

朱震学识渊博，对经学很有研究，尤其精通《周易》，体会透彻。他以程颐《易传》为宗，采纳各家之说，融会贯通。曾自陈道："陈抟以《先天图》传种放，放传穆修，穆修传李之才，之才传邵雍。放以《河图》《洛书》传李溉，溉传许坚，许坚传范谔昌，谔昌传刘牧。穆修以《太极图》传周敦颐，敦颐传程颢、程颐。是时，张载讲学于二程、邵雍之间。故雍着《皇极经世书》，牧陈天地五十有五之数，敦颐作《通书》，程颐着《易传》，载造《太和》《参两》篇。臣今以《易传》为宗，和会雍、载之论，上采汉、魏、吴、晋，下逮有唐及今，包括异同，庶几道离而复合。"[①]这不仅梳理了北宋新兴的易图创作与研究之学的脉络，也道明了自己易学研究的特点。

象数学派在汉代兴起，该派认为象数是易学根本，先有象后有辞，圣人是先设卦后据卦象系辞，因此主要依据八卦所象征的物象和阴阳符号为核心、并运用阴阳五行、天干地支等理论解释《周易》文本，发展到后来，把《周易》卦爻辞的文字系统转化为象形的符号系统。王弼是魏晋义理学派的首倡者，他认为象数只是表达义理的工具，义理是先于象数的根本性存在，象数是源于义理而产生的。因此，该派提出了"得意忘象"的诠释方法，象既然本于义而立，那么就不能拘泥于象数的形式和结构，而应着力于解求象数所蕴含的义理。

朱震易学兼综象数与义理的诠释方法。他认为《周易》象、数、辞、占都是对易道的显发，象数与义理两种解易理路都是源于《易传》对于《易经》的阐发，是《周易》天人之学的显现。因此其治易并不专取一家，而应博采众说，兼及象数、图书与义理等方法。朱震指出："言之难论者，不能尽形之于书；意之难传者，不能尽见之于言。然圣人之意，终不可见于天下后世乎？夫有意斯有名，有名斯有象。意至赜也。圣人于无形之中，建立有象，因象而得名，因名而得意，则言之所

① （元）脱脱等：《宋史》卷四三五《儒林五·朱震传》，第12908页。

不能尽见者，尽矣！”①也就是说，圣人是观天象而得道，继之以卦象表现道，又根据卦象系之卦爻辞。因此，世人想要识得易道，既要观察卦象又要明白卦辞。卦爻辞与象数互为表里、相互吸收，只有依据两种解易理路才能充分把握圣人之意，才能得窥大道。

朱震采用了卦变为核心并包含动爻、卦变、互体、纳甲在内的汉魏象数体例，兼综河洛、先天图式展开的宋代图书之学和程颐确立的义理解易方法，最终自成一体。朱震广泛采辑并折中百家之学，将两汉象数易学与北宋图书学之成果联系起来，以建立一个无所不包的易学体系，其易学纳甲观，就鲜明地体现出这一特点。纳，有吸纳、纳入之意。纳甲，是将历法中的十干纳入易学中与易卦相配，因天干以甲为首，“举甲以该十日”故称纳甲。朱震以纳甲注解《周易》，主要受京房纳甲说和虞翻月体纳甲思想的影响。他以八卦纳甲的数理解释天地五十五之数，不仅丰富了自虞翻以来的八卦纳甲说，而且突破了前人以五行生成之数解释天地五十五数的框架，将五行生成之数置入纳甲数理中加以解释，使天地五十五之数具有了更加丰富的内涵，这在易学史上是一种独创。

在本体论方面，朱震认为，太极是象数之源，即宇宙本体和万物之源，是天地万物生成存在终极的根据，又是阴阳动静变化之理，是天地万物变化的依据。朱震从数和气两个方面对太极创生天地万物的过程进行具体的描述。太极生成万物的顺序是：一生二，二生四，四生八，再生成万物。万物本原是一，由一产生其他数、产生万事万物。朱震还继承周敦颐太极图的生成次序，指出：“太极者，阴阳之本也。两仪者，阴阳之分也。四象者，金木水火土也。八卦者，阴阳五行布于四时而生万物也。故不知八卦，则不知五行；不知五行，则不知阴阳；不知阴阳，则不知太极。人孰知太极之不相离乎！不知太极，则不可以语

① （南宋）朱震撰，王婷、王心田编辑点校：《朱震集·周易集传》卷七，岳麓书社2007年版，第435页。

《易》矣。”[1] 太极凭借阴阳二气的动静、聚散、屈伸等交感变化而产生了万物，并作用于天地万物的生存和发展。

太极兼天地人三才之道，通理、性、命于一体。朱震认为，人与万物同禀太极之气而生，具备太极纯一湛然之性，因此，人之性为纯然至善的天地之性，善为性之本。那么为什么会有不善之人？这是因为那些人禀赋刚柔之气有偏。诚，是天道与人道之间的纽带。人们应该保持天地之性善，尽去不善，践行君子之道，最终达到合天地人三才的圣人境界。

朱震又以礼释易，礼易互训。他认为，乾阳为君，坤阴为臣，故君尊臣卑、君刚臣柔，君臣上下，尊卑贵贱，等级地位分明，各正其位，各尽其责。君王应该具仁德、行仁政；臣子则应恭敬守正，代君终事，尽臣子之本分。君臣上下一志，持守正道，恩泽民众。他主张礼法并重，刑法的震慑和警示作用不容忽视。“治蒙之初，威之以刑，然后渐知善道，过此以往，则吝矣。卦言童蒙，爻言刑人，刑所以辅教也。《易传》曰：‘立法制行，乃所以教也。’后之论刑者，不复知教化在其中矣。”[2] 也就是说，刑法是礼教的一种手段，当老百姓受欲望的蒙蔽，统治者运用刑法警戒，则民众就能够知善而不为恶。

关于《周易》经传相附的问题，朱震的研究启迪了后人。朱震立足于易学发展的历史考察《周易》经传文本的本来面貌，而且以史籍为证，说明经传本来各自成篇，以传附经乃后人所为。尤其在论证方法上，他结合历史上其他文献如《太玄》在传承过程中出现的文本演变，证明经传相附属于后人所为。他对于经传相附问题的考察，启迪了包括吕祖谦、朱熹在内的诸位大家，朱熹《周易本义》篇章结构的安排，以恢复“《易》为卜筮之书”的本来面貌为目的，其思想在很大程度上得益于朱震。这正是朱震对经学，特别是易学研究方面做出的不可忽视的

① （南宋）朱震撰，王婷、王心田编辑点校：《朱震集·周易丛说》，第 706 页。

② （南宋）朱震撰，王婷、王心田编辑点校：《朱震集·周易集传》卷一，第 35 页。

重要贡献。

朱震一生著述颇丰，惜现仅存《汉上易传》，包含《周易集传》《周易卦图》和《周易丛说》，其余皆散失。文学方面，朱震搜集唐、宋 27 位文人大师咏荆门蒙泉的佳作，辑成《荆门蒙泉题咏》一书，并作序。另，碑记《崇封龙女记》流传至今。

三、胡安国《春秋传》的理学特征

胡安国（1074—1138 年），字康侯，谥文定，原籍建宁崇安（今福建武夷山）。北宋著名经学家，与程颐、朱熹齐名。其治学理念上承二程，下接谢良佐、杨时、游酢，在理学发展史上居于承上启下的地位①。

胡安国一生做过最有意义的官职当是提举湖北路学事。胡安国一生不走权门，不畏权势，为人重操守，性格耿介，往往借用《春秋》议论政治，敢于直谏，因此屡受排挤，故仕途不顺；一生虽历仕四帝，在官四十年，而实历职不过六载。胡安国 17 岁入太学，绍圣四年（1097 年）23 岁的胡安国中进士第，由于才华出众，被宋哲宗提拔为太学博士，后官至宝文阁直学士。对朝廷弊政，他常常直言不讳，因此得罪了朝中擅权的蔡京。胡安国于建中靖国元年（1101 年），由太学博士改任提举湖北路学事，主管该路学校教育。胡安国“强学力行，以圣人为标的”，当得知程门高弟谢良佐正知本路德安府应城县时，私淑二程的他专门前往求教，谢良佐称赞他“如大冬严雪，百草萎死，而松柏挺然独秀者也”②。除与程门弟子交游外，胡安国亦与荆门精通易学的理学家朱震、朱巽兄弟过从甚密，并将他们引荐至谢氏门下。

鉴于北宋末年朝政腐败，胡安国遂隐居于荆门军当阳县漳水之滨，长达二十余年。期间，他一边侍奉、安葬双亲，一边潜研《春秋》之

---

① 荆门政协文史委编：《荆门文化简史》，第 189—194 页。

② （元）脱脱等：《宋史》卷四三五《儒林五 · 胡安国传》，第 12915 页。

学，并授徒讲学。与之交游或慕名来学者不乏荆州籍士人。唐恕，字处厚，北宋荆州江陵籍名臣唐介之孙。唐恕任知县时，因不愿执行新法主动辞官，“杜门躬耕”。后与胡结识，遂相互砥砺。唐恕因其“高行”获御史中丞许翰赏识，靖康元年（1126 年）被荐为监察御史，《宋史》亦称颂其“高行不陨家声，有足美云”[①]。胡安国的江陵籍学生还有吴郛。吴郛，字卫道；他十分好学，“宣和四年（1122 年），江陵吴卫道求师于漳水之滨”[②]，往投胡安国门下。

靖康之役后，荆湖北路沦为边防前线，兵祸不断、盗贼猖獗。为避战乱，胡安国举家南迁湖南，与子胡宏等于湘潭创建碧泉书院，后至南岳衡山创文定书堂。他们讲学授徒，大力传播、发展洛学，广育理学人才，为湖湘学派先驱[③]。故就地域学术史言，胡安国从荆门举家南迁至湘潭，标志着荆湖路学术中心由荆湖北路向荆湖南路的转移。作为这一转移的表现，乃是荆楚学人纷纷往游湖湘之地，如江陵吴郛在其师举家南迁湘潭时，亦随之同往。

胡安国长于春秋学，撰有《春秋传》三十卷。他对于心、理、性等理学范畴的研究虽尚未形成规范的理论体系，但其以心为本、心与理一的思想却对后学产生了重要影响。除撰有《春秋传》外，还撰有《资治通鉴举要补》等书。在两宋之交学术演变的历史过程中，胡安国的影响和理学传承方面作用实不可小视，全祖望说他“私淑洛学而大成”[④]。

胡安国《春秋传》承继程颐，又发展了程颐的春秋学。《宋史》本传记载，胡安国“潜心是书二十余年，以为天下事物无不备于此。每叹曰：‘此传心要典也。’”[⑤]《元史》说他“闻道伊洛，志在《春

① （元）脱脱等：《宋史》卷三一六《唐介传附孙恕传》，第 10332 页。

② （宋）胡寅：《送吴郛赋》，《斐然集》卷一，见影印文渊阁本《四库全书》第 1137 册，第 266 页。

③ 王江武：《胡安国〈春秋传〉研究》，复旦大学 2008 年博士学位论文，第 3 页。

④ （清）黄宗羲原著、全祖望补修：《宋元学案》卷三四《武夷学案序录》，第 1170 页。

⑤ （元）脱脱等：《宋史》卷四三五《儒林五·胡安国传》，第 12916 页。

秋》”[①]。通过对两部《春秋传》的比较，可见胡著对程著存在继承关系；特别是在天理、义利、夷夏、君臣等方面，胡安国对程颐多有引申和发挥。胡氏《春秋》学大纲本诸程氏，在其基础上又有所深化，义理愈加精微严密，实有后出转精之意[②]。

胡安国《春秋传》的理学特征，首先表现在注经从“义例”到“义理”。宋代的经学所重主要在《易》和《春秋》两经[③]，而宋代春秋学承自中唐之学。宋代以前从事《春秋》诠释的学者们大多数认为，孔子是以一定的原则和规范来笔削史料、述成《春秋》的，孔子所依据的原则和规范就是例；后世的学者只有按照这些例来理解《春秋》，才能准确把握圣人的大义宗旨。因此，《春秋》“三传”从不同的路径建构了各自的《春秋》诠释体系，结果往往相互抵牾，使《春秋》学更加繁密庞杂，越来越难以适应社会的需要，严重影响了《春秋》学的发展。中唐时期，啖助治《春秋》提出“通经为意”说，赵匡、陆淳唱和其说，治《春秋》者才开始突破汉唐家法，纷纷以己意说经。故皮锡瑞《经学历史》说：“宋人治《春秋》者多，而不治颛门，皆沿唐人啖、赵、陆一派。”[④]

程颐将《春秋》学纳入理学范围，对胡安国影响较大。胡安国正是沿着二程之以理解经的通学道路，“穷理尽性”，会通“三传”。胡安国将在《春秋》中明“上下尊卑”的“礼”用“义利之辨”的“理”代替，“理”被诠释为人与事乃至君臣共同遵循的封建道德法则，以至天理，而“理”的社会道德表达就是义，义通过“正名别类”来达到。胡安国还将董仲舒以来的《春秋》王道的评判标准也纳入理学的范畴，用天理代替王道，统摄《春秋》全经的解释，因此，义理不但是胡安国诠释《春秋》的准则，而且是其阐发《春秋》“微言大义”之所在。胡安

① （明）宋濂等：《元史》卷七七《祭祀六·宋五贤从祀》，第1921页。

② 阎云：《胡安国对程颐〈春秋传〉的继承与发展》，《湖南工业大学学报（社会科学版）》2018年第2期。

③ 马宗霍：《中国经学史》，商务印书馆1998年版，第119页。

④ （清）皮锡瑞：《经学历史》，中华书局1959年版，第250页。

国在多取程颐义理之说的基础上，抱着《春秋》为我所用的经世理想，又有很多自己的独创见解。为了解决现实问题，为之提供原则的指标和行事的借鉴，胡安国有时甚至“因地制宜”地超常发挥和推演出《春秋》中所蕴含的微言大义来。

胡安国《春秋传》的理学特征，其次表现在他将义利之辨改写成理欲之辨。自孔子提出“君子喻于义，小人喻于利”[①]，开儒家义利之辨先河以来，义利之辨成了儒家学说的核心命题之一，历代思想家们无不根据时代的需要对其进行辩难析理。孟子曰：“王亦曰仁义而已矣，何必曰利？”[②]义利之辨，既表现在个人操守上，也反映在为政之道上：是以私利为原则立身治国，还是以道义为原则立身治国。在二程那里，利多指求得求成的私利之心，至于义利之间的关系，程颐明确指出：“义与利，只是个公与私也。”[③]故天理就是公理，“天理无私”，而人欲则只是私欲，因此，二程主张明天理去人欲，义利之辨在二程这里被改写成为理欲之辨。胡安国完全继承了二程的这一思想，“理”不但是胡安国诠释《春秋》的准则，而且是其发《春秋》“微言大义”之所在[④]。在《春秋传·序》中，胡安国自述其作《传》的宗旨是：“叙先后之伦，而典自此可淳；秩上下之分，而礼自此可庸……遏人欲于横流，存天理于既灭，为后世虑至深远也。”[⑤]胡安国将义利之辨引申为理欲之辨，把天理和人欲对立起来，展开他《春秋传》的思想阐述。胡安国肯定了《春秋》经中包含着义利（理欲）之辨的思想，将义利与天理人欲统一起来，以理欲之辨去改写义利之辨。贬斥私欲，认为天理公正即是善，人欲私利即是恶，《春秋》之旨就在于惩恶扬善。从政治的角度，

① 杨伯峻：《论语译注》，中华书局2004年版，第39页。

② 杨伯峻：《孟子译注》，中华书局1960年版，第2页。

③ （北宋）程颢、程颐：《二程遗书》卷一七，第136页。

④ 张志宏、徐建勇：《论胡安国〈春秋传〉对于义利之辨的理学诠释》，《船山学刊》2011年第3期。

⑤ （宋）胡安国：《春秋传·序》，影印文渊阁本《四库全书》第151册，第5页。

认为人欲对王道原则的伤害同于赏盗，如果不加以纠正则国危矣。因此，胡安国强调治国者当严守义理，摒弃利欲："或抑或纵，或与或夺，所以明君臣之义者至矣。其义得行，则臣必敬于君，子必敬于父，天理必存，人欲必消，大伦必正。"①

其次，胡安国《春秋传》的理学特征是对"三纲"作了体用一源的理学表达。从孔孟、董仲舒到胡安国，夫妇、父子、君臣的次序排列是不同的。胡安国的"三纲"排序，与他们都不同：夫妇、父子、君臣。胡安国之所以这样排序，原因在于：一是胡安国理学家的身份决定了他重思辨重形上；二是胡安国身处南北宋之交的乱世，这样的时代背景也是胡安国在其《春秋传》中屡屡强调尊君复仇的原由所在；第三，更为特殊的是，胡安国是为宋高宗讲《春秋》的帝师，这种使命感和责任感，不仅需要胡安国拿出一个从伦理到政治的完整方案，为当时的中国社会和法律制度提供基本的核心价值，奠定社会伦理和政治的一般基础，并为人生的意义问题指出一个规范性的方向，而且能够适用于社会实践，服务于当时的对外战争和社会秩序的重建。这就要求胡安国将形上和形下统一，既有高深的理论又能经世致用。三是基于这样的原因，胡安国不但将父子放在君臣前面，而且将夫妇放到了第一位。这不仅为忠找到了心理基础——孝，使忠孝合一，为对君的忠获得人性上最有力的支持，而且直接应用了理学的思想，为忠孝成立找到了宇宙论和本体论上的根据。胡安国的这种排序方式，不仅使传统的"三纲"获得了形上的依据，并且更加符合人生实际，看上去更加具有合理性，可信度更高，实用性更强，从而更加能够达到其经世致用、拨乱反正的目的。

再次，胡安国《春秋传》的理学特征是对自己政治哲学做了"义理"精神的阐释。宋代秩序重建的终极目标是实现"三代之治"，而"取法三代"的实质就是要复兴王道，这与儒学重建的目标是一致的。所谓"王道"，即指上古三代的先王之道。因为三代"圣王"本身就是

① （宋）胡安国：《春秋传·成公十三年》，影印文渊阁本《四库全书》第151册，第168页。

政治权威和道德权威的合一，所以“王道”包含了“尊王”与“崇道”两个方面的意蕴，也表达了儒家“圣王合一”的理想。这种理想虽然带有乌托邦色彩，但在宋儒心目中却是一种坚定的信仰。胡安国《春秋传》蕴含丰富的王道思想，是宋代《春秋》学的突出代表[①]。

胡安国将宋代理学家的重要概念特别是二程思想完全用到对《春秋》的解释之中，使《春秋》学有了理学的阐释，这在《春秋》学史上是最突出的一次，也是《春秋》学史上最为重要的一环。正因为如此，后世把胡安国的《春秋传》和《左传》《公羊传》《穀梁传》并列，合称为《春秋》“四传”。特别是在胡安国《春秋传》受到封建王朝重视之后，对宋元明清《春秋》学的发展起到了重要作用。

此外，胡安国子侄胡寅、胡宁、胡宏都在思想史上留名并有一定影响。胡寅，胡安国侄子，后过继给胡安国，胡寅著《读史管见》在历史政治哲学方面有其建树。胡宁，胡安国次子，跟随其父在荆门军长大，从小随父亲学得满腹经纶，尤其精通《春秋》之学。胡宏，南宋初期理学家，胡安国幼子，出生在荆门军，是其父亲胡安国亲传的学生，胡宏在心性论哲学方面的贡献，对朱熹理学、陆九渊心学产生过影响。

四、陆九渊“心学”

有道是：“地因人显，人因地传。”宋代，朱震、胡安国、陆九渊三位理学家与湖北荆门的关系，在一定程度上提升了荆门在全国的知名度，以至于荆门人把他们作为“荆门三贤”，建三贤祠供奉。三人均在《宋史》有传。其中，朱震以“易学”、胡安国以“理学”、陆九渊以“心学”闻名全国。

南宋名臣、哲学家陆九渊（1139—1193 年），字子静，自号象山，人称象山先生，江南西路抚州金溪县（今江西金溪县）人，登乾道八年

① 戴金波：《胡安国〈春秋传〉的王道思想》，湖南大学岳麓书院 2010 年博士学位论文，摘要第 1 页。

（1172年）进士第；卒于荆湖北路荆门军知军任内，谥“文安公”。荆门是陆九渊生命的终点，百姓尊其为“陆夫子”。

宋淳熙十年（1183年）冬，45岁的陆九渊由国子正升为敕令所删定官达四个年头。其间，他先后三次论及时政，其核心是整治人心，被称为“医国之论”。他提请朝廷重视调节君臣之间的关系，希望皇帝能知人善任，赏罚分明，臣子能尽忠竭力，各司其职；主张慎重地处理国家政治法度大事；注意吸取前朝变法的经验和教训；等等。陆九渊的政论，因切中了时弊，故为孝宗皇帝所认可。轮对后不久，陆九渊转宣义郎，除将作监丞，但他的任命遭到了给事中王信的疏驳，最终被改任为主管台州崇道观。陆九渊遂以祠禄官还乡，居象山5年，广泛传播和深入研究其整治人心的学问，希望自己在有生之年能为国家培养出一批志士仁人，为重建儒学理论大厦和解救南宋社会政治危机做出贡献。

绍熙二年（1191年），陆九渊被光宗诏知荆门军，政绩显著，荆门军社会风气大变。陆九渊在荆门已为次边之地的严峻军事形势下，出于对当时国家和民族的一腔热忱和无限忠诚，不顾自己适染寒伏枕，又苦肠痔的身体状况，断然挈家赴任。关于治荆之道，陆九渊主张，只要为政者出以公心，遇事以理当事宜为原则，就没有办不成的事情。面对荆门军当时防守空虚，资库匮乏，民风闭塞等现状，陆九渊迎难而上，在一年零三个月的短暂任期内，修城治军，巩固边防，救灾除弊，体恤民情，义利分明，刚正无邪，讲经理案，淳化世风，迅速地改变了荆门军面貌。

陆九渊是中国思想史上富于创见的思想家之一，其思想涉及哲学、伦理学、政治学、教育学诸方面，而最为知名的当属其“心学”。陆九渊创立的“心学”与朱熹的“理学”齐名，陆王心学与程朱理学成为理学史上两个最大的门派。“以心契理、心理合一，以尊德性统摄道问学，收拾精神自作主宰，是象山心学的基本精神。”[①] 因此，象山心学的基本

① 李振纲：《象山心学与朱陆之辩》，《河北大学学报（哲学社会科学版）》2004年第4期。

精神有：

其一，心即理的宇宙本体观。陆九渊的心学，强调人的道德本心是一切人道伦理可能和必然的根据。此处所言的本心，既不同于物欲之心，也有别于人的主观意见之心，特指与理合一的先验道德理性之心，它是人之所以为人的内性或根据。他认为，万物皆备于我，义理已具于心，无我亦无物，此心即此理。在陆九渊的认识领域中，心是存理的工具，心与宇宙条理有超越感觉经验以外的结合，宇宙之理和心之理是同一的。他说："盖心，一心也；理，一理也。至当归一，精义无二。此心此理，实不容有二。"① "有己则忘理，明理则忘己"②，既然心与理通，心同理同，所以人们只需领悟身心之理，而无需外求就可体认到天地之心，天地之理。故其言："万物森然于方寸之间，满心而发，充塞宇宙，无非此理。"③ 陆象山又认为，宇宙即吾心，性外无余理。陆九渊认为人生天地间，"此心"形体虽小，但它具备宇宙万物之理，"宇宙便是吾心，吾心即是宇宙"④，是超乎时间空间的先天自在之物，只要发挥其能动作用，就能尽心、知性、知天，遍历宇宙进入无穷意境，从而在天人之间获得普遍和谐。而且，他认为"此心本灵、本神、本明、本广大、本变化无穷"⑤，具有无限的创造力，它能超越形体的局限，不受时空限制，自由奔驰，领悟天理。既然心具有无限认识和创造性功能，能够认识把握天理，而圣人又是天命理性的化身，那么，人人只要做到对本心进行存养以至清明，就能成为圣贤。他说："道塞天地，人以自私之身与道不相入。人能退步自省，自然相入。"⑥ 心对天理的体

① （宋）陆九渊著、钟哲点校：《陆九渊集》卷一《书·与曾宅之》，中华书局 1980 年版，第 4—5 页。

② （宋）陆九渊著、钟哲点校：《陆九渊集》卷三五《语录下》，第 473 页。

③ （宋）陆九渊著、钟哲点校：《陆九渊集》卷三四《语录上》，第 423 页。

④ （宋）陆九渊著、钟哲点校：《陆九渊集》卷二二《杂著·杂说》，第 273 页。

⑤ （宋）陆九渊著、钟哲点校：《陆九渊集·附录一·杨简序》，第 535 页。

⑥ （宋）陆九渊著、钟哲点校：《陆九渊集》卷三五《语录下》，第 462 页。

认过程，也就是人求圣成贤的过程，因此保养和成全心智的灵性，是人道的天赋使命，也是常人成圣的大中之道。同时，他也承认“人生天地间，气有清浊，心有智愚，行有贤不肖”[①]，“心”所发挥的余地还是因人而异的，人只有解除心蔽，彻底攻破隐藏私心的“七重铁城”，才能在意义世界建筑一条从吾心外达宇宙、由人心蕴达天理的通道。

其二，尊德性而后道问学。朱熹与陆九渊在为学功夫上的不同，就在于如何看待和处理心性道德涵养与研读经典二者之间的关系。陆九渊认为，为学的目的只是为了提升道德境界，研读经典或研究外物都不能直接达到这一目的。人的本心是道德的根源，因此，只有发明本心，才能实现这一目的。在陆学体系中，静坐澄心并不需要以读书穷理为手段，换句话说，道德境界的高低与读书多少并无直接的关联，即使一个字不识，也可堂堂正正地做人。相反，如果不去反省本心，只一味泛观博览，只会使人心烦乱无主，足以蔽害人的道德本心。没有德性，徒有知识，恰似假盗兵，资寇粮。黄宗羲《象山学案》云：“先生之学，以尊德性为宗，谓‘先立乎其大，而后天之所以与我者，不为小者所夺。夫苟本体不明，而徒致功于外索，是无源之水也’。同时紫阳之学，则以道问学为主，谓‘格物穷理，乃吾人入圣之阶梯。夫苟信心自是，而唯从事于覃思，是师心之用也’。……继先生与兄复斋会紫阳于鹅湖。”[②]陈来指出：“陆学的这个立场，用《中庸》的语言来说，就是始终强调‘尊德性’对‘道问学’的优先性。尊德性是本，道问学是末，道问学必须服从于尊德性，用孟子的话说，就是要‘先立乎其大者’。”[③]朱陆鹅湖之会争论的焦点就在于此。

其三，收拾精神，自做主宰。即“切己自反”“发明本心”的本体功夫论与以“易简功夫”为核心和代表的一系列修养原则、方法和各项

① （宋）陆九渊著、钟哲点校：《陆九渊集》卷六《书·与包详道》，第4—5页。

② （清）黄宗羲原著、全祖望补修：《宋元学案》卷五八《象山学案》，第1885—1886页。

③ 陈来：《宋明理学》，沈阳：辽宁教育出版社1991年版，第200页。

具体功夫。陆学的另一明显特点是强调道德主体的自觉能动性。他说："人精神在外，至死也劳攘，须收拾做主宰。收得精神在内时，当恻隐即恻隐，当羞恶即羞恶。谁欺得你？谁瞒得你？见得端的后，常涵养，是甚次第。"① 又说："明得此理，即是主宰。真能为主，则外物不能移，邪说不能惑。所病于吾友者，正为此理不明，内无所主；一向萦绊于浮论虚说，终日只依藉外说以为主，天之所与我者反为客。"② 每一个人都有道德本心，时时按照道德本心去做，让道德理性主宰自己的身心行为，这种道德理性的自觉就叫"自做主宰"，否则就是六神无主，自暴自弃。故其言："诚者，自诚也，而道自道也。君子以自昭明德。人之有四端，而自谓不能者，自贼者也。暴谓'自暴'，弃谓'自弃'，侮谓'自侮'，反谓'自反'，得谓'自得'。福祸无不自己求之者，圣贤道一个'自'字煞好。"③ 只有确立了自信自立自尊的道德主体意识，才有可能成为孟子早就提倡的"大丈夫"（大人君子）。

象山心学是南宋社会发展的必然产物，也是儒释道相互融合的结晶，是中国思想发展的理学阶段和儒学发展的哲学深化阶段的本质内容之一④。元朝大学士虞集在《新建陆文安公祠堂记》中称赞陆九渊："先生之道，如青天白日，先生之语，如震雷惊霆"；"先生之大，日月之明，先生之明，四时之行"；"先生之言，为上下万世之远，东西南北之表！"⑤

陆九渊是宋光宗绍熙三年十二月十四日（1193 年 1 月 18 日）在荆门积劳成疾死于任上的。逝世之日，"郡属棺敛，哭泣哀甚，吏民哭

① （宋）陆九渊著、钟哲点校：《陆九渊集》卷三五《语录下》，第 454 页。

② （宋）陆九渊著、钟哲点校：《陆九渊集》卷一《书·与曾宅之》，第 4 页。

③ （宋）陆九渊著、钟哲点校：《陆九渊集》卷三四《语录上》，第 427 页。

④ 荆门政协文史委编：《荆门文化简史》，第 183—189 页。

⑤ （元）虞集：《新建陆文安公祠堂记》，见（元）虞集著、王颋点校：《虞集全集》（下册），天津古籍出版社 2007 年版，第 803—804 页。

奠，充塞衢道”[①]。荆门父老代表李敛致悼词说：“我民将子子孙孙尸而祝之，社而稷之，以至于无穷也。”[②]荆门人民受其益，感其德，将象山先生生前主持修筑的荆门城称为“陆公城”；将他生前的讲学地——蒙山，更名为“象山”。陆九渊灵柩虽然离开了荆门，但他治理荆门的政绩和思想道德仍然留存，成为荆门一大精神财富。[③]

五、项安世与《周易玩辞》

南宋初期，宋高宗、宋孝宗励精图治，政局相对稳定，国力增强，同时诸子学术争鸣，涌现出一批优秀思想家和文学家。项安世作为南宋中兴时期政治风云的见证者和中兴诗坛健将，创作出一批优秀的诗歌，反映了南宋社会现状与人文精神。当代学者钱钟书在《谈艺录》中高度评价项安世的诗歌：“（项安世）亦推诚斋空扫前人，独霸当时。自运各体皆有肖诚斋者，七律尤如唐临晋帖，才思远在张功父之上。”[④]这里，钱先生所言“诚斋”，指南宋文学家杨万里，因宋光宗曾为杨万里亲书“诚斋”二字，故学者称其为“诚斋先生”；张功父，即南宋诗人张镃，字功甫。钱钟书意欲表达项安世推崇杨万里，其七律最有诚斋体的味道，在众多模仿诚斋体者中属于上乘之作，并且才思不亚于当时甚有诗名的张镃。钱钟书先生称颂的是项安世的诗名，诗人之外，项安世又是著名的经学家、理学家，所著《周易玩辞》一书在宋末元初颇有影响。对此，《宋史·项安世传》论曰：“项安世之通经博古，皆一时之英才。”[⑤]

① （宋）陆九渊著、钟哲点校：《陆九渊集》卷三六《年谱》，第513页。

② （宋）陆九渊著、钟哲点校：《陆九渊集》卷三六《年谱》，第513页。

③ 朱同炳：《虞集〈新建陆文安公祠堂记〉对象山文化建设的价值》，《荆楚理工学院学报》2009年第6期。

④ 钱钟书：《谈艺录》，生活·读书·新知三联书店2007年版，第310页。

⑤ （元）脱脱等：《宋史》卷三九七《项安世传》，第12102页。

项安世（1153—1208 年）[①]，字平甫，号平庵。祖籍括苍（今浙江丽水），后举家迁往江陵（今湖北江陵县）。项安世精通经学，著有《周易玩辞》《项氏家说》等，论及四书五经等儒家经典，其中又以《易》学为根本。《周易玩辞》一共 16 卷，根据自序，初作于宋宁宗庆元四年（1198 年），定稿于嘉泰二年（1202 年）。该书的书名取义于《系辞传上·第二章》的“君子居则观其象而玩其辞，动则观其变而玩其占。”玩，就是玩味；辞，就是文辞。“玩辞”就是玩味《周易》的文辞，阐发其深邃的道理。

对项安世解《易》影响最大的是程颐的易学思想。《周易玩辞·序》云：“安世之所学，盖伊川程子之书也。程子生平所著，独《易传》为全书，安世受而读之三十年矣。今以其所得于《易传》者述为此书，而其文无与《易传》合者，合则无用述此书矣。”[②]可见项安世对程颐《易传》是极为推崇，但他并不满足于简单地照搬程颐的观点，而是结合象数和义理学派的方法来阐明自己的见解，颇有新意。“合则无用述此书矣”显示出项安世对《周易玩辞》的自许之情。

和同时代其他学者的解易著作相比，《周易玩辞》的特点是综合运用了参证史事、玩辞见义、象数等多种方法。

参证史事，就是引用史实来解易，通过总结历史上的得失成败来参证经传的内涵。当代学者张善文《宋代〈易〉学中的“援史证易”派》一文概括了史实在注经中的三个方面的作用：称引史事，参论《易》理；泛舒史论，阐发《易》理；影射现实，衍申《易》理。[③]

项安世旁征博引，引述了大量史事来参证《易》理，并以此对南宋

① 关于项安世生年，史籍无明确记载。目前学界存在 2 种说法：一说生于 1129 年，见连二华《项安世诗歌研究》，广西大学 2015 年硕士学位论文，第 1 页；一说生于 1153 年，见潘非《项安世诗歌研究》，山东师范大学 2017 年硕士学位论文，第 3—4 页。此处采信后一种说法。

② （清）朱彝尊：《经义考》卷二八，见影印文渊阁本《四库全书》第 677 册，第 305 页。

③ 张善文：《宋代〈易〉学中的“援史证易”派》，《福建师范大学学报（哲学社会科学版）》1992 年第 3 期。

统治者进行讽喻。《周易玩辞》一共引述了150件史事，每卦所援引的史事数量，少的一件，如《家人》《艮》《渐》《节》等卦，多的达到十几件，如《乾》《屯》等卦。所引史事主要集中在夏商周三代和汉唐两朝。如《乾》卦“利见大人”条下区分九二、九五两爻的不同时，项安世指出：“二之德盛化神而人利见之也，五曰圣人作而万物睹。……五之位尊道行而人利见之也。二居阴位，其孔子文王之事乎？五居阳位，其二帝三王之事乎？”①《乾》卦九二、九五两爻的爻辞中都有“利见大人”，但原因有所不同，前者是“德盛化神”，将有作为，后者则是位居至尊，具备施展抱负的外部条件。孔子和周文王都是极具仁德之人，却缺乏推行仁德的外在条件，与九二爻的含义相似。尧、舜、禹、商汤王和周武王等诸人则不仅内修仁德，而且都位居君位，具备了行其道的外部条件，符合九五爻的含义。

又如项安世在注解《大有》卦初九爻时指出：“六五受人之交，而初九独不往交，则害于大伦矣，故为有害。虽然，岂其咎哉，居势适然，岂容强合。若能危行言逊，艰以自守，则虽无上下之交，亦足免于咎也。冯衍、梁鸿之在东汉，皆居大有而无交者也。衍退而自修，可以无咎。鸿作五噫之辞，为章帝所恶，则失于轻易，违初九克艰之义矣。”初九处于下卦之初，与上卦无应，违背了大有之时以与五相应为美的情实。但是，初九阳刚得正，初心为变，因此不交者，并不是自身的过错，是时势使然。只要能够坚持约束自己的言行，就不会有咎患。在此处，项安世引用东汉冯衍和梁鸿的事迹印证经义。冯衍，字敬通，王莽末年，天下大乱，他加入更始政权，后转投刘秀。东汉建立后，冯衍未被重用，因其多与外戚交往而为人所谗，被罢官返乡。冯衍从此闭门不出，杜绝交往以求全生，并作《显志赋》以自励。梁鸿则是东汉章帝时著名的隐士，“举案齐眉”故事的男主角。他原本在霸陵山隐居，有一次外出路过洛阳，感慨世风不古，遂作《五隐歌》讽世。汉章帝闻

① （宋）项安世：《周易玩辞》卷一，见影印文渊阁本《四库全书》第14册，第223页。

知，十分不悦，下诏搜捕。梁鸿被迫改变姓名，逃亡到吴地避祸。冯衍和梁鸿的境遇都如初九爻所示，但冯衍坚贞自守，终得“无咎”，梁鸿轻狂失分，被迫逃亡异乡，这两人的经历从正反两方面阐发了该爻辞的主旨。

项安世并没有企图通过对《周易》的注解而建立一套新的哲学体系，而是以随时发明辞义为目的，致力于对经文辞句的玩味解读。他还善于采用比较研究方法，其中有一种方法是比较《周易》中在不同的卦、爻之中重复出现的辞句。项安世分析其在使用中的相似性，从而概括出这些辞句在《周易》中的共同内涵。此外，《周易玩辞》对于词义的解说大多是从象的角度立论，而且充分考虑到了这些词在《周易》中的贯通性，体现出“因辞测象”的思路。

《周易玩辞》采用的象数方法具体包括互体、卦气、飞伏等。

项安世作为官员，历仕南宋孝宗、光宗和宁宗三朝，他的为政思想在其部分上书和诗作中得以体现，但总体上来说，项安世的仕途并不顺利，壮志难酬。南宋孝宗淳熙二年（1175 年），中进士，调绍兴府教授。在绍兴为官期间，项安世与朱熹互有交往。南宋光宗绍熙四年（1193 年），除秘书省正字。当时宋光宗以自己有病为由不去重华宫拜望太上皇宋孝宗。项安世为此上书曰：“陛下仁足以覆天下，而不能施爱于庭闱之间；量足以容群臣，而不能忍于父子之际。以一身寄于六军、万姓之上，有父子然后有君臣。愿陛下自入思虑，父子之情，终无可断之理；爱敬之念，必有油然之时。圣心一回，何用择日，早往则谓之省，暮往则谓之定。即日就驾，旋乾转坤，在返掌间尔。”① 宋光宗虽然没有采纳项安世的建议，但不久后还是提升他为校书郎。

绍熙五年（1194 年），项安世就财政困难等问题，提出通过屯田、减少宫掖花销等政策，文辞恳切，逻辑严谨，切中弊病。其文曰：“管夷吾治齐，诸葛亮治蜀，立国之本，不过曰量地以制赋，量赋以制用

---

① （元）脱脱等：《宋史》卷三九七《项安世传》，第 12088 页。

而已。陛下试披舆地图，今郡县之数，比祖宗时孰为多少？比秦、汉、隋、唐时孰为多少？陛下必自知其狭且少矣。试命版曹具一岁赋入之数，祖宗盛时，东南之赋入几何？建炎、绍兴以来至乾道、淳熙，其所增取几何？陛下试命内外群臣有司具一岁之用，人主供奉、好赐之费几何？御前工役、器械之费几何？嫔嫱、宦寺廪给之费几何？户部、四总领养兵之费几何？州县公使、迎送、请给之费几何？陛下必自知其为侈且滥矣！用不量赋而至于侈且滥，内外上下之积不得而不空，天地山川之藏不得而不竭，非忍痛耐谤，一举而更张之，未知其所以终也。今天下之费最重而当省者，兵也。能用土兵则兵可省，能用屯田则兵可省。其次莫如宫掖。兵以待敌国，常畏而不敢省，故省兵难。宫掖以私一身，常爱而不忍省，故省宫掖难。不敢省者，事在他人；不忍省者，在陛下。宫中之嫱嫔、宦寺，陛下事也，宫中之器械、工役，陛下事也，陛下肯省则省之。宫中既省，则外廷之官吏，四方之州县，从风而省，奔走不暇，简朴成风，民志坚定，民生日厚，虽有水旱虫蝗之灾，可活也；国力日壮，虽有夷狄盗贼之变，可为也。复祖宗之业，雪人神之愤，惟吾所为，无不可者。"① 项安世痛切地指出，与汉唐、与北宋相比，南宋政权管辖区域十分狭小，国家财政却不能做好预算，量力而为，各种费用有增无减，"用不量赋而至于侈且滥"。这种情况不可能长期维持，因此，他请求：精简军队，实行军屯；抑制宫廷用度，皇帝带头勤俭节约，做天下臣民的表率。项安世在奏章中提出的省兵省费建议并不被当政者所喜，这为不久以后的贬谪埋下了伏笔。

项安世素与朱熹交好，在庆元党禁中，他因上书挽留朱熹，遭言官弹劾。庆元元年（1195 年）五月，项安世自请外补，通判池州。后列入伪学逆党籍，废弃达十年之久。在此期间，他谪居江陵，专心著书。宋宁宗开禧二年（1206 年），因韩侂胄对金用兵，项安世被重新启用，任户部员外郎、湖广总领，解围德安府，权宣抚使，进太府卿。后又与吴

① （元）脱脱等：《宋史》卷三九七《项安世传》，第 12088—12089 页。

猎一起因学禁而被免官。

在项安世的诗作中，记录了当时家乡荆楚地区的社会状况及民风民俗。如《重午记俗八韵》生动地描述了宋代江陵人过端午节的各种活动："菰饭沾花蜜，冰团裹蔗腴。油淹枯茹滑，糟闷活鳞濡。饷篚争门入，瘟船出市驱。屑蒲形武兽，编艾写髯巫。朱揭横楣榜，黄书闯户符。辟邪钗篆蹙，解厄腕丝纡。恶月多忧畏，阴爻足备虞。更闻因屈子，琛动楚人吁。"[①] 又如《又中秋诗其一》提到江陵在中秋节要"烧灯"，十分独特。其诗云："去年客里念庭闱，今日尊前捧寿卮。乐事赏心仍有月，好天良夜可无诗。秋原绝粒真成旱，俚俗烧灯不负时。一笑难逢须自庆，几人对酒得开眉。"[②] 烧灯，亦称烧瓦子灯，是荆楚先民庆祝五谷丰登，期望来年风调雨顺的一种独特的民俗活动，至今仍在两湖和江西等地流传。每到中秋节，人们在空地上以大石头为基础，用从田间地头收集来的瓦砾一层层叠起瓦子灯。瓦子灯由德高望重的老人点燃，每个人都会往瓦子灯里加一把柴火，称为"添柴（财）"。之后又往熊熊大火上泼油，火头腾空而起，高达数丈，称为"旺柴（财）"。

项安世诗作表现出同情劳动人民的疾苦，期盼风调雨顺。《大旱小雨》记载江陵存有水旱同时并存的现象："白水连天九泽浑，平田五月献龟纹。北人未识黄梅雨，千里争占赤土云。"诗人自注"江陵虽有大江，不足以救旱。夏秋间堤外常苦水，堤内常苦旱，故首句及之。"[③] 可见，由于灌溉事业不发达，江陵百姓无法引长江水灌溉农田，导致江水滔滔威胁荆江大堤，堤坝内的农田却又缺水干旱的奇景。此外，当时北方农民大量南迁，由于对荆楚地区的天气不熟悉，不知黄梅季节的梅雨不足以解救旱情，"千里争占赤土云"。对此，诗人感到无奈与担忧。项安世还在《次韵江陵曹令祈雨》一诗中这样描述江陵地区的旱情："吾

① 傅璇琮等编：《全宋诗》第 44 册，北京大学出版社 1998 年版，第 27252 页。

② 傅璇琮等编：《全宋诗》第 44 册，第 27304 页。

③ 傅璇琮等编：《全宋诗》第 44 册，第 27322 页。

尝言封侯万里不直钱，不如洛阳负郭二顷田。清风午枕睡初熟，明月一瓯吾自煎。门前䆉稏新酒熟，丈夫肯受儿女怜。非不知鸣钟与鼎食，雨蓑风笠性所便。有如北人事鞍马，不信世间乃有万斛之楼船。老农对我忽三叹，此事乐矣今无年。忍饥死待一啜菽，又见赤日悬青天。高田尺寸破龟兆，下田秒忽生针毡。飏风抒水干七泽，火云炽空炮百川。掘残草实到黄壤，踏尽藕根倾碧圆。得钱买饭不及夕，岂复一饱期安眠。田家活计遽如许，苦语一听双潸然。天河谁能挽壮士，甘露更忍谈高禅。纷纷官吏走香火，往往聚落无炊烟。云雷虚无空霹雳，老稚失喜真狂颠。欲赓噫嘻颂祈谷，安得好语来愁边。我诗穷悴不足录，晴日叫号如饥鸢。”[①] 他从家乡老农口中得知，今年大旱，湖水干涸，土地龟裂，寸草不生，百姓无以聊生。诗人“一听双潸然”，创作诗歌以寄托深切的同情。

项安世所交多天下名士，早年师从朱熹、张栻、吕祖谦，后与姜夔、陆游、辛弃疾友善，多有唱和。他重视文学创作，曾作诗《得句》云：“平生为斯文，思极心欲破，得句如得官，欢喜不能奈，绕床行日匝，如觉此身大。”[②] 现存诗歌 1506 首；杨万里将他列入“隆兴以来以诗名者”10 位后进之列。宋人韩淲还专门创作了一首《仲至举似项平甫所赠宦汉阳教官时也次韵》，高度评价项安世的诗歌风格。

第三节　学术研究

一、江夏李善与《文选注》

《文选》是南朝梁武帝之子昭明太子萧统（501—531 年）主持一批文人编选的一部诗文总集，也称《昭明文选》。该书选录了先秦至梁朝

① 傅璇琮等编：《全宋诗》第 44 册，第 27365 页。

② 傅璇琮等编：《全宋诗》第 44 册，第 27217 页。

约900年间，100多位作家，700余篇各种体裁的文学作品，历来受到文人们的喜爱和重视。唐朝科举考试进士科最重诗赋，《文选》是必读书之一，“文选学”因此成为显学。到了宋朝，《文选》仍然为人们所重。对此，陆游指出：“国初尚《文选》，当时文人专意此书，故草必称‘王孙’，梅必称‘驿使’，月必称‘望舒’，山水必称‘清晖’。至庆历后，恶其陈腐，诸作者始一洗之。方其盛时，士子至为之语曰：‘《文选》烂，秀才半。’”①

自隋代萧该起，到隋末唐初的曹宪，研治《文选》者代不乏人。到公元七世纪，出现了格式创新、影响深远的李善注。

李善（？—690年），唐代学者，鄂州江夏（今湖北武汉）人，或云江都（今江苏扬州）人②。史称李善“有雅行，淹贯古今，不能属辞，故人号‘书簏’”。唐高宗乾封元年（666年），武则天的外甥贺兰敏之推荐李善为崇文馆学士，兼沛王侍读，教导皇子李贤。“为《文选注》，敷析渊洽，表上之，赐赉颇渥。”③不久，除潞王府记室参军，为泾城令。咸亨二年（671年）六月，贺兰敏之因故被武则天赐死。朝中众臣与贺兰敏之交游友善者，都被免职，流放岭南，李善没有幸免，他被流

① （宋）陆游：《老学庵笔记》卷八，中华书局1979年版，第100页。

② 关于李善的籍贯，两《唐书》本传均称是江都，但《新唐书·曹宪传》以及唐代刘肃《大唐新语》中则称江夏。综合史籍、唐代墓志等记载和后人研究知：李善一系实出江夏李氏，故李氏族人始终自称江夏人，同时代人如刘肃称江夏李善，李白诗亦称江夏李邕，这是唐代比较看重家世郡望的表现。但若以居住地看，李善的父亲李元哲徙居广陵，故史书记他是江都人。今天看来，李善祖籍江夏，后世地方志记载有李善读书台在湖北咸宁，李邕的房宅在江夏，李善死后也归葬今武汉市武昌九峰盘龙山；而文选学的发祥地则在扬州，李善在这里师事过曹宪，虽迁扬未久，称为扬州人亦可。参顾农：《李善与文选学》，《齐鲁学刊》1994年第6期；罗国威：《李善生平事迹考辨》，《文献》1999年第3期；刘群栋：《李善生平及其著述考略》，《殷都学刊》2017年第4期。亦有学者主张“江都”说有误，并将“鄂州江夏”今地注为“今湖北咸宁市”，见王齐洲主编：《湖北文学通史·先秦至五代卷》，长江文艺出版社2014年版，第285页。

③ （宋）欧阳修、宋祁：《新唐书》卷二〇二《文艺传中·李邕传》，中华书局1975年版，第5754页。

放到姚州（云南姚安县）。

上元元年（674 年），朝廷以雍王李贤为皇太子，大赦天下。李善得还，不再涉足官场，寓居汴州和郑州之间，继续修改完善《文选注》，并以讲《文选》为业，当时人号称为“文选学”。此外，他还撰成《文选辨惑》和《汉书辨惑》等书。唐睿宗载初元年（690 年），李善卒，“死后葬于武昌九峰盘龙山，有墓碑可考”[①]。

据李善同时代的李匡乂在《资暇集》里说：“李氏《文选》有初注成者，复注者，有三注、四注者，当时旋被传写，其绝笔之本，皆释音训义，注解甚多。”[②]由此可见，李氏之于《文选》可谓用力甚勤，成就卓著，影响深远。钱钟书先生说：“曹宪、李善以降，‘文选学’专门名家。词章中一书而得为‘学’，堪比经之有‘《易》学’‘《诗》学’等或《说文解字》之蔚成‘许学’者，惟‘《选》学’与‘《红》学’耳。”[③]千百年来，李善注与《文选》，在“选学”领域中互为依存，如鸟之双翼，车之两轮，互为影响，文以注显，注以文传。

李善曾在“文选学”的开山祖师、扬州人曹宪的指导下，为《文选》作了详细的注解。在作注过程中，李善博采众家之长。《文选注》初稿完成后，李善让儿子李邕阅读，并让其提出批评和修改意见。李邕读后，真的提出了一些修改和增删的建议。而李善见到这些建议，觉得很有道理，就将相应的内容写在原稿的旁边，出现了“两书并行”的情况。完善后的 60 卷《文选注》上呈给唐高宗李治。高宗皇帝读后，大加赞赏，赐给李善绢绸 120 匹，并下诏将李善《文选注》藏于秘阁。

李善《文选注》最大的贡献就是征引了十分丰富的文献资料，凡经部 215 种，史部 352 种，子部 217 种，集部 798 种，四部合计 1582 种。其中许多古籍今天已经亡佚了，书中的一些内容全赖李善《文选注》才

① 皮明庥、何浩等编：《湖北历史人物辞典》，湖北人民出版社 1984 年版，第 103 页。

② （唐）李匡乂：《资暇集》卷上，见影印文渊阁本《四库全书》第 850 册，第 148 页。

③ 钱钟书：《管锥编》，中华书局 1979 年版，第 1400 页。

得流传下来。例如《文选》卷三十五收录晋人张协的《七命》赋。李善注引盛弘之《荆州记》曰："渌水出豫章康乐县，其间乌程乡，有酒官取水为酒，酒极甘美，与湘东酃湖酒，年常献之，世称酃渌酒。"[①]这段记载说明南朝时吴兴乌程出产的美酒与北方豫州的竹叶青酒齐名，都是十分诱人。盛弘之《荆州记》大约成书于南朝宋文帝元嘉十六年（439年），此书亡佚甚早，连《隋书》也仅录其名，李善在《文选注》收录了不少内容，是后世辑佚该书的重要来源。

在注释中，李善追源溯流，大量引证经典文献，"使原本简单而直接的诗歌注释，充满了书卷气息，提高了注释的学术价值，极大开阔了视野和空间，并使诗歌注释在古代注释学体系中逐渐从附庸走向大国。此后从宋至清，诗歌注释蔚兴，比较有代表性的诗歌注本基本遵循了李善《文选注》的'举前明后'的引证原则"[②]。

李善《文选注》还对原文进行了文字校订，这是正确注释的关键性步骤。如果正文文字有误，不加校正，必然注错，导致以讹传讹，误导后人。李善综合运用了对校、他校、本校和理校等方法，有理有据。例如谢灵运《九日从宋公戏马台集送孔令诗》云："凄凄阳卉腓，皎皎寒潭洁。"李善注曰："《韩诗》曰：秋日凄凄，百卉俱腓。薛君曰：腓，变也，俱变而黄也。腓音肥。毛苌曰：痱，病也。今本作腓字，非。"[③]

李善《文选注》是校勘、辑佚和训诂的宝库，其文献价值得到学界的公认。李维棻《〈文选〉李注纂例》一文将李善注考证细致地分为六大类别：辨识文本正误之例、订正作者失考之例、订正《文选》编者之

① （南朝梁）萧统编，（唐）李善注：《文选》卷三五《七命》，古籍出版社1986年版，第1610页。

② 周金标：《论李善〈文选注〉的诗歌注释》，《淮阴师范学院学报（哲学社会科学版）》2013年第3期。

③ （南朝梁）萧统编，（唐）李善注：《文选》卷二〇，第960页。

例、订正各家旧注之例、兼考他籍得失之例、众说取舍论断之例。①

当然，李善注也并不是尽善尽美。首先，由于李善在注释中往往“释事而忘意”，这虽给后人留下了广阔的探索空间，但也带来了阅读和理解上的障碍。其次，大量引证文献的方法要求读者必须具备较高的学术素养，最起码应该能够读懂所引文献。通过引用这些资料，使读者由原典而理解文本。但如果读者不能读懂原典，那么这种方法就变成画蛇添足，不仅毫无用处，还可能增加读者理解文本的难度。

总体上说，瑕不掩瑜，李善《文选注》所代表的“选学”对中国古代文学作品注释具有十分深远的影响。人们将李善《文选注》与杜预的《左传注》、颜师古的《汉书注》并称。当今学人对李善《文选注》均作了很高的评价：

> 李善注在注音、释事、释义、校勘等四方面取得了辉煌的成就，其中用征引文献的方式注明词句的出处给人留下的印象尤为深刻，其学问之渊深、记诵之广博，极可惊叹。②
>
> 自从有了此书，《文选》学就应该是《文选李善注》之学。③
>
> 李善，唐代文选学的集大成者，其《文选注》一书，博大精深，千载以还，沾溉士林，功在不朽。④

二、吴从政与《襄沔记》

《襄沔记》是唐人吴从政所撰关于襄阳和汉水流域的地理书，是唐

---

① 李维棻：《〈文选〉李注纂例》，见俞绍初、许逸民主编：《中外学者文选学论集》，中华书局1998年版，第520—536页。

② 顾农：《李善与文选学》，《齐鲁学刊》1994年第6期。

③ 屈守元：《文选导读·导言》，成都：巴蜀书社1996年版，第58页。

④ 罗国威：《李善生平事迹考辨》，《文献》1999年第3期。

人所撰较多荆楚方志的重要代表[1]。《新唐书》卷五八《艺文二》著录“吴从政《襄沔记》三卷”。按：襄为襄州，治今湖北襄阳；沔为沔州，治今湖北武汉市汉阳区。该书取材较为严谨，叙事较为详赡，颇受后世好评。宋人陈振孙《直斋书录解题》说：“《襄沔记》三卷‘删宗懔《荆楚岁时记》、盛宏（应为弘）之《荆州记》、邹闳甫《楚国先贤传》、习凿齿《襄阳耆旧传》、郭仲产《襄阳记》、鲍坚《南雍州记》集成此书，其纪襄汉事迹详矣。’”[2] 此外，《崇文总目》《通志·艺文略》《宋史·艺文志》均作唐人吴从政《襄沔杂记》三卷。

荆楚唐代方志的编纂及其成就，是唐代大一统下疆域辽阔，国势强盛，经济繁荣，文化昌明的必然结果。《新唐书·百官志一》载：“凡图经，非州县增废，五年乃修，岁与版籍偕上。”[3]

吴从政，生卒年月不详，大约活动于唐中宗景龙（707—709年）年间，自号栖闲子。《襄沔记》是删改他书而成，且多为一些先贤传、耆旧传，资料来源颇为丰富。马端临《文献通考》卷二〇五《经籍考三二·史部·地理类》所载与《直斋书录解题》同。清雍正《湖广通志·序》称：“至于楚之有志，则自古昔以来代有撰述，如盛弘之之于荆州，吴从政之于襄沔，湘中山水之记，武昌风俗之编，皆流声艺文，可资典实。”

很可惜的是，《襄沔记》在流传过程中逐渐亡佚，宋明学者所编类书和地理书中摘抄了一些条目，今人才得以了解其中的内容。从现存

① 据今人刘纬毅《汉唐方志辑佚》所录，荆楚方志中可以肯定为唐人所撰者，有吴从政的《襄沔记》和陆龟蒙的《续襄阳耆旧传》；约为唐人所撰者则有《楚地记》《荆渚记》《蕲春郡记》《宜都县记》《江夏记》《荆州图经》《襄州图经》《复州图经》《汉阳郡图经》《南郡图经》《谷城县图经》《江夏图经》《襄阳风俗记》《江夏风俗记》。参见刘纬毅：《汉唐方志辑佚》，北京图书馆出版社1997年版，第422—428页。

② （宋）陈振孙撰、尹小林整理：《直斋书录解题》卷八，山东画报出版社2004年版，第157页。

③ （宋）欧阳修、宋祁：《新唐书》卷四六《百官志一》，第1198页。

文字来看，《襄沔记》的内容广涉建制沿革、山河走向、历史掌故、物产风俗、名胜古迹等，具有多方面的重要参考价值，实无愧荆楚名志之誉。

《襄沔记》所存条目，有的记载了襄阳一些名胜的具体区位，说明了典故的来历，可补正史之不足。如《太平御览》卷一八〇《居处部八》“宅”条引《襄沔记》曰：“晋永兴（西晋惠帝年号，304—306年）中，镇南将军、襄阳郡守刘弘，至隆中观亮故宅，立碣表，间使太傅掾犍为李兴为文。”又同书卷一八六《居处部一四》“厕”条引《襄沔记》载，刘表见依附于己的刘备有功业之心，遂欲害之，“备觉，伪如厕，潜遁出，所乘马名的鸬，从襄阳城西檀溪水中而渡，被溺不得出，备既急，乃曰：‘的鸬，今日危矣，可不努力乎！’的鸬乃一踴三丈，遂得过溪而去”[①]。杜甫《一室》诗有诗句云：“应同王粲宅，留井岘山前。”清人仇兆鳌引《襄沔记》注曰：“《襄沔记》：王粲宅，在襄阳县西二十里岘山坡下，宅前有井，人呼为仲宣井。”[②]

《襄沔记》所存条目还记载了民间艺人的故事。《太平御览》卷五七六《乐部十四》“筝”条引《襄沔记》曰：“辛居士，名宣仲，陇西人。大明（刘宋孝武帝年号，457—464年）末寓居襄阳县西六里，多植松竹，栖迟其下，静嘿不交尘俗。林中起一草庐，容膝而已。善弹筝，与淮南胡陶、京兆骆惠度同志为友，常共讌集此林。陶能吹笛，惠度工歌，拾林下絃管道韵，时人谓之三公乐。”[③]《渊鉴类函》卷一八九《乐部六》所引类此，辛居士风采正史无载，赖此以传。

《襄沔记》所存条目还记载了荆楚矿产资源。宋人高似孙《纬略》卷十一“盐田”条引《襄沔记》曰：“龙巢山旁有盐池，水色白，上生紫菱，四边青泥。十一月中，池左右十余里地草上如霜，弥日不释，尝

---

① （宋）李昉等撰：《太平御览》卷一八〇、卷一八六，中华书局1960年版，第878页、第905页。

② （唐）杜甫著、（清）仇兆鳌注：《杜诗详注》卷十，中华书局1979年版，第821页。

③ （宋）李昉等撰：《太平御览》卷五七六，第2601页。

之，乃盐味。世谓之盐花山。”① 明人方以智《物理小识》卷七所引类此，留下了荆楚矿产资源的重要记录。

《襄沔记》对于今天我们研究唐代荆楚社会风俗也具有一定的价值。例如该书记载了唐时襄阳盛行的民俗节日“穿天节”，此乃楚俗“以嬉游为事”的生动记载。金人李俊民《庄靖集》卷六引《襄沔记》：“岁以正月二十一日、二十二日，谓之天地穿日，移市于城北津弄珠滩。”② 也就是说，每年正月二十一日和二十二日分别为天穿日和地穿日，人们在这两天到襄阳城北的汉江渡口进行商品交易。虽然寥寥几笔，但是已经将当时在天穿日和地穿日人民集聚于集市，集市热闹非凡的场景描绘出来了。穿天节可能是为了纪念女娲补天而创立。相传女娲在正月二十日补天，民间遂在次日和二十二日煎饼补天，感念女娲。具体做法是，妇女们用一根红绳子系在煎饼上，置于屋顶，以此来比拟女娲补天，并祈求风调雨顺。宋代诗人李觏《正月二十日俗号天穿日，以煎饼置屋上谓之补天，感而为诗》云：“娲皇没后几多年，夏伏冬愆任自然。只有人间闲妇女，一枚煎饼补天穿。”③

《襄沔记》和其他一些唐代地理书一样，喜欢搜集神话和传说，有的显得荒诞不经。李吉甫在《元和郡县图志·序文》中就曾经对类似的做法提出过批评：“古今言地理者凡数十家，尚古远者或搜古而略今，采谣俗者多传疑而失实，饰州邦而叙人物，因丘墓而征鬼神，流于异端，莫切根要。至于丘壤山川，攻守利害，本于地理者，皆略而不书。”④

---

① （宋）高似孙：《纬略》卷一一，见影印文渊阁本《四库全书》第852册，第398页。

② （金）李俊民：《弄珠滩》，《庄靖集》卷六，见影印文渊阁本《四库全书》第1190册，第606页。

③ （宋）李觏：《李觏集》卷三六，中华书局1987年版，第245页。

④ （唐）李吉甫撰、贺次君点校：《元和郡县图志》，第2页。

三、陆羽与《茶经》

茶文化是中国传统文化的重要组成部分。千百年来，中国茶文化积淀了丰富多彩、意境优美、雅俗共赏的深刻内涵，在世界范围内独树一帜，反映了中国人的精神面貌和文化。在中国茶文化生成发展历程中，天门人陆羽厥功至伟。他为钻研茶叶生产科学技术，跋山涉水，四处云游，深入江苏、浙江、江西等各主要茶区进行调查研究，将游历考察时的所见所闻，随时记录下来，不断丰富茶叶知识与技能，撰成《茶经》。陆羽阐释茶道精神，还身体力行，积极从事茶事活动，将茶道发扬光大，因此他被后世称为茶神或茶圣，万古流芳。

陆羽的身世十分悲惨，他大约出生于唐玄宗开元二十一年（733年），幼时被弃于天门竟陵的一座小石桥下。当时竟陵龙盖寺主持智积禅师路过小桥时，听到群雁哀鸣和婴儿的啼哭声，禅师寻下桥去看，发现一个婴儿冻得瑟瑟发抖，啼哭不止，一群大雁惟恐婴儿受冻，都张开翅膀为婴儿遮挡寒风，于是禅师抱回婴儿到寺中抚养。后人把这座小石桥称为"古雁桥"。桥附近的街道，称"雁叫街"，街口的一座牌坊称为"雁叫关"。因为婴儿无姓无名也无法访得父母是谁，智积禅师便用《易经》卜卦，为婴儿取名，占得《渐》卦，卦辞是："鸿渐于陆，其羽可用为仪。"于是禅师按照卦辞为婴儿定姓为"陆"，取名为"羽"，字"鸿渐"。此事在《唐国史补》和《新唐书·陆羽传》中均有记载。

陆羽长大后，智积禅师教他学文识字，习诵佛经，还教他煮茶。陆羽虽然生长在寺庙之中，与古佛青灯黄卷为伴，但他执意不愿削发为僧。智积禅师见陆羽桀骜不驯，"使执粪除圬塓以苦之，又使牧牛三十"[①]。陆羽没有屈服，于12岁那年逃离寺院。为了谋生，他做了伶人。

陆羽虽然相貌丑陋，且有口吃，但他聪明过人，且机智幽默，不但演丑角很成功，后来还编写了三卷笑话书《谑谈》。唐玄宗天宝五年（746年），河南尹李齐物被贬为竟陵太守。李齐物到任之后移风易俗，

① （宋）欧阳修、宋祁：《新唐书》卷一九六《隐逸·陆羽传》，第5611页。

励精图治。他十分赏识陆羽的才华和抱负，并且非常同情陆羽的身世。李齐物不仅赠送诗书给陆羽，还介绍陆羽去火门山（今天门市佛子山）邹夫子处读书。陆羽在读书之余，常在龙尾山（今天门市李场镇与石河镇交界处）采野生茶，为邹夫子煮茗。

唐玄宗天宝十年（751 年），礼部郎中崔国辅被贬为竟陵司马，在这一年，陆羽也揖别了邹夫子，离开了火门山。崔国辅比陆羽年长了 46 岁，两人一见如故，结为忘年交。他们交游三年，常在一起品鉴茶水、谈论诗文，情深意笃。天宝十三年（754 年），陆羽为考察茶事，出游巴山峡川。《唐才子传》记载，崔国辅“临别谓羽曰：‘予有襄阳太守李憕所遗白驴、乌犎牛各一头，及卢黄门所遗文槐书函一枚，此物皆己之所惜者，宜野人乘蓄，故特以相赠。’雅意高情，一时所尚。有酬酢之歌诗，并集传焉。”[①]

天宝十四年（755 年），安史之乱爆发，陆羽随着关中涌向南方的难民渡过了长江。一路上，他对今湖北、江西、江苏、浙江等地的江河山川，风物特产，尤其是茶园名泉进行了实地考察。唐肃宗至德二年（757 年）春，陆羽流落到太湖之滨的无锡。到无锡后，陆羽结识了无锡尉皇甫冉。后来陆羽来到吴兴，结识了唐代有名的诗僧皎然，并同住妙喜寺三年。

皎然（730—799 年），俗家姓谢，是南朝大诗人谢灵运的十世孙。皎陆相识之后，结谊 40 余年，直至相继去世。他们的情谊经《唐才子传》的铺排渲染，为后人所深深钦佩。

唐肃宗乾元元年（758 年），陆羽来到升州（今江苏省南京市），寄居栖霞寺，钻研茶事。次年，旅居丹阳。唐肃宗上元元年（760 年），陆羽从栖霞山麓来到苕溪（今浙江省湖州市吴兴区），隐居山间，专心著述。他自称“桑苎翁”，又号“东岗子”，经常“独行野中，诵诗击木，

① 傅璇琮主编：《唐才子传校笺》卷二，中华书局 1987 年版，第 234 页。

裴回不得意，或恸哭而归，故时谓今接舆也”。[①]

唐代宗大历七年（772 年），大书法家、政治家、诗人颜真卿到湖州任刺史，当时已有一定声望的陆羽和皎然、皇甫曾、皇甫冉、张志和等一批湖州的高僧名士都汇聚到了颜真卿的周围。陆羽的品学才识深得颜真卿的赏识，大历八年（773 年）到九年（774 年），陆羽成为颜真卿的幕僚，并参与了大型韵书《韵海镜源》的修编勘校工作。朝廷曾先后两次诏拜陆羽为太子文学和太常寺太祝，他都婉辞谢绝。陆羽在成名后的晚年，依然是四处品泉问茶，先后到过绍兴、余杭、苏州、无锡、宜兴、丹阳、南京、上饶、抚州等地，最终又返回湖州。唐德宗贞元二十年（804 年），陆羽去世，葬于浙江湖州市郊区的杼山上。

《茶经》分 3 卷，约 7000 字，是唐代和唐以前有关茶叶的科学知识与实践经验的系统总结，是陆羽躬身实践，笃行不倦，取得茶叶生产和制作的第一手资料，又遍稽群书，广采博收茶家采制经验的结晶，是世界上第一本茶文化百科全书。在该书中，陆羽系统地阐述了茶道思想和他对茶事活动的主张：精行俭德，三教融合。

陆羽《茶经》第一篇《茶之源》开宗明义地指出：“茶之为用，味至寒，为饮最宜。精行俭德之人，若热渴、凝闷、脑疼、目涩、四肢烦、百节不舒，聊四五啜，与醍醐、甘露抗衡也。采不时，造不精，杂以卉莽，饮之成疾。”[②]陆羽认为，茶的性质极寒，而这样的先天寒凉之气，最适合于“精行俭德”的人饮用。当人们感觉又热又渴，或者头痛胸闷，眼睛干涩，四肢烦躁，关节不舒展的时候，适当饮茶，其功效就像醍醐灌顶，畅饮甘露一样。但如果是不按照时节采摘，不进行精细加工，夹杂野草或者其他植物，人喝了就会致病。

“精行”思想，可以追溯到上古时期《尚书·大禹谟》里著名的 16

① （宋）欧阳修、宋祁：《新唐书》卷一九六《隐逸·陆羽传》，第 5611 页。

② （唐）陆羽著，傅树勤、欧阳勋译注：《陆羽〈茶经〉译注》卷一，湖北人民出版社 1983 年版，第 5 页。

字心传："人心惟危，道心惟微，惟精惟一，允执厥中。"传说，这16个字是尧将帝位传给舜，以及舜把帝位传给禹的时候，尧、舜留下的郑重嘱托和告诫。寓意深刻，意义非凡。《荀子·解蔽篇》对此云："故《道经》曰：'人心之危，道心之微。'危微之几，惟明君子而后能知之。故人心譬如盘水，正错而勿动，则湛浊在下而清明在上，则足以见须眉而察理矣。微风过之，湛浊动乎下，清明乱于上，则不可以得大形之正也。心亦如是矣。"[①]简而言之，就是：人心居高思危，道心微妙居中，惟精惟一是道心的心法，我们要真诚的保持惟精惟一之道，不忘初心，不改变、不放弃自己原本的理想和目标。

至于"俭德"也是在我国传统文化中"修身齐家"思想最基本的德目之一。孔子特别强调"俭"的重要性，《论语》中大量记载了孔子崇尚俭朴生活的话语。如子曰："奢则不孙，俭则固。与其不孙也，宁固。"[②]子曰："贤哉，回也！一箪食，一瓢饮，在陋巷，人不堪其忧，回也不改其乐。贤哉，回也！"[③]子曰："禹，吾无间然矣。菲饮食而致孝乎鬼神，恶衣服而致美乎黻冕，卑宫室而尽力乎沟洫。禹，吾无间然矣。"[④]可见，"俭德"是我国古圣先贤修身养性，治国平天下所必修的德目。

陆羽清高雅逸，喜欢与文人雅士交游，《全唐诗》中搜录了陆羽写的《六羡歌》。该诗原题为《歌》，因诗中写到6个"羡"字，人们便据此定名为《六羡歌》。全诗云："不羡黄金罍，不羡白玉杯，不羡朝入省，不羡暮登台，千羡万羡西江水，曾向竟陵城下来。"[⑤]这首诗表达了陆羽恬淡的志趣和高风亮节的精神，他不羡慕荣华富贵，念念不忘的是故乡竟陵的西江水。

---

① （清）王先谦撰：《荀子集解》卷一五，中华书局1988年版，第400、401页。

② 杨伯峻：《论语译注》，第77页。

③ 杨伯峻：《论语译注》，第59页。

④ 杨伯峻：《论语译注》，第84页。

⑤ （唐）陆羽：《六羡歌》，见（清）彭定球等：《全唐诗》卷三〇八，第3492页。

总之，陆羽充分地了解茶叶的特质，又将其与中华传统思想的“精”和“俭”的德行联系在一起，因此“精行俭德”的茶道思想由此诞生，并最为陆羽所重。

“精行”思想贯穿《茶经》之始终，在源、具、造、器、煮、饮、事、出等方面都要求至精、至妙、至备、至美，无所不至其极，从而树立了极高的茶艺标准。以《茶之器》中描述的风炉为例，“（风炉）以铜铁铸之，如古鼎形，厚三分，缘阔九分，令六分虚中，致其圬墁。凡三足，古文书二十一字。一足云‘坎上巽下离于中’，一足云：‘体均五行去百疾。’一足云：‘圣唐灭胡明年铸。’其三足之间，设三窗。底一窗，以为通飚漏烬之所。上并古文书六字，一窗之上书‘伊公’二字，一窗之上书‘羹陆’二字，一窗之上书‘氏茶’二字。所谓‘伊公羹，陆氏茶’也。置㙞埭于其内，设三格：其一格有翟焉。翟者，火禽也。画一卦曰‘离’。其一格有彪焉。彪者，风兽也，画一卦曰‘巽’。其一格有鱼焉。鱼者，水虫也。画一卦曰‘坎’。巽主风，离主火，坎主水。风能兴火，火能熟水，故备其三卦焉。其饰以连葩、垂蔓、曲水、方文之类。其炉或锻铁为之，或运泥为之。其灰承作三足铁盘，抬之。”①

青铜鼎是商周时期最重要的礼器，陆羽将风炉设计为鼎式，用铜铁来铸造，说明他希望把煮茶和饮茶提高到仪式化、精神化的层次。风炉上的文字以古字雕刻，除了起到装饰的作用之外，内容也很有深意。“坎上巽下离于中”，其中坎代表水、巽代表风、离代表火，这句话直译过来是上面有水，下面有风，火在中间，完全符合风炉的意象，令人赞叹。“体均五行去百疾”，指明饮茶之功效。五行指金木水火土，中医用五行来对应人的五脏，认为人体最佳状态就是五行达到平衡，相生相克，相辅相成。五行平衡，自然百疾不生。“圣唐灭胡明年铸”是说铸造风炉的时间。“圣唐灭胡”指唐代宗平定安史之乱的事。

《茶经》记录的风炉不但具有丰富的文化意象和高雅的艺术装饰，

① （唐）陆羽著，傅树勤、欧阳勋译注：《陆羽〈茶经〉译注》卷二，第15—17页。

还很有科学道理。风炉内壁涂上泥，利于保温。炉腹上开洞，促使空气流动，让木炭燃烧更加充分。炉底设计漏灰孔和灰承，便于清洁，符合茶事洁净的要求。从风炉这一件器物，便可体会陆羽的“精行”思想。

《茶经》对于“俭德”的论述，立足于茶性，强调克制自己的欲望。如《茶之煮》云：“第一煮水沸，而弃其沫，之上有水膜，如黑云母，饮之则其味不正。其第一者为隽永，或留熟（盂）水以贮之，以备育华救沸之用。诸第一与第二、第三碗次之，第四第五碗外，非渴甚莫之饮。凡煮水一升，酌分五碗，乘热连饮之，以重浊凝其下，精英浮其上。如冷，则精英随气而竭，饮啜不消亦然矣。茶性俭，不宜广，（广）则其味黯澹，且如一满碗，啜半而味寡，况其广乎！其色缃也。其馨欸也。其味甘，槚也；不甘而苦，荈也；啜苦咽甘，茶也。”[1]

这段话的意思是说：水煮到第一次沸腾的时候，要舀掉水面上一层像黑云母一样的膜状物，不然饮茶的时候味道不正。煮开的茶水，最好的谓之隽永，可以贮放在熟盂里，当锅里茶水沸腾的时候，可以倒入以防止沸腾。以下舀出的第一、第二、第三碗茶水，味道要比隽永略差些。第四、第五碗之外，要不是渴得太厉害，就不值得喝了。一般烧水一升，分作五碗，趁热连着喝完。因为重浊不清的物质凝聚在下面，精华浮在上面，如果茶放冷了，精华就随着热气散发光了。一碗茶如果不趁热喝完就可惜了。

茶的品性俭朴，水不宜多放，水加多了，茶味就淡薄无味。一碗茶只喝一半，味道就觉得差些了，何况煮茶时加很多水呢！好茶汤的颜色浅黄，香气醇厚。茶水的味道甘甜，叫作槚；不甜而苦的是荈；入口时有苦味，咽下去又有甘甜回味的才是茶。

中唐以来，儒、释、道三教合流的趋势日益明显，这对陆羽的茶道思想产生了深远的影响，加之他生长于佛寺，青少年时期学习儒家经典，成年后游历各地，又交结了许多道士。因此，陆羽《茶经》首次将

① （唐）陆羽著，傅树勤、欧阳勋译注：《陆羽〈茶经〉译注》卷三《茶之煮》，第35—37页。

儒、释、道的思想融入饮茶文化，开创了融合儒、释、道的中国茶道精神，不仅泽被后世，而且传播海外。

陆羽采茶、饮茶及写作《茶经》都将自身融于山野自然之境界中。《茶经》所见茶道思想的另一重要内容就是强调天人和谐。

《茶之略》提出："其造、具，若方春禁火之时，于野寺山园，丛手而掇。乃蒸、乃舂、乃炙，以火干之。则又棨、扑、焙、贯、棚、穿、育等七事皆废。其煮器，若松间石上可坐，则具列废。用槁薪、鼎锧之属，则风炉、灰承、炭挝、火夹、交床等废。若瞰泉临涧，则水方、涤方、漉水囊废。若五人以下，茶可末而精者，则罗废。若援藟跻岩，引絙入洞，于山口炙而末之，或纸包，合贮，则碾、拂末等废。既瓢、碗、夹、札、熟盂、盐簋悉以一筥盛之，则都篮废。但城邑之中，王公之门，二十四器阙一，则茶废矣。"[①]

这段话的意思是说：准备好制茶所用的器具，如果恰逢在春天寒食节前后，在野外寺院或者山间茶园，大家一起动手采摘，马上蒸青，舂捣，用火烘干，那么，棨、扑、焙、贯、棚、穿、育这七种器具便可以不用。对煮茶所用的器具而言，如果松林里有石头可以放置，就不需要用器具陈列。如果用干柴鼎锅煮茶，那么风炉、灰承、炭挝、火夹、交床也都可以省去。如果是在泉水旁溪涧侧烹茶，那么水方、涤方、流水囊也可以不要。如果是五人以下同时旅游，采制的茶芽细微而干燥，可以碾成精细的茶末，那么萝就不再用。如果攀藤上山，拉着绳子进入山洞烹饮，可以先在山下将茶烤好碾成细末，用纸包裹或茶盒装储，那么碾和拂末便不必带。假如瓢碗、夹、札、熟盂、盐簋等全用一个筥盛装，那么都篮就不需要了。可见，在山野中饮茶最佳，人是自然中的人，茶境是自然茶境，人、境、茶统一在自然之中。天人和谐之道，是茶道最本原、最天然的内核，也是茶中真义。

陆羽的《茶经》在唐代和后代产生了深刻而深远的影响。晚唐皮日

---

① （唐）陆羽著，傅树勤、欧阳勋译注：《陆羽〈茶经〉译注》卷三，第 72—74 页。

休《〈茶中杂咏〉并序》指出："自周以降，及于国朝茶事，竟陵子陆季疵言之详矣。然季疵以前，称茗饮者必浑以烹之，与夫瀹蔬而啜者无异也。季疵之始为《经》三卷，由是分其源、制其具、教其造、设其器、命其煮，俾饮之者除痟而去疠，虽疾医之不若也。其为利也，于人岂小哉！余始得季疵书，以为备矣，后又获其《顾渚山记》二篇，其中多茶事。后又太原温从云、武威段碣之，各补茶事十数节，并存于方册。茶之事，由周至于今，竟无纤遗矣。"[①]

唐和以后的茶道中人及其著作不断涌现，有宋代蔡襄《茶录》、黄儒《品茶要录》、宋徽宗赵佶《大观茶论》，元代王祯《农书·茶》，明代钱椿年《茶谱》、李时珍《论茶品》、田艺蘅《煮泉小品》、许次纾《茶疏》、高濂《论茶品》，清代陆廷灿《续〈茶经〉》、震钧的《茶说》等。这些著作"都和《茶经》一脉相承，是进一步的细化、深化"[②]。

四、段成式与《酉阳杂俎》

段成式（803—863 年），字柯古，东牟人，晚唐尚书左仆射段文昌之子，著名志怪小说家。段成式不是湖北人，但他晚年闲居襄阳时编撰的《酉阳杂俎》大量记录了唐代荆楚地方的风土人情，是今天我们研究唐代荆楚文化的重要典籍。

段成式自幼勤学苦读，博学强记，又曾随父亲宦游而转徙各地，了解各地风土人情和轶闻趣事，知识十分渊博。他与当时著名诗人温庭筠、李商隐、李群玉、周繇等结为朋友，往来密切，这对其诗文创造也产生了很深的影响。唐文宗开成二年（837 年），段成式在长安先后任职集贤殿和秘书省校书郎。唐武宗会昌六年（846 年）之后，闲居修行里。唐宣宗大中元年（847 年），任吉州（今江西省吉安市）刺史。大中七年（853 年）返回长安。大中九年（855 年）又出任处州（今浙江省缙

① （唐）皮日休：《〈茶中杂咏〉并序》，见高文主编：《全唐诗简编》（下册），上海古籍出版社 1993 年版，第 1541 页。

② 吴功正：《唐代茶道美学》，《西北师范大学学报（社科版）》2017 年第 6 期。

云县）刺史。大中十三年（859 年），因为受李德裕的牵连被罢官，闲居襄阳，以撰写志怪笔记小说自娱。后又重返京师，于咸通四年（863 年）卒于长安，享年 61 岁。

在唐代晚期文学家中，段成式的文学成就是多方面的。他能诗善文除代表作志怪小说集《酉阳杂俎》传于后世外，在《全唐诗》中还收入他的诗词 30 多首，《全唐文》中收入他的文章 11 篇。另据载，还有《庐陵官下记》2 卷、《锦里新闻》3 卷、《新纂异要》1 卷、《唱和集》、《汉上题襟集》10 卷等，可惜均早已失传。在诗坛上，段成式与李商隐、温庭筠齐名，号称“三十六”（段、李、温均排行十六，故有此称）。现存段成式的诗多为绝句和律诗，十分讲究词采艳丽，风格清丽秀美。

晚唐社会政局动荡，天灾人祸不断，“海内困穷，处处流散，饥者不得食，寒者不得衣，鳏寡孤独者不得存，老幼疾病者不得养。”① 在这样的社会环境里，段成式信佛读经，饮酒赋诗唱和，以解其忧，诗中多流露出超脱世俗的消极情绪。《全唐诗》收录其诗词 30 多首，多华艳之作，也不乏清丽之篇。但段成式的成就主要不在于诗文，而体现在所著代表作《酉阳杂俎》之中。

《酉阳杂俎》20 卷，续集 10 卷。关于该书命名，《钦定四库全书总目》说：“其曰《酉阳杂俎》者，盖取梁元帝《赋》‘访酉阳之逸典’语。二酉，藏书之义也。”② “酉阳”为山名，即湖南省沅陵县的小酉山，据传山下有石穴，其中藏有秘书千卷，“酉阳逸典”就是秘书之意。而古时候小说被当作秘书，因此作者用“酉阳”给其书命名。而“俎”是一种祭祀礼器，“杂俎”就是把各种菜放在礼器里，使其百味俱全。该书以“杂俎”命名，就是用来比喻其书内容博杂。

《酉阳杂俎》的性质，据作者自序，属于志怪小说。“夫《易》象一

① （后晋）刘昫等：《旧唐书》卷一九〇下《文苑传下・刘蕡传》，第 5071 页。

② （清）永瑢等撰：《四库全书总目提要》卷一四二《子部五十二・小说家类三・酉阳杂俎》，王云五主编民国万有文库本第 27 册，第 92 页。

车之言，近于怪也；诗人南箕之兴，近乎戏也。固服缝掖者肆笔之余，及怪及戏，无侵于儒。无若诗书之味大羹，史为折俎，子为醯醢也。炙鸮羞鳖，岂容下箸乎？固役而不耻者，抑志怪小说之书也。”[①] 志怪小说的兴盛主要是在魏晋南北朝时期，从内容上而言，可以分为三类，包括地理博物类、鬼神怪异类和佛法灵异类。唐代传奇小说逐渐兴盛，志怪小说逐渐和传奇小说合流。段成式的《酉阳杂俎》内容博杂，包括志怪小说、传奇小说和杂事小说等三大类。从故事数量上来说，杂事小说最多，具体包括野史逸闻、知识物理、寺庙游记、神话传说、地域民俗、方术技艺和史实考证等七类，一共966篇。《酉阳杂俎》记录的传奇小说按照题材可分为情感、豪侠和异遇等三类，一共19篇。志怪小说按其题材可分为神仙、鬼怪、佛道、动植物、器物和征兆等六类，一共303篇，不仅数量庞大，而且思想内容和艺术成就都有突破，堪称登峰造极。

由于《酉阳杂俎》分类记载各种异事方物，被《新唐书·艺文志》列入了小说家类。不过就内容而言，远远超出了志怪的题材。这部著作，内容繁杂，有自然现象、文籍典故、社会民情、地产资源、草木虫鱼、方技医药、佛家故事、中外文化、物产交流等等。同时，书中还辑录了南北朝和唐代的若干史料，其中记述了唐代统治阶级的秘闻轶事，南北朝交聘使者的应对和仪礼，以及民间婚丧嫁娶、风土习俗，旁及中外文化、物产交流，这些或得之于传闻，或采之于遗文秘籍，为我们研究古代史和中外关系史，提供了珍贵的资料。如书中写唐高祖李渊的精奇悍勇：“隋末，尝以十二人破草贼号无端儿数万。又龙门战，尽一房箭，中八十人。”[②] 这是正史所不存的。

又如《忠志·龙脑》讲述了唐玄宗与杨贵妃的故事。“天宝末，交趾贡龙脑，如蝉蚕形。波斯言老龙脑树节方有，禁中呼为瑞龙脑。上唯

① （唐）段成式撰、曹中孚校点：《酉阳杂俎》，上海古籍出版社2012年版。

② （唐）段成式撰、曹中孚校点：《酉阳杂俎》前集卷一《忠志》，第1页。

赐贵妃十枚，香气彻十余步。上夏日尝与亲王棋，令贺怀智独弹琵琶，贵妃立于局前观之。上数子将输，贵妃放康国猧子于坐侧。猧子乃上局，局子乱，上大悦。时风吹贵妃领巾于贺怀智巾上，良久，回身方落。贺怀智归，觉满身香气非常，乃卸幞头，贮于锦囊中。及上皇复宫阙，追思贵妃不已，怀智乃进所贮幞头，具奏他日事。上皇发囊，泣曰：'此瑞龙脑香也。'"[①]这段文字以龙脑香作为线索，描述唐玄宗与杨贵妃的一段爱情故事，不仅将杨贵妃的美丽动人和善解人意表现得淋漓尽致，而且抒写了暮年唐玄宗对杨贵妃的刻骨思念之情。

《语资·王勃》则记载唐初诗人王勃的逸闻轶事，笔墨简短，生动形象。"王勃每为碑颂，先墨磨数升，引被覆面而卧，忽起，一笔书之，初不窜点，时人谓之腹稿。少梦人遗以丸墨盈袖。"[②]

《贬误·割肉》考证"徐卷而食"出处。"相传云，德宗幸东宫，太子亲割羊脾，水泽手，因以饼洁之，太子觉上色动，乃徐卷而食。司空赞皇公著《次柳氏旧闻》，又云是肃宗。刘悚《传记》云：'太宗使宇文士及割肉，以饼拭手，上屡目之，士及佯不悟，徐卷而啖。'"[③]在这里，段成式列举了唐德宗、唐肃宗和唐太宗时三个徐卷而食（啖）事例，内容十分有趣。

《酉阳杂俎》中的一些故事还反映了朝廷内部互相倾轧，党同伐异的现象，如《贝编·万回下》写武则天任用酷吏，铲除异己，常常"令盗夜埋蛊遗谶于人家"，崔玄晖为了躲避被酷吏罗织杀害的命运，找到万回帮忙，得以逃过一劫。又如《祸兆·杨慎矜》写杨慎矜家里供着佛像，突然佛像前出现了土堆。不久，他便被杀害了。这里其实暗含了李林甫杀害杨慎矜的历史事实。

《叶限》是《酉阳杂俎》续集《支诺皋上》中的一则故事。叙述西

① （唐）段成式撰、曹中孚校点：《酉阳杂俎》前集卷一《忠志》，第2页。

② （唐）段成式撰、曹中孚校点：《酉阳杂俎》前集卷一二《语资》，第68页。

③ （唐）段成式撰、曹中孚校点：《酉阳杂俎》续集卷四《贬误》，第145页。

汉时，南方一个越族洞主之女叶限，幼年丧母，从小聪明能干，得到父亲的钟爱。父亲去世后，继母对她百般虐待，并杀害了她精心饲养的一条鱼。叶限得到“自天而降”的神人指点，将鱼骨藏于屋中，“金玑玉食，随欲而具”。在一次地方的节日活动中，叶限瞒过继母，“衣翠纺上衣，蹑金履”去参加。因被继母及异母妹察觉，仓促逃离，遗下一只金鞋。“岛中有国名陀汗，兵强，王数十岛，水界数千里。洞人遂货其履于陀汗国，国主得之，命其左右履之，足小者履减一寸。乃令一国妇人履之，竟无一称者。其轻如毛，履石无声。陀汗王意其洞人以非道得之，遂禁锢而拷掠之，竟不知所从来。乃以是履弃之于道旁，即遍历人家捕之，若有女履者，捕之以告。陀汗王怪之，乃搜其室，得叶限，令履之而信。叶限因衣翠纺衣，蹑履而进，色若天人也。始具事于王，载鱼骨与叶限俱还国。其母及女即为飞石击死，洞人哀之，埋于石坑，命曰懊女冢。洞人以为禖祀，求女必应。陀汗王至国，以叶限为上妇。”①

叶限故事从一个侧面反映了中国传统家庭生活中的矛盾。它谴责了继母的贪婪、冷酷和偏心，对于弱小的孤女寄予满腔的同情。在善、恶的对比和较量中，故事通过幻想的手法，使受欺凌者最终获得幸福，为恶者则遭到毁灭的下场。从《叶限》故事内容来看，有些习俗至今仍在壮族群众日常生活中流传，如歌圩（洞节）、以鞋定情、神鱼等，都带着桂南地区壮族民间的文化元素。值得提出的是，类似《叶限》故事在壮族民间仍有多种版本，如流传桂南壮族民间的《达加和达伦》、流传百色地区的《以佳和以冷》、流传广西西部的《达架的故事》、流传广西田阳的《达乍达仑》、流传广西德保县东陵乡的《渣和吝的故事》等，这些都表明与壮族古代“叶限”故事有着生生不息的传承关系。

《酉阳杂俎》中的一些故事反映了唐朝的佛道之争以及“会昌法难”对佛教的影响。如《贝编》记载了僧人不空与道士罗公远斗法的故事。“玄宗又尝召术士罗公远与不空同祈雨，互校功力。上俱召问之，不空

① （唐）段成式撰、曹中孚校点：《酉阳杂俎》续集卷一《支诺皋上》，第124页。

曰：‘臣昨焚白檀香龙。’上令左右掬庭水嗅之，果有檀香气。又与罗公远同在便殿，罗时反手搔背。不空曰：‘借尊师如意。’殿上花石莹滑，遂激窣至其前，罗再三取之不得，上欲取之，不空曰：‘三郎勿起，此影耳。’因举手示罗如意。”① 佛道斗法，最终僧人胜利，这反映了段成式笃信佛教的思想。

清代纪昀等人编写的《四库全书总目提要》指出：“其书多诡怪不经之谈，荒渺无稽之物。而遗文秘籍，亦往往错出其中。故论者虽病其浮夸，而不能不相征引，自唐以来，推为小说之翘楚。”②《酉阳杂俎》在国外，也颇受重视。英国著名学者李约瑟所著《中国科学技术史》曾对此书给予高度评价，并摘引书中不少材料。

五、余知古与《渚宫旧事》

《渚宫旧事》是研究古代湖北地方史志的一部著作，具有不容忽视的文献价值。此书多取材于作者余知古所见经、史、子、集各类典籍，《四库全书》收入该书，并归入“史部・杂史类”。张之洞《书目答问》将此书归入“史部・地理类・杂地志”之属。

余知古，唐文宗时人，官至将仕郎守太子校书，籍贯和生平不详，其名见《全唐文》卷 760 和《登科记考》卷 27。此外，《北梦琐言》记载：“余知古、关图、常修，荆州之居人也，率有高文，连登上科。”则余知古常年在荆州居住，曾经考中过进士。唐代科举最重进士科，能够进士及第，可见余知古才华横溢，卓尔不群。

《新唐书・艺文志》著录了《渚宫旧事》一书，书名为《渚宫故事》，并注余知古与段成式、温庭筠等为诗友，同游汉上，共撰唱和之诗为《汉上题襟集》十卷。《太平广记》引用该书，有的地方称《诸宫故事》，有的地方称《渚宫旧事》。《新唐书・艺文志》和《郡斋读书志》

① （唐）段成式撰、曹中孚校点：《酉阳杂俎》卷三《贝编》，第 23、24 页。

② （清）永瑢等撰：《四库全书总目提要》卷一四二《子部五十二・小说家类三・酉阳杂俎》，王云五主编民国万有文库本第 27 册，第 92 页。

均载为10卷，可见到南宋初年，此书尚为完本。至《书录解题》所载只有5卷，止于晋，与今本相同，显然此书于南宋末年已佚失后5卷。

“渚宫”是春秋时楚国别宫之名，故址在今湖北江陵县城内。该书上起鬻熊，下迄唐末，以朝代为序，记载了古代荆楚地区近两千年来君臣、士民人物事迹、掌故传说，故名“渚宫旧事”。《渚宫旧事》以其资料广博而为人注目，余知古从大量的经史子集书籍中搜索、转引了大量资料，仅现存前5卷引用过的典籍就包括《左传》《公羊传》《国语》《战国策》《荀子》《韩非子》《墨子》《淮南子》《尸子》《鲁连子》《列子》《桓子新论》《吕氏春秋》《说苑》《列女传》《琴操》《史记》《新序》《韩诗外传》《贾谊新书》《吴越春秋》《古文苑》《异苑》《楚国先贤传》《襄阳耆旧传》《语林》《世说新语》《幽明录》《搜神记》《搜神后记》《后汉书》《三国志》《晋书》等30余部著作。作者对散见于这些典籍中的史料进行了细致的整理和考订。

《渚宫旧事》卷一《周代上》概述了楚国历史，言简意赅，脉络清晰，又列举了楚国名人，分门别类，蔚为壮观。其文曰：

> 鬻熊为周文王师。成王即位，封其孙熊绎于楚，以子男之田居丹阳。后六世，熊渠立，封长子康为句亶王，治江陵。康死，国绝。熊渠之后数世至文王熊赀，始大，遂都郢。今江陵北郢城纪城是也。后九世，昭王避敌迁鄀。惠王因乱迁鄢，既立复归，而旧史缺见。
>
> 按惠王之末，墨翟重茧趋郢，班子折谋。宣王之时，王宫遇盗，郢宰见黜。怀王入秦，齐人使郢中立王，因与王市。是皆昭惠后叶，莫不于焉根本，则知鄢、都之迁，权道也，非久都明矣。襄王之末，郢为白起所拔，北迁陈城，其地遂邑于秦。自文王是宅至襄王大去，凡十九王，而太史迁云：“郢居八代。”失之远矣。
>
> 文王至顷襄王四百年间，楚产之尤著者：贤相则彭仲爽、斗子文、孙叔敖、子西、叶公子高、吴起、昭奚恤；将帅则屈瑕、观

> 丁父、成得臣、屈建、骐瘠夫子重、昭阳、昭常、景阳；奉法则鬻拳、廷理、箴尹克黄、石奢、将军子囊；正谏则葆申、苏从、成公贾、伍奢、白公子张、申无宇、尹文、乐师扈子、管苏、庄辛；忠烈则申公子倍、棼冒勃苏、奋扬、王孙由于、莫敖大心、易甲、庄善、申鸣、屈庐；默识则令尹子上、斗伯比、薳贾、申叔豫、司马戌、梁公弘、屈宜臼、太宰子朱、成公乾；待士则公子行、屈春、黄歇；奉法则屈完、斗章豚、尹士池、三孙围；进贤则沈尹筮、虞丘子；儒学则观射父、右尹然丹、左史倚相、子期、铎椒、沈尹华；文章则屈平、宋玉、唐勒、景差；筹策则伍参、观从、申射士、慎子、范蠉、杜赫、昭过、江乙、陈轸；应对则申叔时、士庆、薳启疆、伍举、蓝尹亹、莫敖子华；高让则屠羊说、蒙谷、王子启、景舍、卢金、鲁阳文君；隐逸则缯封人、老莱、长庐、接舆、蜎渊、北郭先生、詹何、江上丈人、鹖冠、渔父；武勇则屈荡、潘崇、谈黄襄微、公孙丙、乐伯、许伯、摄叔、叔山冉、司马子期、市南宜僚、庄蹻、石乞、宋遣；伎术则养由基、麋侯、翼侯、魏侯、范巫矞似、优孟、风胡子、班输、钟仪、唐昧、郑詹尹。其余不可胜纪。其行事，则概见于《左氏》云。[①]

余知古把本来散见于史籍中的楚国名人分门别类，一一列举出来，这本身便是一个再创作的过程。

《渚宫旧事》卷二《周代中·墨子不受楚封》记载了墨子拒绝楚国封地的故事。其文载："墨子至郢，献书于惠王。王受而读之，曰：'良书也。寡人虽不得天下，而乐养贤人，请过。'进曰：'百种以待官，舍人不足，须天下之贤君。'墨辞曰：'翟闻贤人进，道不行不受其赏，义不听不处其朝。今书未用，请遂行矣。'将辞王而归。王使穆贺以老辞。

① （唐）余知古著，袁华忠译注：《渚宫旧事译注》卷一《周代上》，湖北人民出版社1999年版，第7页、第10—11页。

鲁阳文君言于王曰：'墨子，北方贤圣人，君王不见，又不为礼，无乃失士？'王乃使文君追墨子，以书社五里封之，不受而去。"[①]今本《墨子·贵义篇》与此不同，文字更加简短，疑为逸文。并且今本《墨子·贵义篇》云："子墨子南游于楚，见楚献惠王。"[②]《史记》记载楚国历史只有惠王，没有献惠王，《渚宫旧事》亦作惠王，与《史记》相同，可证《史记》所载。

《渚宫旧事》记载了三国时期江陵地区的商业活动情况。卷四《汉代·江陵徐母条》："江陵徐母，资产巨万。刘表初为荆州，母以家财至南阳迎表。表遂问所欲。答曰：'素以卖豉为业，老无儿息，但愿生不为官吏所扰，死得一家不见毁废。'表许之。数年死，葬江陵西江冈，表敕郡无得采樵其墓。西有小山，因呼为豉母山。"[③]这条材料他书俱无，只收于《渚宫旧事》，十分珍贵。根据这条材料，东汉末年，江陵女子徐母经营豆豉，发家致富，"资产巨万"，既表明豆豉在汉末江陵民众饮食中的重要性，也反映了当时江陵地区工商业的繁荣。

六、孙光宪与《北梦琐言》

《北梦琐言》是五代至北宋初学者孙光宪在江陵撰写的一部史料性笔记小说，对于研究晚唐五代时期荆楚地区的历史文化具有较高的史料价值。

孙光宪（901—968年），字孟文，自号葆光子，出生在陵州贵平（今四川省仁寿县）。祖先世代务农，家世并不显赫。孙光宪自幼好学读书，唐末为陵州判官。后唐同光末年（925年），唐庄宗派遣大将郭崇韬率军伐蜀，消灭了前蜀王衍政权。但蜀中战乱并未停息，孙光宪避乱江陵，静观时变。当时，荆南节度使高季兴割据以江陵（今湖北江陵

① （唐）余知古著，袁华忠译注：《渚宫旧事译注》卷二《周代中》，第100页。

② （战国）墨翟著、（清）毕沅校注、吴旭民校点：《墨子》，上海古籍出版社2014年版，第228页。

③ （唐）余知古著，袁华忠译注：《渚宫旧事译注》卷四《汉代》，第167页。

市）为中心的归州、硖州和荆州之地，招抚流民，发展生产，境内社会安定。高季兴还招揽四方人士，图谋长期割据。在这种情况下，孙光宪遂投奔高季兴，在荆南幕府供职。荆南国天成三年（928 年）冬，高季兴逝世，其子高从诲继立，孙光宪被署为节度副使。从此，他仕荆南国三十余年，历高氏四世，是地方实力派。宋太祖建隆三年（962 年），孙光宪极力劝说荆南国主高继冲归服北宋，避免江陵遭受兵火之苦。北宋朝廷任命孙光宪为黄州（今湖北黄冈）刺史。《北梦琐言》一书就是他任黄州刺史致仕之后结集而成的。宋太祖乾德六年（968 年），孙光宪因病去世。

孙光宪文采出众，《花间集》和《尊前集》录其词凡 84 首，是五代词人中存词最多者。孙词的艺术风格主要是气骨精健爽朗，措语警炼。孙光宪还勤学聚书，好自抄写校雠。他博通经史，史学成就尤为突出，《北梦琐言》就是他的代表作。

《北梦琐言》撰于江陵，历时约 30 年才完成，记唐武宗以后事。大体前 16 卷记唐，后 4 卷记五代，涉及政治轶闻、士大夫言行和社会风俗民情，保存史料极为丰富，虽间及怪异，仍是治晚唐五代社会政治史的重要文献。后世不少典籍多征引此书，如《太平广记》引文达 247 条，《资治通鉴》亦多次引用此书，《旧五代史》援引此书 33 条，彭元瑞所撰《五代史注》直接征引则多至 137 条，可见此书的价值。

唐五代史籍和实录是《北梦琐言》最重要的文献来源之一。孙光宪广泛涉猎这些作品，择优而取，从而增强了《北梦琐言》的信实度。而当这些史籍绝大多数亡佚后，《北梦琐言》成为保存晚唐五代史籍最重要的笔记之一。成书较晚的《旧五代史》可能还引用了《北梦琐言》的一些材料。例如，《北梦琐言》逸文卷四《高季昌论唐庄宗》记载：

> 既自阙回，谓（梁）震曰："新主百战，方得河南，对勋臣夸手钞《春秋》，又竖指云'我于指头上得天下'。则功在一人，臣佐何有？且游猎旬日不回，中外情何以堪，吾高枕无忧。"乃筑西

面罗城，拒敌之具。[①]

《旧五代史》卷一三三《高季兴传》云：

泊至荆南，谓宾佐曰："新主百战方得河南，对勋臣夸手抄《春秋》；又竖手指云：'我于指头上得天下。'如此则功在一人，臣佐何有？且游猎旬日不回，中外之情，其何以堪，吾高枕无忧矣。"乃增筑西面罗城，备御敌之具。[②]

比较上文，两书不仅所记之事相同，文字也多相似。总体上说，《北梦琐言》记人叙事较为简洁，而《旧五代史》则相对详细完备一些，类似的例子还有不少。而《北梦琐言》成书在前，《旧五代史》成书在后，借鉴引用关系一目了然。

在遇到一件史事有不同说法，且难以确认的情况下，孙光宪不轻易否定某一种说法，写作态度较为谨慎，经常都抄录下来，以备后人考证。例如卷三《段相踏金莲（夏侯相附）》云：

唐段相文昌家寓江陵。少以贫窭修进，常患口食不给，每听曾口寺斋钟动辄诣谒餐，为寺僧所厌。自此乃斋后扣钟，冀其晚届而不逮食也。后入登台座，连出大镇，拜荆南节度，有诗《题曾口寺》云"曾遇阇黎饭后钟"，盖为此也。富贵后打金莲花盆盛水濯足，徐相商致书规之，邹平曰："人生几何，要酬平生不足也。"夏侯孜相国未偶，伶俜风尘，蹇驴无故坠井。每及朝士之门，舍逆旅之馆，多有龃龉，时人号曰"不利市秀才"。后登将相。何先塞而

① （五代）孙光宪：《北梦琐言》逸文卷四，中华书局1960年版，第190页。

② （宋）薛居正：《旧五代史》卷一三三《高季兴传》，中华书局1976年版，第1752页。

后通也。[①]

由于《北梦琐言》记载史实较为准确、可信，因此常被后世史家所征引。北宋司马光在编撰《资治通鉴》过程中就多次采用了《北梦琐言》的说法。例如《资治通鉴》卷253《唐纪六十九·唐僖宗广明元年》云：

左拾遗侯昌业以盗贼满关东，而上不亲政事，专务游戏，赏赐无度，田令孜专权无上，天文变异，社稷将危，上疏极谏。上大怒，召昌业至内侍省，赐死。……《北梦琐言》曰："唐自广明后，阉人擅权，置南北废置使。军容田令孜有回天之力，中外侧目；而王仙芝、黄巢剽掠江、淮，朝廷忧之。左拾遗侯昌业上疏极言时病，留中不出，命于仗内戮之。后有传侯昌业疏词不合事体，其末云：'请开揭谛道场以消兵厉，'似为庸僧伪作也。必若侯昌业以此识见犯上，宜其死也。"今从之。[②]

《北梦琐言》还大量记录了孙光宪在荆南国的见闻。如卷五《叙巢居子》记载："唐贞元中，秭归人覃正夫顷栖庐岳，帅符载征召为文，竟汨没于巴巫也。或有以其文数篇示愚，辞韵挺特，风调凛然，真得武都之刀尺也，号《巢居子》，有二十卷。愚因致书于归州之衙校李玩，俾搜访之。书未达前三日，里人有家藏全集者，适遇延热而煨烬之。嗟乎！鄙于覃生，异时也，苟得缮写流布，振彼声光，而焚如之酷，何不幸之甚也！"[③] 唐人覃正夫文集《巢居子》被火焚毁，的确是"不幸之甚"，但赖《北梦琐言》记载其人其书，不至于完全湮没无闻，亦是不

① （五代）孙光宪：《北梦琐言》卷三，第12—13页。
② （北宋）司马光：《资治通鉴》，第8220—8221页。
③ （五代）孙光宪：《北梦琐言》卷五，第42页。

幸中的万幸。

此外,《北梦琐言》中有一则《破天荒解》,是关于荆州科举考试的记载。卷四《破天荒解》云:“唐荆州衣冠薮泽,每岁解送举人,多不成名,号曰‘天荒解’。刘蜕舍人以荆解及第,号为‘破天荒’。尔来余知古、关图、常修,皆荆州之居人也,率有高文,连登上科。”[①] 这是“破天荒”一词的最早记载。

孙光宪还著有《荆台集》三十卷,《巩湖编玩》三卷,《笔佣集》三卷,《橘斋集》二卷,《蚕书》二卷。又撰《续通历》,但纪事颇失事实,太平兴国初(976 年),诏命毁之。

七、“红杏尚书”宋祁与《新唐书》

北宋,有“安陆二宋”之称的宋庠、宋祁兄弟二人,他们同时举进士,两人官位,一至宰辅,一为尚书;他们又都以文学著名,且都有文集传世;两人在《宋史》里有传。宋祁,在中国文学史上有“红杏尚书”之称。

宋祁(998—1061 年),字子京,与兄宋庠齐名。与宋庠同时举进士,礼部奏宋祁第一,宋庠第三。章献太后认为长幼有序,不欲弟先于兄,改宋庠第一,宋祁第十。累迁太常博士,同知礼仪院。历知制诰、翰林学士。任史馆修撰,与欧阳修同修《新唐书》,撰列传 150 卷,书成进工部尚书,拜翰林学士承旨。卒谥景文。《宋史》本传载,宋祁“预修《籍田记》《集韵》。又撰《大乐图》二卷,文集百卷”[②]。宋祁曾戒其子,无妄编缀作集,使后世嗤诋。后世诸书对宋祁文集的卷数记载不一,与《宋史》本传所记“文集百卷”有出入,有记一百五十卷的,有记二百卷的,有记七十八卷的,或许有不同编者的文集本子存在。现今传世的《宋景文集》六十二卷,也是清代四库馆臣从明《永乐

---

① (五代)孙光宪:《北梦琐言》卷四《破天荒解》,第 28 页。

② (元)脱脱等:《宋史》卷二八四《宋庠传》,第 9599 页。

大典》中采缀成编，用《四库全书总目提要》的话说，“虽未必尽还旧观，名章巨制谅可得十之七八矣”[①]。

从《宋景文集》看，二宋兄弟二人以文知名，但风格不同，各有优长。现存《宋景文集》六十二卷，赋四卷，诗二十卷，奏疏、奏状、外制、内制、颂、表十七卷，议、论、赞、说五卷，序、记、书、启十卷，碑、墓志铭、行状六篇。宋祁尤其能文，善议论，但清约庄重不及哥哥宋庠；宋庠明练故实，以慎静为治，文藻不逮宋祁，孤风雅操却远过宋祁。[②]与二宋同时的蔡襄评说这兄弟俩，宋庠“近之和气拂拂然袭人”，宋祁则“英采秀发”，二人“久视之无一点尘气，真神仙中人也”[③]。

《宋景文集》六十二卷中诗作占二十卷，宋祁的诗多有游宴唱和、风花雪月的内容，但不乏佳作绝响。欧阳修《六一诗话》记载，自从科举用赋取人，进士不再留意于诗，所以少有值得称道的佳作。宋祁的诗语言工丽，不少诗作不减唐人风致。如《八月望夜无月有感》云：

素波凉晕淡層城，怊怅三年此夜情。
独卷疏帷成默坐，暗虫相应作秋声。
九旻含爽助清辉，万里重阴误赏期。
正恨浮云无意绪，世间偏恼最明时。[④]

全诗借中秋无月委婉表达自己的心声，朦胧含蓄，婉转沉郁，自然流畅，露出唐诗神韵。

宋祁为诗好用奇字，这一点为时人所诟病，但研究者认为，宋祁虽

① （清）永瑢等撰：《四库全书总目提要》卷一五二《集部五·别集类五·宋景文集》，王云五主编民国万有文库本第29册，第107页。

② （元）脱脱等：《宋史》卷二八四《宋庠传》，第9599页。

③ （宋）范镇：《东斋记事》卷三，中华书局1980年版，第27—28页。

④ （宋）宋祁：《景文集》卷二三，见影印文渊阁本《四库全书》第1088册，第196页。

为“西昆余绪”，但不乏革新的因素，敢于为前人所未为。《邵氏闻见后录》记载，唐刘禹锡作《九日》诗，打算用糕字，因《五经》中没有就放弃了。宋祁不以为然，作《九日食糕》云：“飚馆轻霜拂曙袍，糗糍花饮斗分曹。刘郎不敢题糕字，虚负诗中一世豪。”白居易称刘禹锡为诗豪，宋祁大有与诗豪一较短长的气魄，反映他不拘泥古人的一面，此诗“遂为古今绝唱”①。

有不少例证表明，宋祁诗不完全是词藻华丽、芳润典雅一类的，他试图突破西昆体堆砌词藻的诗风，有对个人风格的自觉追求。他化用俗语入诗来表现人生哲理，诸如“人生不如意，在十常九八”“道觉穷方胜，交缘淡更亲”“时来富且贵，事往是耶非”等②；他以诗言情，不少带有牢骚、怨愤情绪的诗，表达自己的真情实感，如“残蝉何所畏，缄口抱秋林”③和“枉是胸中存垒块，可能皮里有阳秋”④；还有一些诗生动形象，形神兼备，如“山来疑逼岸，林度省移洲”⑤，“碧云谩有三年信，明月空为两地愁”⑥。对作诗，宋祁有自己的看法，《王直方诗话》引宋祁的话说：“诗人必自成一家，然后传不朽。若体规画圆，准矩作方，终为人臣仆。”⑦《四库全书总目提要》说他“所著诗文，博奥典雅，具有唐以前格律”，又“多新警之思”⑧。

---

① （宋）邵博：《邵氏闻见后录》卷一九，见影印文渊阁本《四库全书》第1039册，第306页。

② （宋）宋祁：《杂兴》《答连生见寄兼简同邑胡希元》《送黄寺丞谪濠梁》，分载宋祁：《景文集》卷七、卷一一、卷一二，见影印文渊阁本《四库全书》第1088册，第58—59页、第96页、第99页。

③④⑤ （宋）宋祁：《老去》《归沐》《硖石乘舟晚归》，分载宋祁：《景文集》卷一二、卷一三、卷二〇，见影印文渊阁本《四库全书》第1088册，第101页、第106页、第169页。

⑥ （宋）阮阅编：《诗话总龟》前集卷三二《诗谶门》，见影印文渊阁本《四库全书》第1478册，第558页。

⑦ （宋）何溪汶撰：《竹庄诗话》卷一引《王直方诗话》，见影印文渊阁本《四库全书》第1481册，第554页。

⑧ （清）永瑢等撰：《四库全书总目提要》卷一五二《集部五·别集类五·宋景文集》并《宋元宪集》，王云五主编民国万有文库本第29册，第106页。

宋祁词虽所存不多，近人赵万里辑有《宋景文公长短句》一卷，得词六首，可以看出宋祁词代表着宋初湖北词坛的风格和水平，每首词都有精巧的构思和细致的表达。宋祁最著名的词是《玉楼春·春景》：

东城渐觉风光好，縠皱波纹迎客棹。绿杨烟外晓寒轻，红杏枝头春意闹。浮生长恨欢娱少，肯爱千金轻一笑，为君持酒劝斜阳，且向花间留晚照。[①]

作者上阕选取春波、绿杨、红杏几种典型的春天景物描写春光之美好，观察细致，表现独特。特别是“红杏枝头春意闹”一句更为历代词人所激赏，清人黄氏（蓼园先生）《蓼园词评》说：“通首浓丽，然总以‘春意闹’三字，尤为奇辟也。”[②]王国维《人间词话》也说：“著一‘闹’字，而境界全出。”[③]作者造景炼句之精辟由此可见一斑，宋祁也因此被时人张子野称作“红杏尚书”[④]。下阕抒发感慨，写尽文人的惆怅情怀：韶光苦短，欢娱恨少，时光难留，无可如何。这首词成为名作而被广泛传诵，就毫不奇怪。

宋祁兄弟为西昆派著名诗人晏殊的门徒，是深得晏殊赏识的才子，除诗歌外，二宋散文也自成一家。《元宪集》中多外制、内制，《宋景文集》中多奏疏表启。宋庠的文章中，《蚕说》是寓言赋的代表作，以织妇与蚕的对话规讽时政，反映他同情劳动者、鞭挞统治者的情感取向。虽然词藻华丽，但颇有谐趣；多用骈偶铺叙，但不乏气势，含蓄而生

① （宋）宋祁：《玉楼春·春景》，载（宋）黄升辑、王雪玲、周晓薇校点：《花庵词选》，辽宁教育出版社1997年版，第45页。

② （清）黄氏撰：《蓼园词评》，载唐圭璋主编：《词话丛编》（第52种），中华书局1986年版，第3043页。

③ 王国维：《人间词话》卷上，广西人民出版社2017年版，第5页。

④ （清）黄氏撰：《蓼园词评》，载唐圭璋主编：《词话丛编》（第52种），中华书局1986年版，第3043页。

动。文章以“织妇不能诘，而终身寒云”一语[①]，结束其间的对话，留给人们极大的思考空间，织妇的命运同于蚕但惨于蚕，该受责难的唯有人间的统治者。对二宋兄弟文章的评价，《四库全书总目提要》堪称公允：

> 盖文章至五季而极弊，北宋诸家各奋起振作，以追复唐贤之旧。穆修、柳开以至尹洙、欧阳修，则沿洄韩、柳之波。庠兄弟则方驾燕、许之轨。譬诸贾、董、枚、马，体制各殊，而同为汉京之极盛。固不必论甘而忌辛，是丹而非素矣。[②]

宋祁曾自撰墓志铭和《治戒》，自称“吾学不名家，文章仅及中人，不足垂后”[③]。这应该是谦虚的话，实际上，宋祁除在文学史上有突出成就外，其史学方面也取得了杰出的成就——编撰《新唐书》这部正史，使得他在我国史学史上也能够占据一席之地。

《新唐书》的主编是唐宋八大家之一的欧阳修。欧阳修领导了北宋诗文革新运动，继承并发展了韩愈的古文理论，从而开创了一代文风。至和元年（1054 年），宋仁宗令时任翰林学士、史馆修撰等职的欧阳修担任主编，与宋祁一起修撰《唐书》。由于此前五代后晋时刘昫等人已经编撰了一部《唐书》，因此，后世将欧阳修和宋祁编撰的《唐书》称为《新唐书》，将刘昫等编撰的《唐书》称为《旧唐书》。

《新唐书》全书一共 225 卷，比《旧唐书》多出 25 卷。列传部分主要由宋祁负责编写，志和表分别由范镇、吕夏卿负责编写。最后在欧阳修主持下完成。本纪 10 卷和赞、志、表的序以及《选举志》《仪卫志》

---

① （宋）宋庠:《蚕说》，载宋庠:《元宪集》卷三六，见影印文渊阁本《四库全书》第 1087 册，第 686 页。

② （清）永瑢等撰:《四库全书总目提要》卷一五二《集部五·别集类五·宋元宪集》，王云五主编民国万有文库本第 29 册，第 106 页。

③ （元）脱脱等:《宋史》卷二八四《宋祁传》，第 9599 页。

等都出自欧阳修之手。

《旧唐书》撰稿时间仓促，仅4年多的时间就写成，有的内容转抄自唐实录、国史，连技术处理都没有做，保存了许多“大唐”“本朝”“今上”等字眼。宋祁在修撰《新唐书》时把这些不伦不类的话都删掉了，使《新唐书》在体例、笔法和风格方面更加严谨。此外，宋祁还采用大量小说、笔记、传状、碑志、家谱、野史等资料，增加了不少唐代晚期人物的列传。正如清代学者赵翼所指出的那样：

> 五代纷乱之时，唐之遗闻往事既无人记述，残编故籍亦无人收藏，虽悬诏购求而所得无几，故《旧唐书》援据较少。至宋仁宗时，则太平已久，文事正兴，人间旧时记载多出于世，故《新唐书》采取转多。今第观《新书·艺文志》所载，如吴兢《唐书备阙记》、王彦威《唐典》、蒋乂《大唐宰辅录》《凌烟功臣》《秦府十八学士》《史臣》等传，凌璠《唐录政要》、南卓《唐朝纲领图》、薛璠《唐圣运图》、刘肃《大唐新语》、李肇《国史补》、林恩《补国史》等书，无虑数十百种，皆《旧唐书》所无者，知《新书》之“文省于前，而事增于旧”，有由然也。①

宋祁还对列传的标名也进行了必要的归纳和整理，如把少数民族仕唐将领合并到“诸夷蕃将传”中；把割据的藩镇也归到一起来写。这样，就使得头绪和历史人物之间的关系也更加清楚。

宋祁和欧阳修等人在编撰《新唐书》时，态度十分认真。欧阳修撰稿时间为7年，宋祁负责的列传部分篇幅更长、内容更多，因此，花的时间更长，前后达十余年之久。宋祁曾一度出任亳州太守，他在亳州时不管到哪里去都随身携带书稿，这样既便于修改，又可避免丢失。这和

① （清）赵翼:《廿二史札记》卷一七《新旧唐书·新书增旧书处》，中华书局1984年版，第358页。

认真谨严的态度，使《新唐书》的质量从总体上胜过《旧唐书》。

因为列传部分出自宋祁之手，而欧阳修只是主持了志、表的编写，出于谦逊，同时欧阳修认为宋祁是前辈，因此，他没有对列传部分进行改动，保持原貌。古代官修正史有个不成文的惯例是，多人编写的著作，成书后一般都署官职最高者的姓名。但欧阳修敬重宋祁的学识和品德，尊重宋祁的贡献，坚持与宋祁共同署名为《新唐书》主编，体现了他的高风亮节，也反映了二人之间的惺惺相惜。

八、安陆王得臣与《麈史》

王得臣（1036—1116年），字彦辅，自号凤台子，安州安陆人。他的学问十分博洽，著述甚丰，传世的有《麈史》3卷、《江夏辨疑》1卷、《凤台子和杜诗》3卷、《江夏古今纪咏》5卷，其中尤以《麈史》学术价值为最高。

王得臣是宋初著名经学家王昭素（904—982年）的后代。王昭素博通九经，尤精《周易》，著有《易论》33卷，《宋史·儒林传》有他的传记。王得臣出生在这样一个书香门第之中，自幼便受到家庭文化的熏陶。其父对王得臣的学业管教极严，幼年时即要他朗读《文选》。王得臣读起来感到文字艰深难懂，流露出畏难情绪。父亲便用乡贤宋祁手抄《文选》三遍方见佳处的故事开导他，使他在幼年时便能把《文选》背得滚瓜烂熟。

年纪稍长以后，王得臣师从状元郑獬学习，皇祐、至和年间（1049—1054年）到京师入太学，又师从大学者胡瑗（993—1059年）。胡瑗和孙复（992—1057年）、石介（1005—1045年）并称“宋初三先生”，讲“明体达用”之学，开宋代理学的先河。胡瑗严立学规，以身示范。受老师的影响，王得臣谨言慎行，严于律己，宽以待人。

嘉祐四年（1059年），王得臣登进士第，历任岳州巴陵令、秘书丞、提举开封府界常平等事，开封府判官，后出知唐、邠、黄、鄂三州。元祐八年（1093年），为福建路转运副使。召为金部郎中、司农少卿。宋哲宗绍圣四年（1097 年），以目疾管勾崇禧观。宋神宗和宋哲宗朝，政局动荡不安，支持和反对王安石变法的势力政争不息。王得臣由于言行谨慎，不参与党争，没有受到牵连，后因眼疾致仕归家，潜心著述。

王得臣家中藏书极为丰富，为他广泛涉猎前人的学术著作提供了有利条件。《麈史》是王得臣晚年所整理的笔记，现存三卷，分类系事，凡 44 门，284 事，约 3 万余字，于经史、文学、书画、碑碣、典章、制度、地理、民俗、耆旧掌故等皆无不收录，并附考证。作者引经据典，辨别异同，考核详细精密，持论公允，是研究北宋典章制度和社会风俗的重要史料。

王得臣在《麈史》的序中说明自己的写作目的。《麈史·序》曰："予年甫成童，亲命从学于京师。凡十阅寒暑，始窃一第。已而宦牒奔走，辙环南北，而逮历三纪。故自师友之余论，宾僚之燕谈，与耳目之所及，苟有所得，辄皆记之。晚踰耳顺，自大农致为臣而归。阖扉养疴，日益无事，发取所记，积稿猥多。于是重加刊定，得二百八十四事。其间自朝廷至州里，有可训、可法、可鉴、可诫者无不载。又病其艰于讨究，逐类以相从，别为四十四门，总成三卷，名曰《麈史》。盖取出夫实录，以其无溢美、无隐恶而已。虽小道，必有可观者焉，览之者幸无我诮。"①

书中记录了一些北宋历史事件的决策细节，令人如身临其境。如宋神宗改元"元丰"的经过："中书许冲元尝对客言：熙宁末，神宗欲改元。近臣拟'美成''丰亨'二名以进。上指谓'美成'曰：'羊大带戈，不可'；又指'亨'字曰：'为子不成，可去亨而加元。'遂以'元丰'纪年。"②

《麈史》中还有一些条目颂扬帝王或执政大臣心怀百姓的善政。如卷上《惠政》记载："鄂州诸邑皆有茶税，民苦之。独崇阳一县不产茶，

① （宋）王得臣：《麈史》，上海：上海古籍出版社 1986 年版。

② （宋）王得臣：《麈史》卷上，第 1 页。

而民间率艺桑，而税以缣，人甚乐输。盖兴国初，九河张公詠登进士第，以大理评事知县事，禁民种茶，而教以植桑，易税以缣。夫贤臣君子所至，利民亡穷也。……范纯仁于至和间，宰汝之襄城，民困徭役。盖籍家赀满三百千，则充衙前之役，民间至不敢艺桑者。公遇吏民有小过，则课本户罚艺桑，各有数人，亦不欺，而至今称之。后值营奉永昭，计司科买麻履数万，期会既迫，民间虽有金而莫能得履。公为科营妇鬻履者，稍增其直，与之为约，如期而办。又科材木甚众，公敷于五等户，优估以市之，计里之远近，令以次输送。公乃设棚于县宇之前，致榻于棚上。公据棚下瞰，使民听唱名而前，拥木以立，遂令过，人莫之晓。盖于棚榻潜有寻尺之度，以视其长短也。由是吏胥、匠石无一高下其手，而民无所用赂。当时畿右诸邑，民莫不劳弊，惟独襄城为不然。”①

王得臣是安陆人，因此书中记载了大量安陆的人文、地理、风俗情况，为后世编修地方志提供了不少可作为参考的资料。如卷中《辩误》记载了“最安陆之胜处”的白兆山、安州应城县五茄山、孝昌东北大伍山和小伍山得名的来历。卷下《占验》记载了宋代安陆种植稻谷的情况，对于我们了解宋代安陆农作物的生产情况有史料价值。如“打干种”的记载，其文曰：“安陆地宜稻，春雨不足，则谓之‘打干种’，盖人、牛、种子倍费。元符己卯，大旱，岁暮，农夫告曰：‘来年又打干矣。’盖腊月牛碾泥中则然。明年果然。”②

《诗话》《辩误》二章是王得臣的诗歌理论和诗词修养的集中体现，其中亦不乏对唐人诗歌的精到点评和细致考证。如唐人韩愈所作《读皇甫湜公安园池书其后》一诗由于脱文严重，因此十分难懂。王得臣对此进行了详细的考证，认为韩愈原诗脱漏八字：“予亲家季勉之收永叔、王原叔、宋子京三公所传韩文，最为全本，悉多是正。于是知此篇乃脱

① （宋）王得臣：《麈史》卷上，第18、19页。

② （宋）王得臣：《麈史》卷下，第83页。

八字，自‘湜也困公安，不自闲’，盖‘闲’字下脱‘其闲’二字。又‘掎摭粪壤’下脱一‘间’字，‘间’字又下脱‘粪壤多’三字。其后‘岂有臧’字下脱‘不臧’二字。读之者可以考焉。至于他诗亦多是正，此不悉也。”[①]此说可以补正《全唐诗》之误。

《麈史》卷下所记谐谑之语，则反映了宋代官场的积习和弊端。如称太府寺所隶场务众多，号称“忙卿”；司农寺掌管仓库，号称“走卿”；光禄寺掌管祭祀供应酒食，号称“饱卿”；鸿胪寺掌管周邻族国朝贡，号为“睡卿”。这些记载形象地反映了职曹不同，苦乐不一的官场生态。

九、襄阳魏泰与《括异志》

魏泰，字道辅，襄阳人，北宋著名女词人魏玩之弟，生卒年不详。魏泰博极群书，有口辩而工文章。魏泰坐试院殴打考官而不得取，绝意仕途。他性诙谐，喜谈朝野趣闻。据《山谷年谱》《楚宝》知，徽宗崇宁、大观间（1102—1110年），大臣章惇赞其才，欲官之，辞不就，自号汉南处士。

魏泰著述较多，一类是个人文集，一类是伪托他人之名所作。他的个人著述有《临汉隐居集》二十卷，《临汉隐居诗话》一卷，《东轩笔录》十五卷。据《文献通考》知，魏泰喜伪托他人著书，如伪托张师正之名作《志怪集》五卷、《括异志》十卷、《倦游录》八卷，伪托梅尧臣之名作《碧云騢》一卷。《东轩笔录》《碧云騢》《倦游录》属野史笔记小说之类，记朝野轶闻，《志怪集》已佚，《括异志》则是其小说代表作。《四库全书》收录有魏泰《临汉隐居诗话》和《东轩笔录》。

《括异志》是魏泰伪托武人张师正所作，是魏泰小说的代表作。魏泰老乡米芾所撰《志林》、王铚《默记》均记《括异志》为魏泰伪作，又有《文献通考》明确记载魏泰“喜伪作他人著书，如《志怪集》《括

① （宋）王得臣：《麈史》卷中，第65页。

异志》《倦游录》尽假名武人张师正。……最后作《碧云騢》，假作梅尧臣”[①]，当可信从。但至今仍有学者坚持认为“没有十分有力的证据，证明作者是魏泰”“还是把本书的著作权归之于张师正”[②]，“今仍归于张师正名下”[③]。综合有关记载，《括异志》为魏泰假托张师正之名所作，可以得到认定。

《括异志》开志怪小说的新局，不像六朝志怪小说那样粗陈梗概，而是采唐人传奇手法写志怪，别开生面。如《大名监埽》一篇，把志怪与刻画人物结合起来：大鼋的恶人先告状，监埽的据理力争、大义凛然，侍中韩琦的善于指点、明于决断，都写得细致生动，活灵活现。它推变怪之理，参见闻之异，虽记怪异，颇重实录，每篇之末都标有故事来源，以备查考，如《大名监埽》篇末记载“事闻之于刘大卿袭礼云”[④]。

《括异志》所记怪异，不少篇章都有现实生活做基础，而且对社会现实矛盾具有相当深刻地揭露。例如，《白须翁》写潜江黄八娘虐待女奴惨无人道，作者于文尾发出这样的感叹：“噫，白须翁岂非神灵乎！指导二婢复生，可谓明且仁矣。向之被害者，茹叹衔恨于冥漠中，翁宜白之真官，以直其究，易为力矣。而令幽滞于黄媪之室，岂向所杀者当死耶？不然，凶暴之物，鬼神亦惮之也。不可致诘矣！”[⑤]该篇故事开头写道：“嘉祐二年，大理寺丞常洵为荆州潜江县尉，因徼巡至径头市路次，草中有二女子，年十三四，裸形如乞者，伛偻出马前云：‘是黄八娘家女奴，来投官乞命。’”结尾记故事来源“斯事常洵自云”。表明这则故事来自于担任过荆州潜江县尉的常洵自己所讲。

---

① （元）马端临撰：《文献通考》卷二一六《经籍考四十三·子·小说家·东轩笔录》，中华书局1986年版，第1764—1765页。

② （宋）张师正撰、许德楠点校：《括异志》，中华书局1996年版，《校点说明》第4页。

③ （宋）张师正撰、傅成点校：《括异志》，上海古籍出版社2012年版，《校点说明》第3页。

④ （宋）张师正撰、许德楠点校：《括异志》卷一，第14页。

⑤ （宋）张师正撰、许德楠点校：《括异志》卷十，第113页。

《括异志》中还有一些反映爱国主义思想的篇什，如《嵩店巡检》，作者将一条狗与民族情感、爱国思想联系在一起，表达出对时事的感愤与忧虑。作者在故事结尾评论说：“犬，六畜也，惟豢养之恋。既陷戎狄之域，尚由思汉，又能导俘虏之妇，间关而归，可谓兽貌而人心也。有被衣冠而叛父母之国者，斯犬之罪人也。”[①] 由于宋代边境战争频繁，民族矛盾尖锐，作者通过写这一条狗，却将忠于汉室与爱国思想统一起来。

如何评价魏泰的《括异志》？《湖北文学通史·宋元明清卷》作者的评价当属公允：

> 需要指出的是，《括异志》虽有不少优秀篇什，但也存在一些宿命论和封建迷信的糟粕。艺术上也良莠不齐，精芜混杂。……说明作者还没能完全摆脱传统志怪小说的影响。[②]

① （宋）张师正撰、许德楠点校：《括异志》卷三，第37页。

② 王齐洲主编：《湖北文学通史·宋元明清卷》，第40页。

第二章 文学与艺术

“猎响惊云梦，渔歌激楚辞。”唐代襄阳籍诗人孟浩然为后人留下了这令人无比向往而又激荡人心的诗句。在惊采绝艳的楚辞屈骚文学的影响下，隋唐宋元时期的荆楚地区，文学成就堪称光辉灿烂，这首先表现在灿若群星的本土文学上，可以“惊艳众人的荆襄诗文”与“劲吹新风的宋元荆楚文人”论之。

“李杜文章在，光焰万丈长。”一如韩愈诗句中提到的李白、杜甫一样，一个是浪漫主义巅峰诗人，一个是现实主义巅峰诗人，还有大文豪欧阳修、苏东坡等，众多或客籍、或路过、或游历、或为官、或贬谪到湖北的文学家，在荆楚大地得到了热情的接纳、温情的抚慰，在良好的文化土壤上结出了丰硕的文学之果，创造出了既是荆楚文学也是中国文学更是世界文学不可多得的文学遗产。对隋唐宋元荆楚文化来说，寓鄂文人的文学可谓光芒四射。

古人所谓“艺术”，主要指六艺以及术数、方技等各种技能或特指经术。语出《后汉书·伏湛传》：“永和元年，诏无忌与议郎黄景校定中书五经、诸子百家、艺术。”李贤注曰：“艺谓书、数、射、御，术谓医、方、卜、筮。”[①] 而今人眼中的“艺术”，则是指用形象来反映现实但比现实有典型性的社会意识形态，是借助一些手段或媒介，塑造形象、营造氛围，来反映现实、寄托情感的一种文化。

隋唐宋元时期，荆楚艺术主要在书画艺术和民歌戏曲两大方面，处于荆楚文化史上的黄金时代，表现出艺术家的独具匠心。各位艺术家在

① （宋）范晔撰、（唐）李贤等注：《后汉书》卷二六《伏湛传》，中华书局1965年版，第898页。

总结和继承前代文化遗产的基础上，又充分吸收国内各族的优秀成果，呈现出一种阶段性集大成的灿烂风采。一批具有全国性影响的本土或外地书法家在荆楚大地挥毫泼墨，留下了许多传世之作。

近年来国内规模最大、作者阵容最强的七卷本书学史著作《中国书法史》评价隋代善书者时指出："智永之外，尚可称述者实仅丁道护一人。"① 丁道护在襄州书丹的《启法寺碑》在隋代书法史上无疑占有重要的地位。唐代书法是中国书法史的一个高峰，名家辈出。江夏人李邕"用笔坚劲，纵横一时"，② 在其一生书写过的众多碑铭中，以《岳麓寺碑》和《李思训碑》最为精美。

宋代书法艺术的成就不能与唐代相比，而"苏轼、黄庭坚和米芾的实践努力，标志着宋代书法的复兴。……他们通过知己知彼的权衡，突破了唐人的藩篱，闯出了一条'尚意'的新路。"③ 苏轼所书、被赞誉为"天下第三行书"的《黄州寒食诗帖》，公认的黄庭坚第一名作《松风阁诗帖》，均创作于荆楚大地。而米芾和米友仁父子不仅能诗文，精鉴别，而且书画自成一家，创立了"米氏云山"技法，在宋元时代的画坛独树一帜，影响深远。

第一节　本土文人的创作

一、隋唐惊艳众人的荆襄诗文

（一）隋代诗坛翘楚——柳䛒

中国文学史的许多著作论述隋朝文学或仅只言片语，或不著一字，《湖北文学史》一书关于隋朝湖北文学也是未著一字。实际上，隋文帝统一南北后，认为文学的堕落淫靡，是造成南朝政治腐败和国势衰弱的

---

① 朱关田：《中国书法史·隋唐五代卷》，江苏教育出版社 2007 年版，第 15 页。

② 朱关田：《中国书法史·隋唐五代卷》，第 4 页。

③ 曹宝麟：《中国书法史·宋辽元卷》，江苏教育出版社 2007 年版，第 4 页。

根源，于是在文学上重启复古运动。隋代前期文学超越南朝，出现了一些好作品，从军和边塞成为隋代诗歌的重要主题，也成为唐代边塞诗的先声。到隋炀帝时文学出现逆转，又追随南朝，诗风随之陷于轻艳。题材上也多涉猎南朝诗中常见的闺怨题材，情调、趣味和齐梁风格相似。在这种大背景下，襄阳柳䛒的诗得到隋炀帝的青睐。

柳䛒（542—601 年），字顾言，襄阳人，《北史》卷八十三、《隋书》卷五十八均立有《柳䛒传》。其祖上本是河东（今山西南部）人，晋永嘉之乱时，徙家襄阳。柳䛒祖父柳惔，是梁朝侍中；父柳晖，梁都官尚书。柳䛒少年时就很聪敏，喜欢读书，他所看的书将近万卷。南北朝时期西梁（后梁）皇帝萧詧据荆州，柳䛒为侍中，领国子祭酒、吏部尚书。梁灭亡后，柳䛒入隋，任内史侍郎、晋王（杨广）咨议参军、东宫学士等职。

杨广好文雅，招引才学之士诸葛颍、虞世南、王胄、朱玚等百余人以充学士，柳䛒在这百余名学士中堪称冠冕。杨广把柳䛒当作老师和朋友，每有文什，都会令他润色，然后才给别人看。杨广曾作《归藩赋》，写好后命柳䛒作序。这篇序用词非常典丽，得到杨广的赏识。杨广原来做文章，用的是庾信体。等他看到柳䛒的文章后，文体为之一变。仁寿初年，杨广很看重柳䛒，柳䛒引为东宫学士，加通直散骑常侍、检校洗马。杨广视他为亲信，经常留在左右侍候；有什么问话，柳䛒都能应答如流。柳䛒喜欢喝酒，言谈幽默，杨广很喜欢和他亲近。柳䛒还喜欢研究佛教经典，杨广命他撰写《法华玄宗》，他写了 20 卷，送给杨广看，史载“赏赐优洽，侪辈莫与为比”[①]。后来，柳䛒跟随炀帝一起到扬州，路上染重病逝世，终年六十九。隋炀帝又伤心又惋惜，久久不能释怀，追赠他为大将军，谥号康。

---

① （唐）魏徵等:《隋书》卷五八《柳䛒传》，中华书局 1973 年版，第 1423 页。

柳䛒的诗今仅存5首[1]，其诗能突破齐梁轻艳之风，打破闺怨的局限，歌颂江山之美，反映劳动人民生活疾苦，在隋代诗坛显得非常可贵。例如他的《奉和晚日扬子江应教诗》,《初学记》载：

大江都会所，长洲有旧名。西流控岷蜀，东泛迩蓬瀛。
未睹纤罗动，先听远涛声。涳濛云色晦，泱叠浪华生。
欲知暮雨歇，当观飞旆轻。[2]

在《文苑英华》的记载中，柳䛒该诗同题词异：

诘旦金铙发，骖驾出城闉。鲜云临葆盖，细草藉班轮。
千里烟霞色，四望江山春。梅风吹落蕊，酒雨减轻尘。
日斜欢未毕，睿想良非一。风生叠浪起，雾卷孤帆出。
掞藻丽繁星，高论光朝日。空美邹枚侣，终谢渊云笔。[3]

作为应命奉和皇帝的御制诗,《初学记》和《文苑英华》所记词异而风格迥异。《初学记》所记那首基本是对扬子江自然与地理位置重要性的客观描述。《文苑英华》所记这首少不了对皇帝的称颂，但是该诗所具有的鲜明特色和较高的艺术技巧，则为后人所称道。全诗最大的艺术特色，是注重视点的变化。开篇两句，从听觉和视觉两方面描绘了隋炀帝出城巡游的壮观场面。“金铙发”是听觉，“骖驾出”是视觉。出了城门后，作者以纯熟的技巧，以不断变换的视点摄取物象，视点不断移

① 逯钦立辑校:《先秦汉魏晋南北朝诗》《隋诗卷五》，中华书局1998年重印本，第2689—2690页。

② （隋）柳䛒:《奉和晚日扬子江应教诗》，载（唐）徐坚:《初学记》卷六《地部中·江第四》，中华书局1962年版，第126页。

③ （隋）柳䛒:《奉和晚日扬子江应教诗》，载（宋）李昉等编:《文苑英华》卷一七九，见影印文渊阁本《四库全书》第1334册，第603页。

动，视线不断转换，全方位地向读者展示春天的景观，把时间流动和空间转换完美地统一起来：仰视“鲜云”，俯视“细草”，直视“千里”，环视“山春”，凝视“落蕊”，平视“酒雨”；“日斜”以后，又扫视“叠浪”，点视“孤帆”，使全诗具有立体的美感和多维的审美意蕴。

柳䛒《咏死牛诗》通过咏牛，表现自己对底层劳动者的同情。《咏死牛诗》曰：“一朝辞绀幰，千里别黄河。对衣徒下泣，扣角讵闻歌。”[①] 柳䛒念及和同情底层劳动者的劳作和辛苦，以诗歌的形式为他们掬一把泪。在隋末淫靡的诗歌中，柳䛒作为皇帝的宠臣，诗作能够同情底层劳动者，应属难能可贵。

柳䛒著文除《晋王归藩赋序》已佚外，《全隋文》卷十二收有《奏增房中乐钟磬》《与释智𫖮书》《徐则画像赞》《天台国清寺智者禅师碑文》4篇[②]。据《北史》《隋书》《隋经籍志考证》知，柳䛒独著和合著情况如下：《晋王北伐记》15卷、《法华玄宗》20卷、《史记音义》20卷、《大业正御书目录》9卷。

（二）“衣冠薮泽”中的初唐荆南文人

《太平广记》引孙光宪《北梦琐言》说：“江陵在唐世，号衣冠薮泽，人言琵琶多于饭甑，措大多于鲫鱼。”[③] 这是说唐代荆州“号衣冠薮泽”。仅就文学成就方面，荆州地区与襄阳地区同样具有极大的影响，一大批杰出的诗人、文学家应运而生，荆州籍的著名诗人有蔡允恭、刘斌、刘洎、刘孝孙、慧赜、岑羲、岑参、綦毋潜、戎昱、崔道融、刘蜕等，他们既是诗人，又大多是政治家、文学家。以江陵为中心的荆州地区，又称“荆南”，语出西晋陆机《辨亡论》“电发荆南”，《文选》张铣注曰：“（孙）坚起兵于荆州，故云荆南也。”[④] 仅就唐初荆南作家来说，就有刘孝孙、蔡允恭、刘斌、刘洎及高僧慧赜等。

---

① （隋）柳䛒：《咏死牛诗》，载（唐）徐坚：《初学记》卷二九《兽部·牛第五》，第707页。

② （清）严可均辑：《全隋文》卷一二，商务印书馆1999年版，第133—139页。

③ （宋）李昉等编：《太平广记》卷二六六《轻薄二》引，中华书局1961年版，第2090页。

④ （梁）萧统编、（唐）李善等注：《六臣注文选》，中华书局2012年版，第987页。

刘孝孙是唐初荆南文人中编有个人文集的第一人。刘孝孙，荆州人，虽在两《唐书》中立有传记，但其生卒年仍不详。“孝孙弱冠知名，与当时辞人虞世南、蔡君和、孔德绍、庾抱、庾自直、刘斌等登临山水，结为文会。大业末，没于王世充，世充弟伪杞王辩引为行台郎中；洛阳平，辩面缚归国，众皆离散，孝孙犹攀援号恸，追送远郊，时人义之”。[①]武德初，历虞州录事参军，列文学馆十八学士之一，时人褚亮《十八学士赞》称他“刘君直道，存交守信，雅度难追，清文远振”[②]。贞观六年（632年），迁著作佐郎、吴王友。十五年（641年），迁本府谘议参军。寻迁太子洗马，未拜卒。

刘孝孙个人著述多佚，较少存世。尝采历代文集，为吴王撰《古今类序诗苑》，《旧唐书》本传记“四十卷”[③]，但《旧唐书·经籍志》记为“三十卷”[④]，《新唐书》无载；两《唐书》均载有《刘孝孙集》三十卷，已佚；《旧唐书·经籍志》记“《事始》三卷，刘孝孙撰”[⑤]，《新唐书·艺文志》亦记“《事始》三卷”，但增加了该书的合撰者为“房德懋”[⑥]，《文献通考》的著录，让后人知道了《事始》是一本什么性质的书，“太宗命诸王府官以事名类，推原初始，凡二十六门，以教始学诸生”[⑦]。今存刘孝孙诗七首，残存《事始》节本。

刘孝孙所存七首诗收录在《全唐诗》卷三十三，其诗作的价值应置于初唐荆南作家群中予以重新认识。《早发成皋望河》写的是作者成皋关望黄河，成皋关在今河南荥阳市西北汜水镇，自古为黄河以南东西交

① （后晋）刘昫：《旧唐书》卷七二《刘孝孙传》，第2583页。

② （唐）褚亮：《十八学士赞》，（清）董诰等编：《全唐文》卷一四七，中华书局1983年版，第1487页。

③ （后晋）刘昫：《旧唐书》卷七二《刘孝孙传》，第2583页。

④ （后晋）刘昫：《旧唐书》卷四七《经籍志下》，第2080页。

⑤ （后晋）刘昫：《旧唐书》卷四七《经籍志下》，第2034页。

⑥ （宋）欧阳修、宋祁撰：《新唐书》卷五九《艺文志三》，第1541页。

⑦ （元）马端临撰：《文献通考》卷二一四《经籍四十一》，第1750页。

通孔道和战争要塞，全诗写黄河的壮观景象颇有韵味。

清晨发岩邑，车马走轘辕。回瞰黄河上，惝怳屡飞魂。
鸿流遵积石，惊浪下龙门。仙槎不辨处，沈璧想犹存。
远近洲渚出，飒沓凫雁喧。怀古空延伫，叹逝将何言。①

其中“鸿流遵积石”，四句写黄河一泻千里，有声有色，节奏明快。该诗形象爽朗，虚实相生，想象丰富，结句也含意隽永，情韵悠长。全诗气势恢宏，意象雄浑，没有南朝梁陈诗歌绮丽芜靡的习气，反映出唐诗风格从初唐向盛唐的转变轨迹。《游清都观寻沈道士得仙字》：

纷吾因暇豫，行乐极留连。寻真谒紫府，披雾觌青天。
缅怀金阙外，遐想玉京前。飞轩俯松柏，抗殿接云烟。
滔滔清夏景，嘒嘒早秋蝉。横琴对危石，酌醴临寒泉。
聊祛尘俗累，宁希龟鹤年。无劳生羽翼，自可狎神仙。②

《游灵山寺》云：

深谿穷地脉，高嶂接云根。信美谐心赏，幽邃且攀援。③

湖北文学史的研究学者认为，在唐代诗坛上“刘孝孙的诗歌成就不算太高”④。但作为初唐荆南作家的代表人物，刘孝孙《游清都观寻沈道士得仙字》《游灵山寺》写方外之情，反映出当时士大夫精神生活的

① （唐）刘孝孙：《早发成皋望河》，（清）彭定求等编：《全唐诗》卷三三，第454页。
② （唐）刘孝孙：《游清都观寻沈道士得仙字》，（清）彭定求等编：《全唐诗》卷三三，第453页。
③ （唐）刘孝孙：《游灵山寺》，（清）彭定求等编：《全唐诗》卷三三，第454页。
④ 王齐洲、王泽龙：《湖北文学史》，第259页。

一个侧面。正是受刘孝孙等乡贤前辈的影响，綦毋潜才成长为“善写方外之情”的高手。

蔡允恭，荆州江陵人，生卒年不详。据两《唐书》本传知，“允恭有风彩，善缀文。仕隋历著作佐郎、起居舍人。雅善吟咏，炀帝属词赋，多令讽诵之。尝遣教宫女，允恭深以为耻……更令入内教宫人，允恭固辞不就，以是稍被疏绝。……太宗引为秦府参军，兼文学馆学士。贞观初，除太子洗马。寻致仕，卒于家。”①有集十卷，又撰《后梁春秋》十卷，均佚。《全唐诗》录有其诗一首，题为《奉和出颍至淮应令》，虞世南也作过同题诗，两同题诗作于隋时，蔡允恭该诗不脱梁陈宫体习气，雍容典雅，歌功颂德，文学价值不高。蔡允恭作为十八学士之一，褚亮《十八学士赞》称他“猗与达学，蔚有斯文，冰霜比映，兰桂同芬”②。

刘斌，荆州江陵人，生活在隋末唐初，颇有词藻，与虞世南、刘孝孙等人结为文会。事窦建德为中书舍人，后复事刘黑闼，为中书侍郎，掌文翰。《全唐诗》录有其诗四首，最能展现刘斌试图改变诗风的诗为《送刘散员同赋陈思王诗，得好鸟鸣高枝》：

春林已自好，时鸟复和鸣。枝交难奋翼，谷静易流声。
间关才得性，矰缴遽相惊。安知背飞远，拂雾独晨征。③

刘洎（？—645年），字思道，荆州江陵人。隋末，仕萧铣为黄门侍郎；入唐，授南康州都督府长史。贞观七年（633年），累拜给事中，封清苑县男。十五年（641年），转治书侍御史。拜尚书右丞。十七年（643年），加授银青光禄大夫，寻除散骑常侍。“洎性疏峻，敢言。

① （后晋）刘昫：《旧唐书》卷一九〇《文苑传上·蔡允恭传》，第4988页。
② （唐）褚亮：《十八学士赞》，（清）董诰等编：《全唐文》卷一四七，第1487页。
③ （唐）刘斌：《送刘散员同赋陈思王诗，得好鸟鸣高枝》，（清）彭定求等编：《全唐诗》卷七三三，第8383页。

太宗征辽，洎兼左庶子、检校民部尚书，留辅太子监国。太宗还，被谮赐死。”① 个人文集十卷，佚。《全唐诗》录诗一首，题为《安德山池宴集》，安德郡公，是唐朝宰相、太宗李世民的姐夫、武则天的舅舅杨师道的封号；除刘洎外，同题诗还有岑文本、许敬宗、上官仪、李百药，应是这场杨师道山池宴集的聚会宾客，宴游之作，无甚新意。倒是《全唐文》所收刘洎书表三篇，文学史研究者认为“较能反映其文章风格”“理应在文学史上占有一席之地”②。

荆州江陵人高僧慧赜也是一位文人。慧赜（580—636年），俗姓李，九岁投本邑隐法师出家。隋开皇中住江陵寺，后敕住京师清禅寺。大业末卜居终南高冠岭。贞观初敕召翻译新经，十年（636年）卒。清人陆心源《唐文续拾》卷十所录武则天垂拱四年（688年）石刻《慧赜禅师塔记》称赞慧赜“精勤勇猛，志操严凝，感应灵奇，通明异绝，英声外播，道□远闻，禅支与七觉俱清，戒品其六根同净，研精二谛，覃思一乘，为世福田，信堪依怙。”《全唐文》录其文一篇，题为《般若灯论序》。《般若灯论》者，一名《中论》，龙树所作；慧赜在中译本序言中强调“灯本无心，智也亡照，法性平等，中义在斯”③，对中国思想文化产生过一定影响。

（三）杜审言与律诗的定型化

杜审言（约645—708年），字必简，襄阳人，后随其父举家迁往巩县（今河南巩义市）。两《唐书》均有其传。高宗咸亨元年（670年）进士。官隰城尉，累转洛阳丞，坐事贬吉州司户参军。后因依附张易之、张昌宗，于唐中宗神龙元年（705年）与沈佺期、宋之问等人同时遭贬。杜审言被流配到峰州（今越南富寿省越池市），不久召还，授国子监主簿。卒年60余岁。

---

① （后晋）刘昫：《旧唐书》卷七四《刘洎传》，第2607—2612页。

② 王齐洲、王泽龙：《湖北文学史》，第261、262页。

③ （唐）慧赜：《般若灯论序》，（清）董诰等编：《全唐文》卷九〇四，第9432页。

杜审言个人文集情况史有明载。《旧唐书·经籍志》《新唐书·艺文志》均记“《杜审言集》十卷”[①]，已佚；但《郡斋读书志》卷十七记为“《杜审言集》一卷”，并说“集有诗四十余篇而已”[②]。他是大诗人杜甫的祖父，少时与李峤、崔融、苏味道齐名，称“文章四友”。晚年和沈佺期、宋之问相唱和。他们都大力创作律诗，是唐代近体诗的奠基人。

杜审言虽仕途坎坷，但他却以狂诞个性影响了长子杜并，以其卓绝诗才影响了其孙杜甫。杜甫一再夸赞“吾祖诗冠古”“诗是吾家事”[③]，可以说杜审言是杜甫创作精神上的引路人，其次杜审言在作诗的句法、章法、联章体、排律等方面也影响了杜甫。

杜审言经常参与宫廷的游宴活动及王公贵族的私人聚会。现存诗43首，而应制诗即有7首之多，带有宫廷诗风格的还有10余首。这些作品多是应景之作，缺少真情实感，但却大多是成熟的五律，对仗工整，律法精严，佳句颇多。如《宿羽亭侍宴应制》“风光新柳报，宴赏落花催”[④]，《赋得妾薄命》“啼鸟惊残梦，飞花搅独愁”[⑤]等，清远雅正，对仗工整。《和韦承庆过义阳公主山池五首》之二的第一联：“迳转危峰逼，桥斜缺岸妨”[⑥]，更是对得十分工巧，向来被看作对句的典范，而且写得气势雄浑，颇有盛唐之风。

杜审言的五律成就最高的当然是外任期间的作品。如他的那首被称

① （后晋）刘昫：《旧唐书》卷四七《经籍下》，第2076页。（宋）欧阳修、宋祁撰：《新唐书》卷六〇《艺文四》，第1600页。

② （宋）晁公武撰、孙猛校证：《郡斋读书志校证》卷一七，上海古籍出版社2011年版，第836页。

③ （唐）杜甫：《赠蜀僧闾丘师兄》《宗武生日》，分见（清）彭定求等编：《全唐诗》卷二一九、卷二三一，第2304页、第2535页。

④ （唐）杜审言：《宿羽亭侍宴应制》，（清）彭定求等编：《全唐诗》卷六二，第732页。

⑤ （唐）杜审言：《赋得妾薄命》，（清）彭定求等编：《全唐诗》卷六二，第733页。

⑥ （唐）杜审言：《和韦承庆过义阳公主山池五首》，（清）彭定求等编：《全唐诗》卷六二，第733页。

为“初唐五言律第一”[①]的《和晋陵陆丞早春游望》云：“独有宦游人，偏惊物候新。云霞出海曙，梅柳渡江春。淑气催黄鸟，晴光转绿蘋。忽闻歌古调，归思欲沾巾。”[②]晋陵，即今江苏常州，唐代属江南东道毗陵郡。陆丞，作者的友人，不详其名，时在晋陵任县丞。陆丞原唱应为《早春游望》，内容已不可知。此诗是杜审言为唱和而作。

这是一首因春起兴的名作，“惊”为诗眼，“归思”为诗旨，作者是用原唱同题抒发自己宦游江南的感慨和归思。江南早春天气，和朋友一起游览风景，本是一件赏心悦目之事，但诗人却忽然生发怀乡思古的幽情。因此，这首和诗写得别有情致，景色优美而情调感伤。全诗采用拟人手法，写江南早春，历历如画，对仗工整，结构细密，字字锤炼。扣住题意，说自己读了陆丞那格调高古的《早春游望》诗，思乡的泪水止不住流淌下来，简直要打湿衣襟了。

《和晋陵陆丞早春游望》体例上韵脚分明，平仄和谐，对仗工整，已是成熟的律诗作品。结构上，首联一个意群，颔联、颈联一个意群，尾联又一个意群，并且首尾呼应、中间展开。这种行文方式是初唐律诗乃至此后的唐律中常用的格式。因此，这首诗“可谓初唐时期完成近体诗体式定格的奠基之作，具有开源辟流的意义”[③]。尤其值得称赞的是思想感情的表达与五律形式的结合，浑然一体，丝毫也没有牵强、生涩的感觉。这说明杜审言运用五律这一形式已十分纯熟，达到了得心应手的程度。

中宗神龙元年（705年），杜审言在被流配到峰州的路上，途经祖籍襄阳。在这里，他写下了著名的《登襄阳城》。诗云：“旅客三秋至，层城四望开。楚山横地出，汉水接天回。冠盖非新里，章华即旧台。习

---

① 明代胡应麟《诗薮》说：“初唐五言律‘独有宦游人’第一。”见（明）胡应麟：《诗薮》内编卷四，上海古籍出版社1979年版，第67页。

② （唐）杜审言：《和晋陵陆丞早春游望》，（清）彭定求等编：《全唐诗》卷六二，第734页。

③ 萧涤非、程千帆、马茂元：《唐诗鉴赏辞典》，第15页。

池风景异，归路满尘埃。”[①] 首联记述诗人在秋高气爽的九月登临襄阳城楼的瞬间感受。他纵目四望，心胸豁然开朗，仿佛这壮美的山川景物扫尽了游子心头的愁云。颔联紧接着具体描绘诗人眼前的山川美景，楚地山川横亘，绵延不断。汉水浩荡，势如接天。诗人联想到人生的短暂易逝，于是颈联转入了怀古抒情："冠盖非新里，章华即旧台。"这里是虚写，冠盖里原在岘山南去宜城的路上，章华台遗址就更远，诗人站在襄阳城楼上都是不可能望见的，所谓"非新里""即旧台"，都是诗人想象中的景色。尾联以写景作结。襄阳是个风物荟萃的地方，而诗人却独独点出"习池风景异"，习家池不仅山清水秀，亭台楼宇华丽，是东晋史学家习凿齿的故居。诗人没有直接表明自己缅怀前贤，而只写出习池的风景奇异，并通过描写归路上烟尘弥漫，衬托出车水马龙的盛况。这首诗不仅句法宏赡，对偶精严，而且结构也完全符合五律的通例。

杜审言对律诗定型化做出了巨大贡献。对此宋人陈振孙《直斋书录解题》云："唐初沈、宋以来，律诗始盛行，然未以平侧失眼为意，审言诗虽不多，句律极严，无一失粘者，甫之家传有自来矣。"[②] 明代胡应麟《诗薮》云："初唐无七言律，五言亦未超然。二体之妙，杜审言实为首倡。"[③] 并称《和晋陵丞早春游望》为初唐五言律诗第一。可见，杜审言转变诗风之难能可贵，无怪乎王世贞在《艺苑卮言》中将杜审言视作唐初诗坛的"中兴之祖"[④]，充分肯定了杜审言在律诗定型化过程中的突出贡献。

（四）杜易简与张柬之

初唐襄阳诗人杜审言之外，还有杜易简、张柬之。

杜易简，杜审言从祖兄，生年不详，卒年约为唐高宗咸亨末。两《唐书》均有其传。九岁能属文，及长，博学有高名，为姨夫岑文本所

① （唐）杜审言：《登襄阳城》，（清）彭定求等编：《全唐诗》卷六二，第734页。

② （宋）陈振孙撰、尹小林整理：《直斋书录解题》卷一九，第334页。

③ （明）胡应麟：《诗薮》内编卷四，第67页。

④ （明）王世贞编、罗仲鼎校注：《艺苑卮言校注》卷四，齐鲁书社1992年版，第162页。

器重。登进士第，补渭南尉。咸亨初，入为殿中侍御使，道遇吏部尚书李敬玄不避，敬玄恨，召他为考功员外郎以屈之。易简上书言敬玄罪，李敬玄气愤地说“襄阳儿轻薄乃尔”[①]！李敬玄上书奏易简险躁，高宗贬其为开州司马。《新唐书·艺文志》载其著有《御史台杂著》五卷和《杜易简集》二十卷，已佚。杜易简诗文传世的不多，仅见《御史台柏赞》文一篇，赞云：“爰有贞柏，徙植清台。麝条霜劲，蚕叶风开。始逢鹊喜，终见乌来。”[②]诗《湘川新曲二首》，明朝周圣楷认为，“清婉可诵”[③]，但王齐洲、王泽龙认为该诗“明显受六朝绮丽文风的影响，与唐初诗风相一致”[④]。今录该诗其二于下：

二八相招携，采菱渡前谿。
弱腕随桡起，纤腰向舸低。
自解看花笑，憎闻染竹啼。[⑤]

张柬之（625—706年），字孟将，襄州襄阳人，唐朝名相、诗人，两《唐书》均立有其传。柬之“少补太学生，涉猎经史，尤好《三礼》，国子祭酒令狐德棻甚重之”[⑥]。永昌元年（689年），举贤良对策第一，授监察御史。圣历初（698年），迁凤阁舍人，忤武后旨，出为合、蜀二州刺史。后累拜荆州大都督府长史，司刑少卿，迁凤阁侍郎，知政事。以首谋诛张昌宗、张易之功，中宗即位（705年），擢天官尚书，封汉

---

① （宋）欧阳修、宋祁撰：《新唐书》卷二〇一《文艺上·杜审言传附兄杜易简传》，第5736页。
② （宋）祝穆：《古今事文类聚》新集卷一八《御史台部·贞柏劲节》，见影印文渊阁本《四库全书》第928册，第317页。
③ （明）周圣楷编纂、（清）邓显鹤增辑，廖承良、杨云辉等点校：《楚宝》卷一六《文苑二·杜易简传》，岳麓书社2016年版，第524页。
④ 王齐洲、王泽龙：《湖北文学史》，第233页。
⑤ （唐）杜易简：《湘川新曲二首》，（清）彭定求等编：《全唐诗》卷四五，第550页。
⑥ （后晋）刘昫：《旧唐书》卷九一《张柬之传》，第2936页。

阳郡王，迁中书令。“其年秋，柬之表请归襄州养疾，许之，仍特授襄州刺史”；“寻为武三思所构，贬授新州司马。柬之至新州，愤恚而卒，年八十余”[①]。有《张柬之集》十卷，已佚。今存诗五首，以《大堤曲》一首为例，张柬之此诗模仿民歌风格，但六朝绮靡文风痕迹犹在：

南国多佳人，莫若大堤女。玉床翠羽帐，宝袜莲花炬。
魂处自目成，色授开心许。迢迢不可见，日暮空愁予。[②]

（五）山水田园诗人孟浩然

孟浩然（689—740年），名浩，字浩然，襄州襄阳（今湖北襄阳）人，世称“孟襄阳”，以写山水田园诗为主，他与另一位山水田园诗人王维合称为“王孟”，《新唐书》立有他的传记。而孟浩然是盛唐诗坛中较年长的一位诗人。

孟浩然自言“俱怀鸿鹄志”[③]，也曾赴长安应试，还曾投诗丞相张说，希望他能援引，但是他既未考中，又未被援引，一生隐居乡里。唐代襄阳诗人官至宰相的比较多，如张柬之、柳浑、支业光，孟浩然才名一世，却未能入第，原因很多。影响孟浩然人生的有两件大事：一是他和王维交谊甚笃，传说王维曾私邀他入内署，适逢唐玄宗至，发生了“赋诗忤玄宗”事件，此事始载于五代末王定保的《唐摭言》[④]；二是“失约韩朝宗”一事，最早记载此事是王士源《孟浩然集序》[⑤]。对入仕、对韩朝宗的荐举缺乏信心的孟浩然开始漫游吴越，穷极山水之胜。开元二十五年（737年），张九龄为荆州长史，招致幕府；不久，仍返故

① （后晋）刘昫：《旧唐书》卷九一《张柬之传》，第2942页。

② （唐）张柬之：《大堤曲》，（清）彭定求等编：《全唐诗》卷二一，第274页。

③ （唐）孟浩然：《洗然弟竹亭》，见孟浩然著，徐鹏校注：《孟浩然集校注》卷一，人民文学出版社1989年版，第49页。

④ （五代）王定保撰、阳羡生校点：《唐摭言》卷一一，上海古籍出版社2012年版，第79页。

⑤ （唐）王士源：《孟浩然集序》，见（唐）孟浩然著，徐鹏校注：《孟浩然集校注》，第1页。

居。开元二十八年（740年），好友王昌龄从岭南贬所遇赦北归，途经襄阳，拜访孟浩然。孟浩然很高兴，就设下酒宴热情款待。传说当时孟浩然背上长了一个毒疮，本来就要治愈，因为纵情宴饮，突发疾病，不幸去世。天宝四年（745年），应诏入京讨论《亢仓子》的王士源（又作王士元），得知孟浩然去世，于是敷求四方，收集孟诗，编成《孟浩然集》，并作《孟浩然集序》[①]。后流传于世的孟浩然诗，基本都是源于王士源辑《孟浩然集》。

孟浩然的文学成就，是在继承和发展前代诗歌创作经验基础上取得的。孟浩然“继陶渊明所开创的以意为主、由情见景的意境和平淡自然的风格之后，又形成了情景交融、意在象外的意境和冲淡清旷的风格。其强调‘发兴’的创作体会和淡化意象、注重传神的表现艺术，给盛唐山水田园诗提供了重要的艺术经验，因而在王维之前，将盛唐山水田园诗的发展推向了高潮，并代表南方山水田园诗的最高成就，与北方的王维构成了盛唐山水田园诗派的两座高峰”[②]。

此外，在孟诗中，地域特点也十分突出。孟浩然是荆楚大地孕育出来的诗人，他的一生除了赴京应试和短暂的漫游之外，大部分时间都是在襄阳度过，因此其诗歌作品中有很多是描写襄阳山水田园风光的，从他的诗歌中，我们可以读出孟浩然的品性和襄阳的山水名胜。

孟浩然是唐代第一个倾大力写作山水诗的诗人。他主要写山水诗，是山水田园诗派代表之一，他前期主要写政治诗与边塞游侠诗，后期主要写山水诗。其诗今存200余首，大部分是他在漫游途中写下的山水行旅诗，也有他在登临游览家乡一带的万山、岘山和鹿门山时所写的遣兴之作。还有少数诗篇是写田园村居生活的。

孟浩然的诗歌描绘万山的有《秋登万山寄张五》《陪独孤使君同与萧员外证登万山亭》《万山潭作》。其中，《秋登万山寄张五》云：“北

① （唐）王士源：《孟浩然集序》，见（唐）孟浩然著，徐鹏校注：《孟浩然集校注》，第2页。

② 葛晓音：《山水田园诗派研究》，辽宁大学出版社1993年版，第216页。

山白云里，隐者自怡悦。相望试登高，心随雁飞灭。愁因薄暮起，兴是清秋发。时见归村人，平沙渡头歇。天边树若荠，江畔洲如月。何当载酒来，共醉重阳节。”[①] 这首诗从登山时悠然自得的闲情写起，进而写到见雁思人、临晚生愁、诗兴大发的情感变化，接着又写登高所见清秋薄暮的景色，层次分明，比喻形象，色彩鲜明，充分地描绘出汉江优美风光。

孟浩然的诗歌中描绘岘山的有《与诸子登岘山》《登岘山亭，寄晋陵张少府》《卢明府九日岘山宴袁使君、张郎中、崔员外》《岘山送张去非游巴东》《岘山送萧员外之荆州》《岘山饯房琯、崔宗之》《和贾主簿弁九日登岘山》。其中《与诸子登岘山》是一首吊古诗。其文曰：“人事有代谢，往来成古今。江山留胜迹，我辈复登临。水落鱼梁浅，天寒梦泽深。羊公碑字在，读罢泪沾襟。”[②] 这首诗首联“人事有代谢，往来成古今”不同凡响，最为著名。

孟浩然的诗歌中描绘鹿门山的有《夜归鹿门歌》《登鹿门山》《和张明府登鹿门作》等。其中《夜归鹿门歌》最能体现孟浩然诗歌的风格：“山寺钟鸣昼已昏，渔梁渡头争渡喧。人随沙岸向江村，余亦乘舟归鹿门。鹿门月照开烟树，忽到庞公栖隐处。岩扉松径长寂寥，惟有幽人夜来去。”[③] 这首诗写诗人由襄阳乘舟返回鹿门山隐居地的所见之景，有两处景象，也是两种不同的景象，前四句写黄昏时分渡口争渡的喧闹之景，后四句写月光雾中隐居地的幽静之景，一动一静，语言清新，写景清丽，洋溢着欢快的情调。

山水景物是南朝诗歌最重要的题材，经历长期发展，取得了显著的成就。到孟浩然，山水诗又被提升到新的境界，这主要表现在：诗中情和景的关系，不仅是彼此衬托，而且常常是水乳交融般的密合；诗的意

① （唐）孟浩然：《秋登万山寄张五》，见孟浩然著，徐鹏校注：《孟浩然集校注》卷一，第24页。

② （唐）孟浩然：《与诸子登岘山》，见孟浩然著，徐鹏校注：《孟浩然集校注》卷三，第145页。

③ （唐）孟浩然：《夜归鹿门歌》，见孟浩然著，徐鹏校注：《孟浩然集校注》卷二，第85页。

境，由于剔除了一切不必要、不谐调的成分，而显得更加单纯明净；诗的结构也更加完美。孟浩然将山水形象的刻画与自己的思想感情及性情气质的展现合而为一，因而使其山水诗中形象的刻画达到了前所未有的高度，使其山水诗中的形象提升为艺术形象的一种高级形态即“意象”。可以说在孟浩然之前，还没有哪位诗人在山水诗中如此深深地打上作者本人性情气质的个性印记。

孟浩然诗歌的语言，往往在白描之中见整练之致，经纬绵密处却似不经意道出，表现出很高的艺术功力。例如他的名篇《过故人庄》。通篇侃侃叙来，似说家常，和陶渊明的《饮酒》等诗风格相近，但陶写的是古体，这首诗却是近体。“绿树村边合，青山郭外斜”[①]这一联句，画龙点睛地勾勒出一个环抱在青山绿树之中的村落的典型环境。还有那一首脍炙人口的五绝《春晓》，也是以天然不觉其巧的语言，写出微妙的惜春之情。

孟浩然的人品和诗才受到了当时人们的高度赞誉。他在长安与众诗人聚会赋诗写下“微云淡河汉，疏雨滴梧桐”句时，“举坐叹其清绝，咸搁笔不继”[②]。与孟浩然同时代的宜城人王士源称其“五言诗天下称其尽美矣”[③]。他是个洁身自好的人，不乐于趋承逢迎，其耿介不随的性格和清白高尚的情操，为人所倾慕。王维、李白、王昌龄都是他的好友，杜甫等人也与他关系甚好。李白《赠孟浩然》云“吾爱孟夫子，风流天下闻”；称赞他“红颜弃轩冕，白首卧松云”，又说“高山安可仰，徒此揖清芬”[④]。杜甫《解闷十二首》云：“复忆襄阳孟浩然，清诗句句尽堪传。”[⑤]王士源在《孟浩然集序》里，说他“骨貌淑清，风神散朗。救患释纷以立义表。灌蔬艺竹以全高尚。交游之中，通脱倾盖，机警无

① （唐）孟浩然：《过故人庄》，见孟浩然著，徐鹏校注：《孟浩然集校注》卷四，第 261 页。

② （明）高棅编：《唐诗品汇》卷九，见影印文渊阁本《四库全书》第 1371 册，第 166 页。

③ （唐）王士源：《孟浩然集序》，见（唐）孟浩然著，徐鹏校注：《孟浩然集校注》，第 1 页。

④ （唐）李白：《赠孟浩然》，见（清）彭定求等编：《全唐诗》卷一六八，第 1731 页。

⑤ （唐）杜甫：《解闷十二首》，见（清）彭定求等编：《全唐诗》卷二三〇，第 2517 页。

匿。学不为儒，务掇菁藻；文不按古，匠心独妙。”[①] 王维曾画他的像于郢州亭子里，题曰“浩然亭”。后人因尊崇他，不愿直呼其名，改称“孟亭”。可见他在古代诗人中的盛名。

现代学者闻一多先生在《唐诗编》中说：“张祜曾有过‘襄阳属浩然’之句。我们却要说，浩然也属于襄阳。也许正唯浩然是属于襄阳的，所以襄阳也属于他。大半辈子在这里度过，大多数诗章是在这地方、因这地方、为这地方而写的。没有第二个襄阳人比孟浩然更忠于襄阳，更爱襄阳的。晚年漫游南北，看过多少名胜，到头还是‘山水观形胜，襄阳美会稽’。”[②] 而今天的襄阳人更是自豪地写道：

> 襄阳山水成就了盛唐时代的山水派诗人孟浩然，他以淡远的诗句和高尚的人品，在中国文学史上留下了闪光的一页。孟浩然的一生，无愧于时代——他在当时的文坛上，引领了山水诗派；无愧于家乡——他把家乡的风土人情、美好的山水风光，推介给了世界；无愧于自己——他虽然未禄于代，却得到了世人的尊敬和纪念。[③]

（六）“兴趣高远”的张子容

大约在唐先天元年（712 年），孟浩然赋诗《送张子容进士赴举》一首。诗云：“夕曛山照灭，送客出柴门。惆怅野中别，殷勤岐路言。茂林予偃息，乔木尔飞翻。无使谷风诮，须令友道存。”[④] 诗题所说的张子容是襄阳人，其具体事迹史载不详，今人只能从他的诗作以及与孟浩然的唱和中得知一二。作为孟浩然的朋友，张子容青少年时期与孟浩然一起隐居于鹿门山，研读经史，写作诗文。张子容赴京应举，孟浩然“送客出柴门”，自己“茂林予偃息”，希望张子容“乔木尔飞翻”。张子容

① （唐）王士源：《孟浩然集序》，见（唐）孟浩然著，徐鹏校注：《孟浩然集校注》，第 1 页。

② 闻一多著、徐少舟整理：《闻一多全集》（第 6 卷），湖北人民出版社 1993 年版，第 51 页。

③ 襄阳市政协文史委：《襄阳文化简史》，第 22—23 页。

④ （唐）孟浩然：《送张子容进士赴举》，（清）彭定求等编：《全唐诗》卷一六〇，第 1638 页。

果然“飞翻”进士及第，先后为丹阳（今江苏镇江）、晋陵（今江苏常州）县尉。

张子容存诗不多，《全唐诗》一共收录其诗19首，其中还有2首疑为他人（一为王维，一为孟浩然）所作。虽诗作数量不多，但《唐才子传》却评价他的诗“兴趣高远”，大致脱离了凡俗浅近，据说当时的“哲匠”“咸称道焉”[①]。

从张子容诗《贬乐城尉日作》知，开元十年（722年），张子容遭变故，被贬为偏远海边乐城（今浙江乐清）尉。该诗诉贬谪之无奈，叹穷海恶溪之荒凉，抒发对故乡襄阳的思念：

窜谪边穷海，川原近恶谿。有时闻虎啸，无夜不猿啼。
地暖花长发，岩高日易低。故乡可忆处，遥指斗牛西。[②]

三年后的开元十三年（725年）岁末，好友孟浩然漫游吴越，张子容热情接待来自故乡的远客，两人畅游乐城县山水美景，在“海岸家”共度乙丑年除夕：

远客襄阳郡，来过海岸家。樽开柏叶酒，灯发九枝花。
妙曲逢卢女，高才得孟嘉。东山行乐意，非是竞繁华。[③]

饮柏叶酒，把酒言欢，其乐融融。然而，乐中思忧，又不忘感叹时运不济，命运多舛：

拙宦从江左，投荒更海边。山将孤屿近，水共恶谿连。

① （元）辛文房：《唐才子传》，古典文学出版社1957年版，第15页。
② （唐）张子容：《贬乐城尉日作》，（清）彭定求等编：《全唐诗》卷一一六，第1177页。
③ （唐）张子容：《除夜乐城逢孟浩然》，（清）彭定求等编：《全唐诗》卷一一六，第1175页。

地湿梅多雨，潭蒸竹起烟。未应悲晚发，炎瘴苦华年。[①]

这个春节过后，因生病，孟浩然有归还家乡之意。张子容归客难留，遂作《送孟八浩然归襄阳二首》：

东越相逢地，西亭送别津。风潮看解缆，云海去愁人。
乡在桃林岸，山连枫树春。因怀故园意，归与孟家邻。
杜门不欲出，久与世情疏。以此为长策，劝君归旧庐。
醉歌田舍酒，笑读古人书。好是一生事，无劳献子虚。[②]

离愁别绪，想到家乡的“桃林岸”“枫树春”，“因怀故园意，归与孟家邻”。果不其然，孟浩然归家不久，张子容毅然辞去官职，回到家乡隐居。

张子容最为人称道的一首诗为《除日》，不失为体现张子容“兴趣高远”的精品佳作。该诗描写除夕习俗，朴实无华，字里行间透露出诗人生活简单、俭朴却情感丰富，但诗人浓烈的新春情趣跃然纸上。诗人运用拟人化的手法，通过柳、花来传递它们的生命感知，“柳觉东风至”成为千古传诵名句；友人送来“上冰”双鲤鱼的祝福，美好寓意也是双份，即年年有余和奋发向上，浓郁乡情洋溢于诗中：

腊月今知晦，流年此夕除。拾樵供岁火，帖牖作春书。
柳觉东风至，花疑小雪余。忽逢双鲤赠，言是上冰鱼。[③]

① （唐）张子容：《永嘉作》，（清）彭定求等编：《全唐诗》卷一一六，第1176页。
② （唐）张子容：《送孟八浩然归襄阳二首》，（清）彭定求等编：《全唐诗》卷一一六，第1176—1177页。
③ （唐）张子容：《除日》，（清）彭定求等编：《全唐诗》卷一一六，第1178页。

（七）善写“方外之情”的綦毋潜

綦毋潜，字季通，荆南人，开元十四年（726 年）进士及第，曾授职宜寿县（治所在今陕西周至县）尉，后升迁右拾遗，继而任集贤院待制，秘书省校书郎，终官著作郎。他有诗一卷，《文献通考》著录为“《綦毋潜集》一卷”，但引陈氏语，将綦毋潜说成是南康（今江西赣州市南康区）人[①]，陈氏当为陈振孙，不知陈振孙所本为何。

綦毋潜生活在开元、天宝年间。綦毋潜仕宦开始于宜寿县尉，据《旧唐书·地理志》知，宜寿县为唐天宝元年（742 年）改盩厔县置，属京兆府；至德二年（757 年）复为盩厔县。[②]因此，綦毋潜任宜寿县尉开始于天宝年间无疑，诗人李颀（690—751 年）送诗一首贺其任宜寿县尉：“新加大邑绶仍黄，近与单车去洛阳。顾眄一过丞相府，风流三接令公香。南川粳稻花侵县，西岭云霞色满堂。共道进贤蒙上赏，看君几岁作台郎。”[③]安史之乱以及藩镇连兵，让綦毋潜痛感国无宁日，官场险恶，遂毅然辞去官职，回到江南别墅隐居。

綦毋潜擅长写诗，《全唐诗》收录其诗作 26 首，可以管窥《綦毋潜集》的概况。以他的《春泛若耶溪》为例，若耶溪是会稽（今浙江绍兴市）一条著名的溪流，溪畔青山叠翠，溪内流泉澄碧，两岸风光如画。綦毋潜在诗中描写了春江花月夜下的若耶溪，清幽而不荒寂，有一种不事雕琢的自然美；这首五言古体诗以“幽意无断绝”句开头，透露出诗人幽居独处、不与世事、放任自适的意趣。

綦毋潜的诗多写方外之情，其现存诗歌中有一半左右与寺观相关。《题鹤林寺》：

道林隐形胜，向背临层霄。松覆山殿冷，花藏谿路遥。

---

① （元）马端临撰：《文献通考》卷二四二《经籍考六十九·集·别集》，第 1914 页。

② （后晋）刘昫：《旧唐书》卷三八《地理一》，第 1398 页。

③ （唐）李颀：《寄綦毋三》，（清）彭定求等编：《全唐诗》卷一三四，第 1362 页。

珊珊宝幡挂，焰焰明灯烧。迟日半空谷，春风连上潮。
少凭水木兴，暂令身心调。愿谢携手客，兹山禅诵饶。[①]

寺观环境的清幽与人的身心的调和，能使人感到方外境界的美好。作者善于捕捉寺观环境中那些最能将人带入出世境界的事物来加以渲染，形成清旷幽远的意境，如前诗“松覆山殿冷”句，被唐人殷璠《河岳英灵集》评为“不可多得”；《题灵隐寺山顶禅院》“塔影挂清汉，钟声和白云”，也被殷璠评为“历代未有”，说綦毋潜的诗“举体清秀，萧萧跨俗”[②]。这类诗句还有如《登天竺寺》“云向竹溪尽，月从花洞临”，《过方尊师院》“羽客北山寻，草堂松径深”，《宿太平观》“魂交仙室蝶，曙听羽人鸡。滴沥花上露，清泠松下溪”，等等。[③]或飘逸，或幽邃，或精细，都能给人出尘脱俗之感。总之，“诗人笔下的寺观是那样幽静雅洁，一尘不染，人们在这里能够获得身心的自由和美的享受”[④]。

綦毋潜这种善于抒发世俗之外感情的写作才能，被赞为“善写方外之情”。古人把言行超脱于世俗礼教之外的人称作“方外之人”，后指僧道。元代辛文房《唐才子传》说綦毋潜：“善写方外之情，历代未有。荆南分野，数百年来，独秀斯人。”[⑤]虽有夸大之嫌，但綦毋潜无疑是唐代荆州文人中“写方外之情”的高手。

（八）边塞诗人岑参

岑参（约 715—770 年），别称岑嘉州，唐代边塞诗人。岑氏旧籍南阳，其祖迁居江陵，因此称他为湖北江陵人。他出身于一个官僚贵族的家庭，曾祖父岑文本相太宗，伯祖岑长倩相高宗，伯父岑羲相睿宗。但岑长倩因政治斗争失败被杀，五子同被赐死，岑羲亦伏诛，身死家

① （唐）綦毋潜：《题鹤林寺》，（清）彭定求等编：《全唐诗》卷一三五，第 1368 页。

② （唐）殷璠：《河岳英灵集》卷中，见影印文渊阁本《四库全书》第 1332 册，第 46 页。

③ 以上綦毋潜诗句均见（清）彭定求等编：《全唐诗》卷一三五，第 1368—1372 页。

④ 王齐洲、王泽龙：《湖北文学史》，第 270 页。

⑤ （元）辛文房：《唐才子传》，第 21 页。

破，岑氏亲族被流徙的数十人。唐玄宗开元三年（715 年），岑参生于江陵，时其父岑植为仙州刺史。开元八年（720 年），岑植转任晋州刺史，他随父居晋州。父死后，仍留居晋州，直至开元十七年（729 年）才移居嵩阳（今河南登封市），不久又移居颍阳（今河南登封市西南七十里颍阳镇）。嵩阳、颍阳是嵩山东、西两峰所在地，岑参在这两地都结有草堂。

岑参二十岁至长安，献书求仕无成，奔走京洛，漫游河朔。天宝三载（744 年），登进士第，授右内率府兵曹参军。及第前曾作《感旧赋》，叙述家世沧替和个人坎坷，称自己“五岁读书，九岁属文，十五隐于嵩阳，二十献书阙下”[①]。天宝八年（749 年），岑参充安西四镇节度使高仙芝幕府掌书记，初次出塞，满怀报国壮志，在戎马中开拓前程，但未得意。天宝十年（751 年），回长安，与李白、杜甫、高适等游，深受启迪。天宝十三年（754 年），又充安西北庭节度使封常清判官，再次出塞，报国立功之情更切，边塞诗名作大多成于此时。安史乱起，岑参东归勤王，杜甫等推荐他为右补阙。由于“频上封章，指述权佞”[②]，乾元二年（759 年）改任起居舍人。不满一月，贬谪虢州长史。后又任太子中允、虞部、库部郎中，出为嘉州刺史，因此人称“岑嘉州”。罢官后，东归不成，作《招北客文》自悼。客死成都舍。享年 56 岁。

关于岑参个人文集，宋代以来多有著录，但其传世的版本较多。岑参是盛唐著名诗人，生前“每一篇绝笔，则人人传写，虽闾里士庶，戎夷蛮貊，莫不讽诵吟习焉”[③]。《新唐书·艺文志》著录有“《岑参集》十卷”，《直斋书录解题》记有“《岑嘉州集》八卷”；《宋史·艺文志》

① （唐）岑参：《感旧赋并序》，见（唐）岑参著，陈铁民、侯忠义校注，陈铁民修订：《岑参集校注》卷五，上海古籍出版社 2004 年版，第 479 页。

② （唐）杜确：《岑嘉州诗集序》，见（唐）岑参著，陈铁民、侯忠义校注，陈铁民修订：《岑参集校注》，第 510 页。

③ （唐）杜确：《岑嘉州诗集序》，见（唐）岑参著，陈铁民、侯忠义校注，陈铁民修订：《岑参集校注》，上海古籍出版社 2004 年版，第 509 页。

亦著录“《岑参集》十卷”，元代《文献通考》既有“《岑参集》十卷”的著录，又有“《岑嘉州集》八卷”的著录。另，清编《全唐诗》记岑参诗四卷。据陈铁民先生考证，“杜确之后，有几种不同的岑诗版本流传。一种是十卷本，一种是宋刊八卷本，此外，可能还有一种宋刊七卷本。十卷本已失传，其余二种本子，分别为后人所辗转翻刻，于是形成岑诗的两个不同的版本系统”。由于《岑参集》十卷本已失传，他又推测，《岑参集》十卷本面貌“可能是在杜编诗集八卷本的基础上，外加文、赋各一卷，成为十卷。……则宋时除收有文、赋的十卷本外，尚有八卷的诗集单独流传”[①]。

岑参诗歌富有浪漫主义的特色，气势雄伟，想象丰富，色彩瑰丽，热情奔放，尤其擅长七言歌行。现存诗 403 首，另有《感旧赋》一篇，《招北客文》一篇，墓铭两篇。岑参对边塞风光，军旅生活，以及少数民族的文化风俗有深切的感受，故其边塞诗尤多佳作。风格与高适相近，后人多并称“高岑”。

在盛唐的诗苑里，丰富多彩的边塞诗代表了盛唐诗歌的现实主义主流特色。连绵的边塞战争及各民族之间的频繁交往，是孕育盛唐边塞诗歌的沃土。尤其从开元中期至“安史之乱”爆发的近三十年，边境几乎是烽烟迭起，战事连连。火热的军旅生活，恢宏的战斗场面，都吸引了许多诗人，激起了他们强烈的创作欲望。他们在体验大漠穷秋、孤城落日的边塞生活中，了解了戍卒的心理和边塞异样的风土人情，以引发创作的兴致。于是，以反映边塞战争、边塞生活、边塞风光为主题的“边塞诗歌”就产生了。岑参就是边塞诗人中最杰出的代表之一，他以鲜活的人生内容和靓丽的艺术风格，创作了大量的诗篇，这些饱含着诗人理想主义的浪漫精神诗篇，都融注着一股荡气回肠的英雄正气。

岑参边塞诗现存 50 多首，这些诗歌大都是岑参两次出塞写的。岑

① 陈铁民：《版本源流考》，见（唐）岑参著，陈铁民、侯忠义校注，陈铁民修订：《岑参集校注》，第 579、580 页。

参第一次出塞在唐玄宗天宝八年（749 年），当时他做安西节度史高仙芝的幕僚；第二次出塞在天宝十三年（754 年），当时他做北庭节度史封常清的幕僚。

岑参的边塞诗总的归结起来主要包含以下几个方面的内容：一是描写边塞战争或是与战争有关的军旅生活、将士矛盾、离别愁绪、思亲怀故，如《走马川行奉送出师西征》《轮台歌奉送封大夫出师西征》《玉门关盖将军歌》，这些作品直接反映社会现实，表现作者强烈的爱憎，思想内容非常的深刻；二是描写边塞风光、自然景物，如《经火山》《题铁门关楼》《登凉州尹台诗》，这些作品以写实的手法再现边塞风光、景物，思想内容不如前一种，但从艺术风格表现上来说，在边塞诗中具有代表性；三是描写边塞民族交往和风土人情的，如《胡歌》《戏问花门酒家翁》《轮台即事》，这些作品内容新鲜，对于了解边地民族生活习俗、风土人情及当时民族交往具有很重要的价值。

悲壮慷慨昂扬，是先秦汉魏以来描写行役、战争的传统风格，岑参诗歌的悲壮，就是这一传统的继承和发展。传统的“悲壮”有两种格调，一种是感慨而苍凉的格调，如曹操的《苦寒行》；第二种是昂扬慷慨的格调，如屈原的《国殇》，岑参边塞诗兼具这两种格调。一方面岑参边塞诗中描写的“黄沙漫漫，风吹草低、走马万里，仰望故乡的朝日与明月所产生的乡思之情”，表现了战士跋涉之苦和思恋之苦，格调悲壮而苍凉；另一方面描写征人鼓而雪海涌，三军呼而阴山动的战争场面和战士勇往直前，体现了战士的豪情壮志，格调悲壮昂扬。但是岑参的边塞诗歌在反映行役、战争的苦难的同时，更多的是表现将士的英雄主义和献身精神，因此岑参边塞诗歌的主旋律是悲壮慷慨昂扬。

岑参边塞诗的特色及价值之一，在于抒发了诗人的爱国精神。即是抒写了戍边将士捐躯卫国的浩然正气；抒写了诗人向往到边塞去建功立业，报效国家的豪情壮志。与其他诗人相比，岑参的边塞生活最长。在“侧身佐戎幕，敛衽事边陲”“终日风与雪，连天沙复山”“终日见征战，连年闻鼓鼙”[①]的艰苦岁月中，度过了一个又一个春秋，因而诗中也常反映出思乡思亲之情。《逢入京使》云：“故园东望路漫漫，双袖龙钟泪不干；马上相逢无纸笔，凭君传语报平安。”[②]就是这种真情的动人刻画，内心活动挖掘得细腻而深刻。但是，岑参能够把对家乡和亲人的思念与对祖国的爱心系在一起，这种为理想和抱负执着追求的精神是他人所不及的。

岑参的代表作是《白雪歌送武判官归京》，作于他第二次出塞阶段。其文曰：“北风卷地白草折，胡天八月即飞雪。忽如一夜春风来，千树万树梨花开。散入珠帘湿罗幕，狐裘不暖锦衾薄。将军角弓不得控，都护铁衣冷难着。瀚海阑干百丈冰，愁云惨淡万里凝。中军置酒饮归客，胡琴琵琶与羌笛。纷纷暮雪下辕门，风掣红旗冻不翻。轮台东门送君去，去时雪满天山路。山回路转不见君，雪上空留马行处。”[③]其时，岑参颇受安西节度使封常清的器重，他的大多数边塞诗成于这一时期。岑参在这首诗中，以一天雪景的变化为线索，记叙送别归京使臣的过程，以诗人的敏锐观察力和浪漫奔放的笔调，描绘了祖国西北边塞的壮丽景色，以及边塞军营送别归京使臣的热烈场面，表现了诗人和边防将士的爱国热情，以及他们对战友的真挚感情。有论者认为，“全诗悲中有乐，乐中有悲；气势宏阔，浑然天成；构思巧妙，情景交融；造语奇峭，角度新颖。千百年来，一直被读者奉为咏雪绝唱、军旅名篇”[④]。对这一名作的解读，千百年来人们可谓是意犹未尽：“岑参写北方飞雪，却用

---

① （唐）岑参：《北庭西郊候封大夫受降回军献上》《寄宇文判官》《早发焉耆，怀终南别业》，见（唐）岑参著，陈铁民、侯忠义校注，陈铁民修订：《岑参集校注》卷二，第 180、113、112 页。

② （唐）岑参：《逢入京使》，见（唐）岑参著，陈铁民、侯忠义校注，陈铁民修订：《岑参集校注》卷二，第 103 页。

③ （唐）岑参：《白雪歌送武判官归京》，见（唐）岑参著，陈铁民、侯忠义校注，陈铁民修订：《岑参集校注》卷二，第 195 页。

④ 赵锐：《岑参〈白雪歌送武判官归京〉赏析》，《孙子研究》2017 年第 3 期。

南国的春风和梨花作喻，不仅因为梨花和雪有相同的颜色，而且梨花盛开时的花团锦簇恰与雪压冬林的景象极为神似，这一浪漫奇妙的想象把萧索酷寒顿时转化为绚丽烂漫。如果不是出生于南国，深受荆楚传神文化的熏陶，怕是写不出这奇绝的咏雪千古名句。”①

历来岑参诗作为人所称道的最大艺术特点就是“奇”，是“超拔孤秀，度越常情”②的风骨和“清新奇逸”③的特色。“语奇体峻”为岑诗的重要特色，贯穿于岑参一生的诗歌创作中。岑诗不仅语奇、体奇，同时包括意境之奇、风格之奇。边塞诗代表着岑诗的最高成就，无论是题材内容的开拓性，还是体裁形式的创新性，或是艺术风格的独特性，都是空前绝后的。

（九）诗歌“绝似晚唐”的戎昱

中唐时期，荆南荆门（今湖北荆门市）诗人戎昱，名列知名诗人之中。其知名原因之一，是其姓氏生僻，本来戎昱有诗称“千金未必能移性，一诺从来许杀身”④，好事者将诗句中“性”改为姓氏的“姓”，臆造出戎昱回绝提亲、拒不改姓的无端故事⑤。其知名原因之二，当然还是戎昱在诗歌方面取得的成就，诗评家多视其为杜甫诗的传人。

有关戎昱个人文集《戎昱集》的情况，代有记载，今不传。《郡斋读书志》卷四记“《戎昱集》三卷”，《直斋书录解题》卷十六著录为“《戎昱集》五卷”，《文献通考》卷二百三十二记为“《戎昱集》三卷”，《新唐书·艺文志》记为“《戎昱集》五卷”，明代陈第《世善堂藏书目录》卷下记为“《戎昱集》三卷”，明代焦竑《国史经籍志》卷五记有“《戎昱集》五卷”，清卢文弨《群书拾补》仍记有“《戎昱集》三卷”，清代沈炳震《唐书合钞》卷七十五和作者佚名的《唐书艺文志注》卷四

① 李文澜：《湖北通史·隋唐宋元卷》，第324页。

② （宋）晁公武撰、孙猛校证：《郡斋读书志校证》卷一七，第850页。

③ （明）胡应麟撰：《诗薮》内编卷二，第36页。

④ （唐）戎昱：《上湖南崔中丞》，（清）彭定求等编：《全唐诗》卷二七〇，第3016页。

⑤ 傅璇琮：《唐代诗人丛考·戎昱考》，中华书局1980年版，第345—347页。

均记为"《戎昱集》五卷"。可见，历代关于《戎昱集》三卷说或五卷说并存。《全唐诗》录有戎昱的诗120余首，可以让今人得见《戎昱集》中戎昱诗作的成就。

现存戎昱的诗，一类是饱含对故乡思念的诗。戎昱生活在唐肃、代、德宗朝，科举落第后曾纵情游历四方，长年漂泊在外，后又涉足官场，广德、大历年间先后为荆南节度使卫伯玉幕府从事以及湖南、桂州幕宾，德宗时又历任辰州、虔州刺史。客愁乡思之慨自然成为他的诗歌的一大主题，如《晚次荆江》《闻笛》《秋日感怀》《长安秋夕》《客堂秋夕》《成都暮秋雨》《罗江客舍》《岁暮客怀》《桂州岁暮》等诗，无不充斥着失意、忧闷、愁苦、思乡的情调。如《长安秋夕》：

> 八月更漏长，愁人起常早。闭门寂无事，满院生秋草。
> 昨宵西窗梦，梦入荆南道。远客归去来，在家贫亦好。[①]

另一类是发扬杜甫诗歌现实主义精神的诗。戎昱生于开天盛世，15岁前后安史之乱爆发，人生最美好的年华就从这动荡不安中开始了。安史之乱后的唐王朝已是满目疮痍，玄宗以后的肃、代、德三朝也是内忧外患，民生涂炭。戎昱几乎是亲眼见证了这个盛大王朝的衰败过程，而每一次国家所经历的苦难都在啃噬着这位诗人的心。戎昱的眼睛一直关注着现实，他所看到的就是这个曾经煊赫一时的王朝的巨大的苦难。他曾晋谒"诗伯"岑参，又"谒杜甫于渚宫"[②]，发扬杜甫诗歌的现实主义精神，写下闪耀现实主义光辉诗篇自在情理之中。所以，戎昱诗歌的最大主题由此产生，《苦哉行五首》《塞下曲六首》《塞上曲》《从军行》《出军》《入剑门》《赋得铁马鞭》等即是此类诗篇。

一组《塞下曲》六首就有五首展示的是当时边境战争的情况。第一

① （唐）戎昱：《长安秋夕》，（清）彭定求等编：《全唐诗》卷二七〇，第3008页。

② （宋）陈振孙撰、尹小林整理：《直斋书录解题》卷一六，第283页。

首写将士们战败而归，疲惫不堪，退入关城之后，回望敌兵之所在，看到那里的凛凛杀气而心有余悸。第二首写边塞的生活环境，盛唐高适、岑参等诗人也都写到过边塞的苍茫荒凉，环境恶劣，但是在他们建功立业的冲天豪情之下，这飞沙走石、奇寒刺骨只能映衬他们的豪迈。可是戎昱似乎已经豪迈不起来了，荒凉空阔的沙漠在他的想象中已经成了死寂的绝境，成了哀怨丛生的地方。第三至第五首是对边关将士的特写，征人在杳无归期的常年戍守之中似乎已经丧失了希望。可以看到，在戎昱的笔下，这样的战争已经不是一个上升时期富有战略性的行动，而是变成了对于一个国家国力的巨大消耗。不仅如此，在长期的战争过程中，士兵们已经疲惫麻木，他们已经丧失了军人应有的警惕性及蓬勃的战斗力，这样的军队驻守边防，无疑是国家安全的巨大隐患。

《塞下曲六首》的最后一首是为“边将心”而写。其文曰：“北风凋白草，胡马日骎骎。夜后戍楼月，秋来边将心。铁衣霜露重，战马岁年深。自有卢龙塞，烟尘飞至今。”① 此诗着重在描写人物，通过刻画一位戍边老将的形象，表现了经久不息的残酷战争给边塞将士带来的苦难，寄寓了渴望和平的美好愿望。首联“北风凋白草，胡马日骎骎”，渲染了边塞紧张的战场气氛。白草据说是一种生命力十分顽强的野草，冬季枯而不萎，非常坚韧。诗中却说白草都被北风所凋，可见气候之严寒恶劣。在这种天气里，胡族军队正步步向要塞逼近，军情非常紧急。骎骎，马走得很快的样子。这两句，把边塞的环境和沙场的气氛写得形象生动，呼之欲出，显得笔势凌健。虽然边将这个形象还没有出场，却做足了烘衬和铺垫之功。中间四句着力刻画边将的形象，表现其久戍不归的痛苦心理。戍楼、秋月、铁衣、战马，诗人选取了与人物紧密相关的景物、事物，形成了一幅生动的画面，令人仿佛身临其境。最后两句“自有卢龙塞，烟尘飞至今”是诗人从边将的形象中自然引发出来的深深的感叹，表达了对从古至今延绵不断的战争的厌恶。作者从月夜戍楼

---

① （唐）戎昱：《塞下曲》，（清）彭定求等编：《全唐诗》卷二七〇，第3006页。

中的老将，联想到了久远的历史，想到残酷的战争至今不息，给人们带来了无穷无尽的苦难。这首诗针对当时唐帝国对边防的无能，久久不能平息边患，因而使得将老兵疲，给将士带来了痛苦，具有讽喻作用。不过，也有学者指出："由于作者不曾赴边出塞，故其中之所写，皆为对唐军边塞生活的虚拟。此诗的重点是'边将心'三字，即诗中所写之敌情、景物等，都是为写'边将心'服务的。"①

戎昱还作有《塞上曲》，诗云："胡风略地烧连山，碎叶孤城未下关。山头烽子声声叫，知是将军夜猎还。"②这首诗首句写塞外大风掠地而过，将烧山的猎火吹得火势熊熊，从这座山头连到那座山头。一方面显示了打猎场面的壮阔，另一方面也揭露边将沉湎于狩猎的情况。次句接着写由于打猎之故，碎叶城城门大开，防守疏漏。碎叶城在今中亚细亚伊塞克湖西北，今吉尔吉斯共和国托克马克附近，唐时属安西大都护府。"孤城"二字暗示碎叶城处在边防最前沿，孤立无援，形势严峻，对于能否扼守住边关，防止外敌之侵入，举足轻重。边将却骄奢轻敌，边境孤城本该严密把守早早关闭的城门却依然敞开，山头士兵点起烽火声声叫喊。可是这不是惨烈的战争正在发生，不是紧急的军情正在加紧传递，这只是将军夜晚出猎的队伍尽兴而归了。这就是唐王朝的边防守备，如此盛大的场面不是为了应对敌人的进犯，而是为了守城将军的纵情享乐。这就是关系着国家生死存亡的边关守卫，国家已经到了这样的境地，难怪戎昱要因恨而生讽了。

戎昱的思想侠儒兼备，既具有遗传自盛唐的侠义精神，又具有正统的儒家思想。而处在大历、贞元时期，作为一位有着强烈社会责任感的诗人，他的儒家思想表现得更加鲜明而自觉。同时，作为一位入世很深的诗人，他到老年也产生了隐约的出世思想，但他并未走上逃避现实的出世之路，这更显示出这位诗人的难能可贵。面对国家的内忧外患，君

---

① 王辉斌：《论唐代的虚拟边塞诗》，《重庆第二师范学院学报》2018 年第 2 期。

② （唐）戎昱：《塞上曲》，（清）彭定求等编：《全唐诗》卷二七〇，第 3023 页。

主不思进取，戎昱只得以一位诗人的良心进行鞭挞，他那首著名的《咏史》就是这样的作品："汉家青史上，计拙是和亲。社稷依明主，安危托妇人。岂能将玉貌，便拟静胡尘。地下千年骨，谁为辅佐臣。"[①] 名为咏史，实则是针对唐王朝历来所实行的和亲政策。他认为国家社稷的兴旺发达、长治久安，必须依靠英明的君主和贤能的大臣，而不是将安危靠一个"妇人"的出塞和亲。有唐一代，和亲的公主共计有 15 人，而玄宗、肃宗、代宗和德宗四朝即占 11 人。但结果却是越和亲而入侵越频繁。戎昱正是有感于这种来自统治阶级的软弱退缩，写下这样犀利的诗句加以讽刺。而且这首诗也确实起到了一定的效果，据《唐才子传》卷三"戎昱"条记载：

> 宪宗时，边烽累急，大臣议和亲。上曰："比闻一诗人，姓名稍僻者为谁？"宰相对以冷朝阳、包子虚，皆非。帝举其诗，对曰："戎昱也。"上曰：尝记其咏史云："汉家青史上，拙计是和亲。社稷依明主，安危讬妇人；岂能将玉貌，便拟净沙尘。地下千年骨，谁为辅佐臣！"因笑曰："魏绛何其懦也！此人如在，可与武陵桃花源足称其清咏。"士林荣之。昱诗在盛唐，格气稍劣，中间有绝似晚作。然风流绮丽，不亏政化，当时赏音，喧传翰苑，固不诬矣。[②]

戎昱诗歌，最为历代诗评家称道的就是保持和发扬杜甫诗歌的现实主义精神。严羽《沧浪诗话》说："戎昱在盛唐为最下，已滥觞晚唐矣。戎昱之诗，有绝似晚唐者。"[③] 严羽把戎昱算作盛唐作家显然不妥，但能看到戎昱诗风对晚唐的影响，是颇有见地的。明代《唐音癸签》一书

---

① （唐）戎昱：《咏史》，（清）彭定求等编：《全唐诗》卷二七〇，第 3011 页。

② （元）辛文房：《唐才子传》卷三，第 53 页。

③ （宋）严羽著、朱刚批注：《沧浪诗话》，凤凰出版社 2009 年版，第 148 页。

的作者胡震亨更直接指出戎昱与杜甫之间的联系，他说：“大历才子及接开宝诸公相倡和者，未可缕指。钱起、司空曙之于王维，戎昱之于杜甫，其尤著者。”[①] 这是明确指出戎昱继承了杜甫的现实主义诗歌传统，识见高明！

（十）张继与《枫桥夜泊》

张继（约715—约779年）字懿孙，襄州（今湖北襄阳）人，唐代诗人。他的生平不甚可知，仅知他是天宝十二年（753年）的进士。唐德宗大历（766—779年）中，以检校祠部员外郎为洪州（今江西南昌市）盐铁判官。张继与皇甫冉、刘长卿交谊颇深，殁于洪州后，刘长卿曾作《哭张员外继》痛悼之。

张继诗现存48首，收录在《全唐诗》卷二百四十二中，主要是纪行游览、酬赠送别之作，多为五七言律诗及七言绝句。语言明白自然，不尚雕饰。七绝《枫桥夜泊》情致清远，历来为人所称，北宋时已刻石于苏州。自欧阳修《六一诗话》就“夜半钟声”提出疑问之后，后人纷纷致辞，大多均列举例证，以明唐代僧寺半夜鸣钟的事实。张继诗还有若干首表现了对于时事和人民生活的关切，如《阊门即事》描写农民被召从军后田园荒芜的情景，《酬李书记校书越城秋夜见赠》反映安史乱中唐室播迁、财政拮据的状况。还有《送邹判官往陈留》一首，写齐宋一带备受战争破坏，其中“女停襄邑杼，农废汶阳耕”“火燎原犹热，波摇海未平”[②] 几句，为唐后期《中兴间气集》编者高仲武所赞赏，评价前一句“事理双切”，后一句“比兴深矣”。高氏说张继“秀发当时，诗体清回，有道者风”[③]。

张继科举落榜之后乘船四处游历，某日在苏州城西枫桥码头停泊。他满怀羁旅乡愁，彻夜难眠，遂奋笔疾书，写了流传千古的《枫桥

---

① （明）周圣楷编纂、（清）邓显鹤增辑，廖承良、杨云辉等点校：《楚宝》卷一七，第544页。

② （唐）张继：《送邹判官往陈留》，（清）彭定求等编：《全唐诗》卷二四二，第2720页。

③ 《全唐诗》卷二四二“张继”小传所引，（清）彭定求等编：《全唐诗》卷二四二，第2718页。

夜泊》：

> 月落乌啼霜满天，江枫渔父（一作“火”）对愁眠。
> 姑苏城外寒山寺，夜半钟声到客船。[①]

题为“夜泊”，实际上只写夜半时分的景象与感受。诗的前幅布景密度很大，14 个字写了 6 种景象，后幅却特别疏朗，两句诗只写了一件事：卧闻山寺夜钟。这是因为，诗人在枫桥夜泊中所得到的最鲜明深刻、最具诗意美的印象，就是这寒山寺的夜半钟声。月落、乌啼、霜天、寒夜、江枫、渔火和孤舟等景象，固然已从各方面显示出枫桥夜泊的特征，但还不足以表现其神韵。在暗夜中，人的听觉格外敏锐。“夜半钟声”不仅衬托出夜的静谧，而且写出了诗人孤孑清寥的感受。“有了寒山寺的夜半钟声这一笔，‘枫桥夜泊’之神韵才得到最完美的表现，这首诗便不再停留在单纯的枫桥秋夜景物画的水平上，而是创造出了情景交融的典型化艺术意境。”[②]

寒山寺在枫桥西一里，初建于南朝萧梁时期，唐初诗僧寒山曾住于此，因而得名。枫桥的诗意美，有了这所古刹，便带上了历史文化的色泽，而显得更加丰富，令人遐想。因此，这寒山寺的“夜半钟声”也就仿佛回荡着历史的回声，渗透着宗教的情思，而给人以一种古雅庄严之感了。在张继同时或以后，虽然也有不少诗人描写过夜半钟声的情景，却都无法达到更不用说超过张继的水平了。

张继的诗作中，有一些是吟咏荆楚名胜古迹的诗歌。如《郢州西楼吟》云：“连山尽塞水萦回，山上戍门临水开。珠帘直下一百丈，日暖游鳞自相向。昔人爱险闭层城，今人复爱闲江清。沙洲枫岸无来客，草

---

① （唐）张继：《枫桥夜泊》，（清）彭定求等编：《全唐诗》卷二四二，第 2721 页。

② 萧涤非、程千帆、马茂元等：《唐诗鉴赏辞典》，第 635 页。

绿花开山鸟鸣。”[1] 这首诗虽题为写郢州（今湖北钟祥）西楼，但是主要部分是在写西楼周围的景物，直接写西楼的只有三句，是描写西楼位置的高与险。对景物的描写，重在写出景物的自在之态，如“日暖游鳞自相向”句，写游鳞在水中的自由游动，“沙洲枫岸无来客，草绿花开山鸟鸣”两句，写到了种种景物，如沙洲、枫树、绿草、盛开之花、鸣叫的山鸟，而以“无来客”三字表明这种种景物中并无人迹的存在。景物是这样的自在、祥和而且安宁，同西楼所经历的种种人事的变迁，恰成强烈的对比。因此，诗人虽然并没有在诗中发任何的议论，而在这种平静的描述中，可以看出作者的一种感慨人事纷扰和羡慕景物自在的心迹。

（十一）柳识与鲍防

唐代襄阳籍散文作家除皮日休之外，最值得注意的有柳识和鲍防两人。

柳识，字方明，柳浑同母兄，生卒年不详，代宗朝官左拾遗，中唐名士。工文章，文名与萧颖士、元德秀、刘迅相上下，《新唐书》本传称其“练理创端，往往诣极，虽趣尚非博，然当时作者伏其简拔”[2]。《全唐文》收录柳识文《为润州太守贺赦表》《草堂记》《琴会记》《吊夷齐文》等八篇。

《吊夷齐文》是柳识的代表作，柳识以简洁的文字却提出了对伯夷、叔齐不同于自孔子以来的认识与评价，显示出超拔众人的识见。录其全文如下：

洪河之东兮，首阳穹崇；侧闻孤竹二子，昔也馁在其中。偕隐胡为，得仁而死。青苔古木，苍云秋水，魂兮来何依兮去何止。提

① （唐）张继：《郢州西楼吟》，（清）彭定求等：《全唐诗》卷二四二，第2718页。

② （宋）欧阳修、宋祁：《新唐书》卷一四二《柳识传》，第4673页。

涧豁之毛，荐精诚而已。

初先生鸿逸中州，鸾伏西山；顾薇蕨之离离，歌唐虞之不还。谓易暴兮文武，谓墨缞兮胡颜。时一叱兮忘饥，若有诮兮千岩之间。岂不以冠弊在于上，履新居于下？且曰一人之正位，孰知三圣之纯嘏？让周之意，不其然乎？是以知先生所恤者偏矣。

当昔夷羊在牧，商纲解结；乾道息，坤维绝。鲸吞噬兮鬼妖孽，王奋厥武。天意若曰：覆昏暴，资濬哲。于是三老归而八百会，一戎衣而九有截。况乎旗锡黄鸟，珪命赤乌。俾荷钜桥之施，俾伸羑里之辜。故能山立雨集，电扫风驱。及下车也，五刃不砺于武库，九骏伏辕于文途。虽二士不食，而兆人其苏。

既而溥天率土，咸为周人。吁嗟先生，逃将何臻？万姓归仰兮，独郁乎方寸；六合莽荡兮，终跼于一身。虽忤时而过周，固呕心而恻殷。所以不食其食，求仁得仁。

然非一端，事各其志。若皆旁通以阜厥躬，应物以济其利，则焉有贞节之规、各亲之事？灵乎！灵乎！虽非与道而保生，可勖为臣之不二。[①]

作者首先表达了对不食周粟、饿死在首阳山的伯夷、叔齐的悼念之情，然后一反常态，挣脱儒家传统思想的羁绊，通过对殷商政治腐败和周初实行的进步政策得到人民拥护的分析，指出周武王伐纣是合乎天意、顺乎民意的正义之举，而自孔子以来都把伯夷、叔齐当作“仁圣贤人”来崇拜，伯夷、叔齐同情殷亡、反对伐纣则是“所恤者偏”的“忤时”行为。作者在批判伯夷、叔齐逆历史潮流而动的同时，又肯定了他们的“求仁得仁”，这样二分法评价历史人物，作者思想认识的辩证因素和朴素的唯物主义历史观跃然纸上，读之趣味又发人深思。

柳识的《琴会记》一文，亦颇有韵味与影响，体现出襄阳散文作家

① （唐）柳识：《吊夷齐文》，（清）董诰等编：《全唐文》卷三七七，第3830页。

的诗人气质。文中写苏州刺史和朱方刺史和弦演奏及通过赞皇公所发感慨，妙语连珠，美感十足，韵味无穷：

赞皇公弦琴，樊公和之。演操相应，澄清抚绥，递为伯牙，更为子期。琴动人静，琴酣酒醒，清声向月，和气在堂，春风犹寒，是夜觉暖。罢宴之后，赞皇顾润州曰："见明珠者始贱鱼目，知雅乐者方鄙郑声。自朴散为器，真意在琴。与众乐同出于虚，独能致静；同韵五音，独能多感；同名为乐，独偶圣贤。是宜称德，切近于道。"①

鲍防（722—790 年），字子慎，襄州襄阳人，《旧唐书》说他"幼孤贫，笃志好学，善属文"②，《新唐书》则明确说他"善辞章"③。

与科举考试时代的其他士人一样，鲍防同样走的是科考仕宦的道路。天宝十二年（753 年），他登进士第，授太子正字。大历初，为浙东节度使薛兼训幕府僚属，后入朝任职方员外郎，改太原少尹，正拜节度使。入为御史大夫，历福建、江西观察使，征拜左散骑常侍。朱泚之乱时，鲍防扈从德宗避乱于奉天（今陕西乾县），除礼部侍郎，寻迁工部尚书致仕。

鲍防为官一任，两《唐书》分别赞他"皆有政声"④，"人乐其治"⑤。贞元元年（785 年），鲍防主试贤良方正科，选拔穆质、裴复、柳公绰、归登、崔邠、韦纯、魏弘简、熊执易等人才，这些人后来官居高位，多有建树，时人称赞鲍防知人。

鲍防是中唐有一定影响的散文家，今存赋文两篇，奏文一篇。鲍防

---

① （唐）柳识：《琴会记》，（清）董诰等编：《全唐文》卷三七七，第 3827 页。

② （后晋）刘昫等：《旧唐书》卷一四六《鲍防传》，第 3956 页。

③ （宋）欧阳修、宋祁：《新唐书》卷一五九《鲍防传》，第 4949 页。

④ （后晋）刘昫等：《旧唐书》卷一四六《鲍防传》，第 3956 页。

⑤ （宋）欧阳修、宋祁：《新唐书》卷一五九《鲍防传》，第 4949 页。

的两篇赋都是骈散结合，较少用典，语言平实，反映出骈体赋向散体赋演变的历史轨迹。先看其《问津台赋》：

> 惟岁临乎甲午，余经蔡以游陈，见岿然之故台，没路隅之荒榛。侧闻夫子，于此问津；敢问夫子，何负于人？栖栖夫子，鲁不容身，乃泫然而出涕，聊讬辞以自申。……已矣夫子，时乎！时乎！进皆鸟兽之群，退异沮溺之徒。霜雪昏其大泽，荆棘秽其通衢。抚川陆之难险，悯人世之崎岖。方太公迷殷遇文王，伊尹迷莘遇成汤。何夫子之不遇？处昏浊而遂亡。永追想于遗迹，遂投吊于寒荒。[1]

全篇通过对孔子不容于鲁，厄陈蔡而问津，每困穷于路旁的遭遇的描述，明为凭吊孔子，实则借他人之酒杯，浇胸中之块垒，表达自己生不逢时、命运不偶的感叹。赋文语言流畅，音节明快，形象生动，情感真挚，是一篇相当成功的抒情小赋。

鲍防的另一篇赋作题为《歌响遏行云赋》。作者强调了人的主观能动性的重要性，只要歌者精诚所至，就能响遏行云："与元气相合，与太虚相杂，此云之所吐纳。……然而天无情，道无营，四时感而运行，万物感而发生。苟吾人之感激，遂凝思于至精，彼天地犹见应，况白云之英英。"鲍防特别指出："及其调苦声切，歌长意深，天乎有耳，云也无心。果凝影而不散，为歌者之知音。是知志同则千里而应，不同则造膝而悖。谷为律而成暄，日因戈而不没。苟精诚之激厉，信感应于倏忽。"这里，鲍防谈及的实际是艺术的普遍规律，所谓"调苦声切，歌长意深"，文学艺术应当以精诚打动人，感染人，由此才能去实现文学艺术的思想价值和社会效应："曲未离于咫尺，云已邈于山河。假使势虽回天，力虽拔山；影则可望，云不可攀。……向使善亦遏云，否亦遏

① （唐）鲍防：《问津台赋》，（清）董诰等编：《全唐文》卷四三七，第4454页。

云，妍媸一贯，邪正不分。则善歌者望风而结舌，肯闟茸于哀哇之群哉！”①

在唐朝这个“诗的国度”里，襄阳可称“诗城”，鲍防亦工于诗，有“行尽江南塞北时，无人不诵鲍家诗”②之美誉。《全唐诗》录有鲍防诗八首，其最为人称颂的一首诗是七言古诗《杂感》：“汉家海内承平久，万国戎王皆稽首。天马常衔苜蓿花，胡人岁献葡萄酒。五月荔枝初破颜，朝离象郡夕函关。雁飞不到桂阳岭，马走先过林邑山。甘泉御果垂仙阁，日暮无人香自落。远物皆重近皆轻，鸡虽有德不如鹤。”③后人评价他的诗作“有所感发，以讥切世敝，当时称之”④，“兴思优足，风调严整”⑤。

（十二）卫象与崔道融

荆州江陵人卫象，中唐诗人，生卒年不详。大历年间为长林（属荆州江陵府，治所在今湖北荆门市）令，与时自左拾遗贬为长林丞的司空曙友善，司空曙诗集中有首诗《长林令卫象饧丝结歌》，不但记录了卫象任长林令，而且为后人留下了不可多得的荆楚饮食文化的史料——饧（即“糖”）丝结，“主人雕盘盘素丝”“手援玉箸不敢持，始状芙蓉新出水。仰拆重衣倾万蕊，又如合欢交乱枝，红茸向暮花参差”“我爱此丝巧，妙绝世间无”。⑥卫象官至侍御，权德舆《和司门殷员外早秋省中书直夜，寄荆南卫象端公》有“早晚得为同舍侣”⑦诗句相赠。

卫象诗作，《全唐诗》录有二首，即《伤李端》和《古词》，另有

---

① （唐）鲍防：《歌响遏行云赋》，（清）董诰等编：《全唐文》卷四三七，第4454—4455页。

② （唐）崔子向：《上鲍大夫防》，（清）彭定求等编：《全唐诗》卷三一四，第3537页。

③ （唐）鲍防：《杂感》，（清）彭定求等编：《全唐诗》卷三〇七，第3485页。

④ （宋）欧阳修、宋祁：《新唐书》卷一五九《鲍防传》，第4950页。

⑤ （元）辛文房：《唐才子传》卷三，第41页。

⑥ （唐）司空曙：《长林令卫象饧丝结歌》，（清）彭定求等编：《全唐诗》卷二九三，第3329页。

⑦ （唐）权德舆：《和司门殷员外早秋省中书直夜，寄荆南卫象端公》，（清）彭定求等：《全唐诗》卷三二一，第3616页。

《吴宫怨》一首，《全唐诗》署名作者卫万，明代文学家杨慎判定为卫象所作[①]。卫象的诗风纯朴自然，喜选用古调歌词及吸取民歌的创作经验。如其《古词》表达的是边塞将士期望建功立业而又无所作为的苦闷心情："鹊血雕弓湿未干，鸊鹈新淬剑光寒。辽东老将鬓成雪，犹向旄头夜夜看。"[②]

晚唐荆南作家，最为知名的当属崔道融。崔道融（？—约907年），荆州江陵人，人称江陵才子。以征辟为永嘉宰，累官右补阙；与司空图为诗友。自号"东瓯散人"，因曾避地入闽申唐。有《申唐诗》三卷，《东浮集》九卷，均佚。《全唐诗》录有其诗77首，编为一卷。

崔道融工绝句，风情雅度，语意妙甚。如《春闺》云："寒食月明雨，落花香满泥。佳人持锦字，无雁寄征西。"[③]

崔道融的纪游写景诗作是其作品中保留最多的一类，这类作品即景传情，颇有韵致。如《梅花》：

> 数萼初含雪，孤标画本难。香中别有韵，清极不知寒。
> 横笛和愁听，斜枝倚病看。朔风如解意，容易莫摧残。[④]

此诗托物言志，写梅花高标不俗的品格，淡泊宁静的心态，将诗人的性情流贯其间，深得后人的赏识。自崔氏之后，咏梅之作逐渐盛行起来，尤其是到宋代，文人们形成了恋梅、赏梅、咏梅之风，咏梅诗词数量甚多，可见崔氏《梅花》诗意的影响。

崔道融的咏史怀古诗由于见解独特，阐发新颖，往往给人带来深刻的启迪。如《西施滩》："宰嚭亡吴国，西施陷恶名。浣纱春水急，似

---

① （明）杨慎著、王仲镛笺证：《升庵诗话笺证》卷六，上海古籍出版社1987年版，第206页。
② （唐）卫象：《古词》，（清）彭定求等编：《全唐诗》卷二九五，第3353页。
③ （唐）崔道融：《铜雀妓》《春闺》，（清）彭定求等编：《全唐诗》卷七一四，第8202页。
④ （唐）崔道融：《梅花》，（清）彭定求等编：《全唐诗》卷七一四，第8202页。

有不平声。”[1]此诗旨在澄清春秋末期吴、越两国的一段史实。西施滩，在今浙江诸暨县南苎罗山下的浣江中，传为西施浣纱之地。当年越王勾践战败后，困于会稽，以金银、珠宝、美女贿通吴太宰伯嚭，准许越国求和，吴王夫差也陶醉于西施的美貌以至于无心国事，让越王勾践最终灭掉吴国。但后世有人给西施“红颜祸水”的恶名，《西施滩》正是从为西施洗清恶名的角度立意，构思新颖，尾句“浣纱春水急，似有不平声”又寄寓着作者深沉的历史慨叹。崔氏咏史怀古诗，总是能在咏怀往古人物与事件时，或破除陈说，或大胆怀疑，或自抒己见，又如《过隆中》：

玄德苍黄起卧龙，鼎分天下一言中。
可怜蜀国关张后，不见商量徐庶功。[2]

三国故事中，人们往往看到的是孔明、关羽、张飞等人的功劳，而忽视被迫身居曹营的徐庶的贡献。事实上，如果没有徐庶向刘备推荐诸葛亮之才，何来三国鼎立的局面。诗人自抒己见，别有新意却又实事求是。

崔道融七言绝句诗《溪居即事》，洗尽铅华，恬淡自然，热爱生活，尽展其个人智慧与才华。“篱外谁家不系船，春风吹入钓鱼湾。小童疑是有村客，急向柴门去却关。”[3]通过这首诗，让人领略到崔道融积极乐观的生活情趣和难得的纯正童心。

《唐才子传》说：“谁谓晚唐间忽有此作？使古人复生，亦不多让。可谓出乎其类，拔乎其萃者矣。”[4]意思是说：谁会想到晚唐时忽然会出现这样的作品？即使是让盛唐时代诗人死而复生，崔道融也不让他们几

① （唐）崔道融：《西施滩》，（清）彭定求等编：《全唐诗》卷七一四，第 8203 页。
② （唐）崔道融：《过隆中》，（清）彭定求等编：《全唐诗》卷七一四，第 8208 页。
③ （唐）崔道融：《溪居即事》，（清）彭定求等编：《全唐诗》卷七一四，第 8210 页。
④ （元）辛文房撰、舒宝璋校注：《唐才子传》卷九《崔道融》，中州古籍出版社 1987 年版，第 374 页。

分。真正是“出乎其类，拔乎其萃”啊！

（十三）刘蜕与《文泉子集》

晚唐荆南作家中值得一提的最后一位是荆州人刘蜕。刘蜕，字复愚，生卒年不详。大中时擢进士第，累迁右拾遗、中书舍人。因忤逆宰相令狐绹，出为华阴（今陕西华阴市）令，终商州（今陕西商州区）刺史。

关于刘蜕擢进士第事，在荆州历史上载入史册。孙光宪《北梦琐言》卷四载：“唐荆州衣冠薮泽，每岁解送举人，多不成名，号曰‘天荒解’。刘蜕舍人以荆解及第，号为‘破天荒’。”《唐摭言》也载，当时，魏国公崔弦镇守荆南一带，得知刘蜕考中进士，便写信表示祝贺，并赠他 70 万“破天荒”钱。刘蜕不肯接受崔弦所赠之钱，在给崔弦的回信中，他写道：“五十年来，自是人废；一千里外，岂曰天荒。”[①]可以说，刘蜕以荆州解送举人身份“破天荒”中第，对荆南文风产生了一定影响。

刘蜕自编有文集《文泉子集》十卷，已佚。宋《文苑英华》收有刘蜕自序《文泉子集序》。今存《文泉子集》六卷，是明人韩锡从《文苑英华》等书中辑出，《四库全书》有收录。《吊屈原辞三章》表达了作者对屈原人格的敬仰和其遭遇的深切同情。《论江陵耆老书》一文，刘蜕对江陵人民祭祀伍子胥作出了独特的、大胆的，更是深刻地解释。全文不长，录于下：

> 太原王生尝移耆老书，以江陵故楚也，子胥亲逐其君臣，夷其坟墓，且楚人之所宜怨也。而江陵反为之庙，世享其仇，谓耆老而忘其君父也。吾以为不然。楚人之性慓悍，大能复其仇雠，其后自怀王入武关，楚人怨秦，不忘干戈，况其人之性能忘胥之能破其国家而事之乎！且今江陵之人，牵牛羊而祀其庙者，将祈年谷而获凶

① （五代）王定保撰、阳羡生校点：《唐摭言》卷二，上海古籍出版社 2012 年版，第 11 页。

荒，祷疾病而得死亡者乎？如厚其饩而虚其报，则江陵知胥之不可祠而不祀矣。若果祈年谷而得丰穰，祷疾病而获康强，有其饩而寻其报，则破人之国而居其土，辱人之君而受其飨，遇一食而自忘，楚人之杀其父兄，则胥自为无勇也，何独江陵之人而忘刁雠乎！吾以为其庙申包胥之庙也。包胥有复楚之功，年代浸远，楚人以子胥尝封诸申，故不谓包胥耳。不然，则子胥何为飨人之食，而江陵何为事仇人之神乎！耆老得书，速易其版曰："申胥之庙"，无使人神皆愧耳。①

刘蜕针对太原王生以为江陵人祭祀伍子胥是忘其君父的看法，先肯定江陵人的爱国传统，再从厚生利民的角度，指出如果伍子胥真能厚生利民，给人民带来益处，那么，人民祭祀他就是自然而合理的。刘蜕在文尾提出了爱国与利民相统一的原则，并提出将子胥庙改为申胥庙就可实现这种统一。由此可见，自爱国主义诗人屈原以来，楚人的爱国主义传统对湖北文学发展的影响是多么巨大。

（十四）竹枝歌与《竹枝词》

竹枝词，本是三峡地区情韵悠长的民歌，后经唐代诗人刘禹锡的仿作，将其由过去山间水边的野唱转移为艺苑清唱。《乐府诗集》卷八一"竹枝"条下云："竹枝本出巴渝，唐贞元中刘禹锡在沅湘以俚歌鄙陋，乃依骚人《九歌》作《竹枝》新辞九章，教里中儿歌之，由是盛于贞元、元和之间。"② 事实上，《竹枝词》这种民间山歌在荆楚之地更是广为流行，尤其是在三峡一带，而这正好是战国时期楚国的腹地。如唐朝大历年间进士刘商写有《秋夜听严绅巴童唱竹枝歌》："巴人远从荆山客，回首荆山楚云隔。思归夜唱竹枝歌，庭槐落叶秋风多。曲曲历历叙

① （唐）刘蜕：《论江陵耆老书》，（唐）刘蜕：《文泉子集》卷六，见影印文渊阁本《四库全书》第 1082 册，第 638—639 页。

② （宋）郭茂倩：《乐府诗集》卷八一，中华书局 1979 年版，第 1140 页。

乡土，乡思绵绵楚词古。”[①] 诗中所说的巴童就是荆州人，因为思念故乡而“夜唱竹枝歌”。唐朝诗人王周所作《再经秭归二首》云：“总角曾随上峡船，寻思如梦可凄然。夜来孤馆重来宿，枕底滩声似旧年。秭归城邑昔曾过，旧识无人奈老何。独有凄清难改处，月明闻唱竹枝歌。”[②] 可见，竹枝歌多在傍晚和晚上演唱，且多抒发悲苦、思乡等情感。在夜晚的峡江、河面，在旷野的山村、平原，人们演唱之后，余音袅袅，令人悲从中来，不可断绝。

唐宋文人充分利用了三峡地区民间竹枝歌这一养料，开始使得自己的诗歌创作大放异彩，也使采录润色和拟作的《竹枝词》在唐宋诗歌中别具风韵，独树一帜。唐宋时期是竹枝词从民间移植到诗坛的最初阶段，这期间竹枝词创作发展缓慢，作品数量较少，总共不足两百首，但是质量很高。此时的竹枝词有以下三个特点：“一是诗、乐、舞三位一体，非常优美；二是具浓郁的地方特色，打上了民歌的烙印；三是用方言俚语创作。”[③] 此外，虽然有些诗歌的题目不是“竹枝词”或没有出现“竹枝”字样，就连诗歌中也没有出现关于“竹枝”二字的诗句，但从内容、形式、格律上来看，也可以将其算作是竹枝词。

中唐诗人李涉在峡州（今湖北宜昌）创作了5首竹枝词。李涉是洛阳人，自号清溪子，最初隐居在庐山，后受聘到陈许节度使府供职，又迁为太子通事舍人。唐宪宗时，因上书替人辩护，遂被贬为峡州司仓参军。十年之后，他才被召回京都为太学博士。他写的竹枝词，水平也很高。其一曰：“荆门滩急水潺潺，两岸猿啼烟满山。渡头少年应官去，月落西陵望不还。”其二曰：“巫峡云开神女祠，绿潭红树影参差，不牢戍口初相问，无义滩头剩别离。”其三曰：“石壁千重树万重，白云斜掩碧芙蓉，昭君溪上年年月，偏照婵娟色最浓。”其四曰：“十二峰头月欲

---

① （唐）刘商：《秋夜听严绅巴童唱竹枝歌》，见（清）彭定求等：《全唐诗》卷三〇三，第3448页。

② （唐）王周：《再经秭归二首》，见（清）彭定求等：《全唐诗》卷七六五，第8678页。

③ 高月：《论刘禹锡〈竹枝词〉的起源和发展》，《涪陵师范学院学报》2002年第4期。

低，空聆滩上子规啼，孤舟一夜东归客，泣向东风忆建溪。”这四首诗的空间跨度大，作者好似站在云端鸟瞰三峡美景，气势磅礴，又借景抒怀，情景交融，遣词造句亦通俗。其五曰：“十二山晴花尽开，楚宫双阙对阳台。细腰争舞君沉醉，白日秦兵天下来。”[①]这首诗的开篇先写巫峡十二峰的景色，由此联想到春秋时期楚国君主喜欢细腰女子婆娑舞蹈，荒淫无度，不关心政事，最后被秦国消灭的历史，从而引发人们的深思。

二、劲吹新风的宋元荆楚文人

（一）“千轴不如一书”的公安张景

公安张景博通经史，得师之言传身教，文学成就超过其老师自在情理之中。沈括《梦溪笔谈》：“柳开千轴，不如张景一书。”[②]说的是张景超过老师柳开，后人称为“千轴不如一书”。

有关张景的生平事迹，由于《宋史》无传，仅能从同乡宋祁为其所撰墓志铭知其大概。据宋祁《故大理评事张公墓志铭》知，张景（970—1018年），字晦之，江陵公安（今湖北公安）人。历任馆陶县主簿、房襄二州文学参军、楚州宝应主簿、大理评事、昭信县令，后摄理真州事。青少年时代师事柳开，学为古文，柳把家中藏书交给张景，张更加勤奋读书，名震一时。宋真宗下诏征全国士人，张景名列第四。南宋理学家、史学家、文学家吕祖谦所编《皇朝文鉴》（后世称《宋文鉴》）卷一百四十一以《张晦之墓志铭》为题，录有宋祁所撰这篇墓志铭[③]。清代藏书家陆心源著有《宋史翼》和《宋诗纪事补遗》两书，书中的《张景传》均明言引自《宋景文集》。

① （唐）李涉：《杂曲歌辞·竹枝》，见（清）彭定求等编：《全唐诗》卷四七七，第5429、5439页。

② （宋）沈括撰、施适校点：《梦溪笔谈》卷九《人事一》，上海古籍出版社2015年版，第70页。

③ （宋）宋祁：《张晦之墓志铭》，载（宋）吕祖谦编：《宋文鉴》卷一四一《墓志》，见影印文渊阁本《四库全书》第1351册，第599—600页。

《湖北文学史》指出，“宋初湖北作家中首先倡导文学革新的是张景”，“张景的文学主张和古文创作是宋代湖北文学革新的先导”[①]。虽然《张晦之集》已亡佚，但我们可从宋元以来的相关零星记载中窥知《张晦之集》作者文学主张和古文创作的概貌。

首先，张景推崇其师柳开，继承柳开文学革新主张。

张景生活的时代，文坛先后为五代体和西昆体文风所笼罩，前者柔靡浮艳，后者词藻华丽、堆雕典故。张景的老师柳开（947—1000 年）率先举起文学革新的旗帜，以崇尚和继承韩愈、柳宗元的古文为己任，既不遗余力反对五代体的柔靡文弊，又着力纠正古文复兴运动内部出现的“深僻难晓”的不良风气，为古文复兴、散文变革做出了突出贡献。张景对柳开十分推崇，将柳开遗稿整理编辑为《河东集》，并撰有《柳如京文集序》和长篇《柳公行状》，称赞柳开“拯五代之横流，扶百世之大教，续韩、孟而助周、孔”[②]。继柳开、王禹偁之后，张景是北宋初期力倡古文、反对骈偶的重要散文作家，一些零星的文献记载和散见的作品，还是反映出他在北宋前期文学革新方面的成就。

张景作品与小碎篇章唱和的白体诗和属对工巧的昆体诗有云泥之别。《题董真人》诗具平实的风格：“桃花谩说武陵源，误教刘郎不得仙。争似莲花峰下客，栽成红杏上青天。”[③]王象之《舆地纪胜》卷六十五《荆湖北路 · 江陵府下 · 总江陵诗》载，宋仁宗曾问张景家乡有何胜景，张景以一联相答：“两岸绿杨遮虎渡，一番青草覆龙洲。”联语中所陈家乡“龙洲”“虎渡”地名，颇得宋仁宗称赏。此宋仁宗疑误，或为宋真宗。

其次，张景的古文创作尊韩重散，起到了承流接响的作用。

① 王齐洲、王泽龙：《湖北文学史》，第 373 页。

② （宋）张景：《河南县尉厅壁记》，载（宋）吕祖谦编：《宋文鉴》卷七七《碑文》，见影印文渊阁本《四库全书》第 1350 册，第 798 页。

③ （宋）王象之撰：《舆地纪胜》卷三〇《江南西路 · 江州 · 总庐山诗》，中华书局 1992 年版，第 1346 页。

张景为古文于时人所不为之时，尊韩重散。沈括《梦溪笔谈》“穆修张景始为古文”条说：

往岁士人多尚对偶为文，穆修、张景辈始为平文，当时谓之古文。穆、张尝同造朝，待旦于东华门外，方论文次，适见有奔马践死一犬，二人各记其事，以较工拙。穆修曰：“马逸，有黄犬遇蹄而毙。”张景曰：“有犬死奔马之下。”时文体新变，二人之语皆拙涩，当时已谓之工，传之至今。①

对此，南宋陈善在《扪虱新话》中认为“文章造语有工拙”：“文字意同而立语自有工拙……今较此二语，张当为优。”②

张景的散文颇为大气和流畅，风格上既酷似柳开，又有所突破，以《柳如京文集序》和《河南县尉厅壁记》为代表，后者被宋人推为名作。《河南县尉厅壁记》云：

县尉能御盗，而不能使民不为盗；盗贼息，非尉之能；盗贼繁，过不在乎尉矣。上失其平，下苦其情，弱者困死，强者偷生，盗之常也，岂乐为盗哉？无竭民力，民心安逸；无尽民物，民利丰实；居乡聚族，有良有睦；履诈迹伪，有责有愧，民之常也，孰肯为盗哉？故曰：能与过，不在乎尉，在时政之得失尔！若夫平斗讼，慑凶狡，惟盗是御者，尉之职也；苟失其人，则贪残诬枉，民不胜弊，反甚于盗焉。今郡县至广，庸不知所得者几何人哉？太原王昭度，字世范，登进士第，为河南尉，尉之职无所不举焉。虽然，诚不足展世范之才，顾其所得，亦斯民幸矣！世范与景有旧，

① （宋）沈括撰、施适校点：《梦溪笔谈》卷14《艺文一》，第99页。

② （宋）陈善：《扪虱新话》上集卷一《文章造语有工拙》，丛书集成初编本。

因求记刻于厅壁，庶有信于后，于是乎书。[1]

《河南县尉厅壁记》短小精悍，说理晓畅，文风平实，与王禹偁倡导的易道易晓的新文风十分接近。没有用典，没有华丽辞藻，深刻阐述了民不乐为“盗”、不肯为“盗”的道理，针砭时弊，铿锵有力。在西昆体文风大为盛行之际写出如此清新的文章十分难得，虽然从总体上还不足以扭转昆体之风，但为散文新风的到来铺下了珍贵的路石，在柳开、王禹偁与石介、欧阳修之间起到了承流接响的作用则是极具意义的。

（二）“孤风雅操”的安陆宋庠

“安陆二宋”之称中的宋庠（996—1066年），初名郊，字伯庠，后改字公序，安州安陆（今湖北安陆）人，后徙开封雍丘（今河南杞县）。仁宗天圣二年（1024年）进士，历三司户部判官、同修起居注、知制诰、知审刑院、翰林学士。宝元二年（1039年）除参知政事，以儒雅刚正著称，与宰相吕夷简论事不合，出知扬州、郓州。皇祐元年（1049年）拜相，遭谏官包拯奏劾，出知河南府。卒谥元宪。读书至老不倦，善正讹谬。著有《国语补音》三卷、《纪年通谱》十二卷、《别集》四十卷、《掖垣丛志》三卷、《尊号录》一卷。清代，唯《国语补音》有传世本，余书与文集并佚。四库馆臣从明《永乐大典》中采缀成编《元宪集》三十六卷，收入《四库全书》之中。

现存宋庠《元宪集》三十六卷，其中赋一卷，五言、七言诗十四卷，颂、表、外制、内制（唐宋时由中书舍人或知制诰所掌的皇帝诰命称外制，由翰林学士所掌之诰命称内制）、劄子（奏疏类文体在宋代的称呼）等文体十七卷、行状、墓志铭、祝文、记四卷。史传称，宋庠明练故实，以慎静为治，文藻不逮宋祁，孤风雅操却远过宋祁。与二宋同

---

① （宋）张景：《柳如京文集序》，载（宋）吕祖谦编：《宋文鉴》卷八五《序》，见影印文渊阁本《四库全书》第1351册，第6页。

时的蔡襄说，宋庠“近之和气拂拂然袭人”，宋祁则“英采秀发”，二人“久视之无一点尘气，真神仙中人也”。[①]

《元宪集》编录宋庠五言、七言诗十四卷，其诗具有鲜明的时代特征和个性特色，多写个人日常生活及其情趣，总体上还没有摆脱西昆体题材狭窄、华丽典雅的局限，但在人物评价、题材拓展、艺术表现手法等方面比晏殊、夏竦等人有所变化，尤其是晚期作品秾丽的色彩有所淡化。如，其代表作《习彦威》缅怀的是荆楚乡土人物——东晋史学家习凿齿，语言平实，典有所出，历史认知客观公正，人物评价语带感情又不失公允：

> 四海习彦威，英英出江汉。高韵凌风翔，雕文夺星烂。
> 感激阳秋辞，奸雄非所惮。蜀弱自为正，曹强乃名乱。
> 阴忤柄臣意，飘然去恩馆。驱车自北门，四顾兴长叹。
> 终焉谢病免，犹得为人半。缅矣身后名，临风寄悽惋。[②]

又如，代表作《重展西湖二首》（之一）云：

> 绿鸭东陂已可怜，更因云窦注西田。
> 凿开鱼鸟忘情地，展尽江河极目天。
> 向夕旧滩都浸月，过寒新树便留烟。
> 使君直欲称渔叟，愿赐闲州不计年。[③]

皇祐年间（1049—1054 年），宋庠贬为许州（今河南许昌市）知州，

---

① （宋）范镇：《东斋记事》卷三，中华书局 1980 年版，第 27—28 页。

② （宋）宋庠：《习彦威》，载宋庠：《元宪集》卷二，见影印文渊阁本《四库全书》第 1087 册，第 412 页。

③ （宋）宋庠：《重展西湖二首》，载宋庠：《元宪集》卷一二，见影印文渊阁本《四库全书》第 1087 册，第 489 页。

兴工疏浚州城西湖，竣工后赋写了这首诗。该诗通过描写疏浚后的许州西湖美景，反映作者既喜悦又伤感的双重感怀。在艺术风格上，对仗工整精巧，细腻含蓄，寓情于景，即景抒情，善于化用古句增强意象的感染力。

宋庠编著《国语补音》三卷，力求订正旧学，排除异说，对研究古音韵学有一定价值。其序言曰："今因旧本而广之，凡成三卷，其字音反切，除存本说外，悉以陆德明《经典释文》为主，亦将稽旧学、除臆说也。惟陆音不载者，则以《说文》《字书》《集韵》等附益之，号曰《国语补音》。"[①]《国语补音》引用了《经典释文》《说文》《集韵》等书中的材料，对于今天我们研究唐宋音韵学及语音史具有十分重要的作用。此外，该书不仅仅注音、辨字，还对《国语》疑诂进行解释，因此对于汉语训诂学研究也具有相当程度的积极意义。

在政治思想方面，宋庠继承了儒家重民爱民的优秀传统。在《丙吉论》中，宋庠借由"丙吉问牛"的故事来阐述了他的重民思想。丙吉是西汉时的宰相，相传他出门遇见行人斗殴有死伤者并不过问，看见路边的牛步履蹒跚、气喘吁吁时，却马上过去询问，作为宰相的丙吉，认为宰相的职责主要在关心国家大事而不是斗殴这些小事。"丙吉问牛"的故事历来为人所称道，认为丙吉看到牛的异常想起天气变化，赞扬官员关心百姓疾苦。宋庠则认为，人是万物之灵，只有人和于下，才能天从于上，国家政治败坏才会出现节气的混乱。丙吉的认识是本末倒置，因此路旁的群斗死伤并不是小事，而且发现牛在春天气喘吁吁与时节失序相关也不是明察的。他指出，民众在路边斗殴，是生杀不禁造成，而生杀不禁又是因为教化不立，由此才会阴阳失序。丙吉只知道寒暑节气失调，而没看见背后的原因是因为政治败坏，如此才会发生贵畜贱人的事情，根本没有认识到民众在政治中的作用。因此，宋庠主张，治国者必须重视民众，必须认识到为政的根本在于民众，不能舍本逐末。

---

① （清）朱彝尊：《经义考》卷二〇九，见影印文渊阁本《四库全书》第679册，第730页。

（三）“文有豪气”的安陆郑獬

安陆作家郑獬（1022—1072年），字毅夫，少俊异，为诗赋有声，仁宗朝进士第一，累迁知制诰，入翰林为学士，为王安石所不喜，除獬知杭州。《宋史》有传。

郑獬以文名于世，宋志和《郡斋读书志》均记有“《郧溪集》五十卷”。本传说他“少负俊材，词章豪伟峭整，流辈莫敢望”[①]；晁公武说他“为文有豪气，峭整无长语”[②]。《郧溪集》五十卷后散佚，今存《四库全书》所收《郧溪集》二十八卷，是四库馆臣从《永乐大典》内裒辑编次，又以《宋文鉴》《两宋名贤小集》诸书所载，分类补入，勒为二十八卷。另据叶德辉《书林清话》卷三的看法，南宋淳熙三年（1176年）安陆郡学曾刻郑獬《郧溪集》二十八卷。

郑獬以“郧溪”名集，故“郧（涢）溪”“涢江”尽见其诗作中。安陆属古郧国所在地，郧水在境内，《湖上》：“湖山只合住真仙，家在郧溪未有缘。欲把金钱三百万，万松岭上买云眠。”[③]不仅如此，安陆的人物、地名、名胜等亦入诗中，如《伤田肃秀才》：“可怜江夏守，不得荐黄香。”[④]郑獬对家乡安陆的深情厚谊溢于言表。可以说，在安陆古今历史名人中，对安陆感情最深，题咏安陆作品最丰富的，当属状元公郑獬。

从《郧溪集》卷二十八的记载看，保存下来的郑獬词有《好事近·初春》：

江上探春回，正值早梅时节。两行小槽双凤，按《凉州》初彻。

---

① （元）脱脱等：《宋史》卷三二一《郑獬传》，第10417页。

② （宋）晁公武撰、孙猛校证：《郡斋读书志校证》卷一九，第994页。

③ 载（宋）郑獬撰：《郧溪集》卷二八，见影印文渊阁本《四库全书》第1097册，第367页。

④ （宋）郑獬撰：《郧溪集》卷二六，见影印文渊阁本《四库全书》第1097册，第351页。

谢娘扶下绣鞍来，红靴踏残雪。归去不须银烛，有山头明月。[①]

犹如清新扑面之风，予人以爽朗明丽之感。郑獬的诗也具有这一特点，如其七言诗《田间》：“田家汩汩流水浑，一树高花明远村。云意不知残照好，却将微雨送黄昏。”被诗评家评为“清绝可爱”[②]。再如《春尽》，郑獬同样写得清新自然，生动活泼，表现了他对生活的热爱和坦荡磊落的襟怀：“春尽行人未到家，春风应怪在天涯。夜来过岭忽闻雨，今日满溪俱是花。前树未回疑路断，后山才转便云遮。夜间绝少尘埃污，惟有青泉漾白沙。”[③] 从《郧溪集》看，对郑獬诗文的整体评价，古来自有公论：“其文章豪伟峭整，议论剀切，精练民事。今以所存诸作核之，殆非虚美。”[④]

（四）女词人“魏夫人”魏玩

《湖北文学史》的作者指出：“北宋中叶兴起的诗文革新运动主要是在针对晚唐至宋初的浮艳文风。湖北的文风变革在全国得风气之先。”[⑤] 宋代是词的发展的黄金时代，也是湖北词人辈出的时代，说到湖北词人还得从词人宋祁、郑獬之后的有“魏夫人”之称的女词人魏玩说起。

据今人唐圭璋编著的《全宋词》收录的情况，北宋女词人魏玩是北宋作词最多的女性之一，是宋代公认成就突出的三位女词人之一。据朱熹《游艺论》云：“本朝能词妇人，惟有魏夫人（魏玩曾封为鲁国夫

① （宋）郑獬：《好事近·初春》，载（清）朱彝尊、汪森编：《词综》卷四《宋词·郑獬》，上海：上海古籍出版社，1978年版，第77页。

② （宋）郑獬：《田间》，载（宋）何溪汶撰：《竹庄诗话》卷一六，见影印文渊阁本《四库全书》第1481册，第737页。

③ （宋）郑獬：《春尽》，载（宋）郑獬撰：《郧溪集》卷二七，见影印文渊阁本《四库全书》第1097册，第354页。

④ （清）永瑢等撰：《四库全书总目提要》卷一五三《集部六·别集类六·郧溪集》，王云五主编民国万有文库本第29册，第126页。

⑤ 王齐洲、王泽龙：《湖北文学史》，第324页。

人)、李清照二人而已。”[①] 魏玩能与李清照并列，可见其造诣之深。

魏玩（约1040—1103年），字玉汝，北宋襄州襄阳（今湖北襄阳）人。出身世家，诗论家魏泰之姊。自幼博览群书，尤以诗词见长，后嫁江西南丰人曾布为妻。先后受诰封为鲁国夫人、道国夫人、瀛国夫人，因此，世称魏夫人，而不直呼其名。著有《魏夫人集》，已散佚；《全宋词》辑录了她的词作14首。其中《临江仙·庭院深深》一首，据赵万里考证为李清照所作。

由于丈夫曾布宦途大起大落，一生颠沛流离，与魏夫人聚少离多，因此魏玩的词多写离情别绪。《系裙腰》云：“灯花耿耿漏迟迟。人别后、夜凉时。西风潇洒梦初回。谁念我，就单枕，皱双眉。锦屏绣幌与秋期。肠欲断、泪偷垂。月明还到小窗西。我恨你，我忆你，你争知。”[②] 丈夫远离，作者独守空闺，彻夜难眠，作品中充溢着对丈夫既思念又怨尤的复杂情感。

魏玩词作的风格总体上可以概括为柔婉、恬和、明净，文采飞扬。“魏夫人写离情，创造凄婉意境，还善于利用最能触动离愁的景物，像柳绵、鸳鸯、早莺、残漏、西风、落花、归雁、红梅这些意象，在她的词中经常出现。”[③] 如《菩萨蛮》云：“溪山掩映斜阳里，楼台影动鸳鸯起。隔岸两三家，出墙红杏花。绿杨堤下路，早晚溪边去。三见柳绵飞，离人犹未归。”[④] 此词写景以抒情，情因景生，描绘了思妇盼望远行丈夫归来的情思。全词紧紧围绕一个“溪”字构图设色，表情达意，写得清新自然，不落俗套，饶有情韵，耐人寻味。在声律上，这首词也

① （清）朱彝尊、汪森编：《词综》卷二五《宋词·魏夫人》，第572页。

② （宋）魏玩：《系裙腰》，载（明）陈耀文编：《花草粹编》卷一三，见影印文渊阁本《四库全书》第1490册，第396页。

③ 周达斌：《魏玩：词笔超迈女中才——〈历代襄阳名作家研究〉系列论文之七》，《湖北广播电视大学学报》2007年第9期。

④ （宋）魏玩：《菩萨蛮》，载（清）朱彝尊、汪森编：《词综》卷二五《宋词·魏夫人》，第572页。

有特色，八句中两句一叶韵，如“里”与“起”、“家”与“花”、“路”与“去”、“飞”与“归”，均押韵工整；且两句与两句之间又平仄交错，如上片四句“里”与“起”是仄声韵，“家”与“花”是平声韵；下片“路”与“去”是仄声韵，“飞”与“归”是平声韵，读来十分谐婉，再加上语言晓畅，词句清丽，较好地抒写了贵族妇女温柔敦厚而又婉曲缠绵的感情。

又如《点绛唇》云：“波上清风，画船明月人归后，渐消残酒。独自凭阑久。聚散匆匆，此恨年年有，重回首，淡烟疏柳，隐隐芜城漏。”① 此词抒发了离愁别绪，是有感于人生聚散无常而作。词写月夜送别，侧重点在居者的忧思、别后月夜的伫望和凝想。词中对女主人公自我形象的描写着墨不多，摄取清风、明月、淡烟、疏柳、隐隐鼓漏等清丽秀逸的景物来烘托映衬，创造出一个优美的意境。

魏夫人的词，总的来说温婉柔美，但也偶有将悲愤泄于笔端之时。如《江城子·春恨》：“别郎容易见郎难，几何般，懒临鸾，憔悴容仪，陡觉缕衣宽。门外红梅将谢也，谁信道，不曾看？晓装楼上望长安，怯轻寒，莫凭栏，嫌怕东风，吹恨上眉端。为报归期须及早，休误妾，一春闲！”②

值得一提的是，除了上面讲过的倾诉儿女私情的词作以外，魏玩还写过一首《定风波》，间接涉及朝政。其文云：“不是无心惜落花，落花无意恋春华。昨日盈盈枝上笑，谁道，今朝吹去落谁家。把酒临风千种恨，难问，梦回云散见无涯。妙舞清歌谁是主，回顾，高城不见夕阳斜。”③ 根据词意，我们可以想象：在朝廷催逼之下，曾布草草打点行

① （宋）魏玩：《点绛唇》，载（清）朱彝尊、汪森编：《词综》卷二五《宋词·魏夫人》，第572页。

② （宋）魏玩：《江神子·春恨》，载（宋）黄升辑、王雪玲、周晓薇校点：《花庵词选》，第138页。

③ （宋）魏玩：《定风波》，载（宋）曾慥编《乐府雅词》卷下，见影印文渊阁本《四库全书》第1489册，第273—274页。

装，携夫人离开汴京赴任。走出汴京南薰门，见驿道两旁，汴河沿岸，柳絮飞霜，残红满地，夫妻二人心灵相通，魏夫人掀开车帘，回眸凝望京城。只见落日余晖映照城楼，投下巨大阴影，城楼上旌旗舒卷，戈矛闪灼，城内千般繁华、万种风情，不复得见，只余下城南繁塔塔顶和城东北开宝寺塔塔顶，依稀在目。魏夫人悲愤难抑，感慨万千，口诵《定风波》，留下一阕千古绝唱。

（五）“篇篇奇丽”的词僧仲殊

黄升在《唐宋诸贤绝妙词选》评词曰：“仲殊之词多矣，佳者固不少，而小令为最。小令之中，《诉衷情》一调又其最，盖篇篇奇丽，字字清婉，高处不减唐人风致。”[①] 黄升所评词作“篇篇奇丽”的这位和尚就是僧仲殊。

僧仲殊，北宋时期安州（今湖北安陆）人，俗家姓名为张挥，字师利，号蜜殊、安州老人、太平闲人、雷川空叟等。他的生活年代大约与苏轼同时。仲殊年轻的时候游荡不羁，被妻子投以毒羹，差点被毒死，啖蜜而解。于是，他便出家做了和尚，主要在苏州承天寺、杭州吴山宝月寺等处修行。

仲殊与当时很多著名的文人都有交游，与苏轼的关系最好。《东坡志林》记载：“苏州仲殊师利和尚，能文，善诗及歌词，皆操笔立成，不点窜一字。予曰：‘此僧胸中无一毫发事’，故与之游。”[②]《舆地纪胜》卷五引《郧城志》云：宋哲宗元祐四年（1089 年）六月，苏轼在赴杭州任职的路上，经过苏州，正好“僧仲殊初至吴，姑苏台柱倒书一绝云‘天长地久大悠悠，尔既无心我亦休。浪迹姑苏人不管，春风吹笛酒家楼。’东坡见之，疑神仙所作。是后与坡为莫逆交。”[③] 元祐五年（1090 年）七月，仲殊在苏州和杭州一带与苏轼交游，互相唱和，其乐

① （宋）黄升辑、王雪玲、周晓薇校点：《花庵词选》，第 133 页。
② （宋）苏轼撰、王松龄点校：《东坡志林》，中华书局 1981 年版，第 40 页。
③ （宋）王象之撰：《舆地纪胜》卷五《两浙西路·姑苏·诗》，第 331 页。

融融。元祐六年（1091 年）三月，仲殊访苏轼，时苏轼自杭州往苏州途中，舟泊吴江。俗话说："日有所思，夜有所梦。"苏轼此前曾梦见仲殊弹琴赋诗，作《破琴诗并引》[①]，详载这件事，可见两人关系之密切、友好。哲宗绍圣四年（1097 年）十月，仲殊作《陆河圣像院记》，其主旨是："夫三教之用，虽趣尚各异，要之为善，其揆一也。"[②] 在这篇文章中，仲殊阐释了三教合流的思想。仲殊与苏轼等士大夫的交往唱和就是宋代三教合流的具体例证。

《全宋词》和《全宋词补辑》共辑录僧仲殊词 70 首及断句 7 则。宋人王灼《碧鸡漫志》论北宋词，将仲殊与贺铸、周邦彦、晏殊并举，说他们"各尽其才力，自成一家"。两宋时期能够吟诗、写诗的僧人为数不少，然而僧人进行词创作的却不多。据唐圭璋《全宋词》记载不过六七人，现存其他宋代僧人的词作也仅有如晦 1 首，祖可 3 首，圆禅师、则禅师各 1 首，惠洪 21 首。可见，僧仲殊传世的词作比其他僧人加在一起还多一倍。仲殊诗词俱佳，但词的名气远远超过他的诗。

黄升《唐宋诸贤绝妙词选》中仲殊之词共选 10 首，《诉衷情》就选了 5 首，并说"《诉衷情》一调又其最"。其中有一首《诉衷情·宝月山作》云："清波门外拥轻衣。杨花相送飞。西湖又还春晚，水树乱莺啼。闲院宇，小帘帏。晚初归。钟声已过，篆香才点，月到门时。"[③] 此词为暮春即兴之作。作者词中描绘了西湖清波门附近的美景，其中寄寓了自己洒脱旷达的襟怀和自在从容的行止。词之上片写嫣然独绝的湖畔春景，以表现动态美见胜；下片以表现深静之意境见工。上下两片，一动一静，相映成趣，颇具珠联璧合之妙。词人对宝月山，对整个西湖及其周边所有一切都充满深深的爱恋，在令人神往的美好景色中又呈现出一种佛门特有的澄清和空灵。

---

① （宋）苏轼：《苏轼诗集》第 6 册，中华书局 1982 年版，第 1770 页。

② （宋）僧仲殊：《陆河圣象院记》，载（宋）郑虎臣编：《吴都文粹》卷九，见影印文渊阁本《四库全书》第 1358 册，第 830 页。

③ （宋）黄升辑、王雪玲、周晓薇校点：《花庵词选》，第 132 页。

再如，仲殊的《南柯子·忆旧》一词也很有名。词云：“十里青山远，潮平路带沙。数声啼鸟怨年华，又是凄凉时候，在天涯。白露收残月，清风散晓霞。绿杨堤畔问荷花：记得年时沽酒那人家？”[①] 这首忆旧词抒写词人夏日旅途中的一段感受，反映他对俗世生活的眷恋。上片能把旅途中的见闻感受用词笔如实写来，情景并茂，显示了他的浓郁诗情和坦率性格。下片以“记得年时沽酒那人家？”的问句结句，意思是“你还记得年前到此买酒喝的那个人么？”情景相生的妙笔中，可以见出僧人的性格、风趣和他那任真自得的飘洒词笔。

僧仲殊其实也很工于诗，但他的诗作没有结集，多散见于各种笔记中，目前在《全宋诗》中仅收录了 14 首诗作。从这些仅存的诗中我们也可以看得出，仲殊在诗歌上的造诣也并不逊色。李献民《云斋广录》中记载：“世传僧仲殊清才丽藻，雅能缀属小辞，每一阕出，人争传玩。世未尝知其能诗也。润州有北顾楼，一日太守宴宾其上，而仲殊预焉。酒行，太守命坐客各赋诗一篇，以发扬雅趣。顷之，仲殊诗成，以上太守。诗云：‘北顾楼前一笛风，碧云飞尽建康宫。江南三月多芳草，尽在濛濛烟雨中。’太守叹赏久之。转观僚属，满坐为之阁笔。盖其天才纵逸，不独小辞为美，而诗亦佳篇也。”[②]

（六）“苏门后四学士”之一的廖正一

苏轼是北宋客籍湖北的大文豪，在他的众多门生和追随者中，有 8 人十分突出，被人们称为“苏门四学士”和“苏门后四学士”。黄庭坚、秦观、晁补之和张耒是前四学士，而廖正一、李格非、李禧和董荣则是后四学士。后者的文学理论和诗文创作都颇具特色，与前四学士一样，他们也是苏轼文学的传人，北宋元祐文坛的中坚力量。

“苏门后四学士”之一的廖正一，字明略，安州（今安陆）人。宋神宗元丰二年（1079 年）进士，元祐二年（1087 年）任秘书省正字，

① （宋）黄升辑、王雪玲、周晓薇校点：《花庵词选》，第 133—134 页。

② （宋）李献民：《云斋广录》卷三，中华书局 1997 年版，第 19 页。

元祐六年（1091 年），除秘阁校理，通判杭州。宋哲宗绍圣二年（1095 年）改任常州知州。因入元祐党籍，被贬监玉山税，不久去世。廖正一的著作，《东都事略》本传称“有文集十卷”。晁公武《郡斋读书志》卷一九著录“廖明略《竹林集》三卷”，谓“绍圣间，明略贬信州玉山监税，郁郁不得志，丧明而没。自号竹林居士”[①]。《文献通考》卷二三七同此说。但令人遗憾的是，这些集子都已经散佚了，《全宋诗》仅辑得佚诗七首，《全宋文》也辑文不多。

廖正一和恩师苏轼的关系十分亲密，年轻时在凌岩山读书，爱品茶，通茶道。苏轼也是品茗大家，与廖正一有共同爱好，苏轼曾以《行香子·茶词》一词录赠他，有“共夸君赐，初拆臣封。看分香饼，黄金缕，密龙，斗赢一水，功敌千钟，觉凉生，两腋清风”[②]之句。此外，苏轼在《答钱济明》中，有“某启。得来书，乃知廖明略复官”[③]一语，可见他对廖正一的仕途也很关心。

多年以后，苏轼南贬北归时，写下了《答廖明略》二首，文中有“老朽欲屏归田里，犹或得见，蜂蚁之微，寻以变灭，终不足道”“所幸平安，复见天日。彼数子者何辜，独先朝露”等句子，写心述怀，极尽款曲，流露出深厚的师友情谊。文中又满怀同情和信心地说：“毗陵异政，谣颂蔼然，至今不忘。为民除秽，以至虿尾，吴越户知之，此非特儿子能言也。圣主明如日月，行遂展庆，众论如此。”[④]只可惜，廖正一最终也没有得到平反，在一再贬谪的经历中郁郁寡欢，得病去世。

廖正一与前四学士来往密切，情深意笃。他与晁补之同年考上进士之后，黄庭坚创作了《次韵晁补之廖正一赠答诗》《再次韵呈廖明略》《再答明略二首（之二）》，这些诗句写出了黄庭坚对廖正一才情的欣赏。宋人叶梦得《廖明略竹林集序》记录了廖正一的一段话：“吾深服左氏，

① （宋）晁公武撰、孙猛校证：《郡斋读书志校证》卷一九，第 1019—1020 页。

② （宋）苏轼：《苏东坡全集》卷四七，第 1163 页。

③ （宋）苏轼：《苏东坡全集》卷九九，第 2586 页。

④ （宋）苏轼：《苏东坡全集》卷九九，第 2589 页。

而乐道范晔之秀正温绎。晔尝自叙其书，以为‘但多公家之言，而少事外远致’，吾所恨亦云。丘明不可及也，异时有置吾于晔伯仲之间，吾尚无愧。往有评吾文似尹师鲁者，吾虽不学师鲁，然意善其言。”[①]可见，廖正一推崇《左传》，甚至认为“丘明不可及”，对自己所作的文章，则认为与范晔“但多公家之言，而少事外远致”有同样的遗憾。

由于廖正一所存作品太少，“难以论定其文学史上的地位”[②]。《乐府雅词》拾遗卷上收廖正一《瑶池宴令》词一首：“飞花成阵，春心困。寸寸别肠，多少愁闷。无人问，偷啼自揾残妆粉。抱瑶琴，寻出新韵。玉纤趁，南风未解幽愠。低云鬟，眉峰敛晕，娇秋恨。”[③]该词写春闺女子的离愁别恨，音韵和婉，情景交融，语言朴实，很见功力。

（七）“江西诗派”中的荆楚作家

江西诗派是我国文学史上第一个有正式名称的诗文派别。宋徽宗时，吕本中（1084—1145年）作《江西诗社宗派图》，下列陈师道、潘大临、谢逸、洪朋、洪刍、饶节、僧祖可、徐俯、林敏修、洪炎、汪革、李錞、韩驹、李彭、晁冲之、江端本、杨符、谢薖、夏倪、林敏功、潘大观、何颉、王直方、僧善权、高荷，合25人。吕本中的《江西诗社宗派图》本是游戏之作，名单的取舍和顺序都很随意，但他指出江西诗派的存在则是合乎事实，被后世文坛所认可。

研究者指出，“江西诗派的性质特色有三：一是此诗派为观念性的社集，而非实际之聚会；二是以风格和师承为判断的依据，而非地域之划分，入诗派者并非都是江西人；三是，江西诗派是元祐学术的一部分，是作为‘绍述’政治的对立物而发展起来的，其盛衰与政局有密切

① （宋）叶梦得：《廖明略竹林集序》，载（元）马端临撰：《文献通考》卷二三七《经籍六十四》，第1886页。

② 王齐洲、王泽龙：《湖北文学史》，第339页。

③ （宋）廖正一：《瑶池宴令》，载（宋）曾慥编《乐府雅词》拾遗卷上，见影印文渊阁本《四库全书》第1489册，第282页。

关系”[①]。江西诗派中并不都是江西人，有荆楚籍诗人6人，分别是黄州（今湖北黄冈）潘大临、潘大观兄弟，蕲州（今湖北蕲春）林敏功、林敏修兄弟，蕲州人夏倪，以及荆南（今湖北江陵）人高荷。

潘大临，字邠老，一字君孚，生卒年均不详，约宋哲宗元祐中前后在世。宋代江西派诗人，湖北黄州人。潘大临著有《柯山集》二卷，已佚。《两宋名贤小集》中存有《潘邠老小集》一卷。事见《张右史文集》卷五一《潘大临文集序》。潘大临的弟弟潘大观，字仲达，也有文名。

潘氏兄弟二人都有学问，然不求科举，甘守贫寒。兄弟俩居于樊口，以捕鱼、卖酒为生，性情豪侠，好结交文士。他们常常与“苏门四学士”黄庭坚、张耒、晁补之、秦观等人往来唱和，写了不少的诗。可惜，因为无钱不能刊刻成集。宋代诗僧惠洪在《冷斋夜话》中记载：“黄州潘大临工诗，多佳句，然甚贫。东坡、山谷尤喜之。临川谢无逸以书问：‘近新作否？’潘答书曰：‘秋来景物，件件是佳句，恨为俗氛所蔽翳。昨日闲卧，闻搅林风雨声，欣然起，题其壁曰：满城风雨近重阳。忽催租人至，遂败意。止此一句奉寄。’”[②]这就是文学史上著名的“一句诗”的来历。

潘氏兄弟二人都是苏轼的好友，苏轼居黄州期间，经常同潘大临一起饮酒论诗。苏轼调离黄州时，将几十亩土地和雪堂房舍交给潘大临管理，可见两人关系之密切。潘大临曾赴元丰五年（1082年）省试，元祐年间又入京应考。此时苏轼在京为官，黄庭坚、张耒、晁补之等会集门下。潘大临前往拜访黄庭坚，给后者留下很好的印象，两人遂经常来往。潘大临向黄庭坚请教诗文，黄庭坚以知无不言、言无不尽的态度，作《与潘邠老》一文指出他的问题：“公所作诗文甫跛有余，然每读之十数过，辄使人恨之。自以作文从来少功，未得所谓。公试读司马迁《孟子》《伯夷》《荀卿传》，韩愈《原道》，求其故，因来示教，所谓方

① 滕丽丽：《江西诗派概论》，《北方文学（下半月）》2012年2月刊。

② （宋）惠洪：《冷斋夜话》卷四《满城风雨近重阳》，上海古籍出版社2012年版，第27页。

鞭其后，甚善甚善。流俗毁誉虽不足解免，要必有自来对病之药，莫勉于孟子之自反。承相与不疏，故及此耳。”[①]元祐六年（1091年），潘大临落第，心情很郁闷，黄庭坚又开导他说：“尔比承忿有司之不知，已草草治行，遂不过我而东，鄙心甚怏怏。此乃学为举子之文，侥幸一日既得人爵而弃之者也，岂所望邠老者邪？”[②]黄庭坚对潘大临的期望甚高，要求也很严格，潘大临一一虚心受教。

北宋末年，潘大临与张耒、李清照、黄庭坚等人为元结的《大唐中兴颂》作诗题咏。元结《大唐中兴颂》撰于唐肃宗上元二年（761年），唐代宗大历六年（771年），元结丁母忧而家于祁阳浯溪，乃请时任抚州刺史颜真卿手书此颂，刻于浯溪岸边的石崖。潘大临所作《浯溪》全文曰：“公泛浯溪春水船，系帆啼鸟青崖边。次山作颂今几年，当时治乱春风前。明皇聪明真晚谬，乾坤付与哥奴手。骨肉何伤九庙焚，蜀山骑驴不回首。天下宁知再有唐，皇帝紫袍迎上皇。神器苍忙吾敢惜，儿不终孝听五郎。父子几何不豺虎，君臣宁能责胡虏。南内凄凉谁得知，人间称家作端午。平生不识颜真卿，去年不答高将军。老来读碑泪横臆，公诗与碑当共行。不赏边功宁有许，不杀奉皇犹敢语。雨淋日炙字未讹，千秋万岁所鉴多。”[③]这首诗以史笔为诗，议论精警，叙事有法，是他精心打磨的诗歌作品。此诗也颇得后世好评，如南宋曾季貍曾云：“山谷《浯溪碑》诗有史法，古今诗人不至此也。张文潜浯溪诗止是事持语言，今碑本并行，愈觉优劣易见。张诗比山谷，真小巫见大巫也。潘邠老亦有浯溪诗，思致却稍深远，吕东莱甚喜此诗。予以为邠老虽不敢望山谷，然当在文潜之上矣。”[④]当代学者莫砺锋对此评论说：“贬张

---

① （宋）黄庭坚：《黄庭坚全集》，江西人民出版社2011年版，第1908页。

② （宋）黄庭坚：《与潘邠老帖五》，载黄庭坚《山谷别集》卷一七，见影印文渊阁本《四库全书》第1113册，第712页。

③ 北京大学古文献研究所编：《全宋诗》，北京大学出版社1991年版，第13437页。

④ （宋）曾季貍：《艇斋诗话》，载《历代诗话续编》，中华书局1983年版，第296页。

（末）语或过甚，但对潘诗的肯定是足以参考的。”[①]

夏倪，字均父，蕲州（今湖北蕲春）人，生卒年不详。宋徽宗宣和中，自府曹左官祁阳监酒过浯溪、涪台，爱其山水奇秀，作减字木兰花词。倪文辞富瞻，有《远游堂集》二卷传于世。尝以“天寒霜露繁，游子有所之”十字为韵作十首诗，为吕本中《江西诗社宗派图》成员之一。卒于建炎元年，著作已散佚。有著名词《减字木兰花·宣和庚子登浯台作》留世：“江涵晓日，荡漾波光摇桨入。笑指浯溪，漫叟雄文锁翠微。休嗟不偶，归到中州何处有？独立风烟，湘水浯台总接天。”[②]

林敏功（一作林敏公），字子仁，蕲州（今湖北蕲春）人，生卒年不详。年十六，以春秋乡荐，不第，叹道：“轩冕富贵，非吾愿也。”[③]杜门不出者三十年。元符末（1100年）屡征不起，赐号高隐处士。与弟敏修比邻终老，世号“二林。”林敏功著有诗文百卷，号《蒙山集》，后因战火大半散落，尚存诗文十卷左右。其中，诗歌大约悉数收入《江西诗派》本，名《高隐集》，共七卷，被《直斋书录解题》卷二所著录诗文集称《林敏功集》，存十卷，为《宋史》卷28《艺文志七》著录。后皆佚。《全宋诗》辑诗八首。此外，林敏功有《编年苏诗注本》，虽已经亡佚，但其成果融入后来苏诗注的成果中，《集注分类东坡先生诗》中尚存其注600多则。

今存林敏功八首诗歌，有述怀、题画、述行、赠人诗，题材丰富，意蕴深厚，并不限于抒写隐居情怀。作为一个隐者，他同情下层民众痛苦，并作诗吟咏。如《赠赵正之》诗云：“君为稻田官，君非力田科。我令耕田夫，为君奏田歌。南亩茨粱稼，东郊烟雨蓑。田家不作苦，奈此岁暮何。悯悯望有年，一失成蹉跎。立苗非不疏，稊稗常苦多。小人剥良善，蓬蒿贱嘉禾。去恶藉老农，芟夷戒骈罗。夫君邦之彦，妙年加

① 莫砺锋：《论北宋末年的五首题〈中兴颂〉诗》，《社会科学战线》2016年第5期。

② （宋）夏倪：《减字木兰花·宣和庚子登浯台作》，载（清）朱彝尊、汪森编：《词综》卷一〇《宋词·夏倪》，第220页。

③ （清）张泰来撰：《江西诗社宗派图录》，清刻昭代丛书续编本。

切磋。治国与治身，此道终靡他。人心不相远，如以斧伐柯。愿君日显荣，吾言期不磨。”[①] 这首诗有两条主线，第一条主线“我今耕田夫，为君奏田歌”讲述农事之辛苦，第二条主线“示君邦之彦，妙年加切磋”劝谏对方修身如治苗。这两条主线通过“治国与治身，此道终靡他”连接起来，说明主旨：修身不仅仅是单纯的个人修养，而是要将它与治国结合起来，体会“耕田夫”的辛苦，以期“人心不相违，如以斧伐柯”。古来“为君奏田歌”的诗歌亦不少，但如林敏功这样将为人父母官的个人修养和对亲民爱民的政治道德联系起来，并以稼穑之事巧妙作喻的，并不多见。这首诗立论正大，结构巧妙，是一篇难得的佳作。

林敏修，字子来，蕲春（今湖北蕲春）人，林敏功之弟。生卒年均不详，工诗，诗属江西诗派。《直斋书录解题》卷二著录《江西诗派》本《无思集》四卷，已佚。《全宋诗》辑诗九首。同为隐逸诗人，林敏修的诗作流露兀傲、不平的气息，与其兄有所不同。如《次韵寄检讨》云：“济北淮南梦到稀，牢愁犹赖酒来微。欲知饭颗诗人瘦，政忆长须主簿肥。应世君方持手板，畏人我已着山衣。春来消息甚疏阔，从倚高原惜寸晖。”[②] 这首诗将友人之“肥”与自己之“瘦”，友人之“应世”“持手板”与自己之“畏人”“着山衣”进行强烈的对比，是全诗的核心意象。由于志趣不同，诗人与朋友的关系从亲密无间慢慢变得“梦到稀”“消息甚疏阔”。诗人的情感也从“牢愁犹赖酒来微”发展到“从倚高原惜寸晖”，颇有躁动不安之意。

高荷，字子勉，自号还还先生，荆南（今湖北江陵）人。元祐时期为太学生，曾入陕西转运使张永锡（仲蔚）幕。晚年为童贯门客，官至兰州通判。

高荷的诗作极得黄庭坚称赏。宋徽宗崇宁元年（1102 年），与苏轼

---

① 北京大学古文献研究所编：《全宋诗》，第 12228 页。

② （宋）林敏修：《次韵寄检讨》，载（宋）刘涣等撰、刘元高编：《三刘家集》，见影印文渊阁本《四库全书》第 1345 册，第 558 页。

齐名的诗人黄庭坚自涪州贬所东归，逗留于江陵时，高荷曾前往献诗，诗中有“蜀天何处尽，巴月几回弯”“点检金闺彦，凄凉玉笋班”之句，极得黄庭坚叹赏，称赞他作诗“以老杜为标准，用一事如军中之令，置一字如关门之键，而充之以博学，行之以温恭，盖天下士也。……极有笔力，使之凌厉中州，恐不减晁、张”[①]。但由于高荷为“六贼”之一的宦官童贯的门客，被士林不齿，《石林诗话》记载说：“既不为时论所与，其诗亦不复传云。”[②]

高荷的代表诗作《蜡梅》是一首咏物诗。《蜡梅》：“少熔蜡泪装应似，多爇龙涎臭不如。只恐春风有机事，夜来开破几丸书。”一般说来，咏物诗当然离不开对所咏之物的外形特征描写，但如果只注意到这一点，那就往往会滞于形相而缺乏神采。而对于一些常见的题材如牡丹、梅花等，更容易造成人云亦云、千篇一律，高荷此诗在追求神似方面却饶有新意，成为咏物小诗中不可多得的妙品。

在湖北，江西诗派诗人的交游活动亦极其频繁。洪刍任黄州知录时携弟洪炎在黄州与潘大临、潘大观、何颉、何颙交往。

（八）“南渡巨擘”的襄阳张嵲

张嵲（1096—1148 年），字巨山，襄阳（今湖北襄阳）人，徽宗宣和三年（1121 年）进士，《宋史》有传。有诗文集《紫微集》传世，《紫微集》又称《张巨山集》《张紫微文集》《张紫微先生集》。

《张紫微文集》自明以来，其集散佚，久无传本。南宋陈振孙《直斋书录解题》卷十八著录《张巨山集》为 30 卷，《文献通考》卷 239 沿用《直斋书录解题》的说法；《宋史·艺文志》著录为“张嵲《紫微集》三十卷”。现存《紫微集》，清修《四库全书》从《永乐大典》辑出，编为三十六卷。

张嵲在当时就甚有诗名，其诗歌体裁完备，题材广泛。现存《紫微

① （清）张泰来撰：《江西诗社宗派图录》，清刻昭代丛书续编本。

② （宋）叶梦得：《石林诗话》卷中，见影印文渊阁本《四库全书》第 1478 册，第 997 页。

集》卷一至卷十，录有张嵲四言诗、五言古诗、五言律诗、七言古诗、七言律诗、七言绝句等诗作约654首，从数量上来看其五言古诗和七言绝句远远超出其他的体裁，诗作数量在南渡诗人中还是比较多的。张嵲诗歌的取材十分广泛，主要有写景咏物诗、读书题画诗、日常生活诗等，或描写自然景物，或抒发一时之感慨。如五言古诗《夷陵》云：

吴蜀相持地，江山真险固。昔闻焚夷陵，今兹但遗堵。
山远欲连天，江宽疑浸树。左顾渚宫涂，右眺襄阳路。
野迥无居人，荒村但豺虎。依依念乡井，怆怆悲坟墓。
月淡江风寒，云深楚山暮。伫立小踟蹰，苍苍归鸟去。①

张嵲的诗歌语言朴实自然，颇具“冲淡之味”。张嵲的五言古诗较少用典，语言平易自然。

在诗学思想方面，张嵲不同于江西诗派，他主张学习魏晋六朝的诗歌，追求萧散淡然的诗歌风格，提倡苦思的创作方法。如其七言绝句《过覃氏园偶题》：

十日浓阴飞细雨，清川初涨水平沙。
幽人闭户春已半，开遍山南山北花。②

刘克庄、朱熹、曾国藩等人都高度评价过张嵲的诗歌。刘克庄《后村诗话》称张嵲五言古诗：“词语高简，意味幽远，此类不可殚举，真南渡巨擘。”评价张嵲的七言绝句“精丽宛转有思致”，即在章法上有清晰的起承转合，回环往复的特点，而音韵婉转悠扬，情味深远绵长，具

① （宋）张嵲：《夷陵》，载张嵲：《紫微集》卷二，见影印文渊阁本《四库全书》第1131册，第357—358页。

② （宋）张嵲：《过覃氏园偶题》，载张嵲：《紫微集》卷九，见影印文渊阁本《四库全书》第1131册，第413—414页。

有“微婉而成章”的艺术特色。[①] 朱熹对张嵲有敬仰之情，对其诗歌也是多有推崇，在《书李巽伯所跋石鼓文后》中朱熹写道：“余年十八九时，邂逅李卿于衢州守张紫微坐上。二公皆一时名胜，挥麈论文，意象超逸，令人倾竦。”[②] 曾国藩则说：“和张邑侯诗，音节近古，可慰可慰。五言诗，若能学到陶潜、谢眺一种冲淡之味，和谐之音，亦天下之至乐，人间之奇福也。”[③]

（九）诗文“疏畅明达”的谷城王之望

王之望（1104—1171 年），字瞻叔，襄阳谷城（今湖北襄阳谷城）人，后寓居台州（今浙江台州）[④]。《宋史》有传。高宗绍兴二年（1132 年）在台州荫补为官；绍兴八年（1138 年）登进士第，任处州（今浙江丽水市）教授，历知荆门军、湖南提举常平茶盐、潼川府路转运判官、成都府路转运副使，除太府少卿，总领四川财赋军马钱粮。孝宗即位之后，改迁户部侍郎，充川陕宣谕使。及还朝，参赞江淮都督府军事。继权直学士院，除吏部侍郎。隆兴二年（1164 年），自左谏议大夫除参知政事，兼同知枢密院事。时和战未定，王之望与主和派合作促成和议，遭言官弹劾，黜为端明殿学士、提举江州太平兴国宫。乾道元年（1165 年）知福州，后因捕海贼有功，加资政殿大学士，移知温州。乾道七年（1171 年）二月卒于家，年六十八，谥敏肃。

王之望是两宋之交一位重要的政治人物，为政清廉，心系百姓，主张爱惜民力，与民休息，使百姓能够安居乐业。他历徽宗、钦宗、高宗、孝宗四朝，仕宦时间将近 40 年，亲历了靖康之变、南宋创建、绍兴

---

① （宋）刘克庄撰、王秀梅点校：《后村诗话》后集卷二，中华书局 1983 年版，第 68、69 页。

② （宋）朱熹撰、朱杰人等主编：《朱子全书》，第 4981 页。

③ （清）曾国藩著、陈书凯编译：《曾国藩文集·处世金针·学问之道·诗文指要》，中国纺织出版社 2007 年版，第 156 页。

④ 2000 年于今浙江台州市代管县级市临海市出土了《王之望墓志》，现存临海博物馆东湖石刻碑林；或许王之望的寓居地在台州临海。见马曙民、任林豪：《临海墓志集录》，宗教文化出版社 2002 年版，第 4 页。

和议、隆兴和议等重大历史事件，是南宋初期历史的见证者和参与者。[①]绍兴二十二年（1152 年），王之望知荆门军时，曾“请命有司编集中兴以来宽恤诏令”[②]，让地方官能够体会朝廷宽恤百姓之意，实行爱民之政。在衡阳期间，相继上了《论潭衡郴州桂阳军贼盗劄子》《乞分戍奏劄》《湖南提举司论河渡奏议》等多篇奏议，对于衡阳地区的贼盗问题、渡口问题提出了解决办法，为当地百姓营造了安全的生活环境。

王之望少时才思敏捷，文才出众，有“小东坡”之称。据《王之望墓志》记载：“公自幼警悟，笃志学问，意气英迈。一时名士如魏泰诸人，皆以公辅期之。”[③]绍兴八年，时年 35 岁的王之望科举及第，主考官朱震、试卷官孙道夫对其文章十分赏识，视之为“小东坡”。

王之望个人文集，在南宋陈振孙《直斋书录解题》中著录为“《汉滨集》六十卷”。该书卷十八载：“《汉滨集》六十卷，参政襄阳王之望瞻叔撰，周益公为集序。”[④]《文献通考》卷二百三十九仍著录“《汉滨集》六十卷”。但《汉滨集》在南宋已罕有传本，后遂散佚不存。现存《汉滨集》十六卷，是清四库馆臣从《永乐大典》中“採撮裒缀，所存什之三、四而已”[⑤]。《汉滨集》十六卷的内容如下：卷 1 为赋、古体诗，卷 2 近体诗，卷 3 制词，卷 4 表状，卷 5—7 奏议，卷 8 朝劄，卷 9—13 书、启，卷 14 策、赞、记，卷 15 跋、传、墓志铭、行状，卷 16 祭文。

王之望是南宋时期著名文人，工诗属文，又是词学大家，今存词 26 首。《王之望墓志》说他“手未尝释卷，博学无所不通，谈论英发，听

① 钟德辉：《王之望政治及军事思想研究》，华中师范大学 2013 年硕士学位论文，第 1 页。

② （宋）李心传：《建炎以来朝野杂记》甲集卷四《绍兴淳熙庆元宽恤诏令》，中华书局 2000 年版，第 112 页。

③ 马曙民、任林豪：《临海墓志集录》，第 4 页。

④ （宋）陈振孙撰、尹小林整理：《直斋书录解题》卷一八，第 321 页。

⑤ （清）永瑢等撰：《四库全书总目提要》卷一五八《集部十一・别集类十一・汉滨集》，王云五主编民国万有文库本第 30 册，第 93 页。

者忘倦。为词章下笔立成，豪赡宏博，切于事理”[①]。他的词作中，一首《鹧鸪天·台州倚江亭即席和李举之，时曹功显、贺子忱同坐》虽不见于现存《汉滨集》十六卷的记载，但却脍炙人口，享誉海内。

《文献通考》作者马端临评价王之望：“学根于经，故有渊源；文适于用，故无枝叶；奏劄甚多，皆可行之；言内制虽少，得坦明之体；酷嗜吟咏，词赡而理到。近世论文章事业，公实兼之。”[②]《四库全书总目提要》则评价说：“其诗文，疏畅明达，犹有北宋遗矩。诸劄子，亦多足以考见时事，与正史相参，未可遽废。”[③]

（十）词作“骏发豪迈”的兴国王质

王质（1135—1189 年），字景文，号雪山，祖上为郓州（今山东东平）人，后徙兴国军（今湖北阳新县），他自己应算作兴国人。他自幼聪颖好学，青年时入太学读书。王质博通经史，文思敏捷，才华横溢，史称“听景文论古，如读郦道元《水经》，名川支川，贯穿周匝，无有间断，咳唾皆成珠玑”[④]。与九江王阮齐名，深受中书舍人张孝祥父子器重。宋高宗绍兴三十年（1160 年），考取一甲进士，曾为太学正、敕令所删定官、枢密院编修官、荆南府通判，不久改为吉州通判，王质均未到任，“奉祠山居，绝意禄仕”[⑤]，从此隐居家乡，从事文学创作和学术研究。

纵观王质一生，他不仅是一位学者、文人，更是一名爱国志士。早年他积极进取，但因性格耿直，迭遭打击，多次罢官，多次入幕府，但始终壮志未酬。他的主要成就，表现在学术研究和文学创作上。个人文集有《雪山集》十六卷，收录其主要文学作品；《绍陶录》二卷，系王

① 马曙民、任林豪：《临海墓志集录》，第 7 页。

② （元）马端临撰：《文献通考》卷二三九，第 1900 页。

③ （清）永瑢等撰：《四库全书总目提要》卷一五八《集部十一·别集类十一·汉滨集》，王云五主编民国万有文库本第 30 册，第 93 页。

④ （元）脱脱等：《宋史》卷三九五，第 12055 页。

⑤ （元）脱脱等：《宋史》卷三九五，第 12056 页。

质“奉祠山居”期间，因追慕陶渊明、陶弘景皆弃官遗世而作。王质还有《诗经》研究著作《诗总闻》，该书在《宋史·艺文志》里作二十卷，《直斋书录解题》记为三卷。王质存世的这三本著作，在《四库全书》里均有收录。

从《雪山集》看，王质善诗、工词、能文，他十分推崇北宋文学家苏轼，其作品流畅爽快，也有苏轼的遗风。钱锺书先生在《宋诗选注》中评价其诗：“很流畅爽快，有点儿苏轼的气派。”[①] 今人所编《全宋诗》第46册，卷二四九三至卷二四九九，收录王质诗歌共7卷，400多首。其文亦效法苏东坡，以载于其《雪山集》卷六的《游东林山水记》为例，作者记述了绍兴二十八年（1158年）八月两天中游历东林（在今浙江吴兴）山水的见闻，并抒发了自己羁旅异乡和同伴积岁忧患的感慨，从而使这幅秀丽迷人的自然图画，又连缀着几笔乱离社会的悲惨景象。作者生活在南宋初年的动乱时代，作为一个关怀国事的人，他在文学上把自己看作是苏轼的继承人，这篇游记描写深夜山势“森森欲下搏人”，显然取自苏轼《石钟山记》中“森然欲搏人”句。[②]

《雪山集》收录王质词作75首，其词作喜用口语，风格清壮，爱国词、闲逸词、咏史怀古词、咏物词，都各具特色，著名学者饶宗颐先生评价王质词作“骏发豪迈”[③]。如其名作《长相思·渔父》：“山青青，水青青，两岸潇潇芦荻林，水深村又深。风泠泠，露泠泠，一叶扁舟深处横，垂杨鸥不惊。”[④] 这首词给人一种解脱了繁忙事务之后顿获空闲而寄情山水的闲适之感。他通过描写山、水、芦荻、扁舟、垂杨、白鸥等景物，绘制出了一幅幽静的画面，以境清衬闲情。且其中连用叠词“青

① 钱锺书：《宋诗选注》，生活·读书·新知三联书店2002年版，第339页。

② （宋）苏轼：《石钟山记》，见贝远辰、叶幼明选注：《历代游记选》，湖南人民出版社1980年版，第45页。

③ 饶宗颐：《词集考》，中华书局1992年版，第144页。

④ （宋）王质：《长相思·渔父》，载王质《雪山集》卷一六，见影印文渊阁本《四库全书》第1149册，第496页。

青”“潇潇”“泠泠”，读起来朗朗上口，增添了整首词的音韵。全词清新明快，意境幽然，将乡村生活闲适自在之情表现得淋漓尽致。

王质的《定风波·赠将》是呼唤英雄、崇拜豪杰的典型之作。北宋灭亡以后，宋室南迁以来，沉重的民族危机在呼唤英雄的出现，强烈的忧患意识在激励豪杰的成长，于是英雄豪杰也开始成为南宋文人词大量歌咏描写的对象。词人为表达自己对抗金将领的深挚理解和热切期望，于是通过描写一个闲居山林的将军，而辛辣地揭露和批评了南宋统治集团执行投降主义政策、排斥主战将领和抗金英雄的罪行。全文曰：“问讯山东窦长卿。苍苍云外且垂纶。流水落花都莫问，等取，榆林沙月静边尘。江面不如杯面阔，卷起，五湖烟浪入清樽。醉倒投床君且睡，却怕，挑灯看剑忽伤神。”[①] 特别是下阕后句，为后来的豪放派大词人辛弃疾所用，辛弃疾在《破阵子·为陈同甫赋壮诗以寄之》词中，一开始便写道：“醉里挑灯看剑，梦回吹角连营。”[②] 可见，这首词在当时的影响之深。

王质还为南宋爱国词人张孝祥写作了一首《八声甘州·怀张安国》。其文曰：“海茫茫、天北与天南，吾友定安归。闻濡须江上，皖公山下，驾白云飞。莽苍空郊虚野，古路立斜晖。颜跖皆尘土，苦泪休挥。一代锦肠绣肺，想英魂皎皎，健口霏霏。望寒空明月，无路寄相思。叹千古、兴亡成败，满乾坤、遗恨有谁知。今何在，一川烟惨，万壑风悲。”[③] 王质对爱国词人张孝祥的逝世表达了深厚的同情。张孝祥的遗恨也是作者的遗恨，是南宋爱国词人们共有的感情。南宋政权长期操纵在主和派手中，少数几次北伐又首鼠两端，狼狈收场，留给词人的只能是

---

① （宋）王质：《定风波·赠将》，载王质《雪山集》卷一六，见影印文渊阁本《四库全书》第1149册，第500页。

② （宋）辛弃疾：《破阵子·为陈同甫赋壮诗以寄之》，载（清）朱彝尊、汪森编：《词综》卷一三《宋词·辛弃疾》，第278页。

③ （宋）王质：《八声甘州·怀张安国》，载王质《雪山集》卷一六，见影印文渊阁本《四库全书》第1149册，第504页。

被压抑的苦闷和壮志难酬的悲愤。

王质还是一位著名的《诗经》学家，与郑樵、朱熹齐名，且自成一家之言。他的《诗经》研究著作《诗总闻》，是其30年苦心孤诣编撰的学术专著。该书独创“十闻”之体，对《诗经》进行多学科多角度的系统解说，提出“即辞求事，即事求意”[①]的命题。王质是南宋《诗经》学废序派的代表人物[②]，力图摆脱传统的汉学体系的束缚，大胆反对《诗序》的价值，主张废除《诗序》，采取“去序言诗”的方法，完全按照自己对《诗经》原文的理解阐释诗意。其书取诗三百篇，每篇说其大义，后有《闻音》《闻训》《闻章》《闻句》《闻字》《闻物》《闻用》《闻迹》《闻事》《闻人》共十门，以注解字音、词义、名物制度，介绍时代背景和点明诗之主旨。每篇又有《总闻》，是对一篇诗的总论。王质还认为《二南》是诗的一体，是《诗经》“南、风、雅、颂”四个组成部分之一，它们都是乐歌之名。为此又撰“闻南”“闻风”“闻雅”“闻颂”，分别冠于四个部分之前。《诗总闻》因多发个人新见，富有文学创获，清代四库馆臣评述称其“毅然自用，别出新裁”“以意逆志，自成一家”[③]，至今仍是《诗经》学术研究的重要参考文献。

（十一）“才华清隽”的江陵杨冠卿

杨冠卿（约1136—约1194年）[④]，字梦锡，江陵（今湖北荆州）人。由于《宋史》没有其传记，生平事迹无考。他幼习经史，后因事罢官，侨居临安（今浙江杭州），杜门不出，以填词为乐，并与著名词人姜夔等相唱和。

杨冠卿著有《客亭类稿》十四卷，现存词共三十六首。《客亭类稿》

---

① （宋）王质：《诗总闻》卷一，见影印文渊阁本《四库全书》第72册，第440页。

② 夏传才：《诗经研究史概要》，清华大学出版社2007年版，第109页。

③ （清）永瑢等撰：《四库全书总目提要》卷一五《经部十五·诗类一·诗总闻》，王云五主编民国万有文库本第4册，第10页。

④ 此处关于杨冠卿生卒年，据辛更儒《杨冠卿生平及其〈客亭类稿〉考》（载《中国典籍与文化》2009年第3期）一文的考证而标注的。

为杨冠卿的别集，且为《四库全书》所收录，据《四库全书总目提要》知，陈振孙《直斋书录解题》就载有《客亭类稿》十五卷，今本《客亭类稿》十四卷，为四库馆臣据《永乐大典》所载，以刊本参校，搜缉补缀，诸体始全，并仿原编名目，釐为十四卷，称赞冠卿“才华清隽，四六尤流丽浑雅”[①]。

今人将杨冠卿视为南宋湖北爱国词人的代表之一，辛更儒研究《客亭类稿》后认为，“敷腴润泽，无一点寒陋气，亦可谓杨冠卿词之特色”[②]。如《鹧鸪天·次韵宝溪探梅未放》云：“岁月如驰乌兔飞，情怀著酒强支持。经年不见宫妆面，秾碧谁斟悲翠卮。江路晚，夕阳低。奚奴空负锦囊归。欲凭驿使传芳信，未放东风第一枝。”[③] 虽然词中感慨了岁月易逝人易老，但“欲凭驿使传芳信，未放东风第一枝”又很洒脱大气。

《水调歌头·次吴斗南登云海亭》是他的早期词作，充满了蓬勃朝气和进取精神。其文曰：“年少青云客，怀抱百忧宽。北窗醉卧春晓，归梦趁吴帆。来访鸱夷仙迹，极目平湖烟浪，万象一毫端。云海渺空阔，咫尺是蓬山。佩飞霞，囊古锦，几凭阑。赤城应有居士，凤举更龙蟠。待向玉霄东望，相与神游八极，身未似云闲。长剑倚天外，功业镜频看。”杨冠卿填的另外一首《水调歌头》小序说：“归至罗浮，舟过于湖，哭张安国，至采石，吊李谪仙，悼今昔二贤豪之不复见也。月夜酹酒江渍，慨然而去，作长短句。”[④] 作者经过芜湖，哭悼爱国词人张孝祥，经过当涂，吊念唐代大诗人李白，有感于自己有家难归，国事难为

① （清）永瑢等撰：《四库全书总目提要》卷一六〇《集部十三·别集类十三·客亭类稿》，王云五主编民国万有文库本第31册，第21页。

② 辛更儒：《杨冠卿生平及其〈客亭类稿〉考》，《中国典籍与文化》2009年第3期。

③ （南宋）杨冠卿：《鹧鸪天·次韵宝溪探梅未放》，载杨冠卿《客亭类稿》卷一四，见影印文渊阁本《四库全书》第1165册，第545—546页。

④ （南宋）杨冠卿：《水调歌头》，载杨冠卿《客亭类稿》卷一四，见影印文渊阁本《四库全书》第1165册，第546—547页。

的社会现实，抚今追昔，写下了这首词。

杨冠卿的诗作也写得很好，有《归自淮右读楚辞有感》诗云："忆昔淮山战骨高，行人持节过临洮。匣中剑气徒干斗，袖里纶钩莫钓鳌。世事从来两蜗角，男儿不遇一鸿毛。功名槐国吾深省，痛饮何妨读楚骚。"描述了宋高宗绍兴末年完颜亮南侵之后的两淮社会景象。又有《淮楚春晚病中》诗描写病中思乡之情，令人唏嘘，感同身受。诗句"痛饮何妨读楚骚""雁飞不到楚天远"何尝不是作者对家乡热爱思念之情的流露？

（十二）王澜、余玠与詹正等词人

词到了南宋，进入了新的发展时期。在国难当头的特定历史条件下，不少作家以词为武器，发出了抗金北线的呼声。南宋时期，湖北籍的词作者数量仅十余人，有王质、杨冠卿、刘之翰、王澜、余玠、詹正、王之望、吴亿、万俟绍之等人。这里，介绍王澜、余玠和詹正、吴亿、万俟绍之等湖北爱国词人。

王澜，蕲州（今湖北蕲春县）人，乡贡进士，其他生平事迹无考。南宋末年，《辛巳泣蕲录》（述古堂写本）一书录有王澜的《念奴娇》词一首，该词是王澜避地在溢江新亭（今江苏南京江宁区南部）所作。王澜在词中回顾亲身经历的一场浩劫，无比悲愤地写道：

> 凭高远望，见家乡、只在白云深处。镇日思归归未得，孤负殷勤杜宇。故国伤心，新亭泪眼，更洒潇潇雨。长江万里，难将此恨流去。　　遥想江口依然，鸟啼花树，今日谁为主？燕子归来，雕梁何处，底事呢喃语？最苦金沙，十万户尽，作血流漂杵。横空剑气，要当一洗残虏！

该词揭露了金兵在蕲州所犯下的"十万户尽，作血流漂杵"的残暴罪行，抒发了郁积胸中的国破家亡的满腔仇恨，表达了"横空剑气，要当一洗残虏"的豪情壮志。该词被后人视作一首难得的爱国词。

余玠，字义夫，号樵隐，蕲州广济（今湖北武穴）人，南宋词人。生年未详，死于南宋宝祐元年（1253 年）。余玠少为白鹿洞书院诸生，不羁之士，好大言，喜功名。曾官至兵部侍郎，四川安抚制置使，治蜀颇有治声。玠有浩然气，文武双全，擅诗词，工书法，惜作品未能结集付梓，多散佚。今存《瑞鹤仙》词一首，传为赵葵为淮东制置使时，玠晋谒赵葵时作：

> 怪新来瘦损。对镜台，霜华零乱鬓影。胸中恨谁省。正关山寂寞，暮天风景。貂裘渐冷。听梧桐、声敲露井。可无人、为向楼头，试问塞鸿音信。　　争忍？勾引愁绪，半掩金铺，雨欺灯晕。家僮困卧，呼不应，自高枕。待催他、天际银蟾飞上，唤取嫦娥细问。要乾坤，表里光辉，照予醉饮。[①]

这首词风格豪放，感情沉着，表达了作者不被人理解的苦闷和要改造世界的雄心，也体现了作者对生活的热爱和对祖国的关心，堪称一篇优秀作品。

詹正，一名詹玉，字可大，号天游，郢州（今湖北钟祥）人。他生活在南宋末年至元朝初年，曾在元朝至元间担任翰林应奉。元初江西庐陵的书坊凤林书院刊有无名氏所编《名儒草堂诗余》（一名《续草堂诗余》），入选者多为江西人，尤以庐陵籍居多。詹正有 9 首词被选入《名儒草堂诗余》，可见他是凤林书院词人群体中比较重要的一员。有《天游词》传世，《全宋词》辑录了其词作 13 首。主要作品有《齐天乐·送童瓮天兵后归杭》《汉宫春》《桂枝香》《多丽》《三姝媚》《渡江云》等。

《齐天乐·送童瓮天兵后归杭》应是入元之后的作品，抒发了故国之思，却不是一味地怀念过去的生活，而是痛定思痛，反思南宋灭亡的

① （宋）余玠：《瑞鹤仙》，载（宋）赵闻礼辑：《阳春白雪》卷七，清嘉庆宛委别藏本。

教训。其文曰："相逢唤醒京华梦，吴尘暗斑吟发。倚担评花，认旗沽酒，历历行歌奇迹。吹香弄碧。有坡柳风情，逋梅月色。画鼓红船，满湖春水断桥客。当时何限俊侣，甚花天月地，人被云隔？却载苍烟，更招白鹭，一醉修江又别。今回记得。再折柳穿鱼，赏花催雪。如此湖山，忍教人更说？"[①] 童瓮天是詹正的好友，词人与童瓮天相逢，令他忆起当年在京城杭州的情形。如今相逢时，童瓮天年事已高，白发斑斑。童瓮天当年曾倚着卖花的担子评论花的香色，一边行走一边歌唱。他有苏东坡咏柳的风情，有林逋钟情梅花的爱好，曾是乘坐西湖画鼓红船，游览西湖的常客。词人感慨，当年那些诗友们多数已经四散分离，现在童瓮天又要离别而去，这首词的最后一句"如此湖山，忍教人更说？"读之催人泪下。

《霓裳中序第一》也是一首抒写亡国之痛的词。这首词首先感慨古镜曾经看见过北宋徽宗宣和年间多少繁华盛景，多少女子对镜理红妆。然后，暗示使用过这面古镜也不是一般的女子，而是北宋王朝的皇后嫔妃们。这些人在靖康之耻中被掳往北地，古镜也跟着离开了汴京，被带往北地。"佳人已倾国，赢得痴铜旧画"是北宋覆亡的教训。另外一首《三姝媚》则从一艘曾满载南宋钱塘宫人的古舟发端，总结南宋灭亡的原因。词人认为，是统治者的骄奢淫逸导致了国家的败亡，所谓"如此江山，应悔却西湖歌舞"。

吴亿，字大年，蕲春（今湖北蕲春）人，生卒年不详。著有《溪园自怡集》十卷，今存词二首，《南乡子》以含蓄笔法写艳情；《烛影摇红·上晁共道》为帮闲之作，无甚意义。

万俟绍之，字子绍，郢（今湖北钟祥）人，生平事迹不详。著有《郢庄吟稿》，方洪为其作序时，说他是相家子也，把他与万俟卨扯上关系。宋人陈起撰《江湖后集》收有万俟绍之词三首。如《蝶恋花·春

① （元）詹正：《齐天乐·送童瓮天兵后归杭》，载（清）朱彝尊、汪森编：《词综》卷二七《元词·詹正》，第629页。

风》《风入松》表现一个江湖词人忘情世事、闲散疏懒的消极情绪；即使是严肃的主题，作者也取玩世不恭的态度，如《贺新郎·秣陵怀古》："风景不殊江山在，况是英雄未老。且拼与、尊前一笑。欲说前朝兴亡事，唤谪仙，人共传清醥。归路晚，月明照。"把一切历史的经验教训当作是酒席宴上的谈资，使其词作价值不大，也给湖北文学发展带来消极影响。

（十三）"雪楼先生"京山程钜夫

程钜夫（1249—1318年），初名文海，因避元武宗海山名讳，改用字代名，号雪楼，又号远斋。程钜夫的祖先自徽州徙郢州京山（今湖北京山），后迁江西建昌南城（今江西南城），程钜夫算是湖北京山籍后裔。京山属古郢州（治所在今钟祥）治下，郢州有白雪楼，唐白居易有《登郢州白雪楼》诗，程钜夫尝以"雪楼"名其寓所，世称其为"雪楼先生"，其文集也就称为《雪楼集》。

程钜夫是元朝开国以来最先得到重用的南人之一，历事元世祖、成宗、武宗、仁宗四朝，官至侍御史、翰林学士等职，为当时名臣。作为南人官员，程钜夫以大一统王朝的理念为南方融入大元王朝而奔走呼告，也以南北一统的理念重塑新王朝的思考方式与思维视野。程钜夫的努力取得了一些实质性的进展：引荐赵孟頫、袁桷、揭傒斯等南方文人入仕大都，推动了科举考试的进行，确立了科考的内容。

程钜夫自幼就接受过良好的儒学教育。他五岁就学，由于长辈谆谆教诲，家学渊源深厚，从幼年时代开始就显得出类拔萃，文思敏捷，过目成诵。由于其叔父程飞卿任职建昌军（今江西南城县），程钜夫随其叔父少年即来南城寄居，十七岁开始从学于江西教育家龙渊先生胡自明，十九岁开始游学于临川临汝书院，从学于徽庵先生程若庸，和翰林学士吴澄是同窗，都是教育家李燔的三传弟子。宋咸淳六年（1270年），程矩夫赴湖北省试。这是有文献记载的他唯一一次科举经历，虽未能及第，但他的三篇策文给当时名士李珏留下了深刻印象，李珏惊曰："三篇皆欲为国家措置大事，他日必非常人。”而“有司迄不敢取”①。宋德祐元年（1275年）是程钜夫命运被改变的年份，这一年“冬十二月，天兵南下，建昌内附”②，次年即元至元十三年（1276年），程钜夫“入为质子，授宣武将军，管军千户”③，开始了他长达四十年的仕宦生涯。

元世祖忽必烈曾召见程钜夫，问他南宋贾似道为何许人。程钜夫应对极详，忽必烈甚喜，又命他书写笔札，以观其才能。程钜夫立即写了二十多幅笔札呈上。三十岁还不到的程钜夫受到元世祖重用，进入翰林院，参与军国决策和起草诏书。不久升为翰林修撰，再任集贤直学士，兼秘书少监。

至元十九年（1282年），程钜夫向元世祖奏陈五事：取会江南仕籍，通南北之选，立考功历，置贪赃籍，供给江南官吏俸禄。又请兴建国学、搜访江南遗逸、参用南北之人，其建议均被采纳。

至元二十年（1283年），程钜夫加翰林集贤院学士、同领会同馆。至元二十三年（1286年），他当面向忽必烈提出，首先应兴建国学，请求派遣使者到江南去，搜访遗逸。御史台、按察司都应参酌使用南北之人。忽必烈欣然同意了。次年，立尚书省，忽必烈下诏以他为参知政事，他一再推辞。忽必烈计划任命他为御史中丞，台臣们反对说：“程钜夫是个南人，况且年轻，不可重用。”忽必烈大怒说：“你没有用过南人，怎么知道南人不可用。自今省部台院都必须参插用南人。”于是程钜夫仍以集贤直学士职，加拜侍御史，行御史台事，不久，朝廷派他奉诏往江南一带征访贤能。

起初，书写诏令都是用蒙古文字，自决定派人到江南搜访遗逸以

① （元）程钜夫撰、（元）程世京编：《雪楼集·附录·年谱》，见影印文渊阁本《四库全书》第1202册，第468页。

② （元）程钜夫撰、（元）程世京编：《雪楼集·附录·年谱》，见影印文渊阁本《四库全书》第1202册，第468页。

③ （明）宋濂等：《元史》卷一七二《程钜夫传》，中华书局1976年版，第4015页。

后，忽必烈特地命令可以用汉字书写诏令。临行时对程钜夫说："早就听说赵孟𫖯、叶李二人有名望，请务必招此二人来。"程钜夫到江南以后，除招致二人进京外，又举荐了余恁、万一鄂、张伯淳、胡梦魁等二十余人，均一一安排了御史台及文学之职。程钜夫回到朝廷后，将他在民间所看到的治政利弊上奏给忽必烈，希望朝政有所改进，这在客观上，有利于阶级矛盾的缓和。由于推荐南人出仕的措施与他礼贤好士、兴儒重文的态度，大大缓和了蒙汉之间的民族矛盾，也使蒙人逐渐接受了汉人的文化。后来元朝廷能够恢复科举、编修图书等文教事业，莫不与程钜夫的意见有关。

至元二十六年（1289 年），丞相桑哥专权，法令苛急，四方骚动。程钜夫时任江南行台御史，他毅然入朝上疏云："臣闻天子之职，莫大于择相，宰相之职，莫大于进贤。苟不以进贤为急，而惟以殖货为心，非为上为德、为下为民之意也。昔文帝以决狱及钱谷问丞相周勃，勃不能对，陈平进曰：'陛下问决狱，责廷尉；问钱谷，责治粟内史。宰相上理阴阳，下遂万物之宜，外镇抚四夷，内亲附百姓。'观其所言，可以知宰相之职矣。今权奸用事，立尚书钩考钱谷，以剥割生民为务，所委任者，率皆贪饕邀利之人，江南盗贼窃发，良以此也。臣窃以为宜清尚书之政，损行省之权，罢言利之官，行恤民之事，于国为便。"[①] 桑哥闻知大怒，将他羁留在京城，不放回江南，并六次奏请杀他，忽必烈均未准许。

至元三十年（1293 年），程钜夫为闽海道肃政廉访使。大德四年（1300 年），迁江南湖北道肃政廉访使。到任后，他首先对行省平章家奴中为民害者予以处罚，上下肃然。大德八年（1304 年），担任翰林学士。至大元年（1308 年），修《成宗实录》。至大三年（1310 年），拜山南江北道肃政廉访使。皇庆元年（1312 年），修《武宗实录》，并议行贡举。延祐元年（1314 年）以老病求致仕还乡。元仁宗命廷臣以下在大都

① （明）宋濂等：《元史》卷一七二《程钜夫传》，第 4016—4017 页。

齐化门为他饯行。居家三年去世。泰定二年（1325 年）追封楚国公，谥文宪。

程钜夫为四朝元老，四十余年间出入宫掖，朝廷典册多出其手，是元代前朝最主要的文臣之一。他以平易正大之学，振文风，作士气，著有《雪楼集》45 卷，门人揭傒斯并成 30 卷，内容丰富，资料翔实精当，有很高的史料和文学艺术价值，为治元史者所经常引用。

程钜夫专门为武当山写了一首《大天乙真庆万寿宫》的诗，受到道家推崇，刻在了武当山的石碑上。这首诗反映了道教在元朝备受推崇的史实，描写了武当山的风景壮观气象，表达了期冀国家长治久安，人民安居乐业的殷切愿望。其文曰："羽轸之墟均房间，白云峨峨武当山。根盘千里阻且艰，七十二峰罗烟寰。……愿神永永哀民艰，泛扫秽浊无恫瘝。我皇万岁御九寰，兴圣怡愉长朱颜。"[①] 这些诗作师法古人，一改宋诗轻文重道的宿弊，崇尚自然之美，善于运用真情实感感动读者，内容丰富。

从《雪楼集》看程钜夫的文学水平，后人均评价颇高。李好文为《雪楼集》作序时称赞道："公之文，悉本于仁义，辅之以六经，陈之为规范，措之为事业，滔滔汩汩，如有源之水流而不穷；曲折变化，合自然之度。愈出愈伟，诚可谓一代之作者矣。"[②] 清代四库馆臣则将程钜夫诗文特点概括为：

> 文章亦舂容大雅，有北宋馆阁余风……其诗亦磊落俊伟，具有气格。近体稍肤廓，当由不耐研思之故。古诗落落自将，七言尤多

① 石碑今存武当山南岩宫，石碑上显示程钜夫该诗写于延祐二年（1315 年）。（元）程钜夫：《翼轸之墟均房间》，见陈洁等主编：《武当山诗歌全集》，华中科技大学出版社 2014 年版，第 16 页。

② （元）李好文：《雪楼集原序》，见影印文渊阁本《四库全书》第 1202 册，第 4—5 页。

道警。当其合作不减元祐诸人，非竟不工韵语者。[①]

（十四）滕斌的散曲

滕斌，一作滕宾，字玉霄，黄冈（今湖北黄冈）人，元朝著名的散曲家。他的生卒年不详，“约生于1258年，约卒于1329年”[②]，从元武宗到英宗朝担任翰林学士，出为江西儒学提举，后弃家入天台为道士。元人钟嗣成《录鬼簿》将滕斌与董解元、贯云石、元好问等23人相提并论。

元朝是我国历史上第一个由北方游牧民族统治者建立的君临全国的封建王朝。它结束了从五代开始的持续三个多世纪的分裂状态，其版图也超过了汉唐王朝。但是，建立元朝的蒙古族统治者文化比较落后，武功有余而文治不足，对汉族几千年的文化传统既缺乏兴趣，也没有深入的理解。元朝实施残酷的阶级压迫和民族歧视政策，这必然激起广大人民的强烈不满和反抗。而元代文学艺术，除元曲外，就主流而论，大多内容空泛，题材狭窄，成就有限。因此，近代国学大师王国维在《宋元戏曲考》自序中有精辟的评论：“凡一代有一代之文学：楚之骚、汉之赋、六代之骈语、唐之诗、宋之词、元之曲，皆所谓一代之文学，而后世莫能继焉者也。独元人之曲，为时既近，托体稍卑，故两朝史志与《四库全书》集部，均不著于录；后世儒硕，皆鄙弃不复道。”[③]

在中国文学史上，元曲向来与汉赋、唐诗、宋词并称。所谓元曲，包括散曲和杂剧。散曲的名称，最早见于明初朱有燉的《诚斋乐府》，后人沿用。元人称散曲为“乐府”或“今乐府”，包括小令和套数两种形式。近人隋树森搜集编辑的《全元散曲》是元人散曲总集，共收小令3800多首，套数470多套；其中有姓名的作者220人，无名氏作品有

① （清）永瑢等撰：《四库全书总目提要》卷一六六《集部十九·别集类十九·雪楼集》，王云五主编民国万有文库本第32册，第34页。

② 吴国富：《黄冈籍元曲家滕斌考略》，《黄冈师范学院学报》2006年第2期。

③ 王国维：《宋元戏曲考》，东方出版社1996年版，第1页。

600余篇。虽然作品数量远不及《全唐诗》和《全宋词》，但是散曲作为一种新兴的诗歌形式，在元代取得了与诗词抗衡的地位，成为元代韵文最重要的样式。“虽然由于正统的文学观念不重视散曲，许多作品散失，但现在可考的元代散曲作家仍有200余人，作品4300多首。”[①] 在这些散曲作家中，滕斌担任过翰林学士和江西儒学提举等官职，属于地位比较高的社会阶层了。但他性格洒脱，喜欢戏谑，不愿曲意阿从权贵，作品中充满着对隐逸生活的向往和对功名利禄的批判，在消极避世的话语中蕴含着对社会现实的不满和反抗。

例如滕斌创作的小令《中吕·普天乐》包括《酒》《色》《财》《气》及《归去来兮四时调》，是他的代表作，反映其高超的艺术水准和道德品质。

《酒》云：“谪仙强，刘伶缪。笑豪来鲸吸，有甚风流？聊复尔，无何有。酝酿潮红春风透，兴来时付与觥筹。频频到口，轻轻咂啖，少过咽喉。”

《色》云：“百年身，千年债。叹愚夫痴绝，云雨阳台。人易老，心犹在。独倚栏杆春风外，算人间少甚花开。春光过也，风僝雨僽，一叶秋来。”

《财》云：“一瓢贫，千钟富，是天生分定，何必枉图？锦步障，黄金坞。狗苟蝇营贪不足，为妻儿口体区区。君家饱暖，他人冻馁，于汝安乎？”

《气》云：“少年时，风云志。记篇诗杯酒，颠倒群儿。吾善养，今方是。唾面来时休教拭，看英雄自古如痴。前程万里，饶人一步，却是便宜。”

《归去来兮四时词》云：“柳丝柔，莎茵细。数枝红杏，闹出墙围。院宇深，秋千系。好雨初晴东郊媚，看儿孙月下扶犁。黄尘意外，青山眼里，归去来兮。”

① 顾建华：《中国元代文学史》，人民出版社1994年，第2页。

“昼偏长，人贪睡。新蝉高树，乳燕低飞。荷荡中，湖光内。款棹兰舟闲游戏，任无情日月东西。钓头锦鲤，杯中美酝，归去来兮。”

“翠荷残，苍梧坠。千山应瘦，万木皆稀。蜗角名，蝇头利。输与渊明陶陶醉，尽黄菊围绕东篱。良田数顷，黄牛二只，归去来兮。”

“朔风寒，彤云密。雪花飞处，落尽江梅。快意杯，蒙头被。一枕无何安然睡，叹邙山坏墓折碑。狐狼满眼，英雄袖手，归去来兮。”

《赓和四时词》：“日迟迟，江山丽。秋千影里，手握肩依。闹管弦，纷罗绮。我爱青山共流水，游一和困在苔矶。落花啼鸟，一般春意，归去来兮。”

“晚天凉，薰风细。浮云黯淡，远水茫微。江水清，遥山碧。喜驾孤舟潇湘内，伴纶竿箬笠蓑衣。垂杨树底，芦花影里，归去来兮。”

“淡烟迷，遥山翠。秋天雁唳，夜月猿啼。小径幽，茅檐僻。秋色南山独相对，傲西风菊绽东篱。疏林鸟栖，残霞散绮，归去来兮。”

“暮霞收，彤云密。朔风凛冽，瑞雪纷飞。酒力微，茶烟湿。暖炕明窗绵绸被，尽前村开彻江梅。日高未起，黑甜睡足，归去来兮。”

《劝世》：“叹光阴，如流水。区区终日，枉用心机。辞是非，绝名利。笔砚诗书为活计，乐虀盐稚子山妻。茅舍数间，田园二顷，归去来兮。”

“仗权豪，施威势。倚强压弱，乱作胡为。我劝你，休窒闲。此等痴愚儿曹辈，利名场多少便宜。寻饥得饥，凭实得实，归去来兮。”

“乐生涯，抛活计。麻绦草履，淡饭黄虀。遇酒歌，逢场戏。落落魄魄无萦系，那里管闲是闲非。游山玩水，埋名隐迹，归去来兮。”[①]

酒色财气，泛指各种不良品德、习气，最早出自于《后汉书·杨秉传》。其文曰：“秉性不饮酒，又早丧夫人，遂不复娶，所在以淳白称。尝从容言曰：‘我有三不惑：酒，色，财也。’”[②]民间还流传着一个北宋

① 隋树森：《全元散曲》，中华书局1964年版，第298—302页。

② （宋）范晔撰、（唐）李贤等注：《后汉书》卷五四，第1775页。

君臣在东京汴梁大相国寺作酒色财气诗的故事。佛印和尚在大相国寺墙上题诗曰：“酒色财气四堵墙，人人都在里边藏；谁能跳出圈外头，不活百岁寿也长。”苏轼见后，便在原诗旁边题上《和佛印禅师诗》一首。其诗云：“饮酒不醉为最高，见色不迷是英豪。世财不义切莫取，和气忍让气自消。”宋神宗和王安石到大相国寺礼佛时看见这两首诗，王安石应皇命作《亦和佛印禅师诗》一首，立意积极向上。其诗云：“世上无酒不成礼，人间无色路人稀；民为富财乃发奋，国有朝气方生机。”宋神宗也写了一首诗云：“酒助礼乐社稷康，色育生灵重纲常；财足粮丰国家盛，气凝大宋如朝阳。”[①] 此事虽无确凿史料可考，但在民间流传甚广，深刻地反映了古人对生活的基本需求既向往又恐惧的心态。

滕斌所作《酒》《色》《财》《气》小令，观点接近佛印，劝世人不要被酒色财气所迷惑。他指出，饮酒过量不过是“笑豪来鲸吸，有甚风流？”沉溺于男女情事则“春光过也，风僝雨僽，一叶秋来。”一心求富是“狗苟蝇营”，面对他人给自己带来的怒火，应“饶人一步”，便可“前程万里”。四首小令明白如话，直截了当，有点像劝世歌，体现了元代散曲通俗易懂、清新明快的特点。

《归去来兮辞》是陶渊明创作的抒情小赋，也是一篇脱离仕途回归田园的宣言。滕斌写作《归去来兮四时词》，既是对陶渊明《归去来兮辞》的致敬和模仿，也抒发了自己的复杂情感。最终他的结局也的确是“游山玩水，埋名隐迹，归去来兮”。

① 高月明：《白酒潜在的生命力在哪儿？》，《酿酒》2006 年第 6 期。

第二节 寓鄂文人的创作

一、“放歌荆楚”的唐音交响

（一）“谁知入楚来”的陈子昂

陈子昂（659—700年）[①]，字伯玉，梓州射洪（今属四川）人。唐代文学家、诗人，初唐诗文革新人物之一。陈子昂开了唐代诗文从封闭走向开放的先河，他在唐代文学史上具有重要地位，对唐诗产生的历史影响意义深远[②]。

遥遥去巫峡，望望下章台。巴国山川尽，荆门烟雾开。
城分苍野外，树断白云隈。今日狂歌客，谁知入楚来。[③]

这首《度荆门望楚》是陈子昂年轻时期的作品，具体创作时间应当是调露元年（679年），陈子昂初次出川应试途经楚地时所作。诗题中的“荆门”，为山名，即荆门山。《水经注·江水》说：“江水又东历荆门、虎牙之间。荆门在南，上合下开，暗彻山南有门像；虎牙在北，石壁色红，间有白文类牙形，并以物像受名。此二山，楚之西塞也。”[④]荆门山与虎牙山相对，在今湖北宜都市西北，历来是兵家必争之地，著名的吴蜀夷陵之战就曾发生在这里，也是诗人出川，乘流而下的必经之地。作为青年诗人的陈子昂，来到楚地，无比亢奋；一过荆门，诗人就

① 关于陈子昂的生卒年，学术界目前有三种说法，此处从吴明贤的看法。见吴明贤：《陈子昂生卒年辨》，《四川师院学报》1981年第2期；《〈陈子昂生卒年辨〉补证》，《重庆师院学报》1983年第3期。

② 汪文学：《一代唐音起射洪——论陈子昂在唐代诗文革新中的机遇问题》，《贵州民族学院学报》2000年第1期。

③ （唐）陈子昂：《度荆门望楚》，见（清）彭定求等编：《全唐诗》卷八四，第904页。

④ （北魏）郦道元著、陈桥驿校证：《水经注校证》卷三四《江水》，第760页。

此告别生活了20年的故乡巴蜀的奇山秀水；他眼中的楚天辽阔，气象开阔舒展，他要极目纵览楚地胜景；全诗在诗人逸兴飞扬、顾盼自得中结束，“今日狂歌客，谁知入楚来”是对“度荆门望楚”全部感受的集中体现。

外籍作家来到湖北，不但荆楚山水名胜是他们歌咏的对象，而且荆楚历史，特别是楚国从强盛到衰亡的历史，更能引起他们的回味、思考和联想。陈子昂总结楚国衰亡历史教训的《感遇诗》即有两首，其一云：

昔日章华宴，荆王乐荒淫。霓旌翠羽盖，射兕云梦林。
揭来高唐观，怅望云阳岑。雄图今何在，黄雀空哀吟。①

陈子昂对“荆王乐荒淫”以致“朝云无处所，荆国亦沦亡”②的历史记忆犹新，总结这一历史教训，对新兴唐帝国的长治久安、繁荣昌盛无疑是有借鉴与警示意义的。陈子昂之后，来到湖北的诗人们对楚国八百年兴衰史表现出浓厚的兴趣，如张说、张九龄、张籍、韩愈、刘禹锡、鲍溶、李涉、李群玉、李商隐、崔涂等诗人，均留下了咏楚史的怀古诗篇。

陈子昂咏史怀古之作，除了对楚国历史的特别关注外，还有就是对三国六朝湖北历史的题咏。如其《岘山怀古》：

秣马临荒甸，登高览旧都。犹悲堕泪碣，尚想卧龙图。
城邑遥分楚，山川半入吴。丘陵徒自出，贤圣几凋枯。
野树苍烟断，津楼晚气孤。谁知万里客，怀古正踌躇。③

① （唐）陈子昂：《感遇诗》，见（清）彭定求等编：《全唐诗》卷八三，第893页。
② （唐）陈子昂：《感遇诗》，见（清）彭定求等编：《全唐诗》卷八三，第893页。
③ （唐）陈子昂：《岘山怀古》，见（清）彭定求等编：《全唐诗》卷八四，第912页。

襄阳岘山，到处是名胜，遍身皆古迹，堪称一座正宗的历史文化名山。山上有西晋荆州刺史羊祜“堕泪碑”[①]，注目西去，烟雨朦胧处，是孔明躬耕地——古隆中。诗人对襄阳人民爱戴的智圣诸葛亮和西晋名臣羊祜由衷敬佩，并表达出对政治清明社会理想的向往以及自己希望干一番大事业的宏伟抱负。

（二）崔颢与《黄鹤楼》

黄鹤楼耸峙于蛇山西端的黄鹄矶头，面临长江，背倚青山，实为荆楚大地一绝景。蛇山古称黄鹄山或黄鹤山，故黄鹤楼一名或因此而得。据传，黄鹤楼始建于三国孙权黄武二年（223 年），建楼之初衷实为军事防御所需。登楼能俯望大江东去、百舸争流。自魏晋以降，历代文人墨客到此游览，留下不少吟咏黄鹤楼的诗文，唐代诗人崔颢更是因一首《黄鹤楼》而名载史册，流芳于世。众人的推崇与赞美使黄鹤楼名扬天下，成为千古名楼，它不仅和湖南的岳阳楼、江西的滕王阁被誉为江南三大名楼，而且以其悠久的历史、深厚的文化底蕴，赢得了“天下江山第一楼”的美名。

历代文人墨客到黄鹤楼游览，留下不少脍炙人口的诗篇。唐代诗人崔颢一首《黄鹤楼》成为千古绝唱，更使黄鹤楼名声大噪：

> 昔人已乘黄鹤去，此地空余黄鹤楼。
> 黄鹤一去不复返，白云千载空悠悠。
> 晴川历历汉阳树，芳草萋萋鹦鹉洲。
> 日暮乡关何处是，烟波江上使人愁。[②]

崔颢（704—754 年），汴州（今河南开封）人，唐玄宗开元十一年

---

① （北魏）郦道元著、陈桥驿校证：《水经注校证》卷二八《沔水》，第 637 页。

② （唐）崔颢：《黄鹤楼》，见（清）彭定求等编：《全唐诗》卷一三〇，第 1329 页。

（723 年）进士，天宝中任尚书司勋员外郎。他才思敏捷，长于写诗，系盛唐诗人。《旧唐书 · 文苑传》把他和王昌龄、高适、孟浩然并提，但他宦海浮沉，终不得志。他将黄鹤楼的历史传说与人生的感发写得如此空灵，如此真实，不仅情景交融，而且时空切换自然，意境深远而又不晦涩，犹如信手拈来，读之如若行云流水，一泻而下。

诗人满怀对黄鹤楼的美好憧憬慕名前来，可仙人驾鹤杳无踪迹，眼前就是一座寻常可见的江楼。美好憧憬与寻常江楼的落差，在诗人心中布上了一层怅然若失的底色，为乡愁情结的抒发作了潜在的铺垫。登楼远眺，江天相接，白云悠悠，宏丽阔大。受此景象的感染，诗人的心境渐渐开朗，黄鹤楼悠久的历史和美丽的传说感动着诗人。诗作的思想品位也因此跨进更为高远的境地。日暮时分，鸟儿归巢，船只归航，游子归乡。水雾江烟，一片迷蒙，禁不住生发浓浓的乡愁。诗作以一“愁”收篇，准确地表达了日暮时分诗人登临黄鹤楼的心情，同时又和开篇的暗喻相照应，以起伏辗转的文笔表现缠绵的乡愁，更有令人回味无穷之感。

此诗为咏黄鹤楼的名篇佳作，即便是大诗人李白也曾无奈搁笔，因为崔颢的诗实在太高妙了。李白多次到黄鹤楼登临游览，他站在黄鹤楼上，面对龟蛇对峙的苍翠群山和大浪滔滔的江汉夹流，不禁心潮逐浪，浮想联翩，他所熟悉的崔颢《黄鹤楼》诗仿佛就呈现在眼前。崔颢的诗由神话传说写到现实胜景，格调优美，诗风浩荡，虽有日暮乡愁，但不颓废。全诗文词优美流畅，即景抒怀，自然真切。李白读到此诗，更想写首诗来抒发自己的感怀。但想来想去，总是不如人意，于是挥笔写道：“眼前有景道不得，崔颢题诗在上头。”①

崔颢《黄鹤楼》诗，不仅获得诗仙李白的佩服首肯，宋代著名的诗歌理论批评家严羽也高度评价此诗。严羽说：“唐人七言律诗，当以崔

① （元）辛文房著：《唐才子传》卷一，第 17 页。

题《黄鹤楼》为第一。”[①] 今人的研究表明，崔颢《黄鹤楼》诗位列唐诗排行榜的第一名，理由是该诗有三个单项第一：“一是古代选本选录次数第一，二是历代评点次数第一，三是现当代文学史录入次数第一。”[②] 真可谓数据确凿，不服不行！

（三）寓居安陆十年的李白

李白（701—762 年），唐代伟大的浪漫主义诗人，与杜甫并称为“李杜”，被后人誉为“诗仙”。其诗作文辞优美，想象瑰丽，气概豪迈。从 26 岁到 35 岁，李白留居安陆，不仅在此成家，生儿育女，而且创作出许多脍炙人口的诗篇，展现出无与伦比的文学天赋与诗歌才华。

开元十三年（725 年），青年诗人李白离开四川老家，负笈仗剑，单身东游。他沿着长江，一路向东，创作出《峨眉山月歌》《巴女词》《渡荆门送别》《望庐山瀑布》等名篇佳作。到达湖北江陵时，李白结识了年届八旬、备受唐王朝礼遇的著名道士司马承祯。次年春天，李白到达当时唐朝最繁华的商业都市扬州（今江苏省扬州市），在此盘桓半年后大病一场。之后，他离开扬州，往北先到河南汝州（今河南省汝州市），随即再次回到江汉大地，到达安州治所安陆。

安陆是楚文化的发源地之一，历史文化源远流长。这里自然风光秀丽，民风淳朴，安陆望族郝、许两家闻名江南，许家还存有《昭明文选》，李白十分向往。开元十五年（727 年），李白来到安陆，拜访安陆许家。许家的家长许圉师（？—679 年）是武则天时代的前宰相，他的诗写得也很好。许圉师有个孙女许紫烟才貌双全，李白求道士胡紫阳介绍，入赘许家。从此，李白在安陆定居十年，并以安陆为中心，漫游荆襄、长安、洛阳、嵩山、太原、东鲁等地。这便是李白在《秋于敬亭送从侄耑游庐山序》中所说的“南游云梦，览七泽之壮观，酒隐安陆，蹉

---

① （宋）严羽著，朱刚批注：《沧浪诗话》，第 150 页。

② 王兆鹏等著：《唐诗排行榜》，中华书局 2011 年版，第 2 页。

跎十年”[1]。

李白在安陆十年，不是荒废的十年，而是人生观、事业观形成时期，写了大量的名篇佳作。千古名篇《静夜思》就创作于此时。李白还曾经到长安活动，企图进入仕途。虽然没能如愿以偿，但他遇见贺知章，因吟诵《乌栖曲》《蜀道难》被贺知章呼为“谪仙人”，名动京师。

在安陆时期，李白还借机游历湖北各地，在饱览荆山楚水秀美风光的同时，也到民间采风。他经常以民歌入诗，如《襄阳歌》《襄阳曲》《荆州歌》等便是其中的优秀代表作。如在《襄阳歌》中，李白触事遣兴，借人写己，充分表现了蔑视功名富贵、追求放浪自由生活的思想感情；也流露了人生无常、及时行乐的消极情绪。这首诗一方面描述了李白醉酒后飞扬的神采和无拘无束的风度，使人们领略到一种精神舒展与解放的乐趣；另一方面，它刻画了襄阳城中百姓生机勃勃的日常生活场景，激发人们对生活的热爱之情。全篇语言奔放，充分表现出富有个性的诗风。这种风格对唐代及后世诗人影响很大，也极大地拓展了荆楚诗歌文化的内涵。

这个时期，李白还与山水田园诗人、襄阳人孟浩然结下了深厚的友情。两人诗歌唱和，惺惺相惜。开元十六年（728 年）春，李白得知孟浩然要去广陵（今江苏扬州），便托人带信，约孟浩然在江夏（今武汉市武昌）相会。他们在江夏的黄鹤楼依依惜别，孟浩然乘船东下，李白伫立江岸，望着那孤帆渐渐远去，惆怅之情油然而生，便挥就了著名的《黄鹤楼送孟浩然之广陵》：“故人西辞黄鹤楼，烟花三月下扬州。孤帆远影碧空尽，唯见长江天际流。”这首诗以绚丽斑驳的烟花春色和浩瀚无边的长江为背景，极尽渲染之能事，绘出了一幅意境开阔、情丝不绝、色彩明快、风流倜傥的诗人送别画。此诗虽为惜别之作，却写得飘逸灵动，情深韵远。近人俞陛云在《诗境浅说续编》中赞叹：“送行之

---

① （唐）李白：《秋于敬亭送从侄耑游庐山序》，见（清）董诰编：《全唐文》卷三四九，第 3538 页。

作夥矣，莫不有南浦销魂之意。太白与襄阳，皆一代才人，而兼密友，其送行宜累笺不尽。乃此诗首二句仅言自武昌至扬州。后二句叙别意，言天末孤帆，江流无际，止寥寥十四字，似无甚深意者。盖此诗作于别后，襄阳此行，江程迢递，太白临江送别，直望至帆影向空而尽，惟见浩荡江流，接天无际，尚怅望依依，帆影尽而离心不尽。十四字中，正复深情无限，曹子建所谓'爱至望苦深'也。"①

李白在宋玉侨居过的蒲骚垒流连徘徊，然后，径直向西，游历了传为玉女投泉的应城汤池，留下《安州应城玉女汤作》诗篇。开元二十三年（735年），李白离开安陆，在北方游历，后移家任城（今山东省济宁市）。李白第二次比较集中在荆楚地区活动是唐肃宗乾元元年（758年）至上元元年（760年），这次时间虽然不长，但他正经受着流放夜郎的痛苦打击。后遇到大赦，在江夏活动了一两年，汉阳的郎官湖正是此时由李白命名的，并因此闻名天下的。乾元元年（758年）秋，正出使夏口的尚书郎张谓邀请李白游览城南湖，沔州刺史和汉阳县令作陪。他们月夜泛舟湖上，见"水月如练，清光可掇"，于是诗兴大发。张谓对李白说："此湖古来贤豪游者非一，而枉践佳景，寂寥无闻，夫子可为我标之嘉名，以传不朽。"李白为感谢主人盛情，将此湖取名为"郎官湖"，并赋《泛沔州城南郎官湖》诗一首为赠。

著名的《早发白帝城》也创作于这一时期："朝辞白帝彩云间，千里江陵一日还。两岸猿声啼不住，轻舟已过万重山。"全诗把诗人遇赦后愉快的心情和江山的壮丽景色、顺水行舟的轻松愉快融会在一起，通过运用夸张的手法，既动人心魄，又不假雕琢，浑然天成，充分体现了李白诗作雄奇飘逸，俊逸清新的特点，达到了内容与艺术的完美统一。

总之，李白的文学创作得荆山楚水和荆楚文化的熏陶和帮助，他在荆楚大地的活动又为这片文化的沃土增添色彩，并为唐代荆楚文化的发展做出了不可磨灭的历史贡献。李白漫游江汉，留下许多名篇佳作，并

① 俞陛云：《诗境浅说正续编》，中华书局2015年版，第76页。

使一些地名因诗而显，增加了荆楚文化在全国的知名度。据武汉地方史研究者的统计，“李白的诗集中共收诗歌1000余首，其中有关黄鹤楼和江夏、汉阳的诗共有50多首，武昌蛇山留下了许多李白的传说和遗址，有搁笔亭、太白亭、李白读书处等。”①武汉“江城”之名就得自李白的《与史郎中钦听黄鹤楼上吹笛》“一为迁客去长沙，西望长安不见家。黄鹤楼中吹玉笛，江城五月落梅花”②的诗句。鹦鹉洲在古代的出名，也与李白有关系，李白专门写过一首《鹦鹉洲》：“鹦鹉来过吴江水，江上洲传鹦鹉名。鹦鹉西飞陇山去，芳洲之树何青青。烟开兰叶香风暖，岸夹桃花锦浪生。迁客此时徒极目，长洲孤月向谁明。”③

（四）漂泊荆南的杜甫

杜甫（712—770年），字子美，自号少陵野老，世称“杜工部”“杜少陵”，原籍湖北襄阳，出生于河南巩县。杜甫是唐代伟大的现实主义文学家，与李白齐名的伟大诗人，唐诗思想艺术的集大成者，后人尊他为“诗圣”。

作为襄阳杜氏后裔的杜甫，诗歌风格的形成受过其祖父杜审言的一定影响。早在其祖父杜审言的爷爷和父辈时，襄阳杜氏即已由儒学世家转向文学世家，而杜审言所处初唐时期，襄阳杜氏皆有“文学俊异”之称④。杜甫受其爷爷杜审言的影响是肯定的，他在《赠蜀僧闾丘师兄》一诗中称“吾祖诗冠古”⑤，对祖父杜审言的崇拜溢于言表。在《宗武生日》一诗中，杜甫又自豪地说道“诗是吾家事”⑥。早年学写律诗的

---

① 皮明庥：《黄鹤楼和李白搁笔》，载于夏武全、韩玉晔编《品读黄鹤楼》，武汉出版社2013年版。

② （唐）李白：《与史郎中钦听黄鹤楼上吹笛》，（清）彭定求等编：《全唐诗》卷一八二，第1857页。

③ （唐）李白：《鹦鹉洲》，（清）彭定求等编：《全唐诗》卷一八〇，第1838页。

④ 王力平：《四到九世纪襄阳杜氏家族述论》，《中国社会历史评论》第三卷，中华书局2001年版，第1—16页。

⑤ （唐）杜甫：《赠蜀僧闾丘师兄》，（清）彭定求等编：《全唐诗》卷二一九，第2304页。

⑥ （唐）杜甫：《宗武生日》，（清）彭定求等编：《全唐诗》卷二三一，第2535页。

杜甫，明显受到杜审言的影响，从其早期的诗中，可以看到受其祖父影响的痕迹。如，杜甫《曲江对雨》有句云“林花著雨燕脂落，水荇牵风翠带长”[①]，就有杜审言《和韦承庆过义阳公主山池五首》“绾雾青丝弱，牵风紫蔓长”[②]的影子。

但与李白不同的是，杜甫没有像李白那样在湖北生活较长时间，只是在他的晚年，以衰老贫病之身来到湖北，度过了一段凄凉的漂泊生活。可是，“在湖北的一年左右时间里，诗人以其旺盛的创作热情，为我们留下了五十余首诗歌。这些作品同样丰富了湖北文学的宝库，给湖北作家以巨大影响，为湖北文学的发展做出了不可磨灭的贡献”[③]。

大历三年（768 年）正月，杜甫离开夔州（今重庆奉节）东下江陵。乘船出三峡，行至西瀼溪（即今湖北巴东神农溪）时，杜甫忽觉身体不适，于是就在此地租借了一间草堂，暂作休养之地。在西瀼口居留的一段时间里，杜甫饱览峡江风光，畅游神农溪，相传写下《西瀼溪》。

迢迢水出走长蛇，怀抱江村在野牙。
一叶兰舟龙洞府，数间茅屋野人家。
冬来纯绿松杉树，春到间红桃李花。
山下青莲遗故址，时时常有白云遮。

该诗不见载于各种杜诗集中，也未被《全唐诗》所录。若此诗真为杜甫所撰，这首《西瀼溪》，算得上是“唐宋时期唯一的一首写神农溪风景风情的诗篇”[④]。

该年三月初，杜甫抵达江陵。初到江陵的杜甫，不得不写作一些

① （唐）杜甫：《曲江对雨》，（清）彭定求等编：《全唐诗》卷二二五，第 2410 页。

② （唐）杜审言：《和韦承庆过义阳公主山池五首》，（清）彭定求等编：《全唐诗》卷六二，第 733 页。

③ 王齐洲、王泽龙：《湖北文学史》，第 302 页。

④ 《恩施文化简史》编撰委员会：《恩施文化简史》，第 198 页。

应酬地方长官的诗歌，违心地为官员歌功颂德，《全唐诗》卷232录有《行次古城店泛江作，不揆鄙拙，奉呈江陵幕府诸公》《江陵节度阳城郡王新楼成王请严侍御判官赋七字句同作》《奉贺阳城郡王太夫人恩命加邓国太夫人》《又作此奉卫王》等，写作这样的应酬文字，内心的痛苦可想而知。因此，杜甫漂泊荆南时创作的诗歌不少反映了这种生活的艰难和内心的痛苦，如《水宿遣兴奉呈群公》：

> 归路非关北，行舟却向西。暮年漂泊恨，今夕乱离啼。
> 童稚频书札，盘餐讵糁藜。我行何到此，物理直难齐。
> 高枕翻星月，严城叠鼓鼙。风号闻虎豹，水宿伴凫鹥。
> 异县惊虚往，同人惜解携。蹉跎长泛鹢，展转屡鸣鸡。
> 嶷嶷瑚琏器，阴阴桃李蹊。余波期救涸，费日苦轻赍。
> 支策门阑邃，肩舆羽翮低。自伤甘贱役，谁愍强幽栖。[①]

写尽了人间冷暖，世态炎凉。这种屈辱而艰难的生活，诗人在《秋日荆南述怀三十韵》有更加具体的描述：“饥籍家家米，愁征处处杯。休为贫士叹，任受众人咍。”[②]这年的秋末冬初，杜甫从江陵移居公安，直到冬末才自公安经石首抵达岳州（今湖南岳阳）。杜甫在公安居住期间也创作了不少诗作。《移居公安山馆》以戏谑之笔写辛酸之情，真乃欲哭无泪：“南国昼多雾，北风天正寒。路危行木杪，身远宿云端。山鬼吹灯灭，厨人语夜阑。鸡鸣问前馆，世乱敢求安？”[③]他如《移居公安敬赠卫大郎钧》《公安送韦二少府匡赞》《公安县怀古》《公安送李二十九弟晋肃入蜀，余下沔鄂》《留别公安太易沙门》等，这些诗写得各有特色。

---

① （唐）杜甫：《水宿遣兴奉呈群公》，（清）彭定求等编：《全唐诗》卷二三二，第2559页。

② （唐）杜甫：《秋日荆南述怀三十韵》，（清）彭定求等编：《全唐诗》卷二三二，第2562页。

③ （唐）杜甫：《移居公安山馆》，（清）彭定求等编：《全唐诗》卷二二八，第2478页。

杜甫不愧为“人民的诗人”，即使在荆南漂泊不定、流离难安之时，杜甫仍然关心国事，忧及黎元，仍然壮心不已，豪情满怀，其诗歌中强烈的现实主义精神对湖北文学的影响无疑是十分积极而深远的。在《遣闷》中，诗人说“百年从万事，故国耿难忘”[①]；《江汉》一诗瑰玮雄奇，杜甫以“腐儒”自嘲，但自信而又自负地认为，自己就是天地之间挺立着的这一位腐儒：“江汉思归客，乾坤一腐儒。片云天共远，永夜月同孤。落日心犹壮，秋风病欲疏。古来存老马，不必取长途。”[②] 杜甫“穷年忧黎元”[③] 的赤子之心，在《岁晏行》诗中得到凸显。《岁晏行》一诗虽写于岳州，却是诗人在江陵、公安、石首等地一年漂泊中耳闻目睹的社会现实的艺术表达，具有强烈的现实主义精神：

岁云暮矣多北风，潇湘洞庭白雪中。
渔父天寒网罟冻，莫徭射雁鸣桑弓。
去年米贵阙军食，今年米贱大伤农。
高马达官厌酒肉，此辈杼轴茅茨空。
楚人重鱼不重鸟，汝休枉杀南飞鸿。
况闻处处鬻男女，割慈忍爱还租庸。
往日用钱捉私铸，今许铅锡和青铜。
刻泥为之最易得，好恶不合长相蒙。
万国城头吹画角，此曲哀怨何时终。[④]

诗中写农民之苦、百姓之难，语言朴实，但作者悯农忧民之情，跃然纸上，令人感佩。作者“高马达官厌酒肉，此辈杼轴茅茨空”句所揭

① （唐）杜甫：《遣闷》，（清）彭定求等编：《全唐诗》卷二三二，第 2561 页。
② （唐）杜甫：《江汉》，（清）彭定求等编：《全唐诗》卷二三〇，第 2523 页。
③ （唐）杜甫：《自京赴奉先县咏怀五百字》，（清）彭定求等编：《全唐诗》卷二一六，第 2265 页。
④ （唐）杜甫：《岁晏行》，（清）彭定求等编：《全唐诗》卷二二三，第 2382 页。

示的强烈社会反差，与其“朱门酒肉臭，路有冻死骨”[①]句有异曲同工之妙；诗的结尾，诗人发出“万国城头吹画角，此曲哀怨何时终”的感叹，确有撼人心魄之效。

漂泊江陵期间，杜甫与湖北本土作家之间相互交流，互有影响。杜甫与岑参交往颇密，内心对孟浩然相当服膺，又曾在渚宫会见青年诗人戎昱，这些都说明他与湖北本土作家之间存在着相互交流和相互影响，对双方来说也是有益的。

特别值得一提的是，杜甫在江陵所写《江陵望幸》一诗，对荆楚文化来说是极具意义的。《江陵望幸》诗云：“雄都元壮丽，望幸欻威神。地利西通蜀，天文北照秦。风烟含越鸟，舟楫控吴人。未枉周王驾，终期汉武巡。甲兵分圣旨，居守付宗臣。早发云台仗，恩波起涸鳞。”[②]其中，经常被荆楚文化研究者所引用的“地利西通蜀，天文北照秦。风烟含越鸟，舟楫控吴人”这四句，与文学家欣赏诗角度的不同，历史文化学者则品出了该诗的文化意义：“诗圣杜甫以其如椽巨笔，标示出湖北自然地理与人文地理的坐标，也成为世人了解和探究湖北特色文化的基点。”[③]杜甫的诗被称为“诗史”，《江陵望幸》诗所标示出的荆楚自然地理与人文地理的坐标，更成为世人了解和探究荆楚文化的基点。

（五）“漫叟”元结

宋代大文学家苏轼《游武昌寒溪西山寺》诗云：“空传孙郎石，无复陶公柳。尔来风流人，惟有漫浪叟。”[④]诗中提到了与武昌（今鄂州）西山有关的三个历史人物分别是：汉末三国的孙权、东晋的陶侃、唐代的元结。

---

① （唐）杜甫：《自京赴奉先县咏怀五百字》，（清）彭定求等编：《全唐诗》卷二一六，第2265页。

② （唐）杜甫：《江陵望幸》，（清）彭定求等编：《全唐诗》卷二三二，第2560页。

③ 刘玉堂：《湖北特色文化谈丛·序》，见刘玉堂、张硕：《远古人类文化的演化地》，湖北人民出版社2011年版，第1页。

④ （宋）苏轼：《游武昌寒溪西山寺》，《苏东坡全集》卷二〇，第506页。

元结（719—772 年），唐代诗人、政治家；字次山，自称漫郎、浪士，又号漫叟、浪叟、聱叟，河南洛阳鲁县（今河南省鲁山县）人。天宝十一载（752 年）中进士后，曾以右金吾兵曹参军授监察御史，充任山南东道节度参谋。安史之乱中，因组织义军抗击史思明叛军有功，升任水部员外郎。后遭权臣嫉害，一度辞官归隐，举家避难南迁，先奔湖北襄阳，后移江西瀼溪，再徙湖北武昌。元结既是中唐新乐府运动的前驱，又是韩柳古文创作的先导者，且诗文创作自具特色，因而在唐代文学史上具有特殊地位。

据史志记载，元结的一生中，自唐肃宗至德元年（756 年）至唐代宗广德元年（763 年），前后在鄂州生活过 4 年，分为隐居回山、隐居退谷两个阶段，每个阶段均约有两年时间。第一次隐居：唐肃宗至德元年至乾元元年（756—758 年）隐居鄂州回山的两年。其原因是因为安禄山称帝东京（洛阳），继而攻破潼关，玄宗出逃，长安沦陷。元结奉双亲到鄂州避难，住在猗玗洞，并因此自号猗玗子。猗玗洞即飞云洞，位于西塞山西南的回山。第二次隐居：唐代宗宝应元年至广德元年（762—763 年）隐居鄂州退谷的两年。因权相奸臣元载当道，元结辞官去职，来到武昌樊口闲居。故元结《樊上漫作》诗云：

漫家郎亭下，复在樊水边。去郭五六里，扁舟到门前。
山竹绕茅舍，庭中有寒泉。西边双石峰，引望堪忘年。[①]

从现有史料及元结自作的诗文上看，元结在武昌期间，活动的范围比较狭窄，主要活动也不外乎是读书、垂钓、垦荒、交友，称得上是名副其实的隐居之士。元结自己也留有“将船何处去？钓彼大洄中”“回

① （唐）元结：《樊上漫作》，（清）彭定求等编：《全唐诗》卷二四一，第 2712 页。

中鱼好游，回中多钓舟”[①]等诗句。时值安史之乱平息未久，满目疮痍，老百姓颠沛流离，衣食无着，此时，举目尽是田园荒芜、农桑久废的凄凉景象，元结身体力行，率先在县城东郊垦荒复田，“说向县大夫，大夫劝我耕。耕者我为先，耕者相次焉”[②]。还写有《漫歌八曲·将牛何处去二首》和《西阳城》记录其垦荒生活。元结在武昌隐居期间，虽然行迹不广，但交友不少。其对象主要有两种：一是两任武昌县令；一是武昌的农夫、渔夫。与元结友谊最为深笃的首推武昌县令孟彦深。孟彦深，字士源，登唐玄宗天宝二年进士第；天宝末，为武昌令；与元结交往甚密。元结诗文中多次提到此人，并依当时的规矩称其为“孟武昌”。

两次隐居武昌西山，元结都留下了不少诗文，以展心迹。第一次隐居时，元结作于回山且今存于世的作品仅有《虎蛇颂》《异泉铭》《管仲论》《为董江夏自陈表》等4篇；不过从这4篇古文，大致可以看出元结作为“难民”的忧世心态和关注现实的写作态度。第二次隐居武昌，元结住在樊口退谷，作有《樊上漫作》《漫歌八曲》《雪中怀孟武昌》《招孟武昌》《酬裴云客》《漫问相里黄州》《喻旧部曲》《喻常吾直》《酬孟武昌苦雪》《漫酬贾沔州》《登殊亭作》等11题18首诗；写的是樊口景象、日常活动以及怀友酬人，抒发作者乐居樊口的自适、自得情趣。如其《雪中怀孟武昌》诗云：

> 冬来三度雪，农者欢岁稔。我麦根已濡，各得在仓廪。
> 天寒未能起，孺子惊人寝。云有山客来，篮中见冬蕈。
> 烧柴为温酒，煮鳜为作沈。客亦爱杯樽，思君共杯饮。
> 所嗟山路闲，时节寒又甚。不能苦相邀，兴尽还就枕。[③]

---

① （唐）元结：《漫歌八曲·将船何处去二首》《大回中》，（清）彭定求等编：《全唐诗》卷二四〇，第2699页。

② （唐）元结：《漫歌八曲·故城东》，（清）彭定求等编：《全唐诗》卷二四〇，第2698页。

③ （唐）元结：《雪中怀孟武昌》，（清）彭定求等编：《全唐诗》卷二四一，第2705页。

从这首酬人之作来看，闲居樊上的元结，怡然自得，一幅“漫叟”形象跃然纸上。

（六）诗海留“随州”之名的刘长卿

刘长卿（约709—约791年）[①]，字文房，河间（今河北河间市）人，一说宣城（今安徽宣州市）人，“大历十才子”之一。他擅长近体诗，尤工五律，同时代的诗人权德舆称“长卿自以为五言长城”[②]。

刘长卿一生仕途坎坷。长卿约在天宝七载（748年）或八载（749年）进士及第，唐肃宗至德年间任长洲（今属江苏苏州）县尉，因事下狱，贬潘州南巴（今广东省高州市电白区）县尉[③]。唐代宗大历中，任转运使判官，知淮西、鄂岳转运留后，又被诬，再贬睦州（今属浙江杭州）司马。唐德宗建中二年（781年），刘长卿任随州（今湖北随州市）刺史。兴元元年（784年）和贞元元年（785年）间，淮西节度使李希烈割据称王，与唐王朝军队在湖北一带激战，刘长卿即在此时离开随州。由于刘长卿一生中担任的最高官职就是随州刺史，故世称刘随州。宋代陈振孙《直斋书录解题》卷十六《别集类》著录有《刘随州集》十卷[④]，《全唐诗》录有其诗五卷。

综观刘长卿的一生，多次应举不第，及第后又恰逢安史之乱，奔波流离。安史之乱后，方得做官，但又两遭贬谪，时间长达16年。年轻时建功立业，造福黎民的志向渐渐淡化，《刘随州集》的诗篇中充盈着壮志未酬的感慨和山水隐逸的闲情，并且有将近一半的作品是抒写离别之情，大多与社会现实无关。

刘长卿在随州刺史任上所作诗歌数量不多，只有八九首，但都突出

---

① 学界关于刘长卿生卒年均未有定论，存有多种说法。大体刘长卿经历了玄宗、肃宗、代宗和德宗四朝。

② （宋）欧阳修、宋祁：《新唐书》卷一九六《秦系传》，第5608页。

③ 胡可先：《刘长卿事迹新证》，《学术研究》2008年第6期。

④ （宋）陈振孙撰、尹小林整理：《直斋书录解题》卷一六，第282页。

体现了其总体风格和艺术特色。其《至德三年春正月，时谬蒙差摄海盐令，闻王师收二京，因书事寄上浙西节度李侍郎中丞行营五十韵》，以“天上胡星孛，人间反气横。风尘生汗马，河洛纵长鲸”[①]起首，共一百句五十韵，创造了五言长城。《逢雪宿芙蓉山主人》这首名诗：“日暮苍山远，天寒白屋贫。柴门闻犬吠，风雪夜归人。”[②]二十个字中色彩、音声、自然景观浑然一体，极为简练地勾勒了一幅荒村雪夜归人的图画，并烘托出了一种茫茫然无着落的惆怅感受。意脉流贯而又有变化，时间由日暮而入夜，空间由远山、近屋、门外到门内，二十个字安排得既精巧又不着斧斫之痕。又如《登迁仁楼酬子婿李穆》：“临风敞丽谯，落日听吹铙。归路空回首，新章已在腰。非才受官谤，无政作人谣。俭岁安三户，余年寄六条。春芜生楚国，古树过隋朝。赖有东床客，池塘免寂寥。”[③]全诗钩连相生，呼应紧凑，给人以抑郁沉亘的悲凉之感。结尾“寂寥”二字，更是揭示了刘长卿频频迁谪的悲苦命运和凄凉心境。刘长卿自以为“五言长城”绝非自夸。

刘长卿的七律与七绝成就也很高。诸如：“家散万金酬士死，身留一剑答君恩”“细雨湿衣看不见，闲花落地听无声”[④]等句，皆被历代评论家所称道。明人胡应麟在《诗薮》中赞誉说：“七言律以才藻论……中唐莫过文房。”[⑤]清人沈德潜评论说：“七律至随州，工绝亦秀绝矣。”[⑥]又如《闻虞沔州有替将归上都登汉东城寄赠》云：“淮南摇落客心悲，涢水悠悠怨别离。早雁初辞旧关塞，秋风先入古城池。腰章建隼皇恩

① （唐）刘长卿：《至德三年春正月，时谬蒙差摄海盐令，闻王师收二京，因书事寄上浙西节度李侍郎中丞行营五十韵》，（清）彭定求等编：《全唐诗》卷一五〇，第1554页。

② （唐）刘长卿：《逢雪宿芙蓉山主人》，（清）彭定求等编：《全唐诗》卷一四七，第1479页。

③ （唐）刘长卿：《登迁仁楼酬子婿李穆》，（清）彭定求等编：《全唐诗》卷一四八，第1527页。

④ （唐）刘长卿：《献淮宁军节度使李相公》《别严士元》，（清）彭定求等编：《全唐诗》卷一五一，第1565、1569页。

⑤ （明）胡应麟撰：《诗薮》外编卷四，第180页。

⑥ （清）沈德潜编、英巍整理：《唐诗别裁》，中国致公出版社2011年版，第272页。

赐，露冕临人白发垂。惆怅恨君先我去，汉阳耆老忆旌麾。”[①]刘长卿出任随州刺史时已是一名老人了，在诗中自称为“白发垂”，虞沔州就是虞当。刘长卿听闻虞当即将离任，并到长安任职，十分羡慕，又不免产生别离惆怅之情。

《双峰下哭故人李宥》云：“怜君孤垄寄双峰，埋骨穷泉复几重。白露空沾九原草，青山犹闭数株松。图书经乱知何在，妻子因贫失所从。惆怅东皋却归去，人间无处更相逢。”[②]故友已逝，天人两隔。战乱使民生凋敝，诗人也与妻儿流离失所。这些都是人间惨事。而自己又被迫离开任职的随州，从此“人间无处更相逢”。时代变乱的痛苦及个人坎坷的生活遭遇，使诗人常有不胜沧海桑田、世事变幻无常之感。这些诗篇穿越一千多年的时空，读起来仍能令人动容。

唐诗诗海中，留有“随州”之名，既是刘长卿之幸，也是随州人之幸。

（七）“负气入江陵”的元稹

元稹（779—831年），中唐著名诗人，字微之，河南洛阳（今河南洛阳）人，早年与白居易提倡“新乐府”，故世人有“元白”之称，诗作号为“元和体”。

元稹于元和四年（809年）二月，被授予监察御史，次月充剑南东川详复使。元和五年（810年）四月，因得罪朝廷权贵与宦官，被贬为江陵士曹参军。元稹出京赴江陵是负气而行。他说：“我虽失乡去，我无失乡情，惨舒在方寸，宠辱将何惊。”[③]初至江陵，元稹心情颇为郁愤，正可谓“酣歌离岘顶，负气入江陵”[④]。

---

① （唐）刘长卿：《闻虞沔州有替将归上都登汉东城寄赠》，（清）彭定求等编：《全唐诗》卷一五一，第1565页。

② （唐）刘长卿：《双峰下哭故人李宥》，（清）彭定求等编：《全唐诗》卷一五一，第1568页。

③ （唐）元稹：《思归乐》，（清）彭定求等编：《全唐诗》卷三九六，第4449页。

④ （唐）元稹：《纪怀赠李六户曹崔二十功曹五十韵》，（清）彭定求等编：《全唐诗》卷四〇六，第4522页。

作为好友，白居易对元稹是了解的，元稹坚信自己的选择，坚守自己的政治理念。他在《酬翰林白学士代书一百韵》中表白道："昔岁俱充赋，同年遇有司。八人称迥拔，两郡滥相知。……誓欲通愚謇，生憎效喔咿。佞存真妾妇，谏死是男儿。便殿承偏召，权臣惧挠私。庙堂虽稷契，城社有狐狸。似锦言应巧，如弦数易欺。敢嗟身暂黜，所恨政无毗。……壮志诚难夺，良辰岂复追。"[1]他对自己的前途一如既往充满信心。在《答姨兄胡灵之见寄五十韵》中说："智囊推有在，勇爵敢徒争。迅拔看鹏举，高音侍鹤鸣。所期人拭目，焉肯自佯盲？铅钝丁宁淬，芜荒展转耕。穷通须豹变，撄搏笑狼狞。愧捧芝兰赠，还披肺腑呈。此生如未死，未拟变平生。"[2]正是这种经世济民，忠君爱国的思想，加上坚定不移，正道直行的意志，构成了他积极乐观的创作张力。

《放言五首》即为元稹到江陵后的代表作，是元稹健康的心态和精神状态的反映。所谓"放言"，即放诞之言，放肆之言，即突破束缚，渴望精神的自由、渴望生命的探险与自由意志的伸展的表现。如其一曰："眼前仇敌都休问，身外功名一任他。死是等闲生也得，拟将何事奈吾何！"[3]诗中将我行我素、积极乐观的精神个性表现得淋漓尽致。故白居易《放言五首并序》说："元九在江陵时，有《放言》长句诗五首，韵高而体律，意古而词新。予每咏之，甚觉有味。虽前辈深于诗者，未有此作。"[4]这是元稹此前不曾有过的充分展现精神个性的作品，故白居易"甚觉有味"。

从北方来到南方的元稹，在对以江陵为核心的荆楚地区民生民俗有了充分的体验与感受之后，写下了许多充满现实主义精神的诗作，表现

---

① （唐）元稹：《酬翰林白学士代书一百韵》，（清）彭定求等编：《全唐诗》卷四〇五，第4519—4521页。

② （唐）元稹：《答姨兄胡灵之见寄五十韵》，（清）彭定求等编：《全唐诗》卷四〇六，第4524页。

③ （唐）元稹：《放言五首》，（清）彭定求等编：《全唐诗》卷四一三，第4573页。

④ （唐）白居易：《放言五首并序》，（清）彭定求等编：《全唐诗》卷四三八，第4874页。

出对国计民生的热切关怀。如《赛神》批判了赛神这一风俗的愚昧和迷信："楚俗不事事，巫风事妖神；事妖结妖社，不问疏与亲。"[①]《竞舟》对楚地赛神、竞舟耽误农时，影响人民日常生活表现出极大的担忧："楚俗不爱力，费力为竞舟。"[②]其写于石首县的《竹部》一诗，将自己的官吏生活与竹民的辛苦劳作对照起来写，表达出对民生疾苦的真诚同情，颇为感人，亦难能可贵。

后世评价元稹诗歌成就巨大，言浅意哀，扣人心扉，动人肺腑，这主要就其悼亡诗而言。被贬江陵的前一年，即元和四年七月九日[③]，元稹妻子韦丛卒于长安，所以在江陵时期，元稹写了一些悼亡诗，如《江陵三梦》《六年春遣怀八首》《遣悲怀三首》等。这些作品情真意切，是感动历代读者的悼亡佳作。如《江陵三梦》其一曰："今夕亦何夕，梦君相见时。依稀旧妆服，晻淡昔容仪。不道间生死，但言将别离。"[④]《遣悲怀三首》其一曰："闲坐悲君亦自悲，百年都是几多时。邓攸无子寻知命，潘岳悼亡犹费词。同穴窅冥何所望，他生缘会更难期。唯将终夜长开眼，报答平生未展眉。"[⑤]语言自然平淡却感人肺腑。据元稹《祭亡妻韦氏文》中说，韦氏出身于高门，为京兆尹韦夏卿之女，"逮归于我，始知贫贱，食亦不饱，衣亦不温。然而不悔于色，不戚于言。他人以我为拙，夫人以我为尊。置生涯于濩落，夫人以我为适道，捐昼夜于朋宴，夫人以我为狎贤，隐于幸中之言。呜呼，成我者朋友，恕我者夫人。有夫如此，其感也。"[⑥]由此可知元稹与夫人韦氏两人患难夫妻，感情甚笃，故陈寅恪《元白诗笺证稿》说："凡微之关于韦氏悼亡之诗，

---

① （唐）元稹：《赛神》，（清）彭定求等编：《全唐诗》卷三九八，第 4465 页。

② （唐）元稹：《竞舟》，（清）彭定求等编：《全唐诗》卷三九八，第 4465 页。

③ （唐）韩愈：《监察御史元君妻京兆韦氏夫人墓志铭》，见（清）董诰等编：《全唐文》卷五六五，第 5722 页。

④ （唐）元稹：《江陵三梦》，（清）彭定求等编：《全唐诗》卷四〇四，第 4511 页。

⑤ （唐）元稹：《遣悲怀三首》，（清）彭定求等编：《全唐诗》卷四〇四，第 4510 页。

⑥ （唐）元稹：《祭亡妻韦氏文》，见（清）董诰等编：《全唐文》卷六五五，第 6671 页。

皆只述其安贫治家之事，而不旁涉其他。专较贫贱夫妻实写，而无溢美之词，所以情文并佳，遂成千古之名著。非微之之天才卓越，善于属文，断难臻此也。”[①] 如《遣悲怀三首》其一曰：

谢公最小偏怜女，嫁与黔娄百事乖。
顾我无衣搜荩箧，泥他沽酒拔金钗。
野蔬充膳甘长藿，落叶添薪仰古槐。
今日俸钱过十万，与君营奠复营斋。[②]

以东晋宰相谢安最宠爱的侄女谢道韫借指韦氏，以战国时齐国的贫士黔娄自喻，其中含有对方屈身下嫁之意。诗中追忆妻子生前在艰苦处境中夫妻在一起的生活细节，并抒写自己的抱憾之情，既写出了婚后的艰难处境，又描绘出韦氏的贤淑形象，诗句中浸透着诗人对妻子的无限赞叹与深切怀念。虽然语出平和，但诗人内心的凄苦之情极其感人。

和历史上大多数贬谪诗人一样，政治上的不幸成就了元稹诗歌上的辉煌。从元和五年到元和九年被贬江陵期间，是他诗歌创作的一大转型期，整体风貌趋于成熟。正如白居易所言，“及足下到江陵，寄在路所为诗十七章，凡五六千言，言有为，章有旨”[③]，在艺术表现方面呈现出新的风貌。元稹被贬江陵，使他的诗歌开阔了创作视野，丰富了题材内容，在艺术表现方面呈现出了以下三大方面新的风貌：一是此时他创作了不少骚体诗，如《有酒十章》等诗作，无论是从奇特瑰丽的想象、激昂感情的表达，还是“兮”字语言形式的运用与抑扬顿挫的音律节奏，都明显带有楚辞的艺术特征。二是他大量创作长篇排律，《酬翰林白学士代书一百韵》《梦游春七十韵》《去杭州》《答姨兄胡灵之见寄

① 陈寅恪：《陈寅恪集·元白诗笺证稿》，生活·读书·新知三联书店 2001 年版，第 109 页。
② （唐）元稹：《遣悲怀三首》，（清）彭定求等编：《全唐诗》卷四〇四，第 4509 页。
③ （唐）白居易：《和答诗十首并序》，（清）彭定求等编：《全唐诗》卷四二五，第 4680 页。

五十韵》等都属艺术表现手法纯熟的长律作品。三是此时元稹对次韵诗的创作进行了尝试，所谓次韵是用被和诗歌的原韵原字，且在先后次序上都必须相同。这种次韵诗的创作难度非常大，既要严守原诗之韵，又要自抒怀抱，还要写上数百句，特别考验诗人的艺术功力与才气。元稹白居易所创作次韵诗是“元和体”的重要组成部分，它不仅体现了诗人高超的艺术技巧，同时也丰富了诗歌的艺术种类，在中国诗歌艺术历史上的影响是不容置疑的。

总之，元稹贬谪江陵五年，使他在“闲处无所役用”[①]之时，全心投入诗歌创作，取得了卓越的诗歌成就，从而确立了他在中唐诗坛伟大诗人无可动摇的地位。

（八）不止“三游”湖北的白居易

与元稹不同的是，唐代伟大的现实主义诗人、新乐府运动的主要倡导者、唐代三大诗人之一的白居易（772—846年），没有在湖北做过官，只是在路过湖北时看望朋友或游览山水而留下作品。元和十年（815年），因上疏请捕刺杀宰相武元衡之贼以雪国耻，白居易贬官江州（今江西九江）司马，首次经过湖北。元和十四年（819年）春，他由江州司马转官忠州（今重庆忠县）刺史，又一次途经湖北。此后，白居易还曾有过数次途经湖北、游览湖北山水名胜的经历。

元和十年，白居易贬官江州司马，首次路过湖北，留下的诗篇多表现了作者对仕途险恶的体验和天涯沦落的感慨。《襄阳舟夜》《寄微之三首》《舟中雨夜》《登郢州白雪楼》《臼口阻风十日》《卢侍御与崔评事为予于黄鹤楼致宴宴罢同望》《夜闻歌者》等诗作，均是此行所作。如《襄阳舟夜》：“下马襄阳郭，移舟汉阴驿。秋风截江起，寒浪连天白。本是多愁人，复此风波夕。”[②]诗人将舟行所遇的自然风景与个人经历的政治风波巧妙地联系起来，反映出他遭受政治打击后的失意、苦闷、彷

① （唐）元稹：《叙诗寄乐天书》，见（清）董诰等编：《全唐文》卷六五三，第6634页。

② （唐）白居易：《襄阳舟夜》，（清）彭定求等编：《全唐诗》卷四三八，第4871页。

徨、恐惧之感。他在鄂州（今湖北武汉）所写的《夜闻歌者》中塑造了一个歌女形象，可以看作是他之后创作的《琵琶行》中琵琶女形象的雏形：

夜泊鹦鹉洲，江月秋澄澈。邻船有歌者，发词堪愁绝。
歌罢继以泣，泣声通复咽。寻声见其人，有妇颜如雪。
独倚帆樯立，娉婷十七八。夜泪如真珠，双双堕明月。
借问谁家妇，歌泣何凄切。一问一沾襟，低眉终不说。[①]

评论者认为，“这首诗歌的巧妙的艺术构思和通俗而不浅薄、含蓄而不晦涩的艺术风格，为《琵琶行》的创作积累了成功的经验”[②]。

在路过湖北的行程中，白居易写了一些歌咏湖北人物的作品。如在《游襄阳怀孟浩然》里，诗人表示了对孟浩然的钦慕与崇敬：“楚山碧岩岩，汉水碧汤汤。秀气结成象，孟氏之文章。今我讽遗文，思人至其乡。清风无人继，日暮空襄阳。南望鹿门山，蔼若有馀芳。旧隐不知处，云深树苍苍。”[③]白居易平易诗风肯定从孟浩然的诗风中获取过养分，白居易晚年的吏隐或许也是从孟浩然的隐逸生活中受到启发的。

在路过湖北的行程中，白居易还写了一些赞美湖北山水的作品。如《卢侍御与崔评事为予于黄鹤楼致宴宴罢同望》诗云：“江边黄鹤古时楼，劳置华筵待我游。楚思渺茫云水冷，商声清脆管弦秋。白花浪溅头陀寺，红叶林笼鹦鹉洲。总是平生未行处，醉来堪赏醒堪愁。”[④]这首诗的中间四句描绘美景，十分精彩。云水寒冷，楚思缥缈，管弦奏出的清脆商调又增添了秋色。“楚思”既包含了作者对屈原当年被放逐心情

① （唐）白居易：《夜闻歌者（宿鄂州）》，（清）彭定求等编：《全唐诗》卷四三三，第 4791 页。

② 王齐洲、王泽龙：《湖北文学史》，第 314 页。

③ （唐）白居易：《游襄阳怀孟浩然》，（清）彭定求等编：《全唐诗》卷四三二，第 4776 页。

④ （唐）白居易：《卢侍御与崔评事为予于黄鹤楼致宴宴罢同望》，（清）彭定求等编：《全唐诗》卷四三八，第 4872 页。

的感受，也暗指诗人被贬。“白花浪溅头陀寺，红叶林笼鹦鹉洲”二句对仗工整，色彩鲜明，受到历代评论家的称赞。也有人批评这两句不够真实：头陀寺在江夏城东的高处，长江的浪花再大也溅不到头陀寺。但正如当代学者吴晟所指出的那样，这是一种“无理而妙”，即“诗人为了表达自己强烈的感情，或渲染氛围、突出主题，并不泥于现实生活之理；或明知无理，故意为之，从而达到具有强烈审美冲击力的艺术效果”①。显然，白居易这两句诗为黄鹤楼和江城增色不少。

特别是白居易的诗文为三游洞等名胜留名后世起到了决定性的作用，实属难能可贵。“不知远郡何时到，犹喜全家此去同。万里王程三峡外，百年生计一舟中。”②元和十四年（819年），白居易自江州司马赴任忠州刺史，从九江逆流而上，在湖北境内沿途留下了《行次夏口先寄李大夫》《重赠李大夫》《江州赴忠州至江陵已来舟中示舍弟五十韵》《入峡次巴东》《十年三月三十日别微之于澧上，十四年三月十一日夜遇微之于峡中，停舟夷陵三宿而别，言不尽者，以诗终之，因赋七言十七韵以赠，且欲记所遇之地与相见之时，为他年会话张本也》等诗作。这首较长诗题中提到的“十四年三月十一日夜遇微之于峡中，停舟夷陵三宿而别”，关涉文学史和旅游文化史的一段佳话：赴任忠州刺史的白居易携弟白行简与自通州司马迁虢州长史的元稹相遇于夷陵（今湖北宜昌市），所谓“夷陵峡口明月夜，此处逢君是偶然”③，留三日而别。三人在峡口发现一洞，景色绝佳，流连忘返，因他们三人始游，故名此洞为三游洞。三人都留下纪游诗，白居易还写了《三游洞序》，文辞俊美，生动活泼，富于灵性，含意深长，并借弟弟白行简之口赞叹道：“斯境

① 吴晟：《中国古代诗歌中的物理认知》，《学术研究》2010年第1期。

② （唐）白居易：《入峡次巴东》，（清）彭定求等编：《全唐诗》卷四四〇，第4913页。

③ （唐）白居易：《十年三月三十日别微之于澧上，十四年三月十一日夜遇微之于峡中，停舟夷陵三宿而别，言不尽者，以诗终之，因赋七言十七韵以赠，且欲记所遇之地与相见之时，为他年会话张本也》，（清）彭定求等编：《全唐诗》卷四四〇，第4914页。

胜绝，天地间其有几乎？”[①] 全篇具有诗歌的意兴与韵味，是一篇不可多得的游记小品。

（九）刘禹锡与《西塞山怀古》

西塞山是今湖北黄石市的名山。因为险要的地理位置，西塞山成为历代兵家征战之地，是重要军事要塞。唐代符载《土洑镇保宁记》对西塞山有十分具体的描绘：“夏口至西南四百里，其山曰西塞，其镇曰土洑。山镇相距，可百余丈，崖岸中断，呀然摩霄，大江浩浩，横注其下。其余控荆衡，走扬越，气雄势杰，冈连水汇者，盖数千里。此天用设险于吴楚也。”[②] 西塞山吴头楚尾“控荆衡、走扬越”的地理位置，又使它成为水上客流和物流中心，成为商贾、旅客辐辏之地。《土洑镇保宁记》又载，唐时，西塞山麓的土洑镇“士民工商，连樯如云，必将沿于斯，泝于斯”，可见其繁华。

西塞山因为独特的自然景观，成为唐代以来许多著名诗人吟咏的对象，使西塞山逐渐成为诗歌名山、文化名山。仅唐代，吟咏过西塞山的客籍诗人就有陶岘、李白、皇甫冉、张志和、戴叔伦、韦应物、刘禹锡、张祜、薛能、罗隐、韦庄、皮日休、齐已、钱珝等人，其中最为有名的诗作当属刘禹锡《西塞山怀古》。

刘禹锡（772—842 年），字梦得，洛阳（今属河南）人。刘禹锡诗文俱佳，有“诗豪”之称。德宗贞元九年（793 年）进士及第。贞元末，与柳宗元相善，成为以王叔文为首的革新集团的骨干。革新失败，被贬为连州（今广东省清远市代管的县级市连州市）刺史，途中，又贬为朗州（今湖南常德）司马。唐文宗时曾以太子宾客分司东都，加检校礼部尚书，世因称“刘宾客”“刘尚书”。唐武宗会昌二年（842 年），病卒于洛阳。刘禹锡与柳宗元并称“刘柳”，与白居易并称“刘白”，与韦应物、白居易合称“三杰”。

---

① （唐）白居易：《三游洞序》，见（清）董诰等编：《全唐文》卷六七五，第 6895 页。

② （唐）符载：《土洑镇保宁记》，见（清）董诰等编：《全唐文》卷六八九，第 7063 页。

《西塞山怀古》一诗，是刘禹锡于唐穆宗长庆四年（824年）夏，由夔州（今重庆奉节）刺史调任和州（今安徽和县）刺史，沿江东下，途经西塞山时写下的。

西塞山怀古

王濬楼船下益州，金陵王气黯然收。
千寻铁锁沉江底，一片降幡出石头。
人世几回伤往事，山形依旧枕江流。
今逢四海为家日，故垒萧萧芦荻秋。[①]

诗人由西塞山所怀之古是由西晋灭吴统一战争生发出来。诗的前四句写西晋灭吴之战，一方声势赫赫，势如破竹，一方闻风丧胆，面缚而降。经此一战，终于结束了分裂局面，国家复归于统一。为什么刘禹锡在途经西塞山时会想起这次战争呢？这是因为，西塞山是防卫东吴都城建业的最后一道要塞，民间有铁索横江的传说。当年王濬楼船自益州顺江而下，而诗人自夔州一路行来，历经王濬破吴各个战场，把西塞山看成王濬最后一举灭吴之役的重要战场。第五句“人世几回伤往事”再将历史由西晋下移至南北朝，国家再次由统一走向分裂，建业城上演六朝兴亡的历史，悲恨相续，令人伤怀不已。相比于分裂政权的短暂，西塞山则“山形依旧枕江流”。

中国文人的怀古往往与伤今相联系，刘禹锡也不例外。诗人在西塞山想起西晋的统一和六朝的分裂并产生深深的感慨，是因为唐代自天宝之后，朝廷始终受到藩镇割据势力的威胁，国家实际呈现分裂状态。而写此诗的824年，正是河北三镇割据之势复现之年，刘禹锡对此十分忧心，就借《西塞山怀古》表达对藩镇割据势力死灰复燃的忧虑和盼望“四海为家”、江山一统局面形成的愿望。

---

① （唐）刘禹锡：《西塞山怀古》，（清）彭定求等编：《全唐诗》卷三五九，第4058页。

在吟咏西塞山的诗歌作品中，《西塞山怀古》享有很高的声誉。清人薛雪《一瓢诗话》说：“刘宾客《西塞山怀古》，似议非议，有论无论，笔著纸上，神来天际，气魄法律，无不精到，洵是此老一生杰作，自然压倒元、白。”[①]

（十）咏黄州赤壁的第一人杜牧

《湖北文学史》指出：“鄂东地区在唐代没有什么有知名度的本地作家，一些有影响的作品都是旅鄂作家创作的。旅鄂作家在鄂东创作最有成就者首推晚唐著名诗人杜牧。”[②]这一看法是符合历史客观实际的。

杜牧（803—约852年），字牧之，号樊川居士，京兆万年（今陕西西安市）人。他是唐代杰出的诗人、散文家，又有经邦济世抱负，其作品关切朝政，指陈时弊，咏史诗往往以论史绝句的形式，借历史题材讽咏现实。杜牧还创作了不少抒情诗，意境清新，韵味隽永，与李商隐合称为“小李杜”，名垂青史。

杜牧出身世家京兆杜氏，中唐名相杜佑之孙，杜从郁之子。他年少得志，于唐文宗大和二年（828年）进士及第，授弘文馆校书郎。大和七年（833年），出为淮南节度使牛僧孺掌书记，居扬州3年。大和九年（835年），入朝为监察御史，不久即分司东都。会昌二年（842年）四月，出为黄州（今湖北黄冈）刺史。会昌四年（844年）九月，改任池州刺史，离开了黄州。

当时的黄州并不繁华，又远离京城长安，“户不满二万，税钱才三万贯”[③]。这次外放的原因，史无记载，在杜牧的诗文中也没有反映，可能是受到当时宰相李德裕的排挤。在黄州两年多的任期内，杜牧谋国忧民、肃贪治吏、减税除费、抗旱祈霖，是很有作为的刺史，得到黄州民众的信任和怀念，明代弘治《黄州府志》称其“有才名，多奇节，吏

① 喻朝刚主编：《全唐诗广选新注集评》第六册《刘禹锡·西塞山怀古》，辽宁人民出版社1997年版，第329页。

② 王齐洲、王泽龙：《湖北文学史》，第315页。

③ （唐）杜牧：《樊川文集》，上海古籍出版社1978年版，第217页。

民怀服之”。

杜牧履职之余，喜吟诗作文。在黄州任职时期，他写下了许多名垂诗史的诗篇，尤其是咏史诗，成为其诗文创作的重要时期。唐代的咏史诗人极多，佳作频出，蔚为大观。杜牧博古通今，才气横溢，他的咏史诗善于选择最典型的人物或事件，通过形象的刻画，具有很强的艺术感染力。杜牧绝句体的咏史诗更是独领风骚，享誉诗坛。而他写得最好的几首咏史诗怀古诗，如《赤壁》《兰溪》《题木兰庙》《云梦泽》《题桃花夫人庙》等都作于黄州，皆精妙绝伦，脍炙人口。其中《赤壁》传播最广，影响最大。这首诗是诗人经过传说中的赤壁古战场，有感于三国时代的英雄成败而写下的。诗人观赏了古战场的遗物，对赤壁之战发表了独特的看法，有感而作。“折戟沉沙铁未销，自将磨洗认前朝。”[1]古战场的沙里沉埋着断戟，隐含着岁月流逝，物是人非的情感。正是由于发现了这一件沉埋江底六百多年、锈迹斑斑的“折戟”，使得诗人思绪万千，因此他要磨洗干净出来辨认一番，发现原来是赤壁之战遗留下来的兵器。这又引发诗人的思绪，为后文抒怀作了很好的铺垫。

“东风不与周郎便，铜雀春深锁二乔。”这后两句久为人们所传诵的佳句，意为如果当年没有东风帮助周瑜，曹操成了胜利者，那么，大乔和小乔就必然要被抢去，关在曹操修筑的铜雀台中。大乔是东吴前国主孙策的夫人，当时国主孙权的嫂子，小乔则是周瑜的夫人。她们虽与这次战役没有直接关系，但她们的身份和地位代表着东吴作为一个独立政治实体的尊严。诗人用“铜雀春深锁二乔”这样一句诗来描写在“东风不与周郎便”的情况之下，曹操胜利后的骄恣和东吴失败后的屈辱，更加突出强调东风的作用。杜牧不可能不知道“天时不如地利，地利不如人和”的道理，在诗中却把周瑜在赤壁战役中的胜利完全归之于偶然的东风，这是很难想象的。他之所以这样写，恐怕用意还在于自负知兵，却没有机会为国效力，借史事以吐其胸中抑郁不平之气。“自此诗之后，

① （唐）杜牧：《赤壁》，（清）彭定求等编：《全唐诗》卷五二三，第5980页。

赤壁与黄州密不可分，‘赤壁’自杜牧开始成为黄州文化的符号之一。几乎所有知晓黄州、到访黄州、居住黄州的士大夫、文人无一例外地会书写或游览赤壁，形成绵绵不绝的文化现象。”①

杜牧另外一首咏史诗《兰溪》。诗云：“兰溪春尽碧泱泱，映水兰花雨发香。楚国大夫憔悴日，应寻此路去潇湘。”②这是杜牧会昌四年（844年）暮春所作。诗有原注：“在蕲州西。”蕲州即今湖北蕲春县，兰溪是蕲水的别名，流经今黄冈浠水县兰溪镇。诗中通过兰溪景色的描写与古代发生事情的联想，抒发自己报国无门、怀才不遇的感慨。因兰溪古属楚国，因此联想到屈原有可能由此路而去潇湘，隐寓着自己怀才不遇、同病相怜的感慨。

杜牧在黄州写的另一首咏史诗为《题木兰庙》。诗云：“弯弓征战作男儿，梦里曾经与画眉。几度思归还把酒，拂云堆上祝明妃。”③缪钺先生《杜牧传》指出：“黄州城西北百五十里有木兰山，南齐时曾在此设县，名木兰县，梁朝改名曰梁安县，隋又改为木兰县，唐朝并入黄冈县。”④诗人一开头先从人物外貌写起，不但活灵活现地描绘出这位巾帼英雄的非凡气概和神韵，而且生动地再现了她征战十二年的戎马生涯。接着诗人进一步把笔触深入到人物的内心世界：“梦里曾经与画眉”。木兰将军南征北战，历经血与火的考验，然而与此同时，她又希望早日结束征战，回归和平宁静的生活。诗歌的最后，陡翻新意，写木兰把酒思乡的时候，居然想到了汉朝和亲的明妃王昭君。二人都是女子，都是离家别亲，来到边塞，虽然她们的身份和经历不同，但都承担着家国重任，而这样的重任原本应该是由男性担当的。这在男权社会中是不正常的，发人深思。

---

① 黄冈市政协主编：《黄冈文化简史》，第116页。

② （唐）杜牧：《兰溪》，（清）彭定求等编：《全唐诗》卷五二二，第5968页。

③ （唐）杜牧：《题木兰庙》，（清）彭定求等编：《全唐诗》卷五二三，第5987页。

④ 缪钺：《杜牧年谱》，河北教育出版社1999年版，第73—74页。

杜牧在黄州创作的咏史诗中经常运用这样的手法。杜牧在游览桃花夫人庙时有感，便写下了《题桃花夫人庙》这首咏史诗。“细腰宫里露桃新，脉脉无言几度春。”这一联用诗歌形象概括了息夫人的故事。这里没有叙述，事件是通过描绘的语言和具体意象表现的。它是根据“楚王好细腰，宫中多饿死”的传说翻造的，也就间接指刺了楚王的荒淫。诗人似乎要对息夫人一掬同情之泪了。但第三句却笔锋一转，“至竟息亡缘底事？”息国的灭亡不正是因为夫人美貌吗？她纵然无言地忍辱苟活，又怎么能无咎无愧？末句从对面着墨，引出另一个女子来。那就是晋代豪富石崇家的乐妓绿珠。其遭遇和息妫十分相似，但绿珠的反抗是那样刚烈，相形之下息夫人只见懦弱了。杜牧“或许考虑到息夫人的身不由己，直接对这样一位弱女子进行指责不免过苛，于是转化为对于其反面的颂美，这样一来读者感情上也更容易接受，使全诗意境升华到一个更高的境界”[①]。也就是说，软弱的受害者诚然可悯，但以死抗争者更加令人敬佩。

唐会昌四年（844 年）九月，杜牧迁池州刺史，离开黄州。他在黄州任职虽然只有二年多的时间，但以其显赫的名声和不朽的诗作使黄州的知名度大大提高，用黄冈地方史研究者的话说，“杜牧让黄冈在唐史里留下一瞥惊鸿”[②]，也为唐代荆楚文化的发展增光添彩。

（十一）咏怀楚史的李商隐

李商隐（约 813—约 858 年），晚唐著名诗人，和杜牧合称“小李杜”。字义山，号玉谿生，祖籍怀州河内（今河南沁阳市），生于郑州荥阳（今河南荥阳市）。与白居易一样，李商隐也没在湖北做过官，他也是途经湖北时留下过一些有影响的诗歌。

李商隐游览湖北的经历始于开成五年（840 年）。这一年，李商隐辞去弘农尉，南游湖北，到过武昌（今鄂州市）、黄州（今黄冈市）、安

① 朱婧：《杜牧女性题材作品研究》，西南大学 2012 年硕士学位论文，第 18 页。

② 黄冈市政协主编：《黄冈文化简史》，第 113 页。

州（今安陆市）等地。唐宣宗大中元年（847年），授桂州刺史、桂管（今广西桂林）防御观察使的郑亚，请李商隐为判官，李自京师赴桂，后又奉使江陵，次年正月返桂，郑亚坐李德裕党，贬为循州（治所在今广东惠州市东北五里）刺史，“商隐从之，凡三年乃归”[①]。从岭南返京途中，李商隐由水路历长沙、武昌，然后溯江西上经江陵、荆门山入川，游历了湖北大部分山川后，才辗转赴京。李商隐在湖北的创作主要集中在这段时间。

李商隐在湖北的诗作主要为咏史诗，且多为咏楚国历史的诗作。《楚宫》为题的诗即有四首，还有《梦泽》《楚吟》等，他写道：“山上离宫宫上楼，楼前宫畔暮江流。”[②]“朝云暮雨长相接，犹自君王恨见稀。”[③]“梦泽悲风动白茅，楚王葬尽满城娇。未知歌舞能多少，虚减宫厨为细腰。”[④]“歌成犹未唱，秦火入夷陵。”[⑤]这些诗篇写尽楚王的荒淫与荒淫误国，楚王大建离宫楼台，沉迷于歌舞升平之中，终至为秦所灭。作者对爱国诗人屈原深表同情：“湘波如泪色漻漻，楚厉迷魂逐恨遥。枫树夜猿愁自断，女萝山鬼语相邀。空归腐败犹难复，更困腥臊岂易招。但使故乡三户在，彩丝谁惜惧长蛟。”[⑥]在《楚吟》诗中，李商隐提出了“宋玉之愁”的生发问题外，还专门写就《宋玉》一诗，赞美宋玉才华，又为宋玉未能施展政治抱负而惋惜，语曲词哀，味之无穷。

除咏史诗外，在湖北期间，李商隐还写了一些反映自身遭遇和社会现实的作品，因而湖北地名不断出现在其诗作中。如《风》写自己离开岭南，经长沙、武昌、江陵，过荆门山至下牢关，自东而西入蜀，帆破荆江，惊魂初定的一段行程：“迴拂来鸿急，斜催别燕高。已寒休惨淡，

---

① （宋）欧阳修、宋祁：《新唐书》卷二〇三《李商隐传》，第5793页。

② （唐）李商隐：《楚吟》，（清）彭定求等编：《全唐诗》卷五三九，第6182页。

③ （唐）李商隐：《楚宫二首》，（清）彭定求等编：《全唐诗》卷五四〇，第6186页。

④ （唐）李商隐：《梦泽》，（清）彭定求等编：《全唐诗》卷五三九，第6155页。

⑤ （唐）李商隐：《楚宫》，（清）彭定求等编：《全唐诗》卷五三九，第6153页。

⑥ （唐）李商隐：《楚宫》，（清）彭定求等编：《全唐诗》卷五四〇，第6189页。

更远尚呼号。楚色分西塞，夷音接下牢。归舟天外有，一为戒波涛。”[①] 再如其《无题》写其荆江遇险，惊魂甫定的感受，道出了唐后期乱离社会中人们的共同心声：“万里风波一叶舟，忆归初罢更夷犹。碧江地没元相引，黄鹤沙边亦少留。……人生岂得长无谓，怀古思乡共白头。”[②] 李商隐《汉南书事》批评少数边将穷兵黩武，赞扬朝廷对西北少数民族的优抚政策：“西师万众几时回，哀痛天书近已裁。文吏何曾重刀笔，将军犹自舞轮台。几时拓土成王道，从古穷兵是祸胎。陛下好生千万寿，玉楼长御白云杯。”[③] 即使在如此颠沛流离的不堪境地，诗人仍然不忘国事，不失文人的一份责任心。

二、名动天下的宋声抒情

（一）大笔写巴东的“寇巴东”

寇準（961—1023 年），北宋政治家、诗人，字平仲，华州下邽（今陕西渭南）人。因封莱国公，世称“寇莱公”。寇準自幼聪颖过人，立志报国，太平兴国五年（980 年）进士及第，不久出任巴东知县。寇準美名留巴东，首先在于他在巴东县令上的作为。他在巴东任职三年，做事干练，清廉公正，造福百姓，竟被人们亲切地呼叫为“寇巴东”，由此可见他在巴东的政绩名声。当时有不少有识之士，以寇準在巴东的作为，断言他有济世之才，后来他果然成为历史上有名的良相。

寇準美名留巴东，其次还在于寇準大笔写巴东。他一生的诗作，有自编的《巴东集》一卷和宋代范雍所编《寇忠愍公诗集》三卷传世，仅在巴东知县期间，“留下了不少于六十首的优美诗篇，相对于寇準二百七十首左右的总数量，无疑占有很大的比重。观其此期诗歌的体裁，基本上全是近体诗，其中以五律最多，七律次之，题材大多是抒情

① （唐）李商隐：《风》，（清）彭定求等编：《全唐诗》卷五四〇，第 6193 页。

② （唐）李商隐：《无题》，（清）彭定求等编：《全唐诗》卷五四一，第 6248 页。

③ （唐）李商隐：《汉南书事》，（清）彭定求等编：《全唐诗》卷五四〇，第 6206 页。

诗，内容集中在思乡、思隐和仕途失意的感伤上”[①]。

书山馆壁

秋作西南使，千林覆去程。四时无日影，终夜有猿声。
路入溪云过，人穿鸟道行。不堪孤驿望，风雨动乡情。[②]

这首《书山馆壁》是时年十九岁的寇準赴任巴东途中所作。对于才华横溢、心怀雄才大略的寇準来说，被派至当时山高水远、条件艰苦的小县城，恐怕不是一件值得高兴的事，他的心情与当时的天气一样不佳。

但到任巴东知县的寇準，正是风华正茂、踌躇满志之时，他在县城修建秋风亭，“表达了他对巴东乡土的热爱，同时这亭子也是他接触百姓、了解民情和吟诗撰文的地方”[③]。伫立亭中四望，迭迭山城，滔滔大江，远处的群山，近处的梯田，皆在视野之中，寇準写下了《春日登楼怀归》：

高楼聊引望，杳杳一川平。野水无人渡，孤舟尽日横。
荒村生断霭，古寺语流莺。旧业遥清渭，沉思忽自惊。[④]

作者登上高楼，向远处眺望，只见无尽的春水涨满了河道。寇準诗中“野水无人渡，孤舟尽日横”句，则是化用自唐代诗人韦应物《滁州

① 翟付满：《寇準诗歌研究》，南京师范大学2008年硕士学位论文，第16页。

② （宋）寇準：《书山馆壁》，载寇準撰、范雍编：《忠愍集》卷中，见影印文渊阁本《四库全书》第1085册，第675页。

③ 吴成国：《天造地设——长江流域的大、小三峡》，武汉出版社、中国言实出版社2006年版，第216页。

④ （宋）寇準：《春日登楼怀归》，载北京大学古文献研究所编：《全宋诗》，第1001页。

西涧》诗中“春潮带雨晚来急，野渡无人舟自横”[①]这一名句，由七言变五言，意境一样的悠远、深长。这首诗既有实施个人宏图的壮志，也有着眼现实随遇而安的心境，心态宁静而平淡，绝无一般青年官僚得意忘形的浮躁。他想得最多的不是青云直上的功名利禄，而是对故乡八百里秦川的思念。

寇凖在巴东三年中，很快融入当地社会，投身改造穷乡僻壤，为民造福的事业，深得百姓爱戴。其《春初夜书》不仅写出了巴东一千年前的风景、风情，也写出了当时的风俗，黄醅、腊酒、畲火，都是一种遥远而又熟悉的记忆：

水国淹留岁月空，云山东去阻千重。
欲令遥夜春愁薄，须赖黄醅腊酒浓。
南浦有潮春栅鏁，西窗无睡怯岩钟。
谁家几点畲田火，疑是残星挂远峰。[②]

寇凖在巴东，还写有《题巴东寺》《巴东有感》《巴东驿秋日晚望》《巴东书事》《巴东县斋秋书》等诗作，说他是大笔写巴东的人，真正是名副其实，他也当得上“寇巴东”之称。更为难得的是，他还利用假日专程从巴东前往秭归屈原故里凭吊楚国先贤屈原，并创作咏史诗《暇日游建平三闾故里庙貌荒凉惨动耳目噫贤者之祀世不绝享郡无正人遗弃若是感事伤俗因留斯句》：

人生苦远游，多是悲登眺。况复念三闾，遗踪良可吊。
道直出章华，才高逐边徼。怨声喷夜江，秋色迷烟峤。

① （唐）韦应物：《滁州西涧》，（清）彭定求等编：《全唐诗》卷一九三，第 1995 页。

② （宋）寇凖：《春初夜书》，载寇凖撰、范雍编：《忠愍集》卷中，见影印文渊阁本《四库全书》第 1085 册，第 682 页。

断碑没败莎，古木吟荒庙。祠正少来奠，岸峻希停棹。
神容渍老苔，坏壁通残照。旧径失朱门，空庭起寒烧。
余基虽索寞，清问长光耀。族贤谁再兴，勿使过者诮。①

寇準去秭归屈原故居凭吊屈原之后，写下了自己的所想所感，歌颂了屈原的崇高道德和绝世才华，也感慨屈原故里年久失修，残败不堪。

太平兴国八年（983 年），寇準在巴东任满后，改任成安（今河北成安县）知县。三年的巴东知县生涯，寇準的心情也在发生着转变，从初到巴东的郁郁不得志，到习惯当地生活，再到离开时的依依不舍，这份情感可从作者离开巴东时所作《东归再经峡口》看出："复命经三峡，波澜极目愁。片云生断壁，孤石碍中流。道路连巴塞，风烟接楚丘。重来登望处，因念昔年游。"② 以后寇準又先后升任盐铁判官、尚书虞部郎中、枢密直学士等官。淳化二年（991 年），寇準升为左谏议大夫、枢密副使，后改任同知院事，直接参预北宋军国大事的决策。宋太宗赵光义说："朕得寇準，犹文皇之得魏徵也。"③ 第二年，寇準拜为参知政事。至道元年（995 年）又加给事中，成为北宋朝廷重臣。

从巴东开始其仕宦生涯的一代名臣寇準，在宋真宗晚年卧病不知情况下，逃脱不了蒙冤遭贬的命运，于仁宗朝天圣元年（1023 年）九月客死雷州（今广东雷州市）。明道二年（1033 年）十一月，仁宗为寇準昭雪，恢复寇準太子太傅、莱国公之职，赠中书令，谥号"忠愍"。至今，巴东县与寇準相关的名胜、遗迹还有秋风亭、白云亭、劝农亭、铁权、寿宁寺等，而与寇準相关的传说故事仍在流传。

（二）"庐陵事业起夷陵"的欧阳修

欧阳修（1007—1072 年），字永叔，号醉翁、六一居士，江西吉州

① 北京大学古文献研究所编：《全宋诗》，第 998 页。

② 寇準撰、范雍编：《忠愍集》卷中，见影印文渊阁本《四库全书》第 1085 册，第 691 页。

③ （元）脱脱等：《宋史》卷二八一《寇準传》，第 9527 页。

庐陵（今江西永丰县）人，北宋政治家、文学家、史学家，唐宋八大家之一。欧阳修，祖籍江西庐陵，出生在绵州（今四川绵阳），却在湖北长大成人。欧阳修的青少年求学时期是在湖北度过的。当时，欧阳修经常来到安陆，拜访远近闻名的安陆“二宋”，切磋学问。欧阳修与宋庠、宋祁之间亲密的感情，深藏在欧阳修心中，成为美好的回忆，以致于欧阳修路经安陆，特意故地重游，并题诗《留题安州朱氏草堂》于朱氏草堂以作纪念。欧阳修也曾到应城官学听讲学习。他还在应城的城楼上创作了《楼头》一诗：“百尺楼头万叠山，楚江南望隔晴烟。云藏白道天垂幕，帘卷黄昏月上弦。桑落蒲城催熟酒，柳衰章陌感凋年。发光如葆宁禁恨，不待为郎已飒然。”[①] 因此，“可以说，如果欧阳修没在湖北受到文学熏陶和思想启迪，就不可能发动和领导后来的诗文革新运动”[②]。

仁宗天圣四年（1026 年），欧阳修通过随州州试，得荐名于礼部。天圣六年，22 岁的欧阳修游学汉阳，天圣八年，24 岁的欧阳修赴京师汴梁参加科考会试，后以殿试中进士甲科，步入仕途，历任北宋仁宗、英宗、神宗三朝，官至参知政事，在历史上留下自己的盛名。

仁宗景祐三年（1036 年），这一年成为欧阳修人生的转折点，因为改革派代表人物范仲淹辩护，30 岁的欧阳修被贬峡州夷陵（今湖北宜昌市）县令。贬官夷陵的时间虽不到两年，但这段经历既丰富了欧阳修的人生阅历，也加深了他对人生和社会的认识，为其“忧以天下，乐以天下”价值观念的形成和后来成为一代文宗奠定了坚实的基础。[③] 清人袁枚在《随园诗话》卷一中载参政庄有恭诗云：“庐陵事业起夷陵，眼界原从阅历增。况有文章堪润色，不妨风骨露崚嶒。”[④] 从此之后，“庐陵

---

① （宋）欧阳修著、李逸安点校：《欧阳修全集》卷五五，中华书局 2001 年版，第 777 页。

② 王齐洲、王泽龙：《湖北文学史》，第 374 页。

③ 文师华：《庐陵事业起夷陵——欧阳修贬官夷陵时期的思想状况和文学创作》，《南昌大学学报》2008 年第 2 期。

④ （清）袁枚：《随园诗话》卷一，人民文学出版社 1982 年版，第 31 页。

事业起夷陵”便成公论，意思是欧阳修一生的文章事业，是得益于贬谪夷陵的经历。夷陵令之后，欧阳修又迁乾德（今湖北老河口市）令，在湖北又生活了四五年时间。

在夷陵期间，欧阳修在为政方面诸如整顿吏治、严明法纪、体察民情、移风易俗等做了不少工作[①]，“还利用闲暇饱览了夷陵的山川形胜，饱读了诗书，钻研了学术，思索了治国之道”[②]。据研究者的统计，《欧阳修全集》诗文中，直接涉及夷陵的就有140篇，其中在贬夷陵期间所写的诗歌近50篇，文章近30篇。[③]从这一数据统计来看，我们完全可以说，庐陵文章起夷陵。

欧阳修被贬夷陵，夷陵的山水、风土人情、历史文化滋养了他，虽情绪低落，但没有消沉，反而从逆境中愈发坚强。景祐三年，欧阳修在来夷途中经过江州（今江西九江）琵琶亭时，诗人感叹自己被贬的夷陵比白居易曾贬的江州还要偏远，心中郁闷而悲愤，遂写下略带伤感的《琵琶亭》：

乐天曾谪此江边，已叹天涯涕泫然。
今日始知予罪大，夷陵此去更三千。[④]

在《初至夷陵答苏子美见寄》诗中，欧阳修既表达了谪迁的苦闷和浓郁的思乡之情，又对夷陵的民风民俗表现出较高的兴趣，予以详尽

① 参见魏克学：《欧阳修与夷陵》，载陈海云等主编：《宜昌·夷陵·欧阳修》，华中师范大学出版社1992年版，第20—22页；刘开美：《论欧阳修贬令夷陵的作为》，《三峡大学学报》2009年第1期。

② 宜昌政协主编：《宜昌文化简史》，湖北人民出版社2016年版，第200页。

③ 刘宝康：《〈欧阳修全集〉有关夷陵诗文索引》，载陈海云等主编：《宜昌·夷陵·欧阳修》，第242—258页。

④ （宋）欧阳修：《琵琶亭》，见欧阳修著、李逸安点校：《欧阳修全集》卷五六，第801页。

描述：

> 三峡倚岩峣，同迁地最遥。物华虽可爱，乡思独无聊。……
> 巴賨船贾集，蛮市酒旗招。时节同荆俗，民风载楚谣。
> 俚歌成调笑，搽鬼聚喧嚣。……寄信无秋雁，思归望斗杓。
> 须知千里梦，长绕洛川桥。[①]

到达夷陵的次年，欧阳修给峡州判官丁元珍的《戏答元珍》诗中，同样表达了谪居夷陵的寂寞心情。不过，该诗除了表达寂寞心情外，也展示了作者逆境中顽强不屈的一面。欧阳修更借夷陵山谷间顽强生长的黄杨树表达了自己刚正不阿、积极向上的精神：

> 枝蓊郁以含雾，根屈盘而带石。落落非松，亭亭似柏，上临千仞之盘薄，下有惊湍之濆激。涧断无路，林高暝色，偏依最险之处，独立无人之迹。……节既晚而愈茂，岁已寒而不易。[②]

欧阳修在钟情于夷陵山水中放松了心情，得到了自我解脱，对夷陵山水表达出喜爱之情。欧阳修对西陵峡风光无比喜爱，极力赞赏，在一首写给好友梅尧臣的诗中赞道："惟有山川为胜绝，寄人堪作画图夸。"[③]他赞颂西陵峡及夷陵的诗文生动描绘了山水的雄奇、峡谷的险峻、洞的幽静、泉的清冽，《三游洞》《下牢溪》《下牢津》《虾蟆碚》《黄牛峡祠》《龙溪》《劳停驿》《黄溪夜泊》构成关于西陵峡组诗。在南津关注入长江的下牢溪，清澈见底，碧澄如玉，溪流蜿蜒曲折入层峦叠嶂之中，两

① （宋）欧阳修：《初至夷陵答苏子美见寄》，见欧阳修著、李逸安点校：《欧阳修全集》卷一一，第170页。

② （宋）欧阳修：《黄杨树子赋》，见欧阳修著、李逸安点校：《欧阳修全集》卷一五，第253—254页。

③ （宋）欧阳修：《寄梅圣俞》，见欧阳修著、李逸安点校：《欧阳修全集》卷一一，第175页。

岸奇峰竞秀，翠林藏莺，繁花戏蝶，飞泉鸣琴，一步一景，幽静美妙，秀丽动人，欧阳修《下牢溪》曰：

> 隔谷闻溪声，寻溪度横岭。清流涵白石，静见千峰影。
> 岩花无时歇，翠柏郁何整。安能恋潺湲，俯仰弄云景。[①]

黄牛峡地处西陵峡中段，以长江南岸之黄牛山而得名，南岸山麓建有黄陵庙，系三峡中历史最悠久的名胜古迹之一。此庙为纪念大禹治水而始建于战国时期，原名黄牛祠。欧阳修《黄牛峡祠》生动描写了黄牛峡祠周围的环境、周边的风俗文化和景色，意象丰富，意境高远。在诗的结尾处，欧阳修记载道："语曰：'朝见黄牛，暮见黄牛，三朝三暮，黄牛如故。'言江恶难行，久不能过也。"[②]此古代船工所编歌谣，首见载于郦道元《水经注・江水》，经由欧阳修诗文记载传播，让黄牛峡、黄牛滩江段迂回沿溯之苦深入人心，为后人研究三峡文化留下了珍贵的史料。欧阳修的这些诗文，"对管窥宋代夷陵的山水、风土人情、历史文化，向中原宣传、推介'偏僻'的宜昌具有重要意义"[③]。

庆历四年（1044 年），欧阳修将其叔父欧阳晔"葬于安州应城县高风乡彭乐村"[④]，并亲书了《祭叔文》和《欧阳公墓志铭》，应城地方乡绅在彭乐村修建了一座草庐，取名"守孝堂"，后来又在这里修建"欧阳文忠读书处"。时至今日，为了表达对欧阳修的敬仰之情，湖北宜昌、应城两地，建有欧阳修的纪念地。宜昌人民为了怀念欧阳修，感念他为宜昌所作的贡献，以他的名字修建了"欧阳修公园""欧阳修广场"，以他活动的"至喜亭"命名了"至喜长江大桥"。宜昌市夷陵区新建夷陵

① （宋）欧阳修：《下牢溪》，见欧阳修著、李逸安点校：《欧阳修全集》卷一，第 10 页。

② （宋）欧阳修：《黄牛峡祠》，见欧阳修著、李逸安点校：《欧阳修全集》卷一，第 11 页。

③ 宜昌政协主编：《宜昌文化简史》，第 203 页。

④ （宋）欧阳修：《尚书都官员外郎欧阳公墓志铭》，见欧阳修著、李逸安点校：《欧阳修全集》卷二七，第 422 页。

楼，并在主楼为欧阳修塑像撰联：“琼楼昭盛世，文德耀千秋。”

（三）“风流最是黄州著”的苏东坡

宋代大文豪苏轼（1037—1101 年），字子瞻，号东坡居士，世称苏东坡。苏轼是宋代文学成就的代表，在诗、词、散文、画、书等方面获得了显著成就。其诗题材广阔，风格别具一格，善于应用比喻夸张等手法，与黄庭坚并称“苏黄”；其词豪放，与辛弃疾同是豪放派代表，并称“苏辛”；其散文著述宏富，豪放自如，与欧阳修并称“欧苏”，为“唐宋八大家之一”；苏轼亦善书，为“宋四家”之一；有《东坡七集》《东坡易传》《东坡乐府》等。

相较于苏轼的文名，其仕途则可谓是非常不顺。他在《自题金山画像》诗中写道“心似已灰之木，身如不系之舟。问汝平生功业，黄州惠州儋州”[①]，大体描述出了其仕途的坎坷。苏轼因“乌台诗案”，于神宗元丰二年（1079 年）底被贬黄州。历任兵部尚书、吏部尚书、礼部尚书等职。复因元祐党人案，被贬惠州、儋州。宋徽宗建中靖国元年（1101 年）奉诏北返，病逝于常州。

探讨苏东坡与黄州关系的这一话题，永远是常讲常新的一个话题。

首先，因为黄州，苏轼完成了从“苏轼”到“苏东坡”的华丽嬗变。元丰四年（1081 年）二月，在好友马正卿的帮助下，苏轼耕种于黄州州衙东门外岗坡之上，故名东坡，自号东坡居士。有论者说：“儒学精神、道家风采、释者情怀使昔日的苏轼渐渐隐去，一个崭新的苏东坡却潇洒地向世人走来。”[②] 还有论者认为：

> 苏轼在黄州的谪居生活，为苏轼提供了潜移默化的人生历练，使得他从“朝廷大员”成为“识字农人”，从“官家思维”变成

① （宋）苏轼：《自题金山画像》，见岳希仁编著：《宋诗绝句精华》，广西师范大学出版社 1996 年版，第 189 页。

② 赵伟东：《黄州时期的苏轼人生及思想浅论》，《学术交流》2005 年第 3 期。

“草根思维”，从“御用辨析”转为“感悟辨析”，从“应对作为”改作“自主作为”，从“循旧定势”走向“开拓创新”……从而一步一步地完成了“苏轼”向“苏东坡”的嬗变，为人世间创造了一个在困顿中实现崛起的人生范式，并一举登上北宋文坛顶峰。[①]

其次，苏轼共在黄州谪居四年零四个月，黄州时期成为他的文学创作的巅峰时期，创造了中国文学史上的奇迹。仅从数量上说，贬谪黄州期间，苏轼写了750篇（首）诗、词、文、赋。以苏东坡谪居黄州的第三年为例，这一年是他在黄州文学创作的巅峰之年，被称为千古绝唱、豪放派词代表作的《念奴娇·赤壁怀古》横空出世，宋代文赋的代表作《赤壁赋》《后赤壁赋》震撼面世……还有《定风波》《遗爱亭记》《记承天寺夜游》《柯丘海棠诗》等问世。从作品的影响力上说，黄州期间，苏东坡的名篇力作数不胜数。从文风上说，黄州期间，苏轼文风骤变，正如论者所言，“苏轼之文为之一变，主要是境界变了，变得高远而豪迈，变得旷达而隽永”[②]。

千古苏轼，苏轼千古，至今研究和欣赏苏东坡作品的著作也堪称汗牛充栋，视苏东坡哪些作品为经典，如何欣赏苏东坡的名篇力作，这自然也是见仁见智的事。举例来说，《念奴娇·赤壁怀古》，说它是经典的人，排它在宋词排行榜的第一名，并称：“千古宋词，千古苏轼，千古‘大江东去’赤壁词！若要在两万余首宋词中寻出一首可以领衔的作品，除去这首《念奴娇·赤壁怀古》，不知还有哪一首可以担当！”[③]也有对这首词不买账的人，如清人沈时栋、朱祖谋，前者的《古今词选》和后者的《宋词三百首》就把苏轼这首作品排除在外。[④]

《定风波》寓有哲理性，看似是记述沙湖相田途中遇雨这件事，实

① 黄冈市政协主编：《黄冈文化简史》，第124页。

② 王兆鹏：《苏轼贬谪黄州期间词多诗少探因》，《湖北大学学报》1996年第2期。

③ 王兆鹏、郁玉英、郭红欣：《宋词排行榜》，中华书局2012年版，第2页。

④ 王兆鹏、郁玉英、郭红欣：《宋词排行榜》，《前言》第1—2页。

则是他借沙湖相田途中遇雨这件事表达自己的人生认识与定位，反映出他敢于担当的人生态度，是苏东坡的人生宣言：

三月七日，沙湖道中遇雨。雨具先去，同行皆狼狈，余独不觉。已而遂晴，故作此词。

莫听穿林打叶声，何妨吟啸且徐行。竹杖芒鞋轻胜马，谁怕，一蓑烟雨任平生。　料峭春风吹酒醒，微冷，山头斜照却相迎。回首向来萧洒处，归去，也无风雨也无晴。[①]

一种醒醉全无、无喜无悲、胜败两忘的人生哲学和处世态度呈现在读者面前。“正是这种情感体验的普遍性，使得时隔近千年的读者能够超越时空，描摹词人充满智慧的思想家形象，体悟其于风雨洗礼中回归的达观境界，以助自己更坦然地面对悲欢离合、得失荣辱。”[②] 而《西江月》则表达了苏东坡旷达的情怀，抒发了他乐观、豁达，以顺处逆的人生态度：

顷在黄州，春夜行蕲水中。过酒家饮酒，醉。乘月至一溪桥上，解鞍曲肱，醉卧少休。及觉已晓。乱山攒拥，流水铿然，疑非人世也。书此语桥柱上。

照野弥弥浅浪，横空隐隐层霄。障泥未解玉骢骄，我欲醉眠芳草。可惜一溪风月，莫教踏碎琼瑶。解鞍欹枕绿杨桥，杜宇一声春晓。[③]

苏东坡在黄州取得了他一生最高的文学成就，也是当时中国文坛最

---

① （宋）苏轼：《定风波·莫听穿林打叶声》，《苏东坡全集》卷四七，第 1156 页。

② 陈清灵：《论苏轼〈定风波·莫听穿林打叶声〉的经典化历程及其古今差异》，《惠州学院学报》2018 年第 5 期。

③ （宋）苏轼：《西江月·顷在黄州》，《苏东坡全集》卷四七，第 1153 页。

高的文学成就。《黄冈文化简史》的作者称苏东坡在黄州创造了“罕世奇迹”。

（四）足迹遍鄂东的黄庭坚

黄庭坚（1045—1105 年），字鲁直，号山谷道人，晚号涪翁，洪州分宁（今江西省九江市修水县）人，北宋著名文学家、书法家，盛极一时的江西诗派中的“一宗”。与张耒、晁补之、秦观都游学于苏轼门下，合称为“苏门四学士”。生前与苏轼齐名，世称“苏黄”。作为书法家，与苏轼、米芾、蔡襄并称为“宋四家”。

宋英宗治平四年（1067 年）春，黄庭坚考中进士。登第后，他历任汝州叶县尉、北京（今河北大名）国子监教授、吉州太和县（今江西泰和）知县、德州平镇（今山东商河境内）监镇官、秘书郎、神宗实录院检讨官、集贤校理，主持编写《神宗实录》。哲宗元祐六年（1091 年）《神宗实录》书成，擢升为起居舍人。这一年六月，黄母李太夫人去世。次年正月，黄庭坚护送母亲灵柩回家，在家守制居丧。居丧期间，他无心作诗，开始了与黄龙山僧人晦堂禅师及其弟子灵源惟清禅师的交游。

黄龙山位于今湖北咸宁境内幕阜山脉中部，为湘、鄂、赣三省的天然屏障。黄龙山方圆数十里，风景壮美奇绝，引人入胜。山上的黄龙寺乃是佛教黄龙宗的祖庭，晦堂、惟清是其中著名的禅师。《五灯会元》记载了一个黄庭坚跟随晦堂学佛的故事。黄庭坚请求晦堂禅师指示佛法的径捷入门，一日侍行之际，岩桂盛放，清香飘拂，晦堂借用“吾无隐乎尔”开示山谷，将仲尼之“吾”，置换成自然之“吾”，启发黄庭坚脱却知见与人为观念的束缚，体会自然的本真。意思是说，佛法就如同木樨花香自然飘溢，无处不在，自然而永恒，如果舍近求远，就不会闻到香气。黄庭坚由此恍然大悟。“木樨香”这个故事，后来成为一桩著名的禅宗公案。

元祐八年（1093 年）十二月，黄庭坚再上黄龙山。当时，通城画师陈修已为晦堂禅师写影画像，黄龙僧人惟清作了像赞，邀请黄庭坚洒墨题赞。黄庭坚觉得惟清禅师的赞语已很到位，不必重复赘语，但又却之不恭，于是写了《题黄龙清禅师晦堂赞》。

宋哲宗绍圣初（1094 年），黄庭坚出任宣州知州，改知鄂州。这时，朝廷中新党重新掌权，重修《神宗实录》，企图夺回话语权。蔡卞指使人从《神宗实录》中摘引了 1000 多条材料，罗织成“诋毁先帝神宗”的罪名，对参加修撰《神宗实录》的前史官们分别传讯。这时，司马光、吕公著已被夺去谥号，吕大防、范纯仁和苏轼、苏辙兄弟等先后被贬，许多人悚惧失据。黄庭坚却从容镇定，根据史实直言以对，逐条反驳，让罗织的罪状大都落了空。不久，黄庭坚被贬为涪州（今重庆市涪陵区）别驾、黔州（今重庆彭水）安置，攻击他的人还认为他去的是好地方，诬他枉法，后又因避亲属之嫌，移至更加偏远的戎州（今四川宜宾东北）。黄庭坚毫不以贬谪介意，他坚持实话实说，不低头认罪，不忍辱偷生，因此受到的打击比其他人士更大。直到宋徽宗建中靖国元年（1101 年），他才结束了在四川六年的贬谪生活，从贬所东归。

崇宁元年（1102 年）九月，黄庭坚结束了在黔州、戎州的放逐生活之后，流寓鄂州（今武汉市武昌区）。不久，他的好友、范仲淹的幼子范纯粹谪居鄂州，于是他留居鄂州。这年九月，途经武昌（今鄂州市）之时，黄庭坚游览了武昌西山，写下了《武昌松风阁》诗。

崇宁二年（1103 年），黄庭坚住鄂州（今武汉市武昌区）时，曾记梦中之事：“崇宁二年正月己丑，梦东坡先生于寒溪、西山之间。予诵寄元明觞字韵诗数篇，东坡笑曰：‘公诗更进于曩时。’因和予一篇，语意清奇，予击节赏叹。东坡亦自喜，于九曲岭道中连诵数过，遂得之。”黄庭坚醒后，始知是梦，因当时东坡已作古两年。黄庭坚对其和诗，记之甚详，因命题为《梦中和觞字韵》诗云：

天教兄弟各异方，不使新年对举觞。
作云作雨手翻覆，得马失马心清凉。
何处胡椒八百斛，谁家金钗十二行。

一丘一壑可曳尾，三沐三衅取刳肠。[①]

在鄂州期间，他与范纯粹、陈荣绪、宁子兴等唱酬甚多，留下了不少诗作。陈荣绪时任鄂州节度推官，奉命从鄂州州治到崇阳传达政令，他根据所观所思而成诗六首，黄庭坚一一奉和，却以“老懒”为由，依其题而不步其韵，总题名为《鄂州节推陈荣绪惠示沿檄崇阳道中六诗，老懒不能追韵，辄自居韵奉和》，依次为《头陀寺》《道中闻松声》《中秋山行怀子兴节判》《再登莲落岭怀君泽知录》《崇阳道中》《晚发咸宁行松径至芦子》等。其内容涉及咸宁、崇阳两县，成为当时两地风物、民情的见证。

黄庭坚在鄂东的诗作成为宋诗的代表作。缪钺先生认为，黄庭坚的诗歌作品在宋诗中最具代表性：“宋诗之有苏黄，犹唐诗之有李杜。元祐以后，诗人迭起，不出苏、黄二家。而黄之畦径风格，尤为显异，最足以表宋诗之特色，尽宋诗之变态。”[②] 傅璇琮先生也指出：“黄庭坚作为宋代最有代表性的诗人，同时以他为首又形成了影响深远的江西诗派，所以黄庭坚诗歌研究便成为宋诗研究一个枢纽，在宋代学术中可谓举足轻重。”[③]

（五）“谪官憔悴来天涯”的张耒

北宋文学家、“苏门四学士”之一的张耒（1054—1114 年），字文潜，号柯山，亳州谯县（今安徽亳州市）人，人称“宛丘先生”“张右史”。在他曲折的一生中，屡遭贬谪，流离转徙，备尝艰辛。张耒与黄州有着不解之缘，曾三次被贬黄州，谪居黄州长达七八年，他的诗文描写了黄州的风光、风俗，抒发了作为被贬官员的真情实感，用他的诗句

---

① （宋）黄庭坚著、刘琳等校点：《黄庭坚全集》第 1 册《宋黄文节公全集 · 正集卷第七》，四川大学出版社 2001 年版，第 153 页。

② 缪钺：《宋诗论》，《诗词散论》，陕西师范大学出版社 2008 年版，第 35 页。

③ 黄君主编：《黄庭坚研究论文选》第一卷，江西教育出版社 2005 年版，第 2 页。

来说，就是“年将半百两鬓华，谪官憔悴来天涯”[①]。在此期间，张耒多次过江来到武昌（今鄂州市），游览秀丽山水，凭吊名胜古迹，同样留下多篇诗文。

张耒在诗文上与黄州、武昌产生联系却早于他被贬黄州的时间。苏轼谪居黄州的四年多时间里，他热爱黄州、武昌山水，多次游览武昌西山，写下《武昌西山》，时张耒由太学博士召试馆职，作《次韵苏公武昌西山》，唱和《武昌西山》。诗云：

灵均不醉楚人醨，秋兰蘼芜堂下栽。
九江仙人弃家去，吴市不知身姓梅。
东坡先生笑二子，一丘便欲藏崔嵬。
脱遗簪笏玩杖屦，招揖鱼鸟营池台。
西山寂寞旧风月，百年石樽埋古埃。
洗樽置酒招浪士，荒坟空余黄土堆。
但传言语古味在，一勺玄酒藏山罍。
邓公叹息为摩抚，重刻文字苍崖隈。
五年见尽江上客，两屐踏遍空山苔。
谢公富贵知不免，醉眼来为苍生开。
长虹一吐谁得掩，六翮故在何曾摧。
横翔相与顾鸿雁，宝剑再合张与雷。
山猿涧鸟汝勿怨，天遣两公聊一来。
岂如屈贾终不遇，诗赋长遣后人哀。[②]

谪居黄州后，张耒有大量诗歌描述了黄州的自然条件与人文风貌。

① （宋）张耒：《谪官黄州至南顿驿同李从圣叔侄小饮》，见《张右史文集》卷一三，《四部丛刊》影旧钞本。

② （宋）张耒：《文潜次韵》，载（宋）邵浩编：《坡门酬唱集》卷九，见影印文渊阁本《四库全书》第1346册，第525页。

其中，古乐府诗《齐安行》是张耒的代表作：

黄州楚国分三户，葛蔓为城当楼橹。
江边布井数十家，城中平田无一步。
土岗瘦竹青复黄，引水种稻官街旁。
客樯朝集暮四散，夷言啁哳来湖湘。
使君丽谯涂垩赭，门狭不能行两马。
满城鼍噪乱更声，谷风觳觳黄鸦鸣。
最愁三伏热如甑，北客十人八九病。
百年生死向中州，千金莫作齐安游。[①]

与老师苏轼一样，张耒也喜欢从黄州过江来武昌游玩，其文集中累见诗文纪行其武昌游。仅从诗题上看，就有《吴故城赋》《游武昌》《西山寒溪》《吴王郊台》《题寒溪长老方丈》《宿樊溪》《离樊口宿巴河游马祈寺》《道士矶》《樊山》《雨霁望樊山》《新堂望樊山》等。《吴故城赋》曰："乱吾舟兮大江，夕余济兮樊口。登武昌之故墟，吊西门之衰柳。出东郊而南眺，访遗城之培塿。嗟颓墙之迤靡，半已平乎耕耨。杂溪涧而沮洳，稻冉冉而将秀。曰是吴王之故宫兮，昔仲谋之所有。"[②]崇宁五年（1106年）十一月，张耒结束谪居黄州的生活，告别黄州和武昌，写下《离黄州》：

扁舟发孤城，挥手谢送者。山回地势卷，天豁江面泻。
中流望赤壁，石脚插水下。昏昏烟雾岭，历历渔樵舍。
居夷实三载，邻里通假借。别之岂无情，老泪为一洒。

---

① （宋）张耒：《齐安行》，见《张右史文集》卷六，《四部丛刊》本。
② （宋）张耒：《吴故城赋》，见《张右史文集》卷三，《四部丛刊》本。

篙工起鸣鼓，轻橹健于马。聊为过江宿，寂寂樊山夜。[①]

（六）“舟行湖北路千里”的王十朋

王十朋（1112—1171年），字龟龄，号梅溪，温州乐清（今浙江乐清市）人。绍兴二十七年（1157年），王十朋以“揽权”中兴为对，被宋高宗亲擢为进士第一（状元）。曾任饶州、夔州、湖州、泉州四州知州，官至侍御使，是南宋政治家、文学家、诗人，一代爱国名臣，历史上杰出的清官。著有《梅溪集》等。

宋孝宗乾道元年（1165年）七月，王十朋自饶州（今江西鄱阳县）移知夔州（今重庆市奉节），沿着王十朋《梅溪集》的诗文纪行路线，可大体将其逆长江西行穿行湖北分成今黄石段、今鄂州段、今武汉段、今荆州段、今宜昌段、今巴东段，最终到达夔州。

《梅溪集》中记录有17首与黄石有关的诗歌。王十朋从饶州出发，在九江弃舟登岸，取道长江南岸陆路西行，途经兴国军（今阳新县）、大冶。他由瑞昌进入永兴县（今阳新县）时，曾在石田驿落脚休息，有诗题曰《昨日饭金城观今日饭石田驿》：“城纵是金非愿得，田虽有石尚堪耕。欲随秋雁荡中去，却向杜鹃啼处行。”[②] 石田驿有河港与富水河、网湖相通，古时行人在此可换舟驶入兴国镇，王十朋在浩瀚的网湖上不禁赞叹当地美景胜过西湖，作《至兴国军（舟中作）》，“夜来一雨湖光好，拟把穷愁洗富川。……欲比西湖及西子，品题须唤旧苏仙”[③]。瑞昌至兴国，一路山谷丘陵，风景怡人，《瑞昌永兴道中作》描述了一路秀美的风光。兴国军文教蔚然，此次王十朋会见了著名学者王质，留下了6首与王质有关的诗作。王十朋在兴国得到地方官的接待，

① （宋）张耒：《离黄州》，见《张右史文集》卷八，《四部丛刊》本。

② （宋）王十朋著、梅溪集重刊委员会编、王十朋纪念馆修订：《王十朋全集》诗集卷一九，上海：上海古籍出版社，2012年版，第335页。

③ （宋）王十朋著、梅溪集重刊委员会编、王十朋纪念馆修订：《王十朋全集》诗集卷一九，第336页。

有诗题为《题谋野堂》，其序曰："兴国江山似杭之西湖，谋野堂在州宅，富于观览。予赴夔门，张使君开燕登堂赋诗。"[①]王十朋离开兴国镇北行，经浮屠市（即今阳新县浮屠镇）夜宿，离开浮屠镇不远即进入大冶县，王十朋在大冶县境内写下了3首诗，恰好与大冶的三处名胜——金湖、东方山寺、铁山刘裕庙相关联。《宋武帝庙（在大冶县铁山）》：

规模仍旧晋乾坤，遗恨于今失所尊。
庙食铁山精爽在，铸兵思欲定中原。[②]

王十朋且游且行，从大冶县来到武昌（今鄂州市）。在武昌游览了西山寺、吴大帝庙、樊口等地，写下了《宿武昌县》《游西山寺》《遇雨两宿县驿》《吴大帝庙》《望黄州》《过樊口》《宿华容寺》《朝离华容暮宿孟桥小店甚陋得莫漕子蒙书以八百料船见借遂可鼓楫而西矣》等诗。这些诗，是王十朋游览武昌时所写的咏史怀古之作。诗人游览的山水景物有樊山、抔湖、退谷、大小洄、峥嵘洲、樊口等，诗人凭吊的名胜古迹则有吴王城、避暑宫、安乐宫、松风阁、九曲亭、菩萨泉等，诗人感怀的历史人物有孙权、孙皓、桓玄、韩仲卿、元结、欧阳彬、苏轼、黄庭坚等。如《宿武昌县》：

行尽江西路，初乘湖北舟。荒城叹权皓，贤令惜韩欧。
漫浪无元叟，峥嵘有故洲。神仙雪堂客，几度绝江游。[③]

---

① （宋）王十朋著、梅溪集重刊委员会编、王十朋纪念馆修订：《王十朋全集》诗集卷一九，第337页。

② （宋）王十朋著、梅溪集重刊委员会编、王十朋纪念馆修订：《王十朋全集》诗集卷一九，第339页。

③ （宋）王十朋著、梅溪集重刊委员会编、王十朋纪念馆修订：《王十朋全集》诗集卷一九，第339页。

王十朋离开武昌后，来到当时的鄂州城（今武汉市武昌区）。王十朋登临一览亭，写下《题一览亭》诗，他在诗题后自注一览亭“在漕台后山”。《题一览亭》曰：“危亭顶鄂渚，欲上初不敢。……两雄孙与刘，壮志鲸鹏啖。赤壁走阿瞒，功业炳铅椠。黄鹤去何之，灵竹色犹惨。楼余庾公兴，洲遗正平憾。北望旧中原，激裂壮士胆。何由登太山，一快天下览。”诗中涉及的历史人物有：孙权、刘备、曹操（小名阿瞒）、庾亮、祢衡（字正平）。尤为可贵的是，王十朋在该诗后还自注道：“赤壁之说有四，在鄂之蒲圻者，是孙权遣周瑜与刘备并力败曹公于是。”①为今人存留了宝贵史料，表明在南宋时期关于“赤壁”古战场就存有四说，王十朋认为孙刘联军力败曹操大军的赤壁“在鄂之蒲圻”，即今之赤壁市。

“好风知几苇，送我上青天。”②王十朋在鄂渚、汉阳间盘桓数日后，过金口，乘舟一路西行，泊潜江甲，宿监利县界的紫微、王家村，至鲁家洑望石首山，过石首山宿刘郎洑，过公安祭寇莱公祠，在江陵换蜀舟后，过虎牙山，至峡州登至喜亭谒欧公祠、尔雅台、楚塞楼，至归州谒屈原祠，宿巴东县怀寇忠愍，上巫峡，过瞿塘峡，抵达夔州。

王十朋学识渊博，赴任夔州一行途中，诗才横溢，凡眼前景物，常常感而成诗，其诗大多又是爱国忧民、寓含教育之作。如到公安县，写有《寇莱公祠》：

油水江头寇相祠，凛然如坐庙堂时。
精忠一点不负国，枯竹知公人不知。③

① （宋）王十朋著、梅溪集重刊委员会编、王十朋纪念馆修订：《王十朋全集》诗集卷一九，第341页。

② （宋）王十朋著、梅溪集重刊委员会编、王十朋纪念馆修订：《王十朋全集》诗集卷二〇，第344页。

③ （宋）王十朋著、梅溪集重刊委员会编、王十朋纪念馆修订：《王十朋全集》诗集卷二〇，第355页。

诗人之旅给后人留下的不仅只是诗篇，也为今人游览湖北留下导引图，按照诗人诗文导引图行走湖北，更是心灵的净化与升华之旅。正如王十朋《宿王家村》诗写道：

舟行湖北路千里，家在浙东天一涯。
宿处问名同住处，梅花不见见芦花。[①]

第三节　书画与碑刻

一、丁道护与《启法寺碑》

中国书法史上大名鼎鼎的《隋丁道护书启法寺碑》，又称《启法寺碑》。碑文字数约1500字，为当时宣扬佛教的著名碑刻；碑文用正楷书写，字迹刚健清秀，其风格平正和美，是隋代书法的杰作，此碑在书法史上影响甚大。此碑早已佚失，传世宋拓本仅临川李宗瀚所藏钤有贾似道“魏国公印”。著录首见欧阳修《集古录跋尾》：

右启法寺碑，丁道护书。……隋之晚年，书学尤盛，吾家率更（即欧阳询）与虞世南，皆当时人也，后显于唐，遂为绝笔。余所集录开皇、仁寿、大业时碑颇多，其笔画率皆精劲，而往往不著名氏，每执卷茫然，为之叹息。惟道护能自著之，然碑刻在者尤少，余家《集录》千卷，止有此尔。有太学官杨褒者，喜收书画，独得其所书《兴国寺碑》，是梁正明（应为后梁贞明）中人所藏……然不难得，则不足为佳物，古人亦云“百不为多，一不为少”者，正

① （宋）王十朋：《宿王家村》，载（宋）王十朋著、梅溪集重刊委员会编、王十朋纪念馆修订：《王十朋全集》诗集卷二〇，第352页。

谓此也。[①]

欧阳修文中提到的《启法寺碑》和《兴国寺碑》，均为隋朝襄州祭酒从事丁道护所书。启法寺故址在襄阳城南隅，兴国寺即后来的延庆寺，故址在襄阳望楚山。隋民部员外侍郎韦福嗣兄弟为志其父韦世康造寺事，于隋文帝仁寿二年（602 年）立碑，汝南人周彪撰文，书法家丁道护书丹，李宝刻字，赵励等人题名。此碑楷书，其书法工整典雅，笔法精熟，为丁道护的代表作。

丁道护（生卒年不详），谯郡（今安徽亳州）人。隋文帝时著名书法家，官至襄州祭酒从事。他擅长楷书，溢妍华致，在当时名声颇大，对初唐楷书也颇有影响。宋代书法家蔡襄评价《启法寺碑》说："此书兼后魏遗法，……隋唐之交，善书者众，皆出一法，道护所得最多。"[②]米芾《海岳名言》则将丁道护与唐朝的欧阳询、虞世南并列，都是变革古法者。明人丰坊《书诀》列举记钟繇、王羲之以来善书者，隋朝只有四人，丁道护名列第三。

丁道护《启法寺碑》用笔精到，点画规整，线条劲挺，结字方整。从字的势态上看，劲挺之中寓柔和散逸的笔调，这显然是朴拙的隶体的遗韵。而宽绰的结体，则是延续着六朝碑刻的旧习。当代书家指出："此碑铭的楷书方法，除了以魏晋笔法为其骨干外，其最突出而最成功处，就是减少了北碑固有的习尚和笔调，及采用北碑的方笔法，美妙地运用了钟太傅（钟繇）横轻竖重的笔姿。这样参合了北碑的方笔，对于字的形态，非但不方头方脑，反更显得灵活柔和，再加上丁道护的精熟笔风，使整个的字体润畅谐和，并不因方笔的参差，而有损美观。虽然本碑铭的捺钩之笔，及写'口'字的右上角转弯的方笔法，还不时依承

① （宋）欧阳修撰、李逸安点校：《欧阳修全集》卷一三八，第 2185 页。

② （宋）欧阳修：《集古录跋尾》卷五《隋丁道护启法寺碑（仁寿二）》，（宋）欧阳修撰、李逸安点校：《欧阳修全集》卷一三八，第 2185 页。

着北碑的风格，但是，已不若龙门石刻的方得呆滞古板，这就是丁道护演变字体的成功，也就是隋代书法的特质。”[①]

上承汉魏六朝，下启唐宋元明，《启法寺碑》为后世所展示的，就是这样一种具有历史空间和时间的艺术境界。对丁道护《启法寺碑》在中国书法史上的地位，当代书法家凌云超先生所论精当：

书法到了隋代，也不让以前各代的书法家专美于前，起了一个大变化。书法之道，也跟着江山的主人，将茂密如繁星的六朝书法，来了一个大结局。当时的书法家们，仍能在立国不久，及统治短暂的岁月里，也统一了字学的体裁，百渠汇流，而风行由丁道护倡行的本碑铭的正楷字。这个文化艺术演创方面的建设，可与漕运转输，有利于国计民生的运河相辉映。[②]

二、“书中仙手”李邕

行书在篆、隶、楷、行、草中是最年轻的书体，它产生于东汉时代，繁盛于晋代，尤以王羲之父子“并造其极”，把行书艺术推向顶峰，留下千古不朽的天下第一行书《兰亭序》。到南北朝，楷书碑版逐渐取代行书的位置。唐代，行书虽稍逊于楷书和草书，但唐太宗李世民特别喜爱书法，尤推王羲之的书法。当太宗得《兰亭序》真迹后，命冯承素、欧阳询、虞世南、褚遂良诸人临摹，于是有了历史上的神龙版本，于是有了以《兰亭序》为基调的行书书风，大有晋代行书风韵再现之势，遂产生了一大批行书名作，如欧阳询的《卜商读书帖》《张翰思莼帖》，虞世南的《汝南公金墓志》，褚遂良的《枯树赋》，颜真卿的《祭侄季明文稿》，柳公权的《蒙诏帖》《兰亭诗》等。同时也涌现了一批专事行书的书法大家，其中李邕便是其中的佼佼者。

① 凌云超著、李名方校订：《中国书法三千年》，南京大学出版社 1987 年版，第 133 页。

② 凌云超著、李名方校订：《中国书法三千年》，第 133 页。

李邕（678—747 年），唐代书法家，江夏（今湖北武昌）人，李善之子。

李邕少年即成名，后召为左拾遗，曾任户部员外郎、括州刺史、北海（今山东益都）太守等职，人称“李北海”。李邕为行书碑法大家，书法风格奇伟倜傥，李后主说：“李邕得右将军之气而失于体格。”《宣和书谱》说：“邕资性超悟，才力过人，精于翰墨，行草之名尤著……初学右将军行法，顿挫起伏，既得其妙，乃复摆脱旧习，笔力一新。”[①]

当代学者认为，李邕“以行书入碑，独树一帜的风格并非首创，但其成就最高，影响最大。”[②] 受到唐人重王羲之书法的影响，李邕开始学习王羲之，后来又参以唐初诸家楷书及行书笔意，逐渐形成了自己鲜明的风格。李邕还能诗善文，当时很多达官贵人、寺观住持常以金银财帛作酬谢，请他撰文书写碑颂，获得巨额的润笔费。李邕好尚义气，爱惜英才，常用这些钱财来周济士人。他撰文书写的碑文，常请伏灵芝、黄仙鹤和元省已镌刻。据明代杨慎的《丹铅录》考证，这三人很可能也是李邕的化名。所存墨迹，有宋宣和御府所藏行书十帖：《光王帖》《检校帖》《负上人帖》《阁爵帖》《永康帖》《披云帖》《谭永帖》《生和帖》《葛粉帖》《古诗帖》。此外还留存有许多碑刻，有《叶有道先生碑》《端州石室记》《麓山寺碑》《东林寺碑》《法华寺碑》《云麾将军李思训碑》《云麾将军李秀碑》。传世书迹以《麓山寺碑》和《李思训碑》最为世人重视。

《麓山寺碑》又名《岳麓寺碑》，碑额有阳文篆书“麓山寺碑”四字[③]。唐玄宗开元十八年（730 年），李邕撰文并书，江夏黄仙鹤（前

---

① （宋）佚名：《宣和书谱》，上海书画出版社 1984 年版，第 68—69 页。

② 侯东菊：《略论李邕书法风格的形成与流变》，《书法赏评》2015 年第 3 期。

③ 原石在长沙岳麓书院，是长沙市尚存最早、价值最高的碑刻。麓山寺碑曾为历代艺林、文豪所推崇，宋代米芾于元丰三年（1080 年）专程前来临习，并刻“襄阳米黻同广惠道人来，元丰庚申元日”16 字于碑阴。自古至今，许多著名文人游览岳麓山时都特意来观摩此碑，宋代的张栻、明代的李东阳等都留下了吟咏它的诗篇，可见其对后人影响之大。

人谓是李邕化名，真伪无考）勒石。碑为青石，高 272 厘米，宽 133 厘米，圆顶。碑文 28 行，每行 56 字，共 1400 余字。字体行书。因年久碑面风化，部分断裂，现存 1000 余字。碑文叙述自晋泰始年间建寺至唐立碑时，麓山寺的沿革以及历代传教的情况。词章华丽，笔力雄健，刻艺精湛。因文、书、刻工艺兼美，故有“三绝碑”之称。又因李邕曾官北海太守，故亦称之为“北海三绝”碑。

《麓山寺碑》是最能体现李邕成熟的行书风格的代表作。从单字对比分析可以看出，“《麓山寺碑》方圆结合，厚重又不失温润，强调骨力精劲，这与他前期宗法魏晋风度，并注重取舍不无关系。李邕另辟蹊径，别出新意，变欹侧为跌宕之势，加强了左低右高的字态，方扁有度，如‘其’‘方’‘林’等字。而‘方’‘源’‘若’‘净’字则取法魏碑，行书笔意与碑结合，灵巧中寓有庄重，成为碑帖融入行书创作的先行者。”①

《李思训碑》全称《唐故云麾将军右武卫大将军赠秦州都督彭国公谥曰昭公李府君神道碑并序》，又称《云麾将军碑》。唐玄宗开元八年（720 年）立碑在陕西蒲城县。《李思训碑》是唐睿宗李旦桥陵陪葬墓群中神道碑之一。铭文内容记述李思训生平事迹。

《李思训碑》碑石下半段文字残缺，上半部字迹较清晰。额题篆书“唐故右武卫大将军李府君碑”4 行 12 字。正文行楷书 30 行，每行 70 字。此碑书法劲健，凛然有势，字体略呈斜势，而不失庄严，奇险中更见其稳健。这种豪爽雄健之气是东晋二王以来的行书所不具备的。

李邕的书法艺术在当时与后世获得了很高的评价，宋元的几位大书法家如苏轼、黄庭坚、赵孟頫等无不受其影响。他的为人和才情更为世人所敬重。李邕天资聪慧，幼承家学，少年时以擅长辞章而闻名。但他在仕途上，却因为人耿介磊落，不畏权贵，屡遭贬谪。晚年在北海太守任上，遭人暗算，被宰相李林甫定罪下狱，竟被酷吏活活打死。直到唐

---

① 寻木：《从〈麓山寺碑〉谈“北海如象”》，《中国书法》2015 年第 24 期。

代宗时，李邕才被平反，赠为秘书监。

杜甫创作《八哀诗·赠秘书监江夏李公邕》，以深情笔调回忆了李邕的才能和事迹，激赏他的刚贞气节，哀悯他的悲惨遭遇。诗中说："长啸宇宙间，高才日陵替。古人不可见，前辈复谁继。"[①]李白也用李邕的事迹来抒发内心的不平与愤慨。《答王十二寒夜独酌有怀》是李白在安史之乱前夕写的，先写了统治者的无德无识贤愚颠倒，自己的遭谗受谤，接着写道："君不见李北海，英风豪气今何在？君不见裴尚书，土坟三尺蒿棘居！"[②]北海太守李邕和刑部尚书裴敦复都被忌贤妒能的李林甫所杀，作者不禁发出了愤怒的控诉。李白还在李邕家乡江夏写下《题江夏修静寺》来纪念他："我家北海宅，作寺南江滨。空庭无玉树，高殿坐幽人。书带留青草，琴堂幂素尘。平生种桃李，寂灭不成春。"[③]江夏修静寺是李邕旧宅。全诗语气亲切，特别是"我家"二字，缅怀之情溢于言表。

李邕是继楷法森严的初唐四家之后，专以行书艺术问世的，他从本质上一改王羲之以来的传统行书的结构模式和温润闲雅的情调，代之以荒率雄沉、执拗不驯的艺术格调和游弋奔走、攲侧复又端凝的艺术风格，为盛唐新的书风的到来，吹响了号角，翻开了中国书法史上行书艺术的新篇章。可以说，李邕的行书艺术是王羲之以后再变行书书体而崛起的又一座高峰，后世书家常把他同王羲之相提并论。宋代苏东坡、米芾都吸取了李北海的一些特点。元代赵孟頫写大字也极力追求他的笔意、体势，从中学到了"风度闲雅""翩翩自肆"的书法境界。

---

① （唐）杜甫：《八哀诗·赠秘书监江夏李公邕》，见（清）彭定求等编：《全唐诗》卷二二二，第 2352、2353 页。

② （唐）李白：《答王十二寒夜独酌有怀》，见（清）彭定求等编：《全唐诗》卷一七八，第 1820 页。

③ （唐）李白：《题江夏修静寺》，见（清）彭定求等编：《全唐诗》卷一八四，第 1875 页。

三、李阳冰与《怡亭铭》[①]

李阳冰（生卒年不详），约生于唐玄宗开元年间。唐代文学家、书法家。字少温，谯郡（今安徽亳州）人。李白族叔，为李白作《草堂集序》。初为缙云县令、当涂县令，后官至国子监丞、集贤院学士，世称少监。兄弟五人皆富文词、工篆书。初师李斯《峄山碑》，以瘦劲取胜。他善词章，工书法，尤精小篆。曾刊定《说文》30卷，主编李白诗集《草堂集》。李阳冰所书的石刻很多。其中如浙江缙云的《城隍庙记》、福州乌石山的《般若台题记》、广西桂林的《舜庙碑》、湖北鄂州的《怡亭铭》、陕西西安的《颜帷贞庙碑额》等。

《怡亭铭》石刻位于湖北省鄂州市小北门外长江边。鄂州市小北门江边，曾是三国吴王孙权建都武昌欢迎犒赏将士凯旋祝捷的散花滩，滩长约一华里，因地质变化形成大小各异的灰层碛石。碛石摩崖上刻有历代名人、书法家的诗词、题记等，故有“石林”“苏门”“陶石”之称。因年代久远大都不复存在。现仅存唐代大书法家李阳冰的传世绝作《怡亭铭》摩崖石刻，引起历代名士文人重视，实为国内罕见的唐人真迹。

唐代宗永泰元年（765年），裴鹍在鄂州建亭，李阳冰将其命名为怡亭，并用小篆书写了序言，由裴虬撰写铭文，李莒用隶体书写铭、款，一并刻于巨石之上，被宋人蒋之奇称为“三绝”。李营是唐代散文家李华的弟弟，是颇有盛名的书法家，做过越州录事参军。李阳冰任当涂县令不久来到武昌，与裴氏兄弟相会。这是李阳冰为裴氏兄弟筑亭题名“怡亭”的缘由。摩崖石刻的岩石，俗称“观音崖”，因其形状似猴，又称猴子石。《怡亭铭》刻凿于岩石北面和东面。《怡亭铭》摩崖石刻虽经千年风霜雨雪，至今保存完好，主要是崖石质坚硬，不易风化断裂移位；崖石临江，春夏水涨，浸巨涛中，秋冬复出水面，因陡峭险峻，人迹罕至，很少人为损坏。故使其完好地保留下来，具有珍贵的历史、艺

① 《怡亭铭》1981年被列为湖北省重点文物保护单位，1988年被国务院公布为第三批全国重点文物保护单位。

术价值。

此铭在宋欧阳修《集古录》、《大明一统志》、清钱大昕《潜研堂金石文跋尾》、吴荣光《筠清馆金石记》、瞿中溶《古泉山馆金石文编》中皆有记述。由于常被江水淹没，历代传拓较少。现怡亭早已无存，仅存石刻。刻铭巨石通高 4.5 米，宽 3.7 米，形如一只蹲着的猴子。文字刻在一个高 0.88 米、宽 1.7 米的平面上，分序、铭、款三部分，从右至左直书。序 6 行 22 字，铭 5 行 40 字，款 3 行。铭文为："峥嵘怡亭，磐薄江汀。势压西塞，气涵东溟。风云自生，日月所经。众木成幄，群山作屏。愿余逃世，于此忘形。"款文："永泰元乙巳夏五月十一日陇西李莒。"此石刻下还有清代金石家巴慰祖题名隶书："歙巴慰祖，着舟于此，遍览旧迹，得元次山题名于郎亭山下岛中，水落始见，留连十有七日，手拓诸摩崖而去，同游苏门陶石，即时则乾隆五十一年之孟春也。"共计 62 字。此刻是中国古代石刻中的精华。此石保存基本完好，但已处于江岸之下，为防止江水冲刷，人们在其周围修建了一道防水石墙，以资保护。

《怡亭铭》摩崖石刻虽然字数不多，但该作品无论是风格神韵，还是结字、用笔、章法较李阳冰的其他存世作品有着独特之处。通观原石，虽经千余年风雨洗刷，造成摩崖石面粗糙不平，但原石笔触精微细节处毫发具见，隐含着淳劲冲融的气息。结体的基调虽略同于他的其他石刻作品，但竖划向下舒展，节奏和动感明显增强，字的外形大小变化更丰富和灵动；用笔起止处自然留有锋锷状，线条内的运动痕迹更为强烈，笔底行间流露出情感的表达，洋溢着一种抒情的气息。有研究者论曰：

> 李阳冰的历史贡献不仅在于他在一定程度上恢复了正统的篆法，还在于他在此基础上进行了一定的发展与创新，他的篆书，洋溢着一种抒情的气息，代表着小篆在唐代复兴的文采风流，在中国的篆书发展史上树起了一座丰碑；因为他的努力倡导，加速了小篆

的复兴，使唐篆在中国篆书发展史上留下了光辉灿烂的一页，也带来了唐代书法艺术的全面繁荣。当时的书家也都纷纷效法李阳冰的风格，他的篆书影响久远，前承古人，后启来者，独步有唐三百年，不可谓不成就卓著，影响深远。①

四、“天下第三行书”《黄州寒食诗帖》

唐代书法专讲结构与笔法，拘谨已甚，结果物极必反，因此，宋人用笔如蛟龙出水、猛虎下山，以放纵不羁之概，开“尚意”书风。宋代书法有四大家：蔡襄之冲和，苏轼之超逸，黄庭坚之雄劲，米芾之豪爽。虽然他们的意态不同，风神各异，但大多远溯六朝魏晋之风，不守唐法窠臼，注重抒写内心性灵和感受，崇尚“以韵为主”和“无意于佳乃佳”，使书法成为一种具有贴近人生、表现人生品格的长盛不衰的艺术。

作为宋代四大书法家之一，苏轼在《评草书》一文中评论自己的书法说：“吾书虽不甚佳，然自出新意，不践古人，是一快也。虽不及晋人，至唐褚、薛、颜、柳仿佛近之。”② 他用墨丰腴，与当时流行的瘦金体风格迥异。在苏轼的书法中，极少看到枯笔，飞白，而是字字丰润。苏轼书法的结字，多呈扁平，横轻竖重，笔画十分舒展，观之令人生出一种亲近温暖的感觉。

苏轼行书作品中，字与字之间，经常会出现用笔一轻一重，致使字体一大一小错落分布的韵律感。如《武昌西山诗帖》中的“但见落日低黄埃”一句，一大一小，错落有致。有时是几个字重，几个字轻，轻重搭配，同样给人很强的韵律感。如《答钱穆父诗帖》中“借君妙语写春容，自顾风琴不成弄”一句。“借君”二字重，“妙”字轻；“语写春”三字重，“容自”两字轻；“顾风”两字重，“琴不成”三字轻，“弄”字

① 高晓莎：《李阳冰事略与书艺研究》，中国美术学院2010年硕士学位论文，第53、54页。

② （宋）苏轼：《苏轼文集》第五册，第2183页。

又转重。

《黄州寒食诗帖》，又名《寒食帖》或《黄州寒食帖》，是苏轼撰诗并书，墨迹素笺本，横 34.2 厘米，纵 18.9 厘米，行书 17 行，129 字，现藏台北故宫博物院。

苏轼在被贬黄州后的第三年寒食节创作了两首五言诗，这两首诗放在苏轼三千多首诗词中，并非是上乘之作。而当作者换用另一种艺术形式——书法表达出来的时候，那淋漓多姿、意蕴丰厚的书法意象酿造出来的悲凉意境，遂使《黄州寒食诗帖》成为千古名作。《黄州寒食诗帖》彰显动势，洋溢着起伏的情绪。诗写得苍凉惆怅，书法也正是在这种心情和境况下，有感而出的。通篇起伏跌宕，迅疾而稳健，痛快淋漓，一气呵成。苏轼将诗句心境情感的变化，寓于点画线条的变化中，或正锋，或侧锋，转换多变，顺手断联，浑然天成。用笔有轻重，字体有大小，几乎是很多名家书法的一大特点。但同一幅作品中，字体大小悬殊之大者，苏轼书法可谓独树一帜。《黄州寒食诗帖》中“哭涂穷”三字所占比例，比前一行中五个字所占的比例还大。这种字形大小悬殊给人视觉上极强的冲击力，实际上也表达了当时书写过程中的一种强烈的情绪。

历代鉴赏家均对《黄州寒食诗帖》推崇备至，称道这是一篇旷世神品。明代大书画家董其昌则在帖后题曰：“余生平见东坡先生真迹不下三十余卷，必以此为甲观。”清代乾隆皇帝将《黄州寒食诗帖》收入内府，并列入《三希堂帖》。因为有诸家的称赏赞誉，世人遂将《黄州寒食诗帖》与东晋王羲之《兰亭序》、唐代颜真卿《祭侄稿》合称为“天下三大行书”，或单称《黄州寒食诗帖》为“天下第三行书”。

五、黄庭坚《松风阁诗帖》

作为书法家的黄庭坚，与苏轼、米芾、蔡襄并称为“宋四家”。

宋徽宗崇宁元年（1102 年），黄庭坚结束了在黔州、戎州“弃绝明时，万死投荒，一身吊影”[①]的放逐生活之后，赴太平州任，但做官九日即罢，只得暂往鄂州（今武汉市武昌）流寓。此时，黄庭坚的前途未卜，第二年即再次远贬宜州。但是经过各种挫折和磨难，诗人的心胸变得更超然淡泊了，努力借助佛学与《庄子》以应对逆境。此年九月途经武昌之时，黄庭坚游览了鄂州西山，写下了《松风阁》“诗”。

《松风阁诗帖》[②]是黄庭坚行书的代表作。该帖墨迹纸本，纵32.8厘米，横219厘米，全文计29行，153字。该帖字迹匀称，笔势圆劲流丽，结构布局端庄秀美，风神洒荡，长波大撇，提顿起伏，一波三折，意韵十足，堪称我国古代行书帖中的极品。

清代学者和书画收藏家孙承泽云：“予于甲申后见山谷数卷，最爱《松风阁卷》，其诗清脱，妙不可言。字乃正书，劲秀全用柳公权法，他书所不及也。予晚年极喜柳书，复得其一二秘本，今见此卷，益知世之学柳者，一味硬直，真钝汉也。”[③]孙氏指出，《松风阁诗帖》师法柳公权，而又自出机杼。其点画爽利挺秀、骨力遒劲和结体严紧的特点，与柳体颇为契合。

六、米芾、米友仁及其“米氏云山”

米芾（1051—1107年），初名黻，后改作芾，字元章，襄阳人，号鹿门居士、襄阳漫士、海岳外史，时人称其为“米南宫”“米襄阳”。北宋书法家、画家、书画理论家、词人，与蔡襄、苏轼、黄庭坚合称“宋四家”。曾任校书郎、书画博士、礼部员外郎。祖籍山西，迁居湖北襄阳，后曾定居润州（今江苏镇江）。米芾能诗文，擅书画，精鉴别，书画自成一家，创立了“米点山水”“米氏云山”，主要作品有《多景楼诗》《虹县诗》《研山铭》和《拜中岳命帖》等。

米芾传世的文学作品包括诗、词、赋和散文等，“为文奇险，不蹈

① （宋）黄庭坚：《山谷内集》卷一九《答王补之书》，上海古籍出版社1987年版，第181页。

② 《松风阁诗帖》真迹现藏于台北故宫博物院。

③ （清）孙承泽：《庚子销夏记》，上海古籍出版社1991年版，第10页。

袭前人轨辙……王安石尝摘其诗句书扇上，苏轼亦喜誉之。”[①] 米芾词作数量不多，但成就较高，其内容以山水为主，兼及拟古、赠别、思乡、抒怀等。例如，《渔家傲·金山》写金山山光水色之壮美、《蝶恋花·海岱楼玩月作》写海岱楼月色雅洁、《浣溪沙·野眺》写春天郊外景致之美好、咏茶词《满庭芳·咏茶》饶有情韵、《水调歌头·中秋》同样写得俊逸超脱，连豪放派词人苏轼也对米芾另眼相看。作者擅长用画家的眼光观察山水景物，又用画家的构思方法去表现这些山水景物，从而使词作既饶有诗情画意，又极具个性特点。米芾既能写豪放的词，又能写婉约的词，反映出湖北词坛的这一发展变化——题材和风格的多样化，正是宋词走向成熟的标志。

米芾习书，自称“集古字”，在听从苏东坡学习晋书以前，大致可以看出他受五位唐人的影响最深：颜真卿、欧阳询、褚遂良、沈传师、段季展。元丰五年（1082 年）以后，他开始寻访晋人法帖，得到了王献之的《中秋帖》（又称“大令帖”）。“大令帖”虽然对米芾产生了巨大的影响，但生性不羁的米芾并不满足于王献之的字，早在绍圣年间就喊出了“老厌奴书不玩鹅”“一洗二王恶札”[②]。尽管如此，此时的米芾书法并没有定型，他在元祐三年（1088 年）书写的《苕溪帖》《殷令名头陀寺碑跋》《蜀素帖》，虽然写于一个半月之内，风格却有较大的差异，还没有完全走出集古字的门槛。元祐六年（1091 年），米芾又学羊欣书法。直到“既老始自成家，人见之，不知何以为主”[③] 时才确立了自己的风格。

米芾书法的基本特点是用笔迅捷。其书早期开张潇洒、体势摇曳、节奏鲜明，后期则更显丰富细腻，耐人寻味。总体来看，米芾的书法风

① （元）脱脱等：《宋史》卷四四四《文苑传六·米芾传》，第 13123—13124 页。

② 对于襄阳老乡魏泰“几年萧寺书红叶，一日山阴换白鹅”的赞赏，米芾和之曰：“旧怜俊气闲羁马，老厌奴书不玩鹅。”元代汤垕《书鉴》也有关于米芾奉旨书《周官篇》于御屏后而掷笔大言“一洗二王恶札，照耀皇宋万古”的记载。

③ （宋）米芾：《米芾集》，湖北教育出版社 2003 年版，第 203 页。

格经历了一个由险绝到平正再到险绝的过程。米芾平书法用功最深，成就以行书为最大。南宋以来的著名汇帖中，多数刻其法书，流播之广泛，影响之深远，在“北宋四大书家”中，实可首屈一指。“比起唐代书家来，宋人更关心个人趣味的流露：微妙而略带病态的诗意，夸张点线以反映其奇特的情绪、骚乱的幻想、强烈而又无法实现的意志冲动。他们要求书法成为一种象征，暗示其恬淡或洒脱的心境。因此，形式的自由、大胆、变化等等，正好投合了他们的情绪与趣味。”[①] 米芾在这方面尤其突出，堪称个中翘楚。

米芾书画造诣首屈一指，然而行为怪异，嗜洁成癖，因而人称之“米颠”。米芾笑话很多，如嗜石，《宋史》记有其事：“无为州治有巨石，状奇丑，芾见大喜曰：‘此足以当吾拜！’具衣冠拜之，呼之为兄。”[②] 他自己对此癖好也自鸣得意，自写《拜石图》。

米芾作书、评书皆以率意天真为基本要求，这或许是其“颠”在书法中的一种表现。在米芾看来，率意一方面是“意足我自足，放笔一戏空”的自由宣泄和游戏态度，一方面是技法上远离程式化的自然书写，强调体势和变化。米芾诸体皆能而尤精于行书。“笔法上振迅劲健，八面出锋；结字上体势多变、相称自然；章法上跌宕起伏，气脉贯通；整体看来率意天真，有凌云之气，成为入古出新的典范。但是在不同情绪作用下具体的书法形态又多有差异，或如《研山铭》用墨温润，不激不厉，雍容典雅；或如《多景楼诗》厚重跌宕，枯湿相间，激昂豪迈，充分体现了他的‘率意’作书。”[③]

“米氏云山”则是作为画家的米芾及其长子米友仁开创的一种画派，以善于表现江南山水的烟雨明晦、幽壑空蒙而著称。根据现存米友仁的《潇湘奇观图》和《远岫晴云图》等作品，可知此类图式的基本描绘方

① 陈党：《米芾的颠覆性》，《中山大学学报论丛》2007 年第 12 期。

② （元）脱脱等：《宋史》卷四四四《文苑传六 · 米芾传》，第 13124 页。

③ 刘琰、杨晓萍：《癫狂与理智——米芾及其书法艺术》，《中国书法》2015 年第 19 期。

式是以浓淡干湿不同的墨法来塑造物象，如山石的画法多用大片的水墨渲染，略施苔点；草木则多逸笔草草，较少刻画；云的画法采用较为古朴的勾线形式，作品整体呈现的氛围是淡墨烟岚的平远之景。

“米氏云山”画派的出现既有社会背景，也有米氏父子个人审美情趣及艺术创造的原因。从社会背景来说，宋代由太祖赵匡胤起，几乎诸朝皇帝都热心文艺、笃好书画，统治阶级及上流社会的爱好习尚，也促成了宫廷美术与士大夫美术的活跃。这种时尚无形对宋代绘画题材、形式、风格的发展起了极其重要的作用。

米芾在山水画上成就最大，在艺术风格里追求的是自然。米芾不喜欢危峰高耸、层峦叠嶂的北方山水，更欣赏的是江南水乡瞬息万变的“烟云雾景”“天真平淡”“不装巧趣”的风貌。因此，他所创造的“米氏云山”都是信笔作来，烟云掩映。在他的笔下，点几乎成为造型的全部，且相当写意。米芾父子创造了所谓“落茄皴”的手法，这是一种以点代皴的写意画法。“用圆深凝重的横点错落排布，连点成线，以点代皴，积点成片，泼、破、积、渍、干、湿并用，辅以渲染表现山林、树木的形象和云烟的神态。”①

米芾的画作已然失传，但其流传下来的书法作品甚多，现藏于故宫博物院的《珊瑚笔架图》有助于我们了解米芾绘画的审美精神和具体技巧。帖文为：“收张僧繇天王，上有薛稷题。阎二物，乐老处元直取得。又收景温问礼图，亦六朝画珊瑚一枝。三枝朱草出金沙，来自天支节相家。当日蒙恩预名表，愧无五色笔头花。”如果不是“画珊瑚一枝”的醒目大字提示了左边画图的内容，单凭图上简单的几笔，我们无法断定其为何物。“假如对左边简笔的图式进行大胆猜想，将下部简洁单纯的底座拉长，类似山体的远近空间关系，上部‘中’缩小类似树木的形

① 花瑶茹：《论“米点山水”对后世文人画的影响》，《艺术百家》2006年第7期。

象，再进行题跋和落款，米家山水的基本简略轮廓大体得以形成。”[①] 从用笔的简略和率真上推断，米芾是在潇洒闲适的心理状态下完成创作的。这也许就是米芾书法与绘画能够融为一体的重要原因。

米芾的长子米友仁继承和发展了“米氏云山”技法。米友仁（1074—1153 年），一名尹仁，字元晖，小名寅哥、鳌儿，世称“小米”。书法绘画皆承家学，故世称“大小米”。黄庭坚戏称他为“虎儿”，并赠古印和诗：“我有元晖古印章，印刓不忍与诸郎，虎儿笔力能扛鼎，教字元晖继阿章。”[②] 晚号“懒拙老人”。早年以书画知名，宋徽宗宣和四年（1122 年），应选入掌书学。南渡后官至兵部侍郎、敷文阁直学士，甚得宋高宗的宠爱，往往让他鉴定书画。

米友仁山水画脱尽古人窠臼，发展了米芾技法，自成一家法。所作用水墨横点，连点成片，虽草草而成却不失天真，每画自题其画曰“墨戏”。其运用“落茄皴”（即“米点皴”）加渲染之表现方法抒写山川自然之情，对后来文人画影响较大。

米友仁的画是心灵对自然的直接反映，生气远出，仪态万千。他不是局限于自然物象的一时一地，或者一草一木，而是将大自然全幅生动的山川草木都收于纸面之上，云烟晦明，才足以表达画家心胸中无限的灵感与气韵。米芾曾经评论其子的创作方式为：“画之老境，于世海中一毛发事泊然无着染。每静室僧趺，忘怀万虑，与碧虚寥廓同其流。”[③]

中国书画史上，诗、书、画的结合，米友仁厥功至伟。如他的《潇湘奇观图》，前画后题，又录了许多别人所作的诗歌，它们三者浑然一体，在米友仁之前，是没有这种做法。《潇湘奇观图》是米友仁五十岁时创作的，它并不是湘江山水的再现，而是作者借镇江山水抒发对潇湘

---

① 杨霞：《观“云山墨戏”品“平淡天真”——米氏云山与山水画创作》，曲阜师范大学 2010 年硕士学位论文，第 4 页。

② （宋）邓椿：《画继》卷三《轩冕才贤》，人民美术出版社 1964 年版，第 28 页。

③ （宋）米芾《海岳题跋》，见卢辅胜主编《中国书画全书》（第一册），上海：上海书画出版社，1993 年版，第 955 页。

景色的怀念，抒写胸臆，表达对国家危亡、异族入侵的忧伤，以及宦海浮沉之感。

《潇湘奇观图》全图完全用水和墨画出，不施任何其他色彩，依仗水墨的晕染来塑造形象，浓淡、虚实的墨色使景致时隐时显，忽明忽晦，迷蒙又富有变化。墨与水浑然一体，完全改变了唐、宋以来青绿山水画的面貌。有论者指出："《潇湘奇观图》中，山体虽然都是以墨点来塑造，但是墨点具有不同的浓淡变化，近处的山石用墨色较浓的重墨点，而被云烟笼罩的远山则以大片留白空出，黑与白的鲜明对比更增加了画面的超时空意味，水气云气的变化也反映出了画家内心所追求的精神境界。"[①] 这样一幅代表米氏云山艺术风格和精神追求的杰作，创造了中国画中江南山水笔墨形式美的典范。

七、李曾伯与《襄樊铭》

摩崖石刻《襄樊铭》又名"李曾伯纪功铭"，亦称"大宋碑"，位于襄阳古城西南 3 里处的真武山东麓，紧邻"马跃檀溪遗址"。它是为了纪念南宋理宗淳祐十一年（1251 年）京湖制置使（掌管今湖北和河南一带诸州军事的地方行政长官）李曾伯击退蒙古南扰、光复襄樊两城而镌刻。

李曾伯（1198—1265 年），字长儒，号可斋，河内覃怀（今河南武陟县西）人，后移居嘉兴（今属浙江），进士出身。理宗淳祐九年（1249 年），任静江府兼广西经略安抚使、转运使，后调任京湖安抚制置使、知江陵府，兼湖广总领、京湖屯田使。淳祐十一年（1251 年），就任京湖安抚制置使不久的李曾伯认为，郢（今钟祥）、襄（襄阳）一带的地位很重要，尤其是襄阳绝对不可弃之不顾，便在修复郢州城后，向朝廷请求一万五千名兵力增援及钱粮支持，打算收复襄阳。朝廷从别处给他调派八千人支援，并拨钱一千万贯作为军费。这年四月，李曾伯派

① 陈雨：《从〈潇湘奇观图〉探究米友仁的文人情怀》，《今传媒》2017 年第 2 期。

荆鄂副都统高达、幕府王登，率二万一千名荆湖军，向盘踞襄阳的蒙古军队发动进攻。战斗中，南宋将士英勇顽强，浴血奋战，一举攻克了襄阳、樊城。此战被李曾伯刻在了襄阳古城西南处的真武山东麓的崖壁上，就是著名的《襄樊铭》。

李曾伯以文臣主军，擅长边疆军事，遭到主和派奸相贾似道的嫉妒，于度宗咸淳元年（1265 年）遭弹劾，被革职，不久去世，葬于江苏宜兴善卷山。李曾伯还是南宋有名的词人，其词今存 200 余首。他是热心事功的用世之臣，因此他的词不屑作莺娇燕昵之语，而喜用慷慨悲壮之调，抒发忧时感世之情。有人评论他“诗词才气纵横，颇不入格，而要亦戛戛异人，不屑拾慧牙后”[①]。有《可斋杂稿》34 卷，《可斋续稿》前 8 卷、后 12 卷，并见于《四库全书珍本初集》。

《襄樊铭》摩崖铭高 2.7 米，宽 3.1 米，四周有阴线装饰边框，框内上方正中横刻“襄樊铭”三个大字。铭文由序言和正文两部分组成，共 11 行 79 字，每字约 25 厘米见方，为阴刻楷书竖行排列。前 7 行为序言：“大宋淳祐十一年四月二十有七日，京湖制置使李曾伯奉天子命，调都统高达、幕府王登提兵复襄樊两城。越三年，正月元日铭于岘，其铭曰”；后 4 行为正文：“壮哉岘，脊南北。翳墉壑，畿陵谷。乾能夬，剥斯复。千万年，屏吾国。”[②]

《襄樊铭》字迹端庄工整，苍劲有力，是湖北境内上乘的大型摩崖石刻。它既是襄樊历来为兵家必争之地的历史见证，也是研究南宋末年政治、军事史的珍贵资料，同时又是书刻艺术的精品。

① （清）永瑢等撰：《四库全书总目提要》卷一六三《集部·别集类十六·可斋杂稿》，王云五主编民国万有文库本第 31 册，第 61 页。

② 闫虹：《金戈铁马〈襄樊铭〉》，《湖北档案》2007 年第 6 期。1981 年 12 月，《襄樊铭》被列为湖北省重点文物保护单位。

第四节 漆器与竹编

一、“襄样”漆器

中国是漆树原生地和大漆的故乡，是世界上最早用漆的国家。漆器是我国古代劳动人民在工艺美术方面的重要发明。漆器制品既防腐又耐高温，比铜器轻便又比陶器耐用，深受人们的喜爱。荆楚先民早已认识到其价值，并发明了髹漆工艺，发展至隋唐宋元时期，漆器品种多，数量大，美观实用。其中，襄州漆器更是冠绝全国，闻名遐迩。

用漆漆物，谓“髹”。其中的漆即大漆，又名生漆、土漆、国漆，是漆树树皮中分泌的汁液。唐代襄阳成为拥有漆器生产核心技术的地区。《唐国史补》中称：“襄州人善为漆器，天下取法，谓之‘襄样’。”[①]具有天下“襄样”地位的襄式漆器实际上已经成为唐代整个漆器行业的行业标准。在《新唐书》及《宋史》中，均有襄阳岁贡漆器的记载，可见襄阳的漆器制作工艺高超。

襄式漆器继承了楚式漆器造型奇异瑰丽的特点，图饰丰富多彩，色彩饱和雅重。整体物件由分别雕刻成形的部件榫卯组合而成，造型生动牢固。漆器使用精加工而成的生漆，其色彩选用天然矿植物色素。彩色漆料必须经过色料研磨、日晒脱水、色料与透明漆料搅拌、密封存放等多道工序制成。制作一件器物要经过选料、雕刻、榫卯成型、磨光、刮灰、砂光、清灰、上漆、绘画、描金等二十多道工序。

唐代诗人皮日休在《刘枣强碑》中记述了一个真实的故事：山南节度使李夷简以襄州的漆器向成德节度使王武俊索换名士刘言史。“（刘言史）有歌诗千首，其美丽恢赡，自（李）贺外，世莫得比。王武俊之节制镇冀也，先生造之。……故相国陇西公（李）夷简之节度汉南也，少与先生游，且思相见，命列将以襄之髹器千事赂武俊，以请先生。武俊

① （唐）李肇：《唐国史补》卷中，上海古籍出版社 1979 年版，第 37 页。

许之。先生由是为汉南相府宾冠。陇西公日与之为笔宴，其献酬之歌诗，大播于当时。”[①]可见，襄阳的漆器被当作贵重的礼物，用于社会上层交结往来活动。

“库路真”为襄阳漆器的一种，又称“库露真”，这是一个外来语的音译。根据唐刚卯考证，“库路真”很可能来自鲜卑语，与回语中的“库穆什”谐音，意思是指银。库路真最早见于史籍记载，出自《唐六典》卷三《尚书户部》。当时山南东道的土贡有“襄州漆隐起库路真”。晚唐诗人皮日休还写了一首名为《诮虚器》的诗，云：“襄阳作髹器，中有库露真。持以遗北虏，给云生有神。每岁走其使，所费如云屯。吾闻古圣王，修德来远人。未闻作巧诈，用欺禽兽君。吾道尚如此，戎心安足云。如何汉宣帝，却得呼韩臣。”[②]可见，库路（露）不仅是襄阳进贡给朝廷的珍品，还深受边疆少数民族的喜爱，从而成为内地与边陲交往的珍贵礼品。

1978 年，湖北监利县福田公社发现一座唐代墓葬，出土了大量漆器。这批漆器均系木胎，外表髹褐黑色漆，内表髹朱漆，无彩绘纹饰，造型精致，保存完整。其中，大漆碗一件，椭圆形，花瓣状口沿，口径 37.5 厘米，高 12 厘米，底径 21 厘米。小漆碗两件，花瓣状口沿，口径 22.5 厘米，高 7.7 厘米，底径 11 厘米。另外还有漆盒一件、漆盘两件、漆勺一件，漆盂一件。除漆勺外，其他漆器的做法是“采用 0.2 厘米宽的薄杉木条，一圈圈卷制成器形，外裱麻布，然后髹漆。因而胎质极轻、薄，既坚牢耐用，也易脱水保存。出土时，这批器物泡在水中，取出放置一段时间后，就自然干燥了，器形也没有收缩变化。这种器胎的制法，在我国漆器工艺史上未见记载”[③]。并且，由于漆碗作花瓣形，木条须随着器形凹入凸出，对漆工技巧的要求很高。

① （唐）皮日休著，萧涤非、郑庆笃整理：《皮子文薮》卷四，第 39 页。

② （唐）皮日休：《诮虚器》，见（清）彭定求等编：《全唐诗》卷六〇八，第 7075 页。

③ 《湖北监利县出土一批唐代漆器》，《文物》1982 年第 2 期。

武汉市汉阳区十里铺一座北宋墓葬出土了19件漆器，从漆器题识中，不仅判断出这批漆器的产地为宋代襄州，更能从中得知宋时襄州一地有多家实行家族式生产的漆器作坊，颇具规模。其中，漆盏托呈垂直状，边口无外翻现象，相比金属器和陶瓷器的锐利外形，显得更加圆润。[①] 其中一件花瓣式漆盘，盘径16.7厘米，通高3.1厘米。盘口外撇呈六瓣花形，弧腹平底，内外髹褐色漆，现收藏于湖北省博物馆。

二、蕲簟竹编

我国传统竹编工艺有着悠久的历史，富含着中华民族劳动人民辛勤劳作的结晶。竹子是南方极为丰富的植物资源，能编易织，坚固耐用，人们早就利用这种原料来编制各种生活和生产用具。隋唐宋元时期，湖北的竹编拥有很高的水平。在当时墓葬中经常可以见到筒、席等竹制品，除了实用价值外，还达到了很高的工艺水平。其中最著名的是蕲州编制的竹席——蕲簟。

蕲簟是湖北蕲春的竹编特产，就是用大蕲竹劈篾编成的簟子。蕲竹簟之所以可贵，一在竹佳；二在工良。蕲簟用的蕲竹，竹竿形状小的如大拇指粗，大如酒杯口粗，原产于蕲春的赤东湖沙境和赤东镇苏圩的百家冶山等处。工匠们将“含苞枝”劈成细篾，经江河浸泡，太阳曝晒，精工制作而成。用蕲竹制作的簟子，色泽晶莹，有如琉璃、美玉、质地坚韧，又柔软如锦，折叠如布。天热时，人睡在上面，既透凉又爽汗。

唐代文豪韩愈在《郑群赠簟》一诗中盛赞蕲竹：“蕲州笛竹天下知，郑君所宝尤瑰奇。携来当昼不得卧，一府传看黄琉璃。体坚色净又藏节，满眼凝滑无瑕疵。法曹贫贱众所易，腰腹空大何能为。自从五月困暑湿，如坐深甑遭蒸炊。手摩袖拂心语口，漫肤多汗真相宜。日暮归来独惆怅，有买只欲倾家资。谁谓故人知我意，卷送八尺含风漪。呼奴扫地铺未了，光彩照耀惊童儿。青蝇侧翅蚤虱避，肃肃疑有清飔吹。倒身

① 王振行：《武汉市十里铺北宋墓出土漆器等文物》，《文物》1966年第5期。

酣寝百疾愈，却愿天日恒炎曦。明珠清玉不足报，赠余相好无时衰。”①韩愈知道蕲竹的珍贵，他在好友郑群府中见到一张名贵的蕲竹簟时，爱不释手，想得到它，但又不好夺人之爱。正在为难之际，老友郑群早已洞悉韩愈的心思，把蕲簟慷慨地送给他。韩愈如获至宝，兴奋不已。更奇妙的是，当他躺在蕲簟上酣睡时，各种疾病都痊愈了。再看簟色，如同琉璃一样光洁照人，苍蝇在上面都停不住，如凉风飒飒，果然“一卧消暑祛百病”。

白居易与元稹是唐代齐名的大诗人，他们的诗歌理论观点相近，共同提倡新乐府运动，结成了莫逆之交，世人称之为“元白”。两人之间经常有诗歌唱和，即使两人分处异地，也经常有书信往来。白居易曾经托人将一席蕲州竹簟寄给元稹，并创作了一首《寄蕲州簟与元九因题六韵》诗：“笛竹出蕲春，霜刀劈翠筠。织成双人簟，寄与独眠人。卷作筒中信，舒为席上珍。滑如铺薤叶，冷似卧冰鳞。清润宜成露，鲜花不受尘。通州炎热地，此物最关身。”②元稹以原韵和《酬白乐天寄蕲州簟》诗云：“蕲簟未经春，君先拭翠筠。知为热时物，预与瘴中人。碾玉连心润，编牙小片珍。霜凝青汗简，冰透碧游鳞。水魄轻涵黛，琉璃薄带尘。梦成伤冷滑，惊卧老龙身。”③元白二人以蕲竹簟为题，以诗唱和，说明了蕲簟在唐代确实不是寻常之物，它不仅能在炎热之季驱散暑热，也是文人墨客相互馈赠之精品，更是他们笔下描绘的神奇工艺品。

宋朝称颂蕲簟的文人也很多。如欧阳修、王安石、苏轼、陆游、朱熹等，都有诗文传世。苏东坡贬谪黄州时，他的四川老乡蒲宗孟（字传正）也被贬为亳州知州。苏东坡寄蕲簟以示安慰，并创作《寄蕲簟与蒲传正》。诗云：“兰溪美箭不成笛，离离玉筋排霜脊。千沟万缕自生风，

①（唐）韩愈：《郑群赠簟》，见（清）彭定求等：《全唐诗》卷三三九，第3795页。

②（唐）白居易：《寄蕲州簟与元九因题六韵》，见（清）彭定求等：《全唐诗》卷四三九，第4884页。

③（唐）元稹：《元氏长庆集》卷一五《酬白乐天寄蕲州簟》，上海古籍出版社1994年版，第83页。

入手未开先惨慄。公家列屋闭蛾眉，珠帘不动花阴移。雾帐银床初破睡，牙签玉局坐弹棋。东坡病叟长羁旅，冻卧饥吟似饥鼠。倚赖春风洗破衾，一夜雪寒披故絮。火冷灯青谁复知，孤舟儿女自嘤咿。皇天何时反炎燠，愧此八尺黄琉璃。愿公净扫清香阁，卧听风漪声满榻。习习还从两腋生，请公乘此朝阊阖。”① 苏东坡虽在黄州处境不好，却仍然惦记朋友，将“八尺黄琉璃”寄赠好友。全诗情真意切，感人至深。

第五节　陶俑与瓷器

一、十二生肖俑

古老的陶俑艺术，发展到隋唐已达到了登峰造极的艺术境界，题材广泛涉猎到社会生活的各个方面。从事陶俑塑造的民间艺人具有十分丰富的生活经验、敏锐的观察能力和精湛的表现技巧，能够准确地塑造形体，生动地表现精神，极富时代气息和民族色彩。

生肖文化是中国传统文化的重要组成部分，自产生经过长期传播，不断得到丰富和发展，显示出了强大的生命力及影响力。唐代是生肖文化发展成熟的关键时期，生肖文物大量出现，以陪葬俑、墓志纹饰、铜镜、壁画为载体的生肖形象得以发展繁荣。十二生肖，也称十二属相，是对应十二辰名称的十二种动物的总称。古代占星家用十二种动物来记星象、记日、记年，同时也用来表示人的生岁。我国的生肖俑起源较早，分布范围也比较广泛。早在公元六世纪的临淄北朝崔氏墓中就已出现动物形态的十二生肖俑。到隋唐时期渐成体系，在南方，尤以两湖一带为盛，一直沿用到宋元时期，成为当时颇具地方特色的镇墓明器。

考古工作者在荆楚地区发掘出隋唐时期和宋代的十二生肖俑，包括

① （清）王文诰辑注:《苏轼诗集》卷二《寄蕲簟与蒲传正》五，中华书局 1982 年版，第 1327、1328 页。

武汉市郊周家大湾 241 号隋墓、武汉市东湖岳家嘴隋墓、武汉市武昌何家垅 188 号唐墓、罗田县汪家桥宋墓。从隋到宋代，生肖俑逐渐由坐姿转变为站姿，由人带生肖转变为兽首人身生肖俑。

武汉市郊周家大湾 241 号隋墓年代在开皇至武德四年（621 年）之间。生肖俑出土时只有 1 件在小龛内，其余均在墓底部并且残缺。“俑的形制和服饰大致相同，陶色灰而带黄，通高 29.8—37.5 厘米。”[①] 生肖俑为头戴笼冠，穿着宽袖交衽大袍的坐姿文官俑，神态安详平和，手抱生肖。

武汉市东湖岳家嘴隋墓和何家垅 188 号唐墓中的十二生肖俑造型作人身兽首，即人身均作文臣形象，再配以不同生肖的头像，构成一个个独立的单体生肖塑像。[②] 生肖的服饰鼠和狗相同，上身穿圆领宽袖长袍，袍长至足面，前有蔽膝，双手执笏板拱于胸前，足登靴。其他牛、虎、兔、龙、蛇、马、羊、猴、鸡、猪上身在长袍外再穿褙子以及足登尖头靴外，其余则完全相同。俑采用头、身分制，然后粘接成一体，再刻画衣纹，贴塑双手及笏板经入窑烧成后，又施彩绘，俑身红彩现已褪色或剥落。俑体中空，胎体厚重，放置稳定。十二生肖的身体部分虽大同小异，但头像塑造得生动有致，各有神采。例如猴俑，双目圆瞪有神，嘴紧闭，两耳侧听，显出一副猴儿顽皮的灵气。而猪俑突出的是大嘴、一双圆鼻孔和垂肩的大耳，十分有趣。兔俑则有一双竖立的长长大耳；牛、羊俑则从双角的内弯或侧伸以示区分，体现了雕塑匠师对各类动物形态观察的细微和准确，雕塑造型技艺的精湛和高超。

罗田县汪家桥宋墓发掘于 1983 年，位于县城关东南 48 千米处，西北接观音山，南临白莲河水库。墓葬位于观音山一条山岗的东南尽头，南有山丘相对，中间横流一小河。该墓出土的十二生肖俑的造型是以直

---

① 卢昉：《隋至初唐南方墓葬中的生肖俑》，《南方文物》2006 年第 1 期。

② 蓝蔚：《武昌东郊何家垅 188 号唐墓清理简报》，《文物参考资料》1957 年第 12 期；蓝蔚：《武汉市东湖岳家嘴隋墓发掘简报》，《考古》1983 年第 9 期。

立的文吏俑手捧生肖头像，白陶，穿礼服，戴王字冠，直立，中空，分别手捧十二生肖头像，高 20.5 厘米。“比起隋唐时的人身兽首十二生肖俑，大有变化，与同期江西、福建在立鸟瓶上堆塑十二生肖也大不相同。人头鳖身、蚕身、鱼身，大概有如隋唐镇墓俑的作用。这些都是一个新变化，也是一项新发现。制造工艺很显然的是模印与手工相结合，用上了雕、划、堆、印等技法。”①

二、江夏湖泗窑

瓷器是由瓷石、高岭土、石英石、莫来石等烧制而成，外表施有玻璃质釉或彩绘的物器。瓷器的成形要通过在窑内经过高温烧制，瓷器表面的釉色会因为温度的不同从而发生各种化学变化。中国是瓷器的故乡，瓷器是古代劳动人民的一个重要的创造。至宋代，名瓷名窑已遍及大半个中国，宋代是制瓷业最为繁荣的时期之一。

长期以来，在宋瓷研究中，有一种观点为“湖北无瓷窑”，也就是说，宋代荆楚地区没有瓷窑，人们使用的瓷器都是从外地运输进来的。湖泗窑址群的发现，改变了这种看法。它是长江中游古陶瓷的一处重要产地，使南方和北方、黄河流域和长江流域陶瓷生产的历史得到衔接，使中国大地陶瓷生产成为一个完整的系列。具有湖北特色的湖泗窑瓷器是荆楚文化的重要组成部分，同时也是荆楚历史与文化的重要载体，更是湖北地区优秀艺术遗存的重要体现。

湖泗窑址群位于湖北省武汉市江夏区梁子湖和斧头湖沿岸，因最早发现于湖泗乡而得名。在这一区间内，东为梁子湖水系，由梁子湖、保安湖、鸭儿湖等湖泊组成，其由樊口进入长江。西为斧头湖水系，由斧头湖、团墩湖、上涉湖、鲁湖、后石湖等组成，其与金水河连通由金口入长江。中部为南北向的低岗丘陵特征的陆地走廊，海拔多在 30 米至 80 米，其岗垅蜿蜒起伏，港汊曲折交错，蕴藏丰富的制瓷原料高岭土。

---

① 罗田县文管所：《罗田县汪家桥宋墓发掘记》，《江汉考古》1985 年第 2 期。

窑址多位于水运便利的濒湖岗地之上。在南北长约40千米、东西宽约30千米的范围内，迄今已发现窑业堆积145处。该窑址群的年代从晚唐五代一直延续到元明时期，且以宋代为主。江夏湖泗窑以仰烧法烧制民间常用瓷器，产品有青白釉瓷器和青釉瓷器两种，瓷器的种类均为壶、罐、碗、盘、碟等日常生活用器，造型规整匀称，胎以灰白色为主，釉面匀净晶莹，有的器物的内外壁还刻画菊瓣、莲瓣、团花等花纹。

江夏湖泗窑生产的产品不仅供应当地需求，而且销往周边各地，我们从迄今考古发掘的大量宋代墓葬出土资料中可以看到这一点。例如，今武汉市北面黄陂区铁门坎宋墓出土的青瓷、白瓷、青白瓷、酱釉瓷等四大类瓷器，皆为湖泗镇瓷窑所产；铁门坎附近祁家湾镇宋王山宋墓群出土的瓷器，以影青瓷为主，有少量青瓷，影青瓷的日用品也全属湖泗窑产品。另外，武汉市武昌区放鹰台宋墓出土的随葬品中大量瓷器，据专家推测，多数青釉瓷器可能是江夏斧头湖沿岸宋代民间青瓷窑的产品；武汉市东西湖区柏泉北宋墓葬出土的青白瓷碗、壶等，这些器物在胎、釉、造型和烧制方法上皆与湖泗窑的产品相似；青山区宋墓出土的黄绿釉印花陶碗，从其胎质、釉色、造型与烧造工艺上来看，同梁子湖、斧头湖等古窑的产品也极为相似。[①]除此之外，云梦县王家山宋墓出土的葵口高足碗与湖泗窑址出土的碗一致，出土的瓜棱形水壶亦与武汉柏泉宋墓出土的壶一致。孝感市徐家坟宋墓出土的瓷碗在器形上与梁子湖青山窑出土的同类器具风格完全相同，据推测也当属青山瓷窑所出。

总体来看，宋代湖泗窑制瓷业呈现出两大特点，一是产量大，二是产品以粗瓷居多，瓷器生产以实用性为主。其造型简朴，以普通的粗制碗、缸等实用器物居多，这对于满足当时民间百姓对生活瓷器的需求起到了十分重要的作用。

---

① 杨果、陈曦：《宋代江夏地区制瓷业的兴衰及其原因探析——以考古资料为中心》，《江汉考古》2005年第3期。

第三章　教育与科技

隋唐时期，我国古代教育发展进入一个新的历史阶段，出现一些历史性的创新，如“科举考试选官制度建立，并进而支配学校教育；学校教育制度实行官学与私学并举，地方官学与中央官学衔接，形成学校系统；培养人才的教学内容得以贯彻，人文理论与应用科技兼备；学校内部管理在总结历史经验的基础上，形成了一套较完整的制度；新的教育组织形式——书院适应时代需要而产生，对民族文化发展传承开始发挥作用”[①]。宋朝以兴文教为国策，先后发动三次兴学运动，创立了分斋教学制度、学田制度和地方教育行政管理机构。书院教育也在宋代发展起来，并在元代兴盛一时，所谓“书院之设，莫盛于元，设山长以主之，给廪饩以养之，几遍天下”[②]。

荆楚地区自古崇文重教，素有兴学育人之风。但在隋代之前，学校教育不成制度，官私办学因人成事，时兴时废。地方官学的发展和逐步完善是隋唐宋元时期荆楚地区文化教育事业成就的突出标志，降至南宋已经形成了较为完整、自立的州县官学体系。

湖北最早的书院创建于北宋时期，荆门东山书院、嘉鱼义学书院和咸宁相山书院，是湖北方志中记载最早的书院，兼具讲学、祭祀和藏书

---

① 孙培青主编：《中国教育史（第三版）》，华东师范大学出版社 2015 年版，第 156 页。

② （清）于敏中：《日下旧闻考》卷四九《城市》，北京古籍出版社 1985 年版，第 775 页。

功能。到了南宋和元朝，荆楚各地已经建立二十余所书院，[①] 培养了大批杰出人才，不仅在中国古代书院史上占有一席之地，而且也为明清湖北书院教育的兴盛奠定了基础。

科举考试，俊彦辈出。目前确知的历代湖北籍状元有10名，其中唐宋即占5人，唐代杜陟1人，宋代冯京、宋庠、郑獬、毕渐等4人。可见，从唐朝到宋朝，湖北籍状元人数有了显著的提高，而唐宋时考中状元的人数又占到了全部科举状元人数的一半。

荆楚科技文化源远流长，成就辉煌，其对中华科学与技术的贡献，集中体现在农耕、青铜、活字印刷和医药等几个方面。隋唐宋元时期，荆楚能工巧匠不断涌现，科技创造成果璀璨夺目，从而推动一些生产门类，如冶金、制漆、竹编等在全国处于领先水平。“唐代，荆楚地区已成为全国矿产采、冶、铸的中心之一，各种金属的冶炼基地与铸造工场一应俱全。”[②] 荆楚农业也在整个中国农业版图中占据越来越重要的地位，农田水利科技取得了长足的进步。[③]

两宋时期，文人读书需求的增长，促进了荆楚地区造纸业和印刷业的发展，既造就了一批藏书家，也涌现出发明活字印刷术的大师英山毕昇。宋代还是中医学发展史上一个十分重要的阶段，医学分科日益精细。荆楚名医庞安时“尤精于伤寒，妙得长沙（即张仲景）遗旨”[④]，他撰写的《伤寒总病论》推动了中医伤寒学说的发展和完善。

---

① 王颋《元代书院考略》（《中国史研究》1984年第1期）统计元代书院一共有408所，白新良《中国古代书院发展史》（天津大学出版社1995年版）统计元代书院有406所，邓洪波《中国书院史》（东方出版中心2004年版）则认为南宋书院有442所，元代书院的实际数在500所以上。无论取哪个数据，宋元时期荆楚地区的书院数量虽比江西、浙江等地要少，但在全国占比5%以上。

② 张正明、刘玉堂：《中华文化通志·荆楚文化志》，上海人民出版社1999年版，第104页。

③ 程民生《宋代地域经济》（河南大学出版社1992年版，第87页）根据《宋会要辑稿·食货》的记载，统计了宋神宗熙宁十年（1077年）各地水利工程数量。其中，湖北地区共有1473处，在全国范围内仅次于两浙的2294处和淮南地区的1980处。

④（明）张岱：《夜航船》卷一四《九流部·医》，四川文艺出版社1996年版，第251页。

第一节 官学与私学

一、州县兴学

唐朝制定了重视文教的基本国策，建立起以儒学教育为主体、比较完整的学校体系。国子监是中央教育机构，地方上设有州、县学校。唐玄宗开元年间，朝廷规定了州县学生员的名额："京都学生八十人，大都督、中都督府、上州各六十人，下都督府、中州各五十人，下州四十人，京县五十人，上县四十人，中县、中下县各三十五人，下县二十人。"①

唐高祖武德四年（621 年），蕲水县（今湖北省浠水县）建立兰溪学宫，为鄂东记载最早的官学。当时，荆楚地方官学多以孔庙为学址。孔庙的平面布局大致相似，由南至北分别有照壁、棂星门、泮池、大成门、大成殿、崇圣祠和东西庑（俗称廊房）等。

唐代襄州孔庙的规模较大，在全国都有一定的影响。《全唐文》卷七九七收有晚唐诗人皮日休的一篇《襄州孔子庙学记》，极力称颂孔子之德以及唐朝尊孔重教的盛况。然而，皮日休自编的《皮子文薮》没有收录这篇文章。当代学者陈尚君、尹楚斌和刘兴超等人考证，此文当非皮日休所作，实当为中唐程浩所作，原名为《凤翔府扶风县文宣王新庙记》。②刘兴超还认为，出现这种讹误的原因是："襄州于孔子庙修建学校，皮（日休）亦曾题程浩此文首段于其壁，后人或因文字剥落，或因传抄者匆忙，乃误以为此文是皮日休自作。"

荆楚官学真正得到发展是在宋元时期。北宋皇帝大多崇尚文治，在文化教育方面，采取了一系列积极的措施。如在科举制度方面，不断扩

① （宋）欧阳修、宋祁：《新唐书》卷四四《选举志上》，第 1160 页。

② 见陈尚君：《全唐文补编·再续劳格读全唐文札记》，中华书局 2005 年版，第 2026 页；尹楚斌：《皮日休等诗文订补》，《盐城师范学院学报》2006 年第 6 期；刘兴超：《皮日休〈襄州孔子庙学记〉辨伪》，《钦州学院学报》2011 年第 5 期。

大科举取士名额，鼓励寒俊之士读书仕进。对科举制度本身也进行了一系列改革，如建立了殿试制度，实行权知贡举制，实施了弥封、誊录、锁院等办法，以便增加科举考试的客观性，确保公平竞争，消除徇私舞弊现象，等等，从而大大刺激了宋代教育事业的发展。

北宋前期，湖北地方官学大多依托夫子庙而兴办，其发展情况与地方官勤政与否密切相关。宋真宗咸平年间（998—1003年），王禹偁贬谪黄州时，积极修缮衰败的文宣庙，复兴礼殿，彩绘先圣贤哲像，树立“国学赞文”碑，使得春秋释奠有所瞻仰，形成修礼兴学的局面。

宋仁宗景祐年间（1034—1038年），狄栗担任谷城县知县。他兴建了谷城历史上第一所学宫，欧阳修亲见学宫盛况，感慨而作《襄州谷城县夫子庙碑》记之。其文曰：“大宋之兴，于今八十年，天下无事，方修礼乐，崇儒术，以文太平之功。以谓王爵未足以尊夫子，又加至圣之号以褒崇之，讲正其礼，下于州县。而吏或不能喻上之意，凡有司簿书之所不责者，谓之不急，非师古好学者莫肯尽心焉。谷城令狄君栗，为其邑未逾时，修文宣王庙易于县之左，大其正位，为学舍于其旁，藏九经书，率其邑之子弟兴于学。然后考制度，为俎豆、笾篚、尊爵、簠簋凡若干，以与其邑人行事。谷城县政久废，狄君居之，期月称治，又能载国典，修礼兴学，急其有司所不责者，諰諰然惟恐不及，可谓有志之士矣。”①

宋仁宗庆历四年（1044年），诏令天下州县立学，积极鼓励建置地方官学，规定士子不通过地方官学就不能参加科举考试，从而掀起地方官学建立的第一次高潮。湖广各属县也由此设立地方教育行政机构和学校，朝廷派遣官员管理地方教育。府（州、路、道）教育负责人一般称教授，县级教育负责人一般称教谕。府学、州学教授多为进士出身，由朝廷直接任命。府学训导以及县学教谕多为举人、贡生出身，由藩司指派。在其职能上，一直实行“官师合一”。教育官员既是教育的管理者，

① 欧阳修著、李逸安点校：《欧阳修全集》卷三九，第566页。

又是第一线教师。这一群体为推动荆楚教育的发展做出了重要贡献。

宋神宗熙宁四年（1071 年），朝廷下诏兴学，设置专职州郡学官，将由各地长官选用改为由朝廷直接委派。宋徽宗崇宁年间（1102—1106 年），再次大规模兴学，在地方官学中全面推行三舍法，县学生在学一年，经考试升补州学，州学生每三年升贡太学，地方官学的重要性更加突出。在这三次兴学浪潮的大力推动下，荆楚各地大多数州县建立了官学。如鄂州、安州、随州、蕲州、襄州、江陵府、兴国军等州学府学军学，江陵府的松滋、枝江、监利、公安等，鄂州的武昌、嘉鱼、咸宁、蒲圻、通山等，先后有了县学。西部的荆门军、房州和夷陵县、光化县、南漳县等也相继建立了地方学校。

通城原是崇阳县的一个集镇，宋神宗熙宁五年（1072 年），割崇阳之三乡建县。此后，几任县令接力兴建造学宫资深堂，劝学兴教。“资深”二字源于《孟子·离娄下》中的一段话：“君子深造之以道，欲其自得之也。自得之，则居之安；居之安，则资之深；资之深，则取之左右逢其原，故君子欲其自得之也。”[①] 大意是要让学生自主学习、自己钻研所得的知识才牢固、才能活学活用。黄庭坚应邀欣然撰写了《鄂州通城县学资深堂记》一文，围绕“资深”二字展开议论，阐述县令邹余建学兴教的本意，赞扬几任县官重视文教的举措。

北宋末年和南宋初年，受宋金战争的影响，湖北地区的官学教育和其他地方一样陷入停顿。在绍兴和议之后，南宋逐步恢复了被战火焚毁的教育设施，重建太学、国子监等中央官学，并大力发展地方教育。首先，州学学官、生员人数较之北宋有大幅度的增加。北宋州学教授大体只设一员，少数生员较多的州学设置两员，南宋绍兴十二年（1142 年）恢复各地州学后，即诏令地方诸府州军学均设教官。

其次，南宋县学的设置比北宋更为普遍和完备。北宋王朝直到徽宗崇宁元年（1102 年）方令天下诸县皆置学。但北宋县学设置尚有空

① 杨伯峻：《孟子译注》卷八《离娄下》，第 189 页。

缺。南宋自绍兴十八年（1148 年）恢复各地县学后，又于理宗景定三年（1262 年）诏令设置各县学主学，专职主管县学学务，从此改变了北宋以来由进士出身的县官兼管学务的状况。县学教育形成了相对完整、自立的体系，并获得了持续稳步发展的客观条件。

再次，南宋地方官学教育经费较为充足，来源多途。

又加之科举录取名额较多，士儒读书仕进的机会便大大增加，因而极大地刺激了地方办学的积极性。

南宋时期荆楚地方官学的成就在许多方面超过了北宋。绍熙四年（1193 年），朱熹撰写了《鄂州州学稽古阁记》："鄂州州学教授许君中应既新其学之大门，而因建阁于其上，椟藏绍兴石经、两朝宸翰，以为宝镇。又取板本九经、诸史百氏之书列置其旁，不足则使人以币请于京师之学官，使其学者讨论诵说，得以餍饫而开发焉。其役始于绍熙辛亥之冬，而讫于明年之夏。其费亡虑三百万，而取诸廪士之赢者盖三之一，其余则太守焕章阁待制陈公居仁、转运判官薛侯叔似实资之，而总卿詹侯体仁、戎帅张侯诏亦挥金以相焉。"[①] 比外，朱熹还写作了《蕲州教授厅记》《黄州州学二程先生祠记》《黄陂程明道伊川祠记》《应城谢上蔡祠记》等文章。从朱熹这些文章可知，南宋荆楚地区教育事业的兴盛，除了朝廷的倡赞之外，地方长官的态度也起到直接的决定性作用。州县学兴建新建筑，购置更多的书籍，所需经费，都是鄂州当地长官发起，多方筹措，这种举措既是官府的行政措施，又是官员个人的政绩。许多官员甚至掏出自己的私钱捐赞教育，这逐渐成为荆楚古代教育的一个优良的传统。

南宋末年，湖北地方教育又遭受战火摧残。元朝统一全国以后，逐渐偃武修文，一些被毁弃的学校渐次得到恢复。

元代是我国历史上由兴起于漠北、以游牧经济为主的蒙古族统治者建立的全国性封建统一王朝。元世祖是元代文教政策的奠基人，元仁宗

① （宋）朱熹撰、朱杰人等主编：《朱子全书》第 24 册，第 3800—3801 页。

爱育黎拔力八达正式实行开科取士的制度，对元代教育的发展做出了重大贡献。发轫于宋代的程朱理学到元代取得了正宗的地位，成了官方的统治思想。

元朝在修复、扩建荆楚地区唐宋旧有州县学校的基础上，还新建了一些官学。如根据元人程钜夫《武昌路记》和《武昌路学修造记》的记载，大德五年（1301年），改鄂州路为武昌路，治江夏县（今武汉市武昌区），随即在原有学校的基础上，扩建礼殿和讲堂，祠祀廊房和棂星门等焕然一新。延祐四年（1317年）至延祐六年（1319年），修建武昌路学，礼殿、两庑、戟门、仪门、斋庐等建筑共50余间，路学后面原来被豪强夺去的鹄山书堂经征验归公。此外，根据元人程钜夫《汉川县学记》记载，至元二十六年（1289年），汉川县学建立。从至大元年（1308年）开始，由儒户、富者、贤者共同出资，又用三年的时间修缮汉川县学，先后建成礼殿、斋舍、戟门、棂星门等建筑。

此外，至元二十四年（1287年），张彦文和知县王元宾共同兴建当阳县学，后任知县赵珪修复。枣阳县学由知县马让、魏文昌建。官学重建、改扩建见于文献记载的还有峡州路学、襄阳路学、荆门州学、兴国州学、景陵县学、公安县学、京山县学、大冶县学等。元代大德年间（1297—1307年），鄂西地区的建始县在县城西门外建学宫，这可能是鄂西最早的官办学校。有论者指出："楚官学发展的事实表明，学之兴废存乎人，宋元荆楚地区的文化发展并不落后，相反在所谓'山穷、水恶和兵燹'的条件下取得的文化进步，更能彰显荆楚先民开拓进取的可贵精神。"①

虽然元代荆楚地方官学得到了一定的恢复和发展，但由于蒙古族兴起于漠北草原，历来重武轻文，尽管最高统治者提倡文治、诏令各地兴办儒学，但却并未被各地掌握实权的蒙古贵族、官吏所理解，有些地方不免出现阳奉阴违、虚应故事的情况。因此，元代荆楚地区官学的发展情况也不能被高估。

---

① 雷家宏：《宋元荆楚地区的官学》，《湖北大学学报（哲学社会科学版）》2011年第3期。

二、私学家塾

私学，是指不由政府主持，不纳入国家学校制度之内，由私人或私人集团（包括社会集团）来主持、经营、管理的教育活动。私学作为一种极具特色的教育组织形式，随着社会经济的发展、朝代的更迭而不断发展。虽然私学从没有被纳入官方教育体制之内，但长期以来私学教育作为我国古代官学的一个重要补充成分，一直与官学共同存在和发展。而且历代政府的文教政策、社会经济发展状况、文化学术氛围等都对私学产生着重要影响，使私学在不同的朝代呈现出不同的情形。

家塾教育是唐代私学教育的主要类型。某个家庭或家族专辟一个学习场所，请教师教授本家及近亲子弟。在教学内容上，家塾是以儒家经典为主，经史与文学兼修，既有基础性教育，也有科举应试教育。隋唐时期，荆楚地区的世家大族均办有私家学校，供本族子弟求学肄业。如唐代襄阳张氏的家塾就很有名，培养了张柬之、张敬之、张轸等名臣。“其父、弟和子、侄辈的墓志表明，他们多从大儒学习儒家经典，或者在本家所办私学中攻读。他们中有的人常常被州、县征辟，但他们均不愿意不经考试选拔入仕，而喜欢在科场一显身手，凭本领入仕，这是当时入仕的新潮流。他们也可以享受恩荫直接进入中央官学肄业，但更喜琴书自娱，在家中校经研史，并在习读之余能够有著述传世。这说明湖北的这些大家望族所办的私学，教学水平是比较高的，弟子的学习也有一定的‘自由度’。”[①]

此外，作为唐代基层教育形式之一的乡村学校虽因国家明令而设置，实际上主要是在一些地方官员的倡导与支持下，由民间筹集资金兴办，带有官助民办的性质，属于特殊意义上的私学。唐代的乡村学校虽然由于条件的限制，在校舍、师资、资金等方面存在诸多不足，但它毕竟为那些家境贫寒又想读书入仕的学子提供了一个求学的平台，使他们能通过这种教育获得基本的经史、文学基础知识。如皮日休在《伤严子

---

① 周积明主编：《湖北文化史》（上册），湖北教育出版社 2006 年版，第 588 页。

重》序云："余为童在乡校时，简上抄杜舍人《牧之集》，见有与进士严恽诗。"[①] 可见，连偏远的乡村学校也将名人的诗集作为学生学习的范本。

宋代印刷技术的进步使刻书业极为繁盛，不仅以国子监刻印书籍机构为中心的各部门刊印书籍，许多有条件的士大夫之家也刊印书籍，同时民间还出现了专门经营刻书和卖书的书坊和书肆。遍布全国的官私刻书机构的出现，使得大批量的图书生产成为可能，人们有了更多获得书籍的机会，心中也燃起了获得知识的渴望，要求受教育的人数大为增加，这在官学不能大范围普及的情况下，为私学教育的发展提供了有利的客观条件。

宋朝建立后高度重视文治，推崇儒家的伦理纲常，尊孔崇儒是宋代文教政策的核心。一方面，统治者不但允许私学在民间自由发展，还常常聘请私学教育有成就的学者到各级官学任教，如世称泰山先生的孙复，在四举进士不第之后，退居泰山授徒讲学多年，从学者甚众。另一方面，宋统治者注意吸取和推广私学教育的先进经验，运用于官学教育之中。例如，胡瑗是宋代著名的学者和教育家，毕生从事教育工作。他早年在泰山隐居读书，苦读十年后回到家乡，在苏州创办私学，开始了他的教学生涯。胡瑗经过多年的教育实践，积累了丰富的教学经验，形成了一套独特的教学方法，通过范仲淹和滕宗谅的推荐，他先后被朝廷聘请为苏、湖州学教授。他把自己独创的教法应用于州学之中，受到学生的普遍欢迎，取得了颇好的成效，后人称之为"苏湖教法"。庆历四年（1044 年），宋仁宗下诏将"苏湖教法"应用于太学，这样一来，"苏湖教法"通过太学的采用以及各地州学的纷纷效仿，得到了很好的肯定与推广，为宋代学校教育的发展做出了重要的贡献。

在这种社会背景的影响下，荆楚地区形成了浓厚的向学之风。南宋乾道六年（1170 年），陆游坐船沿长江进入四川，经过沙市、松滋一

① （宋）计有功：《唐诗纪事》卷六六《严恽》，中华书局 1965 年版，第 994 页。

带，所见“皆聚落，竹树郁然，民居相望。也有村夫子聚徒教授群童。见船过，皆挟书出观，也有诵书不辍者”[①]。北方人宋本曾经跟随父亲宋祯到江陵，江陵人王奎文以性命义理之学闻名，宋本经常前往请教，颇有长进。据《元史》记载，四川遂宁人谢端于南宋末避兵移居江陵，自幼聪颖过人，五六岁能吟诗，10岁能作赋。稍长与宋本同师于王奎文，渐谙性理之学，又与宋本一同教授江陵，均以文学齐名，时号“谢宋”[②]。

宋朝灭亡之后，许多儒生故国情深，或隐居乡里，或遁入深山，不乐仕宦，传授生徒，以教育为生活依托。因此，“由京师达于郡邑，海隅徼塞，四方万里之外，无不立学”[③]，形成一乡一社皆有学的盛况，荆楚地区也不例外。

总之，唐朝至宋元时期荆楚地区私学的普遍设立，为荆楚文化的传承和民间读书风气的形成做出了巨大的贡献，是官学的重要补充，发挥了不可取代的作用。

第二节　宋元书院

书院，起源于官府修书这一传统的文化事业。唐玄宗开元六年（718年），设丽正修书院，隶属于中书省，是负责刊辑古今经籍、收藏整理图书、承旨撰集文章和经筵讲学的官僚机构。中唐至五代，一些士人隐居读书，授徒讲业，精舍发展至私人性质的书院。宋代遂形成以教学、研究相结合，传播学术，包含讲学、藏书、祭祀三大功能于一体的书院制度。宋代是荆楚地区书院创始阶段，白新良统计宋代湖北书院数

① 钱仲联、马亚中主编：《陆游全集校注》第11册《入蜀记校注》卷五，杭州：浙江教育出版社，2011年版，第120页。

② （明）宋濂等：《元史》卷一八二《宋本传》《谢端传》，第4204—4206页。

③ （元）黄溍：《金华黄先生文集》卷九《重修绍兴路儒学记》，四部丛刊本。

量为12所，蔡志荣和李国钧均考证宋代湖北书院的数量为17所。[①]宋代书院主要集中荆门、襄阳、武昌一带。

一、荆门东山书院

宋初创建于荆门的东山书院，是北宋状元孙何兄弟读书处，位于荆门军城外东山冈，由他们的父亲即时任荆门知军孙镛创建。

孙镛，字鼎臣，祖籍蔡州汝阳（今河南汝南），生卒年不详。太平兴国七年（982年），孙镛知荆门军，创东山书院。后出任广西龙州知州，卒于任内。荆门州推崇孙镛为荆门名宦，入祀荆门名宦祠。孙镛有三子，孙何、孙仅、孙侑。三兄弟均成为北宋的良臣和名士。

孙何出生于宋太祖建隆元年（960年），他10岁识音韵，15岁能写文章。宋太宗淳化三年（992年），孙何得中头名状元。此后，孙何担任将作监丞、通判郏州（今河南郏县）等官职。不久，被召回京城，在国史馆任编修，升为秘书丞。后出任京西路转运副使，又转为右正言和右司谏。景德元年（1004年），孙何回京任太常礼院，接着，改知制诰，赐金腰带、紫蟒袍。同年冬，孙何病逝，享年四十四岁。

孙何平生喜欢结交学者名流，热心教育事业，看到有才华的晚辈总要赞赏、勉励。但孙何的性情急躁，心胸狭隘。他平生笃古好学，著有《两晋名贤赞》《宋诗十二篇》《〈春秋〉意》《尊儒教仪》《驳〈史通〉》《西垣集》《孙何文集》等书，现多已亡佚。

孙何的弟弟孙仅少时在荆门东山书院攻读，勤奋好学，与其兄俱闻名一时。孙仅在真宗咸平元年（998年）得中状元。兄弟先后中状元，震动荆门地区。之后，孙仅被任命为舒州（治所在今河南汝南县）团练推官，遂升任光禄寺丞，进入集贤院供职。不久，改为开封府推官，升任右正言，知制诰，授任审官院副主管。同年冬，孙仅出任永兴军（今

---

① 参见白新良《明清书院研究》（故宫出版社2012年版）、蔡志荣《书院与地方社会：以明清湖北书院为中心考察》（中国社会科学出版社2014年版）、李国钧《中国书院史》（湖南教育出版社1994年版）。

湖北阳新）知军。大中祥符元年（1008 年）加封刑部员外郎，主管审刑院。接着，封为右谏议大夫和集贤院大学士，代理开封府，又改封左谏议大夫，出任河中知府。返回朝廷，仍旧主管审刑院，隔了一段时间，升为给事中。

孙仅与孙何的性格相反，待人接物，谦厚温和，遇事容忍，采取中立态度，不与人争执。对儒家学问颇有根底，造诣甚深，朝廷的士大夫们对他很推崇。生平著作被辑录为《孙仅文集》，有五十卷，另刊有《甘棠诗集》一卷。

《古今图书集成》记载，宋兄弟状元坊“为孙何、孙仅立其读书处，为东山书院”。有关兄弟俩的古迹还有读书台，“在州东山下，宋孙何与弟仅读书之所，相继擢大魁，政和间朱震与弟亦读书于此”[①]。北宋徽宗政和年间，在东山读书的朱震、朱巽两兄弟双双考中进士，成为北宋的贤臣良儒。人们把朱震、朱巽两兄弟并称为“二朱”，《宋史》有传。

东山书院左边是东山宝塔，右边是青龙观，居高临下，俯瞰荆门城郭，又出过不少英才，因此远近闻名。宋代的荆门，人杰地灵，文运兴隆，人们赞东山宝塔是“荆门的头角”，称东山书院院址为“荆门的根基”。

二、麻城万松书院

麻城位于湖北东北部，长江中游北岸的大别山中段南麓，因“献寿仙子”麻姑而得名，隋文帝开皇十八年（598 年）设麻城县，属黄州管辖。万松书院最初在麻城县西七里岗，北宋麻城县令张毅筑亭万松岭，亲自在书院授课，后移建县城内。

张毅，字仁甫，北宋元丰年间任麻城县令，张毅讲学万松书院是湖北书院讲学的最早记载，但遗憾的是没有张毅讲学万松书院具体情况的

① （清）陈梦雷：《古今图书集成·职方典》卷一一四四《古迹考》，中华书局、巴蜀书社 1985 年版。

资料流传下来，所无法考证其在万松书院讲学的具体情况。苏轼贬谪黄州的时候曾过访万松亭，并赋诗纪念。

元代万松书院曾遭损毁，明代复建为圣庙，即孔庙，今存建筑为明代洪武年间所修孔庙的主体建筑——大成殿。大成殿东西长 18 米，进深 13.5 米，高 10 米，占地 240 余平方米。大成殿是文庙中不可或缺的重要建筑之一，也是学宫建筑的主殿，最开始人们为祭祀孔子而修建。学宫每年都会举行两次对孔子的祭祀仪式，所有官员和平民百姓都会去学宫、孔庙等大成殿里烧香祭奠孔子。还有生徒们入学和毕业都要到大成殿前孔子牌位或者塑像前进行拜祀，以表达了对孔子以及儒家思想的尊敬和感激之情。

三、鄂州南湖书院与龙川书院

南宋时，湖北多数地区成为抗金和抗蒙前线，受到战事的威胁和破坏也相当严重。但即使在这种情况下，书院也和江浙等地一样十分发达。宋理宗淳祐二年（1242 年），寿昌军（今湖北鄂州市）创建了南湖书院。宋理宗宝祐年间修撰的《寿昌乘》详细记载了南湖书院的建置。《寿昌乘》到明代已经亡佚，清代学者文廷式从《永乐大典》中辑出一册。今据辑本，知道南湖书院为当时寿昌军教授黄端谅创建，奉祀周敦颐、二程和朱熹等七位先哲。建书院的目的是“为教养游学生徒之地”。当时的户部侍郎贾似道和制置使孟洪都曾“捐金为助”。起初有房屋 50 间，宝祐元年（1253 年），书院遭遇水灾，湖水泛滥，“沈浸累月，础陷栋桡”[①]。官府组织修葺，又有扩展。

南宋时期，以朱熹为代表的众多理学家祭起理学的大旗，一扫儒学章句、训诂、考据的繁难与不切实用，转而讲求心性义理，注重圣贤蕴奥的发挥，为儒学的发展开辟了广阔的空间，使得儒学焕发了新的生

① （清）文廷式辑佚：《寿昌乘・南湖书院》，《宋元方志丛刊》第 8 册，中华书局 1990 年版，第 8399 页。

机，吸引了广大士人。这些理学家都把自由、开放的书院作为传播新学说的平台，热衷于到书院讲学，传播新学说，培养理学信徒。书院与理学相结合，相互促进，促成了各自的繁荣，书院传承学术的形象得以确立。鄂州南湖书院就是其中的典型代表。

祭祀是书院规制中一个极为重要的组成部分。各个地区书院的师承不同，因此祭祀对象也变得各不相同。但书院的祭祀活动都是为了表达对“先圣”的敬仰，向他们所做出的特殊贡献表达敬意。南湖书院奉祀周敦颐、二程和朱熹等七位理学先生。书院的祭祀活动也是一种特殊的教育方式——榜样教育。在书院举行祭祀活动时，士子们心怀对先圣的敬仰之情，通常会诵读祭祀对象的赞美之文。

书院在当时除了作为学校的功能以外，还保留着唐代书院的藏书和校书的特征。据辑本《寿昌乘》记载，当时南湖书院拥有相当数量的藏书，包括《大字古注六经》三部、《厚斋易传》、《易本义》二部、《易学启蒙》、《易音训》、《诗集传》六部、《诗序辩说》、《诗传遗说》四部、《六经释音》十一部、《楚辞注》六部、《小学书》二部、《通鉴纲目》、《富川四记》、《晦庵语类》两部、《兴国释菜志》《兴国祠堂志》《希贤录》等17种，加上寿昌军学藏书，在50种以上。这些藏书都是供学生和教师用。书的来源，一是书院购买，二是由官吏赠送。

学田是书院赖以生存和维持发展的重要支柱，官府一方面通过拨置学田，给予书院经济支撑，鼓励和支持书院的发展；另一方面通过设置钱粮官，控制书院的经济命脉，监控书院的发展。

南湖书院到元代时，因“岁久而散，继之以毁。田侵业荒，几无南湖书院矣”。元大德五年，鄂州地方官予以修复，讲肆、斋房、门庑、七贤祠等为之一新。元初，元世祖下诏程钜夫求贤江南，程钜夫到江南武昌（今鄂州）南湖书院，有感于鄂州南湖书院的兴建，专门撰文以记之。《南湖书院记》记载：“南湖书院，起于宋季，原于藩臣屋数十楹以为居，祀七贤以为望，有田数百亩以为食。来者养而教之，意甚美也。”[①]

元朝至元年间，鄂州还建有龙川书院。至元初，知兴国军权知寿昌府（今鄂州）事的陈天祥，奏请行省建龙川书院。光绪《武昌县志》记载，龙川书院“在县西南一百二十里金牛镇，元至元末，士之集于镇者筑精舍肄业，设山长，祀陈公天祥。至正五年，达噜噶齐铁山重建”[②]。明神宗万历十七年（1589 年）又再次扩建。清朝乾隆二十八年（1763 年），武昌（今鄂州）知县邵遐龄主持重修。龙川书院历元、明、清三朝而不衰，成为荆楚著名的书院之一。

四、黄州河东书院与雪堂书院

北宋仁宗庆历四年（1044 年），蕲州、黄州设立官学，办学训导生徒。宋理宗宝祐年间（1253—1258 年），黄州知州李节在黄州儒学学宫内增建河东书院。黄州官学教授毋制机“分教黄州，兼领雪堂、河东两书院事。教人必明体适用，文武无不能，功臣、贵将子孙皆愿立讲下，江淮湖右后进士经公讲画，有文名者尤多”[③]。毋制机既是地方学校的教官，并管理、执教雪堂、河东两书院，他文武兼教，培养人才众多。

河东书院实施朱熹为白鹿洞书院所立“五教”方针，提出为学、修身、处理、接物要目，并将朱熹为白鹿洞所订的学规和自订《晓示生员条例》刻于院内，用以治理院务，教化生员。在教育思想上，遵循程朱理学人伦纲常之道，书院内供奉有二程夫子祠。

河东书院的影响力也迅速扩大，跻身全国著名书院之列。据明代王圻《续文献通考》记载，河东书院为南宋全国 22 所著名书院之一。宋理宗皇帝曾亲自为河东书院题写正堂大门匾额，以示嘉奖。又据明朝弘

① （元）程钜夫：《南湖书院记》，载（元）程钜夫：《雪楼集》卷一二，见影印文渊阁本《四库全书》第 1202 册，第 150 页。

② （清）钟铜山修，柯逢时纂：《武昌县志》卷七《学校》，成文出版社 1975 年版，第 420 页。

③ 《毋制机墓铭》，见（清）陈诗著，姚勇、邱蕤、杨晓兰点校：《湖北旧闻录》卷二三，湖北人民出版社 1999 年版，第 962 页。

治年间《黄州府志》卷四载："河东书院，宋天圣中，二程先生生于本府黄陂县，为时大儒。宝祐中，覃怀李节来守黄州，请建书院于河东，即今之府学是也。"可见河东书院自宋明以来一直是黄州最为重要的官办书院。南宋末年，河东书院曾改为县学。

黄州雪堂书院是贬谪黄州的北宋大文豪苏轼于宋神宗元丰五年（1082 年）所建。元丰五年正月，苏轼在躬耕地东坡的一侧建了五间草屋。房子落成之日，适逢天降大雪，有感于此，苏轼在堂中四壁绘上雪花，不使其留有空隙。坐卧其间，四面环视，满目是雪，苏轼感到非常惬意，自认为这样的地方才是平生理想的休闲场所。于是，苏轼高兴地将其命名为"雪堂"，并亲书门额。事后，他将此雅举写信告诉了几位好朋友。堂中四壁绘满雪花，自古以来尚无先例。身为贬官的苏轼如此做法，引起了黄州人极大的兴趣，也成为一时的热门话题。人们争相到雪堂观赏雪景。此后，苏轼在雪堂与文人们把酒题诗、研究著述、讲学会友、讨论时政。北宋元丰七年（1084 年）四月，苏轼离开黄州，将雪堂书院及东坡耕地等私人产业交给好友潘大临和陈季常照管。临行前，苏轼填《满庭芳·归去来兮》词表达了恋恋不舍的情感。此后，潘大临等文人学士在雪堂内著述讲学，形成雪堂书院。

南宋时，雪堂书院依然存在：陆游至黄州，游历雪堂书院，并赞之"颇雄"。宋理宗时期，黄州官学教授毋制机曾负责管理雪堂书院，他诲人不倦，为人公允，吸引了一大批人才来雪堂书院求学问道。

五、公安竹林书院和江陵南阳书院

竹林书院和南阳书院，这两所书院都是孟珙建立的。孟珙（1195—1246 年），字璞玉，号无庵居士，随州枣阳（今湖北枣阳）人，原籍绛州（今山西新绛）。南宋军事家、统帅，抗金、抗蒙名将。孟珙早年随父抗金，并参与灭金的蔡州之战。宋蒙战争爆发后，孟珙指挥川蜀、京湖两大战场的宋军与蒙古军队作战，立下赫赫战功，累官枢密都承旨、京西湖北路安抚制置使、四川宣抚使兼知夔州，封汉东郡开国公。淳祐四年（1244年），兼知江陵府，后以宁武军节度使致仕。淳祐六年（1246年），孟珙病逝，年五十二。后特赠太师、吉国公，谥号“忠襄”。

宋理宗淳祐二年（1242年），孟珙在给皇帝的奏章中说：“襄、蜀荡析，士无所归，蜀士聚于公安，襄士聚于郢渚。臣作公安、南阳两书院，以没入田庐隶之，使有所教养。”[①]因公安书院位于寇準祠内，祠竹林丛生，便“取莱公竹遗迹，扁曰‘竹林’”[②]。而南阳书院则“取武侯躬耕之地以名”[③]。孟珙还仿效南宋岳麓、白鹿洞、丽泽、象山“四书院”乞请理宗赐额做法，亦请其题写院名，“（淳祐）六年夏，上亲洒宸翰，赐名‘公安书院’”[④]。宋淳祐间，孟珙分别在公安建竹林书院、江陵建南阳书院，四川和襄阳的士人分别能就读于这两所书院，这与省志记载是相一致。孟珙以没收的田庐拨给书院，“公安凡六十楹，田租岁入二千石有奇，山泽间架之利为钱二百万，养士百有二十人。南阳余六十楹，田租岁入六千有奇，山泽渔征之利为钱四百万，养士百有四十人”[⑤]。这两所书院的生员定额分别为140人和120人，其规模和经济实力在南宋时较为突出。孟珙此举不仅在战乱之时有利于社会的稳定，也有利于地方文化教育的发展。

由于战争破坏，襄阳等地失守，江陵士人纷纷迁往武昌。淳祐中，“时襄、汉受兵，士之流徙者聚于鄂。公（孟珙）立学馆六十间以处之，括田租地利以养之，聘宾师、陈俎豆以教之。又肖祀先正诸葛武侯以表历之，故名”[⑥]。就是说，随着战争的发展，退居鄂州的流徙人士日益增多，孟珙又在鄂州扩建南阳书院，鄂州的南阳书院是江陵的移植，是

① （元）脱脱等：《宋史》卷四一二《孟珙传》，第12380页。

② （宋）李曾伯：《可斋续稿》前卷五，见影印文渊阁本《四库全书》第1179册，第537页。

③ （宋）高斯得：《耻堂存稿》卷四，中华书局1975年版，第72页。

④ （宋）李曾伯：《可斋续稿》前卷五，见影印文渊阁本《四库全书》第1179册，第537页。

⑤ （宋）高斯得：《耻堂存稿》卷四，第72页。

⑥ （元）程钜夫：《雪楼集》卷一一，见影印文渊阁本《四库全书》第1202册，第143页。

在鄂州扩建的书院。

竹林书院和南阳书院都设有山长。书院生徒文武兼修，平时以习文为主，闲暇之时学习射术。书院采取开放性的教学方式，以学生自学为主，互相探讨。实行旬有课，季有考，取得良好的教学效果，后来在竹林书院的蜀人回到原籍考试，名冠全省。襄阳士人参加科举也多中式，书院在战乱之时所建，具有战时特点，生徒文武兼习，对于当时襄蜀地区文化的维系、学术思想的传播、教育的普及和人才的培养起到重要作用。

元初，竹林书院因一场大火，除正殿巍然无损，其余所剩无几。“至元十三年，宋平，帝命平章廉希宪行中书于荆南府，以（许）楫为左右司员外郎。”[①] 廉希宪是布鲁海牙之子，畏吾人，从小笃好经史，手不释卷，被世祖皇帝所称赞。廉希宪“幼魁伟，举止异凡儿。……世祖为皇弟，希宪年十九，得入侍，见其容止议论，恩宠殊绝。……世祖渡江取鄂州，命希宪入籍府库。希宪引儒生百余，拜伏军门，因言：‘今王师渡江，凡军中俘获士人，宜官购遣还，以广异恩。’世祖嘉纳之，还者五百余人”[②]。廉希宪提倡仁义治国，向名儒大师学习，认为教育是国家根本大计，向世祖提出兴学兴教的建议。廉希宪任京兆宣抚使时，“暇日从名儒若许衡、姚枢辈咨访治道，首请用衡提举京兆学校，教育人才，为根本计”[③]。廉希宪行中书于荆南府，重修书院，恢复学田，从衙门拔修造之材，竹林书院修葺一新。

元成宗大德五年（1301年）冬，程钜夫主持重修南阳书院。其《雪楼集》载曰：“大德五年冬，重修南阳书院，成大成殿、楚梓堂，日新养正，尚志立本。四斋凡新屋百八十础，从祀两庑、武侯祠、乡先贤祠、尊经阁凡葺百八十八础，木千有奇，瓦甓十四万八千，工万二千二百，

① （明）宋濂等：《元史》卷一九一《许楫传》，第4358页。

② （明）宋濂等：《元史》卷一二六《廉希宪传》，第3085—3086页。

③ （明）宋濂等：《元史》卷一二六《廉希宪传》，第3085页。

而殿之役最大。”[①] 南阳书院修建规模宏大，尤其大成殿焕然一新。

六、安陆江汉书院与长庚书院

宋代安陆开始兴办儒学，又称孔庙、学宫、文庙。据宋代安陆籍状元郑獬所撰《安州重修学记》记载：宋仁宗庆历六年（1046年），下诏令各州郡建立学校，曾任秘阁校理的孙甫担任安州知州，积极贯彻宋仁宗的诏令，“下随、汉之材，匠者执绳以待”，组织人员，砍运木材，准备建设安州儒学。可惜，“畚未及程功而孙君去”，学校建设大计未成，孙甫就调离了。接着，魏琰从司农少卿调任安州知州，“嘉祐初，司农少卿魏君琰慨然图之，乃于州城之南门外东偏，作夫子殿及东西二堂、八斋室”。魏琰在孙甫的基础上，积极组织施工，在州城南门东边，修建了教师办公室、教学楼和生活设施，安州儒学初具规模。其后，“职方郎中张君先，始集诸生鼓箧而升堂，讲明六经之奥”。张先继任安州知州，召集学生亲自开讲“六经”，授课别开生面。“今虞部郎中司马君旦，又绝濠为梁，通朔望厅入于学，撤其旧讲堂而新之，挟以两廊，门之右为藏书之室，其左为泉谷之府，庖厨、沐浴皆具焉，凡增七十五楹。”[②] 司马旦大规模扩建安州儒学，不但增设了藏书室，而且健全后勤设施，修筑通往儒学的道路。《安州重修学记》详细记载了四任知州一以贯之建设安州儒学的德政。经这些地方官员坚持不懈的建设，安州儒学成为鄂中最著名的学府，宋代安陆人才辈出，涌现出“四状元”及大量的著名学者，都得益于安州儒学的培育。

北宋末年，安陆由州升府后，德安府也很注重发展教育。南宋时期，宋、金对峙，安陆战略位置极为重要。虽然战事频仍，德安府仍然极为重视府学建设。《安陆县志补正》记载：德安府学“宋淳熙初，建于三皇台前”。清《安陆县志》记载：“古有郊、庠、序、塾之设，宋以

---

① （元）程钜夫:《雪楼集》卷一一，见影印文渊阁本《四库全书》第1202册，第143页。

② （宋）郑獬撰:《郧溪集》卷一五，见影印文渊阁本《四库全书》第1097册，第254页。

郡县皆立学校，安陆为郡治，故两学并建。元江汉先生长斯里，倡明正学，为一代大儒，从祀庙庭。”安陆能够走出赵复这样产生全国影响的知名大儒，可见南宋时期安陆教育事业之发达。

宋元之际，安陆饱经战乱摧残，学校凋敝，学风涣散。以赵复为首的理学家，怀揣忧国忧民思想，创立了一批书院，作为复兴理学、重塑文风的基地。

江汉书院在安陆县南文笔峰下，为赵复所创。《元史·赵复传》载：“（赵）复家江汉之上，以江汉自号，学者称之曰江汉先生。”[①]赵复兴办的书院便以“江汉”二字为名。自书院创立，赵复便多次在此布道讲学，传播程朱理学。据清代安陆人陈廷钧《赵子言行录》里《宋乡贡进士赵江汉先生事迹考略》知，“赵复为南宋乡贡进士，预廷试未及仕，以所闻濂洛关闽之学教授乡里。”[②]赵复没有出仕，返回故里以教书育人为业，既然是收徒讲学，自然需要场所，因此江汉书院应该建立于此时。晚年赵复也曾回到安陆，通过讲学传播一生理学心得经验，馈赠家乡学子，江汉书院自然是晚年赵复传播理学必不可少的平台。

在江汉书院传播理学思想的带动下，孝感地区学术氛围渐趋浓郁，士习风俗日渐淳厚，不仅培养了一批服膺理学的卫道者，而且造就了许多闻名遐迩的贤士大儒，如杨汝荣、何迁等，既惠及当世，又恩泽后世。对此，陈廷钧《安陆县志补正》卷下《风俗》对赵复给明清时期安陆带来的巨大影响评论说：“吾邑自元儒赵江汉先生倡明道学，有明一代，士大夫特重性理之传。如杨仁夫汝荣，按察使璋子也，受学于阳明王文成之门；何益之迁，璋婿也，受学于甘泉湛文庄之门；杨东涯琉，璋兄也，以躬行理学自任，郡人化之，与汝荣俱祀乡贤；琉之玄孙绍先，擢顺治壬辰进士，入翰林。家学源远，于此可征。”[③]

① （明）宋濂等：《元史》卷一八九《赵复传》，第4315页。

② 刘少峰：《孝感历代名人名官》，环球出版社2013年版，第55页。

③ （清）陈廷钧撰：《安陆县志补正》，成文出版社1970年版，第295页。

长庚书院，在安陆西白兆山下。长庚书院的建立与三个人关系颇深：一是唐代李白，二是元代江南湖北道肃政廉访使程钜夫，三是德安府通判李仲章。

相传李白曾蛰居安陆，在白兆山下读书。程钜夫《代白云山人送李耀州归白兆山建长庚书院序》载：“冯翊李君仲章为德安府判官时，予方家白云山中，君寻亦买田筑室于城西三十里白兆山之麓而居之，乃李太白题桃花岩处，相传太白尝读书于此。”[①] 因为有名人在此读书的历史传统和文化氛围，这才有了建立书院延续读书传统想法的萌芽。

元代著名文学家程钜夫是长庚书院建立的积极倡导者。他曾上书请求兴建国学，搜访江南隐士，并推荐了赵孟頫等二十余人。从其生平来看，程钜夫建议建立书院，其用意大概有二：一是通过书院教育培养后进，二是通过书院聚集隐逸贤士。

李仲章是长庚书院的实际建立者。李仲章，陕西冯翊（今陕西大荔县）人，元代杂剧作家。大德年间（1297—1307 年）被调至德安府任通判。其时，元朝重臣、同中书平章事察罕寓居德安府东白云山（今双峰山）养病。察罕喜结交文士，因此李仲章得以受知。李仲章此前曾在理学名家程颐父亲任职之地黄陂建河南书院。察罕鼓励他在李白游历之地白兆山建立书院以为教育场所。李仲章在察罕激励下，于白兆山西麓李白读书旧址，买田筑室，修建学舍；并割德安府应城良田 400 亩，以其收入作为长庚书院经费。该书院管理上独立，不隶属于有司，教学环境很好。书院建成后，消息传到大都，察罕非常高兴，让翰林学士承旨程钜夫撰文为记，延请诗文大手笔贯云石[②]、张养浩、赵孟頫等作诗相赠。

长庚书院建造完成后，李仲章又亲自聘请名师大儒来书院为学子讲课，长庚书院这才真正建立起来。中国古代将金星称为长庚星，又叫

---

① （元）程钜夫：《雪楼集》卷一五，见影印文渊阁本《四库全书》第 1202 册，第 201 页。

② 贯云石（1286—1324 年），元代第一位维吾尔族出身的翰林学士，著名散曲家。

启明星、太白金星、太白。金星有时在日出前出现在东方天空，是晨星，被称为“启明”；有时在日落后出现在西方天空，是昏星，被称为“长庚”。《诗·小雅·大东》载：“东有启明，西有长庚。”[①]李白，字太白，太白便是金星别称，金星又叫长庚。因此，书院以“长庚”二字命名，其发扬李白读书精神的用意不言自明。此外，“长庚”与“启明”都是金星别称，一个“起”得早，一个“睡”得晚，既可以勉励读书人起早贪黑，刻苦读书，又可以寓意书院通过教育启迪学子求经问学，攀登学术高峰。

从元代书院发展的大背景来看，地方书院逐渐走向官学化道路，朝廷先后为各地私学书院设置官员管理，书院学生考核合格可以擢拔为官吏。《元史·科举志一》记载：“其他先儒过化之地，名贤经行之所，与好事之家出钱粟赡学者，并立为书院。凡师儒之命于朝廷者，曰教授，路府上中州置之。命于礼部及行省及宣慰司者，曰学正、山长、学录、教谕，路州县及书院置之……凡路府州书院，设直学以掌钱谷，从郡守及宪府官试补……自京学及州县学以及书院，凡生徒之肄业于是者，守令举荐之，台宪考核之，或用为教官，或取为吏属，往往人材辈出矣。”[②]长庚书院的建立，发扬了先贤勤奋读书的精神，又为朝廷选拔官吏储备了人才，同时也奠定了孝感地区书院教育的良好风气。

七、潜江白鹤书院与石桥书院

宋元之际的潜江受战乱的摧残，书院凋敝，学风淡薄。直到在许衡学生，理学大家姚燧的倡导下，潜江可考的第一所书院，白鹤书院才建立起来。

姚燧（1238—1313 年），字端甫，号牧庵，河南洛阳（今河南洛阳）人，官至集贤大学士、翰林学士承旨。他死后被谥为“文恪”，又“从

① 周振甫译注：《诗经译注》，中华书局 2002 年版，第 331 页。

② （明）宋濂等：《元史》卷八一，第 3032 页。

祀孔子庙廷”，《元史》有传，可见绝非寻常之辈。《潜江县志》载姚燧“学有渊源”，他是元世祖忽必烈时期著名的汉人儒臣。

姚燧为人正直，经常上书抨击时弊，在担任湖北道提刑按察副使后不久，就因“妄议朝政”而被罢官。他在潜江建起一座藏书楼，平日在楼中读书，因白鹤在楼上筑巢，取名“白鹤楼”。《潜江县志》卷12记载姚燧“补山南湖北道，经游潜境，曰‘此地风淳俗厚，可以卜筑’，遂家焉，建藏书楼。日著述其间，有白鹤巢于上，因名其楼曰‘白鹤楼’”。由此可以推知，白鹤书院（城隍庙）旧址大概位置在县城城墙内西北边。

白鹤书院是潜江有史可考的最早书院。书院建成后，姚燧一边在楼中著书立说，一边传道授业，教诲学生，传播文化，使当时潜江学风焕然一新，也为后世潜江崇文重教的风气奠定了良好的基础。可以说，白鹤书院开元代潜江文教之先河，启元代潜江理学传播之新风气。该书院一直到明朝也是繁盛不减当年，明朝白鹤书院的教授孔克学曾题诗于此，追忆先贤，诗云：“集贤辞老向南州，万卷读书百尺楼。何处飞来双白鹤，结巢相与访林邱。”清代后期，白鹤书院再次重修。

在白鹤书院建成的四十多年后，又有一位潜江文人林士渊在潜江建了一所书院，名为石桥书院。终元朝一代，潜江本土入仕而有文字记载的仅有一人，那便是集贤学士林士渊。

《潜江县志》对林士渊有两处记载：一处是卷五“学校志、庙制、附书院”。在“书院”这一节，原文载：“石桥书院，在县治西龙渊市。元泰定间，学士林士渊建，久废。”另一处是在卷十三，记载“选举志上、荐辟、进士、举人、贡士”。在“进士题名”这一节，原文记载如下：“元进士，林士渊（旧志翰林学士）。”林士渊在“进士题名”处排列第二，排列第一名是宋朝的毕状元毕渐。

林士渊中进士，应该是在元延祐年间。因为《县志》记载他修石桥书院是“元泰定间”。元泰定帝在位只有四年多的时间，即“泰定间”是1324年至1327年。而古时候，凡朝廷命官，其在位时是不会回家做恩泽乡邑之事的。一是他无权调度朝廷的银两去为家乡谋福祉；二是即使当官有俸禄节余或灰色收入，也不愿去办有可能招惹是非的事。也就是说，林士渊修石桥书院，应该是他功成名就，告老荣归故里之后做的事。

元仁宗在位的延祐年间（1314—1320年），这个时期也是元朝最重视科举选用人才的时期。据史书记载，延祐元年，仁宗启用了齐履谦为国子监司业，他实行“升斋积分进士”之法，于是“人人励志，多文学之士”[①]。延祐二年，廷试，取进士五十六人，当年将乡试的举人安排了七十多人任了七品官，还有六十多名授了府、州教授、学正等。这离林士渊致仕而归相距十来年时间。而泰定年间，是元朝文治滑入低谷的一个时期。短短十几年间，朝政不稳，这对于各个地方的文教事业打击自然颇大。而泰定帝是一位汉化不太深的皇帝，自然也就不如前几位重视文教。虽然如此，而林士渊在这种背景下，还是毅然在潜江建立起了石桥书院。

白鹤书院和石桥书院的建立，发扬了先贤勤奋读书精神，也为国家储备了不少有用的人才，同时还为潜江地区书院教育奠定了良好的风气。

八、龙仁夫与问津书院

龙仁夫（1253—1335年）[②]，字观复，号麟洲，江西庐陵永新县人，宋末曾任湖广儒学副提举。他博究经史，精通《周易》之学。《元史》称仁夫“所著《周易集传》多发前儒之所未发”[③]。清人吴鼎著《十家易象集说》九十卷，收宋、元、明三代《易》学十家之说，其中元代收龙仁夫、吴澄、胡一桂三家，可见其成就极高。他的文学成就亦

① （明）宋濂等：《元史》卷一七二，第4030页。

② 此处龙仁夫生卒年，据李超《元代文学家龙仁夫考》一文的考证注明。参见李超：《元代文学家龙仁夫考》，《井冈山大学学报（社会科学版）》2010年第4期。

③ （明）宋濂等：《元史》卷一九〇，第4342页。

高，与同乡刘诜、刘岳申齐名，学者称他“麟洲先生”。

龙仁夫生于宋末战乱之中，从小读书，本想通过科举考试，以求仕进，宋朝灭亡，但他依然刻苦学习，就读于江西泰和既教馆。元至元二十三年（1286年），元世祖忽必烈为笼络汉族文人，令侍御程钜夫到江南访求人才。

龙仁夫潜心研究学问，元代延祐年间（1314—1320年），拒任元朝所授江浙儒学副提举之职，遂绝意仕途，侨居黄州阳逻（今武汉市新洲区阳逻）。龙仁夫在黄州孔子山麓孔子庙旁筑室讲学，并邀请江西名儒吴澄以及楚黄名士董敬中、吴应澍等往来会讲，首开此书院讲学之风，人称“龙仁夫书院”。万历年间黄州郡守王世德将孔庙与书院合建，并命名“问津书院”。自元、明至清的几百年间，问津书院屡经兵乱人祸而毁坏，但又因官民不断修复、重建而得以书声不断。可以说，问津讲学之风自龙仁夫始大开，龙仁夫起到了承先启后的作用[①]。清代翰林陈大章有诗赞曰：“往事麟洲迹久讹，讲堂犹系宋山河。凭将一掬西台泪，洒作千秋正气歌。”[②]这首诗既赞颂了龙仁夫对问津书院的贡献，也称赞了他的民族气节。

历史上，问津书院出现过几种不同的名称，如孔山书院、孔子书院、龙仁夫书院。万历《湖广总志》卷34中称孔山书院。另《古今图书集成》卷1177《黄州府学校考》中列出“问津书院，见古迹。孔子书院，龙仁夫建”。认为问津书院和孔子书院为两所书院。问津书院所在地为黄冈孔子山（现属武汉市新洲区管辖），相传孔子自陈蔡到楚地，在这里他令学生子路询问当地人何处有渡口。汉朝建孔庙供士人瞻仰孔子遗迹。宋末元初，龙仁夫于此地讲学，此地才为书院，后来把孔庙和书院合一，为问津书院。

---

① 李森林：《江黄学府——问津书院》，天马图书出版社2002年版，第23页。

② （清）陈大章：《王以三、邹甘叔过访出问津书院志略以次商酌怅然有感成十绝句》，见余文祥编注：《问津诗赋》，中国文史出版社2014年版，第70页。

自西汉刘安建孔庙及元初龙仁夫改建书院以来，历经二千多年，其间不乏风雨洗礼，但由于历代官府和乡绅的保护、重建，使孔庙书院千古不朽，至明清而成为全国著名的书院，培养了大量人才。

第三节 科举人才

一、从“破天荒”到科甲辈出

隋唐时期，荆楚学子在科举考试的成绩不算突出。清人徐松《登科记考》统计，唐朝有进士2000余人，但能考得姓名的人很少，就在这些人中又有很多籍贯不明。而有确切籍贯记载的唐代进士地域分布，以唐太宗贞观元年（627年）的十道划分为标准，地处黄河中下游的河南道和河北道，以及地处长江下游的江南道等三道进士人数最多，占全国总人数的60%以上。“唐代进士的分布状况，呈现出由政治中心向周边各地辐射的网状结构，政治中心成为进士数量较多的核心区域，而周围各地为其数量较少的稀疏区域，政治中心在人才选拔上的优势地位得到体现。”①

另据牟发松教授在《唐代长江中游的经济与社会》一书中统计，唐代荆楚地区进士及第者一共只有43人。其中襄州有13人，荆州有8人，鄂州有3人，邓州有15人，安州有2人，复州和陕州各有1人。这与中原地区存在着巨大的落差。他认为：“本区进士数量在不同地区不同时期的分布再一次表现出本区经济开发状况的某种契合。”②

科举考试最高级别为殿试，第一名称为“状元”。状元的称谓并非起源于唐代，而是起源于宋太祖开宝八年（975年）王嗣宗科，从此历代进士第一人正式称为状元。而相对于状元称谓出现更早的状头，宋代

---

① 吴宝树：《唐代进士群体研究》，曲阜师范大学2009年硕士学位论文，第2页。

② 牟发松：《唐代长江中游的经济与社会》，武汉大学出版社1989年版，第316页。

以后就成为状元的别称。在“万般皆下品，唯有读书高”的旧时代，倘若能在科举中拔得头筹，斩获状元称号，那便是考生所能取得的最大功名，是无上之光荣。然而千万考生能考中进士者已经是凤毛麟角，而能获得“状元”称号的，历史上也不过数百人。据统计，算上地方割据政权录取的状元和武状元，中国古代总共有 886 名状元，而其中能考出名或姓的状元，则只有 674 人[①]。

荆楚地区唯一的唐朝状元是杜陟。杜陟，襄州襄阳人，生卒年不详。唐文宗大和五年（831 年），他在科举考试中一鸣惊人，高中状元。主考官是中书舍人贾餗，同榜还有李远等人。此后，杜陟历官水部员外郎、度支郎、杭州刺史。但由于史料缺乏，其生平经历已经不可详考。

唐前期，荆州进士及第的人数较多，唐玄宗开元十七年（729 年），“荆州解童子萧同和并弟同□俱及第”[②]，还留下了兄弟同登第的佳话。此后 50 多年，荆州无人及第，直到唐宣宗大中四年（850 年），荆南应试的考生中终于有个叫刘蜕的考中了。当时，魏国公崔弦镇守荆南一带，得知刘蜕考中进士，便写信表示祝贺，并赠他 70 万“破天荒”钱。刘蜕不肯接受崔弦所赠之钱，在给崔弦的回信中，他写道：“五十年来，自是人废；一千里外，岂曰天荒。”[③]

自唐代安史之乱，中国的经济重心已从黄河流域转移到长江流域。当金兵攻击北宋时，北方人口大量南迁，使鄂州人口增加。不久，北宋亡，南宋在长江下游建都，鄂州又成为屏障京师临安的军事重镇，经济发展较快，成为当时中国的重要城市，长江中游的经济中心，也是北宋抗金的战略要地。至此，武昌不仅成为长江中游经济中心，军事重镇，而且成为湖广区域行政中心。鄂北地区成为抵抗金军南下的屏障，南宋政府调兵遣将，加强此地的防守，北方技术、文化注入鄂州，此地成为

① 周蜡生：《历代状元知多少》，《湖南大学学报（社会科学版）》2001 年第 3 期。

② （清）徐松：《登科记考》卷七《开元十七年》，中华书局 1984 年版，第 254 页。

③ （五代）王定保撰、阳羡生校点：《唐摭言》卷二，第 11 页。

鄂经济文化发展区。经济文化重心的转移，使黄州、武昌、荆州等江汉平原腹心地区一举成为宋代文化发达地区。

宋代文人、名士对荆楚文风以及教育影响十分深远。陆游《入蜀记》中写道，黄州原本“最僻陋少事”，经唐、宋的开发经营，“遂为名邦”。尤其宋代大文豪苏轼、黄庭坚、欧阳修、谢枋得等皆在黄州、鄂州、襄阳、随州、阳新等地谪居或寓居一段时间，他们游览地方名胜，吟咏江山胜景，褒贬古今人物，荆楚文人士子从学甚众。他们的诗文画作以及一言一行对地方都产生了重要影响。他们尊师重儒、勤奋好学的精神更是感染、激励了一代代荆楚学子。

二、安陆两状元：宋庠与郑獬

宋代安陆文风很盛，人才辈出，涌现出宋庠与郑獬两位状元。

宋仁宗天圣二年（1024 年），宋庠、宋祁二人同举进士。礼部把宋祁列为第一，宋庠列为第三。但章献太后认为，弟弟的排名不能高于哥哥，于是下令将宋庠排在第一，而将宋祁降为第十。因此说，宋庠是皇榜公告上的状元，宋祁实际也是状元。

宋庠及第后，先后任过襄州通判、谏院右正言、刑部员外郎、谏议大夫、集贤殿学士、检校太尉、司官等职，官至兵部侍郎同平章事。纵观宋庠的仕宦生涯，早期锐意进取，积极建言献策，但时常受挫，屡受贬罚，后期转变为儒雅谨慎，平淡无为。宋祁则先后任过复州军事推官、大理寺丞、太常博士、工部尚书、翰林学士、史馆修撰等职。总体上说，在仕途上，哥哥宋庠走得更为顺畅，地位更高，最后还成为宰相，而弟弟宋祁在文史及学术方面的成就则更加突出。两人交相辉映，流芳后世。

郑獬祖籍江西宁都县，因他的祖父郑建中往湖北安陆经商，寄籍安陆，因此《宋史·郑獬传》记载他为湖北安陆人。郑獬才华出众，从小学习认真刻苦。史书上说他“少负俊材，词章豪伟峭整，流辈莫敢望。”[①]

宋仁宗皇祐五年（1053年），郑獬时年31岁，赴汴京参加科举考试。因为在此前的一次考试中，国子监将其排在第五位，郑獬认为评卷不公，于是写了一篇《谢主司启》表示不满，其文曰：“李广事业，自谓无双；杜牧文章，止得第五。”又云：“骐骥已老，甘驽马以先之；巨鳌不灵，因顽石之在上。”国子监主司当然对此怀恨在心。宋人沈括《梦溪笔谈》记载：“他日廷策，主司复为考官，必欲黜落，以报其不逊。有试业似獬者，枉遭斥逐；既而发考卷，则獬乃第一人及第。”[②]意思是说，科举考试的时候，主司担任主考官，他一心想使郑獬落选，以报复其出言不逊。由于当时科举考试实行糊名制和誊录制，主司无法直接看到郑獬的卷子，竟然把另一份卷子误认为是郑獬所作，就故意把它排斥掉。后来拆封时，郑獬却中进士一甲第一名。可见，郑獬是阴差阳错但又名副其实的状元及第了。

郑獬中状元后，历官陈州通判，入直集贤院、度支判官、知制诰，负责编修起居注。他忠于职守，敢于直言。宋英宗即位后大修陵墓，工程浩大，劳民伤财。郑獬上疏，请求皇帝体恤民情，从俭营造。其文曰：“今国用空乏，近者赏军，已见横敛，富室嗟怨，流闻京师。先帝节俭爱民，盖出天性，凡服用器玩，极于朴陋，此天下所共知也。而山陵制度，乃欲效乾兴最盛之时，独不伤俭德乎？愿饬有司，损其名数。”[③]言辞十分恳切，对国家和民众也十分有利，可惜没有被宋英宗采纳。

宋神宗时，郑獬官至翰林学士，因为极言进谏，议论朝臣，得罪了不少人。他还反对王安石变法，为王安石所忌恨，被贬官为杭州知州，后改为青州知州，不久告病赋闲，回到故乡安州居住。在此期间，郑獬

① （元）脱脱等：《宋史》卷三二一《郑獬传》，第10417页。

② （宋）沈括撰、施适校点：《梦溪笔谈》卷九《人事一·欧阳修黜新文条》，第59页。

③ （元）脱脱等：《宋史》卷三二一《郑獬传》，第10417页。

与僧文莹等人来往密切，经常同游于山水之间，并作诗唱和。现安陆市白兆山白云泉留存较完整的摩崖题刻有三处，其中熙宁元年（1068年）一处为最早，文字为“郑獬、张侵、僧文莹同游。熙宁戊申九月六日。”他还写了一首《题僧文莹所居壁》：“西湖频送客，绿波舟楫轻。春入萝径静，浪花翻远晴。”① 其风格和意境不复早年“词章豪伟峭整”，而变得恬淡洒脱，颇有禅意。

郑獬著有《郧溪集》30卷和《觥记注》《幻云居诗稿》各一卷，并行于世。他为官清廉，去世的时候家贫子幼，灵柩停放在一座寺庙长达10余年，直到后来殿试同年滕甫担任安州知府时，才为之安葬。

三、三元及第的江夏冯京

冯京（1021—1094年），字当世，鄂州江夏（今湖北武昌）人。曾祖时南迁粤西之宜山龙水（今广西宜州市），至祖父时落籍江夏。宋仁宗皇祐元年（1049年）己丑科状元，为宋朝最后一位三元及第的状元。

冯京从小天资聪颖，思维敏捷，好学上进。宋人罗大经《鹤林玉露》乙编卷四《冯三元》记载了一个冯京下笔立就《偷狗赋》的故事：“（冯京）家贫甚，读书于潜山僧舍。僧有犬，京与共学者烹食之。僧诉之县，县令命作《偷狗赋》，援笔立成。警联云：‘团饭引来，喜掉续貂之尾；索绹牵去，惊回顾兔之头。’令击节，释之，延之上座。明年，遂作三元。”② 援笔立成，击节赞叹，充分显示了冯京的机智和才华。

在宋仁宗庆历八年（1048年）八月至皇祐元年（1049年）三月举行的乡试、会试、殿试中，冯京连中解元、会元、状元。宋人李心传《建炎以来朝野杂记》甲集卷十三《取士·国朝三元》称：“孙汉公（即孙何），淳化三年（992年）举进士，自开封至南省、廷试皆第一，前未有也。至咸平五年（1002年），王沂公（即王曾）青州（治今山东益

① （宋）郑獬撰：《郧溪集》卷二八，见影印文渊阁本《四库全书》第1097册，第365页。

② （南宋）罗大经：《鹤林玉露》乙编卷四，中华书局1983年版，第192页。

都)、南省、廷试皆第一。庆历二年(1042年)杨审贤(即杨寘),皇祐元年冯当世(即冯京),复皆第一。宋有国二百余年,为三元者止此四人耳。”[①]可见,冯京在解试、省试、殿试中均拔得头筹,不仅在当时很难得,即使在整个科举时代也属凤毛麟角。

冯京博得“两娶相家之女,三魁天下之儒”的雅誉,其“榜下择婿”“两娶相女”等趣闻逸事在民间流传较广。

另外,今天家喻户晓的一句俗语“错把冯京当马凉”就来自冯京的求学和赶考的经历。一次乡试,某主考官老眼昏花,把考生冯京的“冯”姓左边两点落到名字上去了,他大喊三声“马凉”,生员无一人应,从而留下“错把冯京作马凉”的笑话。“错把冯京当马凉”的意思就是张冠李戴,弄错了对象。

中状元后,他受将作监丞、通判荆南军府事。回京后,值集贤院,拜龙图阁待制。因岳父富弼当政,避嫌出知扬州,改知江宁府。以翰林侍读学士被召还京,纠察在京刑狱。因数月未去拜访丞相,被朝琦视为傲慢。富弼要其拜见韩琦,冯京道:“公(韩)为宰相,从官不妄造请,乃所以为公重,非傲也。”[②]后为翰林学士,知开封府,又出知太原府。

宋神宗即位,冯京复为翰林学士,改御史中丞。王安石为政,试行新法。冯京上疏万言,论其更张失当,被王安石指为邪说,欲予罢黜,但神宗认为冯京可用,反而任命冯京为枢密副使。熙宁四年(1071年),进为参知政事。冯京因郑侠妄言时政受牵连,被罢知亳州。

不久,执政吕惠卿与王安石发生摩擦,将王安石的密信呈与神宗,中有“勿令齐年知”语,“齐年”即指冯京。宋神宗以此知冯京无辜,召还知枢密院,冯京称病不去。宋神宗一日午睡后呼左右道:“适梦冯京入朝,甚慰人意。”乃赐冯京诏,中有“渴想仪刑,不忘梦寐”之

① (宋)李心传:《建炎以来朝野杂记》甲集卷一三,中华书局2000年版,第271、272页。

② (元)脱脱等:《宋史》卷三一七《冯京传》,第10339页。

语[1]。未几，以冯京为观文殿学士、知河阳府。

宋哲宗即位，任命冯京为保宁军节度使、知大名府，改镇彰德。司马光、范祖禹极力举荐冯京为枢密使，冯京以老为由辞却，哲宗乃以之为太一宫使兼侍讲，改宣徽南院使，以太子少师之职致仕。

绍圣元年（1094年），冯京因病去世，享年七十四岁。宋哲宗亲至其家祭奠，追赠司徒，谥号“文简”。并赐神道碑，题额为“基德”。冯京著有《灊山集》，可惜未留传于世。

冯京是北宋中期的一位十分重要政治人物。在他43年的仕途中，历任各地封疆大吏，除荆南、扬州、庐州（治今安徽合肥）、江宁府（治今江苏南京）、太原府、亳州（今属安徽）、渭州（治今甘肃平凉）、成都府、河阳（即今河南孟州）、青州（今属山东）、陈州（治今河南淮阳）等通都大邑而外，还包括东京开封府（今河南开封）、西京河南府（今河南洛阳）、北京大名府（治今河北大名）。冯京在朝廷中历任知制诰、翰林学士、权御史中丞等要职，特别是宋神宗时两次出任执政大臣，并且时间较长。熙宁、元丰年间，新旧党争十分激烈。在这种局势下，冯京的宦海生涯虽不是一帆风顺，但也没有大起大落。这是冯京与同时代的高官如王安石、司马光乃至吕惠卿、章惇、曾布、王珪、蔡确等人明显不同的地方。

四、新旧党争中产生的状元：潜江毕渐

潜江设县，始于北宋乾德三年（965年），设县一百二十九年后的绍圣元年（1094年），在哲宗朝新旧党争中产生了潜江历史上的一名状元，他的名字叫毕渐[2]。故甘鹏云在《潜江旧闻录》中说：“潜江设县，肇始赵宋，自乾德三年迄于祥兴蹈海，都三百十五年，其间人物仅毕渐

① （元）脱脱等：《宋史》卷三一七《冯京传》，第10340页。

② 本节由《潜江文化简史》第三章第一节“宋代状元毕渐”改写而成。见吴成国主编：《潜江文化简史》，湖北人民出版社2019年版，第68—76页。

一人。”[①]

毕渐，字之进，荆州潜江（今湖北潜江）人，生卒年不详。宋哲宗绍圣元年甲戌科状元。南宋人陈善的《扪虱新语》上集卷四记载：“人言毕状元眉目如画，诗词亦自清拔。”这表明毕渐容貌俊秀，且颇善诗词。《潜江县志》卷十五《人物志》也介绍说：“毕渐，字之进，潜江人，绍圣元年状元。为膳部员外郎，出知荆南府事，以文学致身，刚介自立。时人以其典乡郡，荣之。”这也体现了毕渐为人很正直，文学素养很高，当地人都以他为荣。

毕渐中状元那一年是北宋绍圣元年，在位的皇帝是宋哲宗。毕渐在参加殿试时，殿试的氛围是复杂而诡谲的。一方主张按“元祐”方略施政，也就是旧党那一派的做法，另一方主张按“熙丰”之法施政，也就是恢复到王安石时期的新政。即宫廷中的新党与旧党、改革派与保守派的争斗充满着火药味。面对皇帝的眼神，颇有才名，一路披荆斩棘而尚未入仕的毕渐，实在是圣意难揣，按常规应万分惶恐。面对新党与旧党之争谁能胜算，他实际上也不知所终，他可折中而应答，不求有功但求无过。但此时毕渐心无芥蒂，泰然处之，没顾及冒犯圣上的风险和党争的复杂，在殿试“策论”时，他没有“众所趋趋之，众所避避之，俯同流俗”[②]，而是从容对答，直抒己见，旗帜鲜明地支持变法，支持重启“熙丰”法。

面对殿试的策问，“毕渐对策曰：‘陛下，亦知有神宗皇帝乎！’既唱名第一。于是，绍述之论始兴。”[③]面对策问，毕渐毫不畏惧，冷静作答，开篇一句“陛下”便是先声夺人，而通过反问的作答方式，更是体现出了其对新法的支持。此外，宋人吕中的《宋大事记讲义·哲宗皇帝》记载说：“自毕渐之策一出，而绍述之议遂定。”[④]也就是说，经过

① 甘鹏云原著，吴勇点校：《潜江旧闻录》卷八，第15页。

② 甘鹏云原著，吴勇点校：《潜江旧闻录》卷八，第18页。

③ （宋）李心传：《建炎以来系年要录》卷九九，上海古籍出版社1992年版，第1628页。

④ （宋）吕中：《宋大事记讲义》卷二〇，见影印文渊阁本《四库全书》第686册，第384页。

这次殿试，有了以毕渐为首的这批新生支持变法，加一批变法的老臣，哲宗坚定了继承父皇遗志，重启“熙丰”变法的决心。可以说，毕渐廷试之“策论”一石激起了千层浪，而接着这次策论的契机，也让宋哲宗一锤定音决定重启“熙丰”变法。

从某种意义来说，毕渐的状元就是党争的产物。《皇朝编年备要》云：“赐毕渐以下及第出身有差。考官取答策者多主元祐，杨畏复考，专取主熙丰者，故渐为之首。”进士对策的时候，初试考官中元祐党人占了上风，把凡是主张沿用旧法的人列为最上等。后来礼部尚书杨畏主持复试，把那些“保守派”的考生全刷了下去，拔取毕渐作了头名状元。杨畏本身是个投机者，时人称之为“杨三变”，他这么做，自然也就是为了迎合上意了。从这点来看，毕渐能成为状元，也是有一定的偶然性。

毕渐很自然而又极正常的一番对策，却不自主地卷入了宋哲宗时期支持和反对变法最复杂而又激烈的党争旋涡之中了。经过这次殿试，毕渐也无形之中得罪了势力庞大的“元祐”党人。而南宋时期的官员，多把北宋的灭亡，归咎到王安石变法上，因而也对支持变法的旧臣多有责难。毕渐的这番应答，自然使“元祐”党人对毕渐不会有好感，因而对其评价也就不会太高。

毕渐成为状元后，作为科举考试的胜利者，其仕途也不像常人所想的那样，一帆风顺，官运亨通。《潜江旧闻录》一书中写道：“毕渐为襄阳幕僚在绍圣乙亥丙子年。”① 也就是说毕渐在绍圣元年虽然中了状元，但朝廷出乎意料地并没有马上重用他，而在绍圣二年至三年（1095—1096 年）期间将其安排在襄阳州府当幕僚。一般情况，凡中状元者，都会安排在翰林院任编修等职，授从六品官衔，这样就可以为以后入主中央做朝官奠定基础。而对毕渐的这种安排很可能是受到朝廷复杂的党争影响，或者说朝廷只需要毕渐这个状元支持变法罢了，他这个状元只是

① 甘鹏云原著，吴勇点校：《潜江旧闻录》卷八，第 18 页。

一个展现政治风向的标杆，至于他以后的仕途问题那就不重要了。

《潜江旧闻录》中记载：“《续池阳集》具载元祐党人之作，而渐序之。”[①]《续池阳集》收集的主要是元祐时期大文豪苏辙、苏轼等之作，而请毕渐作序，从中可说明，毕渐并非一个趋炎附势之人，从他当初策问时的回答来看，他应该被划分到新党那一派。从常理来看，他应该与苏轼、苏辙等旧党人士划清界限。但毕渐心里很清楚，人无完人，新旧党的那些文人都有可取之处，并非要完全打倒一批人。因此，他为《续池阳集》作序，也就是问心无愧。

毕渐还于元符二年（1099年）在潭州担任过通判。州通判是州郡的副职，这是一个比较重要也有一定权势的职位，主要掌管粮运、农田、水利和诉讼事。毕渐在这一任职上干了一件与前述为“元祐”党人诗集作序自相矛盾而又遭到非议的事。宋李焘《续资治通鉴长编》卷五百十五载“通判潭州毕渐言：‘请应元祐中诸路所立碑刻纪述等，并令碎毁。’”[②]这说的是宋哲宗皇帝年幼时，元祐年间高太后听政，高太后认为司马光、吕大防、范纯仁等一大批朝臣扶政有功，专门为他们立了一些记事碑和功德碑，史称“元祐碑”。宋哲宗亲政后，带着个人的好恶和情绪对反对变法的“元祐”党人进行了全面清算，或罢官，或流放。毕渐是主张变法的，但他在潭州通判岗位上推行“熙丰”法，仍遭遇“元祐”势力阻挠，因而上奏“毁元祐碑”，消除“元祐”影响的建议。

《潜江旧闻录》亦云：“毕渐言政主熙丰，学术尊元祐。”可见毕渐入仕处事一直处于“熙丰”与“元祐”两难中周旋，两难中做人，而又总是处于两难周全的纠结境地。汪应辰曾说毕渐一方面主张推行“熙丰”法，而上奏毁“元祐碑”，同时又为“元祐”党人的诗集作序，他在《文定集》卷十一中云“未必心以为是，使士大夫心口如一，岂复有

---

① 甘鹏云原著，吴勇点校：《潜江旧闻录》卷八，第16页。

② （宋）李焘：《续资治通鉴长编》卷五一五，第12247页。

纷纷之患哉！”即指责毕渐就是心口不一。但现在再看毕渐的所作所为，却又是明智而公正的。

实际上，元祐固多君子，然也不必尽君子。熙丰固多小人，然亦不必尽小人。但以元祐熙丰分是非邪正，似不尽然。“熙丰”“元祐”无论是执政策略，还是学术理论，并非有绝对意义上的邪正、错对、黑白明显的界限。历史证明当时的“熙丰”之法也有很多不完备之处，“元祐”之策也有很多积极可取的地方；同时，主张实施“熙丰”法者并非都是君子，坚持“元祐”之策也未必皆小人。他们中的代表人物司马光、蔡确、吕大防、苏辙、苏轼等，都是宋代的名臣，在政治上都颇有作为。政策上的争论，最后引发了朋党之争，朋党之争，更多的是私利之争。许多权臣，只是为了一己私利罢了，有些人更是投机倒把，如蔡京等人。

建中靖国元年（1101 年）十一月，邓洵武首创徽宗应绍述神宗之说，攻击左相韩忠彦并推荐蔡京为相，得到执政温益的支持，为徽宗所采纳。因此于同月末决定改明年为崇宁元年，明确宣示放弃调和政策，改为崇法熙宁变法。

到了崇宁二年，新皇帝宋徽宗可能终于想起曾经有一位才智过人的状元在殿试上支持过“熙丰变法”，一鸣惊人。宋梁克家《淳熙三山志》二十五秩官类提刑司官条下载：“毕渐，承议郎，崇宁二年六月初五日到任，四年五月初八日除膳部员外郎。”①

据此可知，毕渐在宋徽宗崇宁二年（1103 年）前是朝廷的承议郎（七品）。而作为状元，特别是作为受到宋哲宗赏识，并影响宋哲宗下决心重启“熙丰”的状元，在朝中奋斗了十年，还只是一个七品官。而这也再次说明毕渐并非阿谀奉承，逢场作戏，趋炎附势之“小人”，恰恰说明他“厉行正色，立朝亦必无愧古人”，并在这十年中练就了“刚介自立”的品格。

① 甘鹏云原著，吴勇点校：《潜江旧闻录》卷八，第 16 页。

宋徽宗崇宁的政治新风向也就给毕渐带来了好运，让他任福建路提典刑狱司，即负责一省刑狱、诉讼，监督州县等地方。任职两年后，崇宁四年（1105 年）毕渐离开提刑官岗位，擢升膳部员外郎。

此外，宋代翟汝文《忠惠集·太常少卿毕渐移鸿胪少卿制》记载："尔服在奉常，阅日滋久，司宾之雅，蔽自朕心。往其钦承，无忘励勉！可。"[①] 这段文字说明毕渐曾任职太常少卿、鸿胪少卿。以前人们只知道毕渐所任最高职务是膳部员外郎（从四品官职），而"膳部"是礼部的下设机构。"太常少卿""鸿胪少卿"分别是从四品、正四品，这是翰林学士、参知政事翟汝文代皇上起草的任命状。"可"，乃皇帝批示"可以"或"同意"，也就是说皇帝对毕渐的政绩还是很肯定的。这也同时说明毕渐实际上是一个尽职尽责之人，在这两个岗位上也做出了很突出的成绩，不然不会"蔽自朕心"。

毕渐什么时候"出知荆南府事"（即在荆州任知府），在任有何宦迹等无处考证。但康熙《潜江县志》、光绪《荆州府志》都分别记载有"渐卒于官"，也就是最后死于任上。康熙《潜江县志》卷八《风土志》还有其墓葬方位的记载："状元毕渐墓，在县西南八十里。"不过《荆州府志》卷七《古迹》却又说"毕状元墓，在城北二十里"。两种说法相互矛盾，因此，毕渐墓在何处至今还是个谜，有待于进一步研究和新的考古发现。

潜江有关于毕渐笔架山、毕家山的传说。清代光绪《潜江县志续·风土志》记载："毕家山在邑西沱埠院宋状元毕渐故居，后人垒土为之，表厥里遗意也。"该段记述言简意赅，明确说明是后人在毕渐故居垒土而成，目的是表示故里人对毕渐的纪念。由此来看，毕渐是一位令人敬仰的好官。

潜江还有状元坊、毕家楼、毕渐台，这是后人为了纪念毕渐而修，至明万历初毁于火，徒存其名。清康熙九年（1670 年），潜江知县王又

① （宋）翟汝文：《忠惠集》卷三，见影印文渊阁本《四库全书》第 1129 册，第 213 页。

旦把原状元坊，毕家楼旧址易名为“毕千米”[①]。光绪《荆州府志》卷七《古迹》曾记载“渐台（旧府志），在城东六十里昭王贞姜。渐台遗址，俗呼为毕渐者”，接着还录了元朝的杨维桢、明朝的李东阳凭吊“渐台”后各自留下的一首诗，这也说明毕渐在荆州知府这一岗位上工作是很出色的，不然人们不会在他死后为其筑“毕渐台”以作纪念。

第四节　农耕与水利

一、复合农业与秧马

隋唐两宋时期，荆楚地区的农业有了较大的发展，特别是安史之乱以后，北方人口大量涌入，带来了充足的劳动人手和先进的耕作技术，农业出现了一个飞跃。江汉平原，土壤肥沃，农业产量提高很快。《太平广记》记载了这样一个故事：晚唐时期，大臣韦宙善于治理产业，在江陵府有别业良田，产量很高，号为“膏腴”，出产的稻穗堆在地上，就像一座座小山。唐宣宗大中初年（847 年），韦宙改任岭南节度使，宣宗认为广州出产珍宝，告诫他不要贪婪。韦宙从容奏对说：“江陵庄积谷，尚有七千堆，固无所贪矣。”宣宗都不由感叹：“此所谓足谷翁也。”[②]可见荆楚农业到唐代有了较快的发展。

这个时期的荆楚农业不是单纯的粮食生产，而是具有荆楚特色的复合农业。“以稻麦循环复种为特色的第一层次，以桑麻种植平分秋色的第二层次，以水陆养殖和果木生产为辅的第三层次。由此形成了以粮食种植为主的多元复合。”[③]

复合农业模式充分利用水陆空间及其生物资源，体现了“天人合一”的生态观念。粮食、秸秆和蔬菜用以喂食牲畜或鱼类，牲畜的废弃

① 毛道海：《潜江风情录》，武汉出版社 1998 年版，第 45 页。

② （宋）李昉等编：《太平广记》卷四九九《韦宙》，第 4095 页。

③ 李文澜：《湖北通史 · 隋唐五代卷》，第 257、258 页。

物和养鱼的塘泥又是极好的农田肥料，如此形成良性循环。这样的循环实际上也是互为补充，互相促进，体现了多成分的有机结合，这正是多元复合农业的本质特征。

南宋时期，复合农业方式逐渐在荆楚大地发展起来。如宋孝宗淳熙年间时任鄂州知州罗愿发布的一篇劝农文反映了这一变化：

国有四民，各分一职。农次于士，盖尊稼穑。日出当作，日入乃息。用天分地，以足衣食。菖叶初生，于是始耕。务限既入，农事转急。禾当播种，乘雨接湿。高田大豆，榆荚为候。三月区处，油麻穄黍。时当警窃，图葺墙宇。蚕沙麦种，四月收贮。开渠决窦，以待暴雨。月建在午，秧苗入土。女工织作，三伏炎暑。七月芟草，烧治荒田。大麦小麦，上戊社前。禾欲上场，九月涂仓。缉绩布缕，十月多霜。冬至埋谷，预试五种。不宜者轻，宜者则重。腊月粪地，治碓雕桑。修治农器，向春则忙。四时之务，展转相寻。既有常产，当有常心。鸡豚兼蓄，枣栗成林。我念此州，土多冒占。纷纷划请，扰扰定验。雨泽空过，失天之时。生意不发，失地之脂。身力不出，枉堕四肢。于私无益，于官亦亏。耕既不深，难行根脉。耘既不勤，众草之宅。粪若不施，谷不精泽。收若不速，风雨狼藉。若能开垦，处处良田。若能灌溉，岁岁丰年。古来开亩，广尺深尺。长亩三条，于中种植。渐锄陇草，爬土亩中。苗根日深，耐旱与风。又有区种，与亩不同。方深六寸，种禾一丛。七寸一区，匀如棋局。区收三升，亩号百斛。用力既到，所收亦多。比之漫撒，效验如何。凡苗之长，全在粪壤。器欲巧便，牛须肥健。其或无牛，以人牵犁。彼此换工，惟在心齐。[①]

文中的务限是指务限法，乃是宋代的一种审判制度，规定在农忙季

① （宋）罗愿：《鄂州小集》卷一《鄂州劝农》，中华书局1985年版，第9、10页。

节禁止民事诉讼，以免影响生产。农历每年二月初一叫“入务”，即进入了农忙季节，农夫们开始播种禾苗，在高地套种大豆。农历三月，又开始种植桑麻，与粮食作物间作。夏粮收割以后，“七月芟草，烧治荒田。大麦小麦，上戊社前”，进行稻麦套种，充分利用地力。此外，与过去“漫撒”式粗放经营完全不同，开渠、除草、选种、施肥、深耕等多种耕作技术在鄂州推广开来，北方旱作区的丰产技术代田法与区田法也得到了较好运用，并强调了施肥与灌溉的重要性，“用力既到，所收亦多”。

值得一提的是，两宋时期，中国出现了一种新的农业工具——秧马。一种拔秧和插秧工具，“早在北宋时苏轼在湖北武昌见到秧马后，作《秧马歌》收于曾安止所写的《禾谱》中，并在江西、岭南、两浙等地宣传推广。”①苏轼所作《秧马歌并引》曰：

> 过庐陵，见宣德郎致仕曾君安止，出所作《禾谱》，文既温雅，事亦翔实，惜其有所缺，不谱农器也。予昔游武昌，见农夫皆骑秧马。以榆枣为腹，欲其滑；以楸桐为背，欲其轻；腹如小舟，昂其首尾；背如复瓦，以便两髀。雀跃于泥中，系束藁其首以缚秧，日行千畦。较之伛偻而作者，劳佚相绝矣！②

秧马的外形似小船，头尾翘起，背面像瓦，供一人骑坐其腹，以枣木或榆木制成，背部用楸木或桐木。操作者坐于船背，插秧则用右手将船头上放置的秧苗插入田中，然后以双脚使秧马向后逐渐挪动；拔秧则用双手将秧苗拔起，捆缚成匝，置于船后仓中，可提高功效及减轻劳动强度。荆楚先民发明的秧马不久就推广到江西、江苏、浙江、福建、广

① 周方高：《关于宋代湖南农业经济发展的几个问题》，《中国农史》2013 年第 4 期。

② （宋）苏轼著，张志烈、马德福、周裕锴校注：《苏轼全集校注》，河北人民出版社 2010 年版，第 7679 页。

东等地。元代以后，各种式样的秧船多从秧马演化而来。

二、捕鱼与水产养殖

渔业的悠久历史可追溯到原始人类的早期发展阶段。那时人类以采集植物和渔猎为生，鱼、贝等水产品是赖以生存的重要食物。随着农业和畜牧业的出现和发展，渔业在社会经济中的比重逐渐降低，但在江河湖泊流域地区，渔业在漫长的历史发展过程中始终占有程度不等的重要地位。与此同时，渔业生产的工具、技术和方法随着社会的发展而不断得到改进和提高。唐代的淡水捕捞很发达。内陆水域捕鱼已有专业渔民，诗人称之为“渔人”“渔父”“渔翁”。渔具则鱼叉、弓箭、钓具、网、簖、梁、笼都已具备。当时的钓具已很完备，有摇钓线的双轮，钩上置饵，钓线缚有浮子，可以在岸上或船上钓鱼。唐代渔法之多超过历代。如用木棒敲船发声以驱集鱼类，用毒药毒鱼或香饵诱鱼进行捕捞等。鸬鹚捕鱼也已出现。

湖北素有“千湖之省”的美称，著名的江汉湖群西起枝江，东迄大别山麓，北至应城、皂市，南接洞庭湖区的广大地区，大致分为河流遗迹湖、河间洼地湖、河流壅塞湖、河谷沉溺湖和河堤决口湖五种类型。由于湖泊数量繁多，水生高等植物生长茂盛，饵料充足，渔业资源十分丰富。南朝齐时期，荆楚地区就出现了河道养鱼。据《襄阳耆旧传》载，湖北襄阳岘山下汉水中所产鳊鱼肥美，以木栅拦河道养殖，禁人捕捞。刺史宋敬儿贡献齐帝，每日千尾，可见鳊鱼产量不小。唐宋时期，荆楚渔业养殖有进一步发展，开始人工养殖武昌鱼，武昌鱼这才飞入寻常百姓家。

宋代襄州地区的捕鱼业很发达。北宋曾任襄州知州的刘邠描写了襄州渔户捕鱼的情景：“清濠环城四十里，蒹葭苍苍天接水。使君褰帷乘大舸，观鱼今从北阙起。开门渔师百舟入，大罟密罾云雾集。小鱼一举以千数，赤鲤强梁犹百十。浊醪赏功倾瓦壶，公言锡爵争欢呼。余人不及色沮丧，数奇天幸相贤愚。浓云吹雨寒萧散，置酒移船泊前岸。暴殄天物古所矜，谁道于今为壮观。”[①]这是一次由襄州官府组织的捕鱼竞赛，渔船竟有上百艘之多，渔网也多得如云雾样密集，场面的紧张与热烈溢于诗文的字里行间。官府举办这样大场面的捕鱼竞赛，一定是基于发达和普及的渔业。虽然是一次娱乐活动，但从中也可见官府对当地渔业的重视。

唐朝时，荆楚先民还开始利用动物捕鱼和进行人工养鱼。唐人段成式《酉阳杂俎》记载：“元和末，均州郧乡县有百姓，年七十，养獭十余头，捕鱼为业，隔日一放。将放时，先闭于深沟斗门内令饥，然后放之。无网罟之劳，而获利相若。老人抵掌呼之，群獭皆至，缘衿藉膝，驯若守狗。”[②]獭即指水獭，这里记载的是唐代郧乡县（今十堰市郧阳区）某渔夫养水獭帮助捕鱼的情况。此外还有用鸬鹚（鱼鹰）捕鱼的。《夔州图经》就曾记载三峡一带农户用鸬鹚捕鱼的史实，并称鸬鹚为乌鬼。

不仅鄂西郧州、夔州广为捕鱼，鄂东一带也颇为不少，“洪、鄂之水居颇多，与邑殆相半”[③]，今蕲春一带也是“实多渔猎人”[④]。宋代还流行买家自捕的交易方式，“每岁冬月采鱼，湖主不得自采，皆是荆襄、淮西、江东、湖南诸处客人驾船载网前来湖主家，结立文约，采取鱼利而与湖主均分之”[⑤]。

江汉平原出产著名的武昌鱼。武昌鱼学名团头鲂，是鳊鱼的一种，体型平扁，肉质鲜美。樊口是今武汉市江夏区和鄂州市境内的梁子湖与长江的连通口，江水可以由此倒灌进入梁子湖。湖内水质良好，水草丰富，适合武昌鱼的繁衍生息。唐宋时期，武昌鱼作为荆楚美食的代表名扬天下。唐代诗人岑参作《送费子归武昌》云：“汉阳归客悲秋草，旅

---

① （宋）刘邠：《彭城集》卷八《观鱼》，中华书局 1985 年版，第 94 页。

② （唐）段成式：《酉阳杂俎》前集卷五《诡习》，第 30 页。

③ （唐）李肇：《唐国史补》卷下，第 62 页。

④ （唐）崔颢：《赠怀一上人》，见（清）彭定求等编：《全唐诗》卷一三〇，第 1322 页。

⑤ （宋）黄榦：《勉斋集》卷二八，见影印文渊阁本《四库全书》第 1168 册，第 306 页。

舍叶飞愁不扫。秋来倍忆武昌鱼，梦著只在巴陵道。”[①]宋代诗人范成大亦有《鄂州南楼》一诗云：“谁将玉笛弄中秋？黄鹤归来识旧游。汉树有情横北渚，蜀江无语抱南楼。烛天灯火三更市，摇月旌旗万里舟。却笑鲈乡垂钓手，武昌鱼好便淹留。”[②]

三、长渠与木渠

宋元时期是湖北水利发展史上重要的时期，无论是工程数量、质量，还是工程技术成就，都是秦汉、隋唐时期所无法比拟的。这一时期的水利工程以襄沔两平原长渠、木渠为中心的渠系配套工程成就最大。渠系配套工程与陂塘相连，沟洫密布，形成了灌溉农田数千顷的灌溉网络。堰塘平时蓄储水源，农田需要灌溉之时堰塘蓄积的水通过渠道流入农田，这样可以以丰补歉，对水资源在地区分布和时间分配上很好地加以调节，增大了水资源的利用程度，起到增加灌溉面积和提高灌溉效率的作用，充分地发挥了灌区灌溉的最大效益。

长渠始建于公元前279年，比四川都江堰早23年，比关中地区的郑国渠早33年，是中国现存历史最悠久的引水工程之一。唐代的梁崇义主持整修治理长渠，是目前有史记载整治长渠最早的人。他任山南东道节度使驻守襄阳时，主持治理长渠，并在武安镇武安堰旁修建白马庙，供奉白起塑像。宋代多次对长渠维修整治，北宋有2次，南宋达3次。北宋时期第一次整修是在宋至和二年（1055年），襄州宜城县令孙永（字曼叔），对年久淤塞的长渠进行疏治。宋熙宁六年（1073年），“唐宋八大家”之一的曾巩担任襄州知州。他巡视长渠灌区时有感于“使并渠之民足食而甘饮，其余粟散于四方”，遂为孙永主持修治长渠一事补写了《襄州宜城县长渠记》。该文云：“理渠之坏塞，而去其浅隘，遂完故碣，使还渠中。自二月丙午始作，三月癸未而毕。田之受渠水者

① （唐）岑参：《送费子归武昌》，见（清）彭定求等编：《全唐诗》卷一九九，第2054页。

② （宋）范成大：《石湖诗集》卷一九，见影印文渊阁本《四库全书》第1159册，第742页。

皆复其旧。”[①] 这次整治长渠成效斐然，用时一个多月就恢复了灌区的灌溉效益。孙永还制定了一整套完善的蓄水、放水、月水的管理制度，减少了水事纠纷，深得百姓拥护。

北宋时期第二次修整是英宗治平三年（1066 年），襄州宜城县令朱纮主持复修长渠，并将木渠与长渠相连，形成一个完整的灌溉系统，溉田 6000 余顷，折合今 42 万亩，效益凸显。并任开封知府的湖北同乡郑獬慕名前来参观学习，目睹木渠与长渠贯通发挥的巨大灌溉效益，赋诗一首：“木渠远自西山来，下溉万顷民间田，谁谓一石泥数斗？直是万顷黄金钱。去年出谷借牛耕，今年买牛车连连。须知人力夺造化，膏雨不如山下泉。雷公不用苦震怒，且放乖龙闲处眠。安得木渠通万里，坐令四海成丰年。”[②]

南宋初年，襄宜地区成为宋金交战的战场，长渠和木渠也随之湮废。绍兴三十二年（1162 年），参知政事汪澈督视荆襄，上书奏请修整长渠。《宋史》记载：“请因古长渠筑堰，募闲民，汰冗卒杂耕，为度三十八屯，给种与牛，授庐舍，岁可登谷七十余万斛。”[③] 宋孝宗乾道九年（1173 年）和宋淳熙十年（1183 年），南宋政权又组织了两次规模比较小的维修工程。

木渠始建于后汉，位于今湖北襄阳、宜城间，是一条与长渠齐名的重要灌溉渠道。“今存水道，仅下游宜城县境还有一部分，旧有灌溉渠及其地位，已为现代长渠和一些新修水库所取代。”[④]

两宋时期，木渠所在的南漳、宜城二县属于京西南路的襄阳府管辖。经过多次整修和扩展，以木渠为主干，襄沔平原上的各条河流、渠道与陂塘相互连接，形成了渠网密布的灌溉网络。北宋中叶，宜城县令孙宋永和朱纮等多次大举整修木渠。由于在修复工程中，尽量让木渠同

① （宋）曾巩：《曾巩集》卷一九，中华书局 1984 年版，第 310 页。

② （宋）郑獬：《郧溪集》卷二六，见影印文渊阁本《四库全书》第 1097 册，第 345 页。

③ （元）脱脱等：《宋史》卷三八四《汪澈传》，第 11815 页。

④ 石泉、王克陵：《宋元木渠考》，《农业考古》1984 年第 2 期。

沿途的陂塘相连，“通旧陂四十九，渺然相属，如联鉴，高蓄下泄”，极大地提高了灌溉效益和抗灾能力。两宋时期对木渠的不断重修和维修，使原来“穷力而之耨，不得篙苗而只得稗穗”的瘠田，一变而为禾稼“皆秀而并实也”之地，收获量大为提高，“刈熟之田，囷广莫容，则秀而为露积”，抗灾能力也有所增强，“至于岁大旱，赤地焚裂而如故，则木渠之田尤丰年也”[①]。

宋神宗熙宁初年（1068—1070 年），襄州知州史炤在任时，动员六县民夫自备物料，维修木渠，浇溉水田 1800 余顷，农民获利。南宋高宗绍兴七年（1137 年）和绍兴三十二年（1162 年），南宋孝宗乾道二年（1166 年）、乾道九年（1173 年）、淳熙十年（1183 年）至淳熙十一年（1184 年），当地官员多次组织大规模维修木渠，成效显著。绍兴年间的整修工程由湖北、京西两路的转运判官李权和姚岳共同主持，用工 2 万人。乾道年间，则由权京西路转运判官吴仰提议，由岳州都统制司、京西安抚转运司和襄阳府共同负责兴修。灌溉面积又扩大到 1 万余顷，其中“大约长渠溉田七千顷，木渠溉田三千顷，其间陂池灌浸，脉路交通，土皆膏腴”[②]。襄沔平原因此能在北宋中叶成为著名粮仓，南宋后期能够长期支撑抗击蒙古的战争，以长、木二渠为主干的灌区水利建设的确起过极为重要的作用。

第五节　冶金与火器

一、大兴炉冶与煤铁革命

手工业生产在中国古代经济生活中的地位十分重要，仅次于农业。隋唐两宋时期，荆楚地区手工业的发展是在农业与冶铸业快速发展基础

---

① （清）徐松:《宋会要辑稿》卷一七五四〇《食货六十一之九十七》，中华书局 1957 年版，第 5922 页。

② （清）徐松:《宋会要辑稿》卷一七五四〇《食货六十一之一一六》，第 5931 页。

上取得的。隋、唐两代在鄂州（今黄石市大冶市铁山）设十炉冶铜铸钱，杨吴在永兴县（今阳新县）设立盐铁及矿冶专门机构青山场院。兰个世纪后，南唐以青山场院为基础建立大冶县。这说明湖北黄石地区的铜矿采炼在整个隋唐五代时期占有十分重要的地位。

隋文帝开皇十八年（598 年），因为江南民间钱少，诏晋王杨广听于鄂州白纻山“置十炉铸钱”[①]。“鄂州白纻山”，就是今鄂州市白雉山，这里紧邻今黄石市铁山区，历史上曾经隶属大冶县，“雉山烟雨”曾是“大冶八景”之一。有论者认为，白雉山实际无矿，所说“鄂州白纻山”实指今铁山区铁门槛矿山。杨广在白雉山设十炉冶铜铸钱，应该就设在铁山铁门槛[②]。

唐代韩仲卿也曾在武昌“大冶鼓铸”。韩仲卿是韩愈的父亲，任武昌县令兼代理永兴县令时，很有政绩，使“二邑大化”。韩仲卿离任时，继任县令王庭璘及地方贤人为纪念韩仲卿功德、颂扬其美政，特请李白为之作《武昌宰韩君去思颂碑》，该碑文特别提到韩仲卿在任上采炼冶铸盛况：“铜铁曾青，不择地而出，大冶鼓铸，如天降神。既烹且烁，数盈万亿，公私其赖之。”[③]“铜铁曾青”中的“曾青”，指天然硫酸铜；《新唐书·地理志五》载，鄂州江夏郡所领永兴县（今阳新县）“有铜有铁”，武昌县“有银有铜有铁”，[④]李白所言既有文献佐证，又有唐代铜矿采矿遗址的证明。[⑤]此时大冶尚未建县，“大冶鼓铸”之“大冶”不是地名，而是形容冶炼规模的宏大，而“数赢万亿”则说明因冶炼而获利巨大。

北宋以铁产量的激增和灌钢法的推广为标志，“迎来了我国冶铁铸

① （唐）魏徵等：《隋书》卷二四《食货志》，第 692 页。

② 马景源：《杨广铁山设炉铸钱币》，《黄石日报》2010 年 6 月 25 日。

③ （唐）李白：《武昌宰韩君去思颂碑》，见（清）董诰等编：《全唐文》卷三五〇，第 3549 页。

④ （宋）欧阳修、宋祁：《新唐书》卷四一《地理志五》，第 1063—1069 页。

⑤ 周永胜、程国强主编：《中国矿冶历史文化名城——黄石》，湖北人民出版社 2010 年版，第 91 页。

造业的第二个重大变革时期”[①]。这个变革是由煤的规模开采和工业利用所激发的。我国先民虽然早在汉代就认识到煤的燃烧功能并曾用于炼铁，但正式进入规模开采和用作工业能源则在北宋。

北宋煤炭采掘业的兴起和这种新型能源的工业利用，对当时的冶金生产极富意义。一是缓解了传统柴炭燃料短缺的矛盾，提高了铁的产量；二是因炉温和冶炼效率的提高而推动了铸造技术的变革和各类工具的进步。据《宋史·食货志·坑冶》和《文献通考·征榷五》所载，宋代铁课在英宗治平年间（1064—1067年）达到最高点，为824万余斤，相当于唐宣宗元和初年（806年）207万斤的4倍。日本学者吉田光邦估计，宋代铁的年产量当在3.5万—4万吨。美国学者郝若贝（Robert Hartwall）估计更为大胆，他说北宋中叶年产300万缗铁钱，即需2.9万吨铁，仅此一项即相当于18世纪初法国全部产量的四分之三；到1078年，每年约生产7.5万吨到15万吨。这个数字是1640年英格兰和威尔士产量（3万吨）的2.5倍到5倍，并且可与18世纪初整个欧洲（包括俄国的欧洲部分）的总产量14.5万吨至18万吨相比拟。与此同时，有色金属产量亦急剧增加，据宋史学者葛金芳推算：“神宗元丰年间（11世纪70、80年代）仅铜（3.33万吨）、铅（2.1万吨）、锡（0.52万吨）三项合计即近6万吨，相当于铁产量的三分之一。”[②]总而言之，新型能源的利用，钢铁产量的激增，冶铁技术的提高，特别是灌钢法的推广，以及作为这一切之必然结果的农具和各类工具之熟铁钢刃化等，这些就是宋代煤铁革命的重要内容。

鄂州产铁，鄂州的武昌大冶县在唐时就有场院，五代十国时期有所发展。唐天祐二年（905年），吴王杨行密令武昌节度使秦裴在武昌郡永兴县置青山场院，采矿冶炼，大兴炉冶。北宋乾德五年（967年），李煜为南唐国主时，析武昌县三乡，与青山场院合并新设一县，定名为大冶

① 杨宽：《我国历史上铁农具的改革和使用》，《历史研究》1980年第5期。

② 葛金芳：《宋辽夏金经济研析》，武汉出版社1992年版，第42页。

县。从此大冶县成为重要产铁区。吴武昌节度使秦裴“在治七年，积军储二十万，开青山大冶，公家仰足”[①]。

今人对冶炼遗址炉渣的研究，让人们对荆楚先民的冶炼成就有了新的认识。北京科技大学冶金与材料史研究所专家曾经对鄂州市 16 处遗址 47 枚炉渣运用 SEM—EDS 方法进行科学研究，结果表明：“这批炉渣分为两大类，第一大类与冶铜有关，其中何垴湾遗址发现锡青铜冶炼迹象。第二大类与冶铁有关，又可分为 3 个亚类。Ⅰ类为块炼铁渣，宋明时期遗址上出现该类渣反映了传统技术的延续，其技术水平要比广西贵港地区汉至六朝时期的块炼铁技术高。Ⅱ类炉渣相应的冶金活动与生铁的熔化铸造有关。Ⅲ类为生铁冶炼渣。”[②] 在 16 处遗址中，铁屎墩遗址年代为六朝，猴子山遗址、铁铺咀、谈家咀遗址为宋代。根据田野考察初步确认，出现块炼铁炉渣的遗址多数属于宋明时期，少量遗址属于清代。这表明宋代以来鄂州存在较多的块炼铁冶炼活动。鄂州地区宋以来的块炼铁技术所排出的相对富硅的块炼铁渣，显示其技术水平要比汉至六朝时期贵港地区块炼铁技术更为进步。

二、宋代规模最大的铸造作坊：蕲春监

湖北东部地区铜、铁、锡等矿产蕴藏丰富，历代矿冶业较为发达。宋代曾设置多处铸造铜钱或铁钱的钱监。如北宋时期有鄂州宝泉监、兴国军富民监和施州广积监等；南宋时期有蕲州蕲春监、黄州齐安监、兴国军富民监、汉阳军汉阳监以及施州广积监等。其中，蕲春监铸期长，铸量多，铸钱流通广，对南宋时期经济贸易的发展，有着重要影响。

蕲州属淮南西路，下辖蕲春、蕲水、广济、黄梅及罗田五县，州治在今湖北省蕲春县境内。北宋时期，蕲州就因为有铁矿资源而设有

① （宋）路振撰，吴在庆、吴嘉骐校点：《九国志》卷一《秦裴传》，见傅璇琮等主编：《五代史书汇编》第六册，杭州出版社 2004 年版，第 3227 页。

② 崔春鹏、李延祥、陈树祥、席奇峰等：《湖北鄂州古代冶炼遗物初步分析》，《江汉考古》2015 年第 3 期。

回岚、瓷窑两处冶炼场，是当时全国十二处冶铁场之一。《宋史》卷一八〇《食货志下二》记载南宋孝宗乾道六年（1170年），“先是，以和州旧有钱监，舒州山口镇亦有古盐，诏司农丞许子中往淮西措置。于是（许）子中以舒、蕲、黄皆产铁，请各置监，且铸折二钱。以发运司通领四监。（许）子中所领三监，岁各认三十万贯，其大小铁钱，令两淮通行。七年，舒、蕲守臣皆以铸钱增羡迁官，然淮民为之大扰。”[①]《宋史》卷三四《孝宗纪二》亦载乾道六年“六月癸酉，置蕲州蕲春监，黄州齐安监，铸铁钱”。可见，蕲州蕲春监设于南宋孝宗乾道六年，铸折二钱，初定年铸额为三十万贯，主要供应两淮地区。由于蕲春监筑钱效率高，产量大，蕲州知州也因此在次年就得到升迁。

宋代蕲口镇在今蕲州镇北部，而蕲春监所在地则在昭化寺周边地区。蕲春监所在地蕲州，位于蕲水河汇入长江的入口处，古称“挂口”，依山面江，周围均是湖区，冶铸所需水资源极为丰富；由于濒临长江，又有水运之利，便于运输冶铸所需的铁矿、木炭等物质，又方便运出铸好的铁钱。蕲春监地处长江水道，所铸铁钱，沿长江而下，途经江州（今九江）、贵池、太平州（今当涂）、建康府（今南京）、镇江府（今镇江），然后又经大运河至扬州，最后抵达高邮。这些铁钱全凭木船运输，输送大量铁钱至高邮的目的是以铁钱交换江北的铜钱，同时还以江南的会子交换江北的铜钱，然后再将逐年得到的铜钱输送至镇江府库。在蕲口镇设立钱监具有得天独厚的自然地理优势。

蕲春监位于宋代蕲口镇（今蕲春县蕲州镇北）。根据考古发掘，蕲春监“遗址近方形，地面较为平整，现为种植旱作物的耕地，地表即可采集到炼渣及木炭。东西宽约600米，南北长约800米，总面积约5000平方米。文化层厚度4—5米。在200余米范围内，出土了炭屑、炉渣、烧结铁矿石、栗炭等冶铸遗物，还夹杂有少量的铁条（铁条大多呈直条

① （元）脱脱等：《宋史》卷一八〇，第4397页。

形和Y形）、残次铁钱等。”[①] 在蕲春监遗址采集的遗物主要特征有：一是残次品铁钱与炉渣长期堆埋在一起；二是出土的铁钱都没有流通使用的痕迹，有的甚至与翻砂铸造的直浇道铁条连在一起，成为“钱树”；三是伴随出土大量的吉州窑系黑釉瓷盏的残片。可分为冶铸遗物与生活用具两类。冶铸遗物，有炉渣、铁矿石、铸钱坩埚、残次品铁钱、铁钱铸造连接件、生铁块、木炭、陶瓷片等遗物。生活用具主要为陶瓷器残片。器形有碗、碟、壶、盘、盏等，窑系主要为景德镇湖田窑、吉州窑等，其中吉州窑的虎皮斑釉盏、兔毫盏、木叶贴花纹盏等“斗茶”陶瓷器居多。

铁矿资源和冶铁场为南宋时期设立的铁钱监奠定了物质和技术基础。蕲州境内有多处古代冶铁遗迹，有彭思镇凤凰村汉代矿冶遗址、田河乡马骑畈村染铺湾遗址、苏圩乡长林岗村百家冶山遗址等。其中百家冶山遗址位于蕲州镇东15千米处，现存面积约500平方米，发现有建筑遗迹及铁器残片等。考古人员还在蕲州镇长江上游邻近的浠水县（宋代隶属蕲州蕲水县）巴驿镇泉塘村发现古代铁器铸造作坊遗址群，发掘出宋代铸造作坊遗址群，共有5个车间，最大的面积有1万多平方米，出土了大批铁釜、瓷碗、瓷碟等器物，其中90%以上是铸造铁器用的构件“范片”。[②] 它是我国迄今为止发现的最大的宋代官府管理的铸造作坊遗址群。

淳熙五年（1178年），蕲春监增铸五万贯，年铸一十五万贯。光宗绍熙二年（1191年），减为年铸十万贯，铸钱种类增为小平钱，折二钱，折三钱三种，背面铸有“春字”，系蕲春钱监名。宋宁宗嘉泰三年（1203年），停止鼓铸。宋宁宗开禧元年（1205年）六月，蕲春监再次开铸。宋宁宗嘉定三年（1210年），同安监裁撤并入湖北蕲春监。宋理宗宝庆二年（1226年）停铸，宝庆三年（1227年）复铸。绍定六年

① 李一清：《南宋蕲春监的设立条件及其经济意义》，《黄冈职业技术学院学报》2018年第1期。
② 蔡军等：《湖北浠水泉塘铁器铸造遗址群窑家湾遗址发掘简报》，《江汉考古》2011年S1期。

（1233年）停铸，南宋理宗端平元年（1234年），金亡于蒙古。不久，蒙军将进攻矛头对准南宋，江淮一带成为宋蒙争夺的主战场。在这种形势之下，地处淮南西路的蕲春监受其影响，无法继续鼓铸，以后就未见有铁钱实物和记录。

蕲州蕲春监铸铁钱，前后长达60多年，先后铸有乾道元宝、淳熙元宝、淳熙通宝、绍熙通宝、庆元通宝、嘉泰元宝、嘉泰通宝、开禧通宝、嘉定通宝、大宋元宝、绍定通宝、端平通宝等多种铁钱。加上钱文书体、读法、币值、纪年的不同，蕲春监所铸铁钱的品种、版别更多。

三、世界上最早的管形火器

我国是世界上最早发明火药的国家。古代能工巧匠率先创制出爆炸性的火器、管形火器和火箭，正如李约瑟所说："从最早发现火药配方到射出与内膛口径吻合的弹丸的金属管状枪的完善，这整个过程在中国演进时，其他民族对此还一无所知。"① 中国火药、火器的发明与应用无疑对整个人类文明进程产生了极其深远的影响。

火药的发明是在唐代，但它最终得以发展和发挥威力则在宋朝。在唐朝时，火药武器只是利用它能燃烧的特点来使用的。到了宋朝，火药武器已充分利用其爆炸力了。宋仁宗时，曾公亮撰有《武经总要》一书，对火药武器的名称、用法和配方都作了详细的记载，包括火药箭、毒药烟球、蒺藜火球、霹雳火球等。不过，这些火球与火药箭等燃烧性火器，仍然存在使用不便和战斗作用的局限。它们大多需要借助射远的弓弩和重型的抛石机等冷兵器才能发挥战斗作用。因此，南宋初期的火器研制家与统兵将领合作，"一面在改进火球、火药箭的性能上下功夫，增强其毁杀威力；另一面又在研制新型火器上作努力，使它们既能摆脱

---

① （英）李约瑟著、刘晓燕等译：《中国科学技术史》第五卷第七分册《军事技术：火药的史诗》，科学出版社、上海古籍出版社2005年版，第7页。

对弓弩和抛石机的依赖，又能扩大其使用范围”[1]。

到南宋时，时任安陆知县的陈规在荆楚大地创制出世界上最早的管形火器——长竹竿火枪。这是中国火器史的历史性转折点，它加速了火器时代的到来。

陈规（1072—1141 年），字元则，密州安丘（今属山东）人。早年熟读兵书，靖康元年（1126 年），以通直郎知德安府安陆县事。当时，金兵南侵，进攻汴京，时局动荡，盗匪横行。陈规到任后加强城防，把安陆城原来的一墙一壕扩建为三墙两壕，增加了城郭的防御层次和纵深，从而能够更加有效地防御攻城抛石机的打击。

从北宋徽宗靖康元年到南宋高宗绍兴二年（1132 年），有一股被金军战败转而为盗的乱军九次进犯德安，陈规率军一一将其击退。当时中原州郡全部陷于金军之手，唯有德安城仍固守在宋军之手，巍然不动，陈规厥功至伟。

陈规改造和创制了各种新型守城兵器。他选用坚实的木头，聘请高明的木匠，制成各种抛石机，并把这些抛石机从城墙上改置于城内的有利阵位处，由城上士兵导引抛射，准确命中攻城敌军，使抛石机在守城战中发挥了重要作用。陈规还亲自组织军事技术人员，利用火炮药制成长竹竿火枪 20 余支，由 60 人组成长竹竿火枪队，同捆绑干竹、柴草的 300 头火牛配合，在绍兴二年八月，击退了乱军用大型攻城掩体“天桥”对安陆城的进攻。史书对此事记载说：“李横围城，造天桥，填濠，鼓噪临城。规帅军民御之，炮伤足，神色不变，围急粮尽，出家财劳军，士气益振。横遣人来，愿得妓女罢军，规不许。诸将曰：‘围城七十日矣，以一妇活一城，不亦可乎。’规竟不予。会濠桥陷，规以六十人持火枪自西门出，焚天桥，以火牛助之，须臾皆尽，横拔寨去。”[2]陈规在此战中创制的火枪，是世界上最早的管形火器。陈规本人也被史家誉为

① 王兆春：《中国火器史》，军事科学出版社 1991 年版，第 26 页。

② （元）脱脱等：《宋史》卷三七七《陈规传》，第 11643 页。

现代管形火器的鼻祖。

长竹杆火枪的形制构造如何，史书并没有记载。从现有史料可知，长竹杆枪的枪身较粗长，须三人使用一支，一人持枪，一人点放，一人辅助。枪内装填的火炮药，应比《武经总要》所记载的火药燃速快，火力大。由于枪身粗长，装药多，所以能对准目标，持续进行较长时间的集中喷焰，既能很快使目标着燃，又可使喷焰迅速蔓延，所以能在其他火攻方式配合下，将大型天桥烧毁。这种用竹管制成的火枪，就是最早出现的管形火器。由于竹制筒状火器会因火药的燃烧与爆炸而导致筒管炸裂，给施放者人身安全带来威胁，南宋末人们利用更为坚硬、耐热性更好、安全系数更高的铜或铁来做筒管，这样就产生了后来的铳与炮。

第六节　造纸与活字印刷

一、夷陵纸与蒲圻纸

造纸术是中国四大发明之一，对世界文明发展做出了杰出的贡献。公元 8 世纪中国造纸术传到中亚及阿拉伯一带，后传入欧洲。造纸的发明与传播使文字载体的成本得到大幅度地下降，知识在平民中的普及得以实现，极大地推动了世界科技、文化和经济的发展，深刻影响并推动了人类文明和世界历史的进程，在人类文明史上具有划时代的意义。

东汉的蔡伦改进造纸技术，用麻布和渔网制作出植物纤维纸，为后世抄书、拓印和雕版印刷提供了必要条件。美国麦克·哈特博士在《影响人类历史进程的 100 位名人排行榜》一书中，把蔡伦称为“中国造纸术的重大改进者”排在第七位，在科学技术名人中仅次于牛顿（排第二）。他说：“造纸工艺非常复杂，它并不是文化发展到一定程度的必然产物，而是特殊的人对人类社会所做出的特殊贡献。蔡伦就是这样的人，直到 1800 年机器印刷技术推广以来，他所发明的造纸技术一直是造纸业生产的基础。”①

东汉的蔡伦经过对造纸工艺的深入研究和改进，推出“原料分离、打浆、抄造、干燥”等工艺流程，从此造纸工艺初步定型。原料分离就是用沤浸或蒸煮的方法让原料在碱液中脱胶，并分散成纤维状；打浆就是用切割和捶捣的方法切断纤维，并使纤维帚化而成为纸浆；抄造就是把纸浆渗水制成浆液，然后用捞纸器捞浆，使纸浆在捞纸器上交织成薄片状的湿纸；干燥就是把湿纸晒干或晾干后揭下为纸张。用这种方法制造出来的纸，薄而轻，很适合书写和搬运，受到人们的欢迎。

唐朝造纸匠在造纸过程中采用加矾、加胶、涂粉、洒金、染色等加工技术，为后来生产各种工艺用纸奠定了技术基础。这个时期，造纸匠多用竹制纸，是中国造纸历史上造纸技术取得重大突破的一个标志。唐宋时期，湖北是造纸的重要基地，荆楚工匠们制造的纸很有特色。宋代湖北有两种纸在全国都享有盛名，一是峡州夷陵纸，一是鄂州蒲圻纸。二者都具有耐久不损的特点，在宋代公文和信函用纸中很有口碑。

宋仁宗景祐三年（1036年），欧阳修被贬夷陵（今湖北宜昌市）。在任期间，他还专门写了一篇短文《峡州河中纸说》，高度评价夷陵纸的质量和价值：“夷陵纸不甚精，然最耐久。余为县令时，有孙文德者，本三司人吏也，尝劝余多藏峡纸，云其在省中见天下帐籍，惟峡州不朽损，信为然也。今河中府纸，惟供公家及馆阁写官书尔。”②夷陵纸“最耐久”“不朽损”的特点使得它十分合适作为帐籍、档案的用纸。曾经任职三司的孙文德劝说欧阳修多藏、多用夷陵纸，就是经验之谈。

陆游《老学庵笔记》也记载：“前辈传书，多用鄂州蒲圻县纸，云厚薄紧慢皆得中，又性与面黏相宜，能久不脱。”③则可知蒲圻纸不仅耐久藏，不脱页，而且其厚薄、松紧程度都非常适中，最合适作为信笺用

① （美）麦克·哈特著，赵梅等译：《影响人类历史进程的100名人排行榜》，海南出版社2017年版，第55页。

② （宋）欧阳修：《欧阳修全集》卷一二九《笔说·峡州河中纸说》，第1972页。

③ （宋）陆游：《老学庵笔记》卷二，第19页。

纸，在宋代士大夫中十分流行。

丰富的造纸原料是造纸业发达的重要条件之一，竹、楮皮、稻秸等为湖北大部分地区都有的资源，山区更为丰富。造纸的工艺十分复杂，造纸匠的每一细小动作都会影响纸质成败，但技艺高超的造纸匠可连操数百张纸，其纤维排列、纸张厚薄、沁润速度、抗拉能力等完全一致。可惜未见有关湖北古代造纸工艺的专门记载，有待今后考古发现。

二、毕昇与活字印刷术

印刷术发明之前，文化的传播主要靠手抄的书籍。手抄费时、费事，又容易抄错、抄漏。既阻碍了文化的发展，又给文化的传播带来不应有的损失。印章和石刻给印刷术提供了直接的经验性的启示，用纸在石碑上墨拓的方法，直接为雕版印刷指明了方向。中国的印刷术经过雕版印刷和活字印刷两个阶段的发展，为人类文明的发展献上了一份厚礼，也为我国文化经济的发展开辟了广阔的道路。

唐代流行雕版印刷术，一版能印几百部甚至几千部书，对文化的传播起了很大的作用，但是刻板费时费工，大部头的书往往要花费几年的时间，存放版片又要占用很大的地方，而且常会因变形、虫蛀、腐蚀而损坏。印量少而不需要重印的书，版片就成了废物。此外雕版发现错别字，改起来很困难，常需整块版重新雕刻。

发明活字印刷术的是北宋时的工匠毕昇（？—1051 年），湖北英山县人。沈括在《梦溪笔谈》卷一八里记载

> 版印书籍，唐人尚未盛为之，自冯瀛王始印五经，已后典籍，皆为版本。庆历中，有布衣毕昇，又为活版。其法用胶泥刻字，薄如钱唇，每字为一印，火烧令坚。先设一铁版，其上以松脂腊和纸灰之类冒之。欲印则以一铁范置铁板上，乃密布字印。满铁范为一板，持就火炀之，药稍镕，则以一平板按其面，则字平如砥。若止印三、二本，未为简易；若印数十百千本，则极为神速。常作二铁

板，一板印刷，一板已自布字。此印者才毕，则第二板已具。更互用之，瞬息可就。每一字皆有数印，如之、也等字，每字有二十余印，以备一板内有重复者。不用则以纸贴之，每韵为一贴，木格贮之。有奇字素无备者，旋刻之，以草火烧，瞬息可成。不以木为之者，木理有疏密，沾水则高下不平，兼与药相粘，不可取。不若燔土，用讫再火令药熔，以手拂之，其印自落，殊不沾污。昇死，其印为余群从所得，至今保藏。[1]

根据上述记载，毕昇发明的活字印刷术大致过程是：用胶泥做成一个一个四方长柱体，一面刻上单字，再用火烧硬，这就是一个一个的活字。印书的时候，先准备好一块铁板，铁板上面放上松香和蜡之类的东西，铁板四周围着一个铁框，在铁框内密密地排满活字，满一铁框为一版，再用火在铁板底下烤，使松香和蜡等熔化。另外用一块平板在排好的活字上面压一压，把字压平，一块活字版就排好了。它同雕版一样，只要在字上涂墨，就可以印刷了。为了提高效率，他准备了两块铁板，组织两个人同时工作，一块板印刷，另一块板排字；等第一块板印完，第二块板已经准备好了。两块铁板互相交替着用，印得很快。每一个单字，都有好几个印，如“之”“也”等常用字，每字有二十多个印，以备一板内有重复时用。至于没有预备的生僻字，则临时写刻，用草火马上烧成。把字印按照韵目分类，安放在木格子里，根据毕昇的试验，假使只印二三本显不出简便，假使印数百数千本，就极为神速。印过以后，把铁板再放在火上烧热，使松香和蜡等熔化，把活字拆下来，下一次还能使用。这就是最早发明的活字印刷术。这种胶泥活字，称为泥活字，毕昇发明的印书方法和今天的比起来，虽然很原始，但是活字印刷

① （宋）沈括撰、施适校点:《梦溪笔谈》卷一八，第 118 页。

术的三个主要步骤——制造活字、排版和印刷，都已具备。[①]

关于毕昇的生平事迹，以及他发明活字版的经过，除了沈括在《梦溪笔谈》一书中的记载外，找不到其他文献资料可供考证。沈括只说他是个布衣，籍贯及生平一点都没有交代。所谓布衣，从字面理解就是没有做过官的普通老百姓。关于毕昇的职业，以前曾有人作过各种推猜，但最为可靠的说法，毕昇应当是一个从事雕版印刷的工匠。因为只有熟悉或精通雕版技术的人，才有可能成为活字版的发明者。由于毕昇在长期的雕版工作中，发现了雕版时最大缺点就是每印一本书都要重新雕一次版，不但要用较长时间，而且加大了印刷的成本。如果改用活字版，只需雕制一副活字，则可排印任何书籍，活字可以反复使用。虽然制作活字的工程大一些，但以后排印书籍则十分方便。正是在这种启示下，毕昇才发明了活字版。

1990 年，在湖北英山县草盘地五桂村毕家坳发现了毕昇墓碑。墓碑用灰色麻石凿成，碑体为梯形（近似竖长方形），是圆头碑。据实测高 113 厘米，上宽 65 厘米、下宽 70 厘米，厚 9—16 厘米。碑框饰阳刻卷草（又称蔓草）花纹，碑框内沿线顶部作莲瓣状尖券形式：碑心正中刻一神灵牌位，上覆宝珠荷叶华盖，下刻梯形牌座，座下以莲瓣纹承托，其上阳刻考妣姓名二行并列："故先考毕昇神主、故先妣李氏妙音墓"，两边阴刻有"孝子：毕嘉、毕文、毕成、毕荣。孙男：毕文显、毕文斌、毕文忠"和"□□□年二月初七日"等字样。[②]因碑发现时，碑石风化剥落，一时未能将年款之皇朝年号判明。经专家半年精心摩拓，仔细辨识，此碑年款可读出"皇祐四年二月初七日"等 9 字，而两宋皇帝纪元年号中带"皇"字的，唯北宋仁宗赵祯于庆历九年之后改元为"皇祐"。

---

① 1998 年，中国考古研究所和英山县博物馆将再现毕昇胶泥活字印刷术作为共同研究课题，并于 2002 年按《梦溪笔谈》记载的方法，用烧制出的泥活字成功印刷书籍。

② 孙启康：《英山毕昇墓碑综考与毕昇轶事初探》，《第二届中国印刷史学术研讨会文集》，印刷工业出版社 1996 年版，第 274、275 页。

毕昇墓碑出土地附近至今有毕家坳、毕家铺、毕家畈等地名，相传为毕、李、肖三姓聚居地。这一带还保存着一些宋、元以前的毕姓坟墓，宋元以来李氏宗族亦世居于此，说明毕昇的籍贯应是淮南路蕲州（今湖北英山县），其妻李氏妙音也是本乡人。根据毕昇墓碑的形制、花纹、结构及碑文内容考证，确认此碑是北宋皇祐四年（1052 年）所立。墓主即是毕昇。毕文忠墓碑及其墓地的发现进一步证实该地即是毕氏家族的故里和墓地所在。墓地西边 3 千米处是毕家铺，往南 1 千米处的肖家大屋相传是“毕宰相府”，往东 15 千米处有宰相毕翰儒墓。经中国印刷技术协会、中国印刷博物馆筹委会、湖北省文管会等单位委托中国历史博物馆研究员、国家文物鉴定委员会副主任委员史树青等 28 名专家学者鉴定，毕昇墓碑确认无疑，“由此，结束了长期以来关于毕昇籍贯问题的争论”①。

毕昇的泥活字传到朝鲜，称为“陶活字”。朝鲜人利用毕昇活字印刷的原理，推陈出新，早在王氏高丽高宗时已用铸字印书，李氏朝鲜太宗三年以后，铸造活字二十余次，铸成铜活字二三百万个，并在世宗十八年铸成世界最早的铅活字。活版印刷后来由朝鲜又传到日本。越南在黎圣宗光顺三年已能很迅速地排印中越诗人唱和的诗篇。这些都是中国系统的汉文活字。

西洋活字印刷术由德国梅因兹地区的工匠谷登堡发明，时间在 1440 年到 1448 年，虽然发明活字版印刷术晚了 400 年，但是，谷登堡在活字材料的改进、脂肪性油墨的应用，以及印刷机的制造方面，都取得了巨大的成功，从而奠定了现代印刷术的基础。因为欧洲字母文字与中国象形汉字不同，看起来似乎另成系统。但自 16 世纪以来，不少的西方学者认为欧洲的活字印刷术也受到中国的影响。因此毕昇发明的印刷

① 王兵、吴滕钰：《全国重点文保单位“破零”英山借毕昇开发名人资源》，《湖北日报》2019 年 10 月 25 日第 15 版。毕昇墓碑被定为国家二级保护文物，墓碑仿制品陈列在中国印刷博物馆。2019 年 10 月，英山县毕昇墓被核定为第八批全国重点文物保护单位。

术，不但直接传播到亚洲各国，并且影响了整个世界，对人类文化有着极其重大的贡献。

第七节 建筑与造船

一、北宋巴东县城建筑群

建筑作为文化延续和呈现的具体载体，是一个国家或地区传统文化的重要组成部分。历史上，荆楚建筑适应湖北多雨潮湿的自然气候条件和南北交汇、东西交融的地理位置，具有“高台基、深出檐、美山墙、巧构造、精装饰、红黄黑”的特征。① 荆楚文化的一些符号元素，如龙凤图腾、翔云、鸟纹、火纹等也在荆楚历史建筑中多有反映。湖北省住房和城乡建设厅颁布的“荆楚派”建筑风格设计导则将荆楚建筑的人文精神归纳为“大气、兼容、张扬、机敏”，将荆楚建筑的美学意境提炼为“庄重与浪漫、恢宏与灵秀、绚丽与沉静、自然与精美”。②

由于古代建筑多为竹木结构，加之时代久远，留存至今的隋唐宋元时期荆楚建筑实例极少。湖北巴东旧县坪遗址，是三峡地区首次揭露的唐宋时期山区县城遗址，为我国唐宋时期县级城市的规划和建筑研究提供了丰富的实物证据。

据专家考证，“开皇十八年设巴东县，治所在今旧县坪遗址，一直持续到北宋早期，才迁往江南今县城所在地；北宋中期曾一度又迁回旧县坪，晚期又迁走；南宋早期后段再次迁回，至南宋晚期完全放弃。”③ 旧县坪遗址位于今湖北省巴东县东壤口镇旧县坪村一组到焦家村五组之

---

① 陈林等：《荆楚传统建筑文化在新中式建筑设计中的表达——以宜昌市龙泉古文化街为例》，《华中建筑》2015 年第 10 期。

② 湖北省住房和城乡建设厅：《“荆楚派”建筑风格设计导则（试行）》（2014 年 12 月），第 6、7 页。

③ 王然、邓辉：《湖北巴东旧县坪遗址考证》，《江汉考古》2003 年第 4 期。

间，这里是北宋巴东县治所在地。北宋巴东县城大体分东、西两大区片，东片为民居区，西片为官署区，中间被一条深沟隔开。

官署区遗址为一座有围墙、带院落、排水设施完善、由若干座房屋组成的建筑群。整个官署区的建设采用的是整体规划、一次完工的施工方式。“其中，面积最大（约 173 平方米）、位于最北端的建筑仅西面遭到破坏，东、南、北三面保存较好，其他建筑及附属设施皆围绕它来设计营造，此当为县衙。县衙主体筑在高台之上，台面绕以砖质回廊，回廊外侧为散水处；院落的东、南、西、北方向，均有砖瓦修建的排水沟，以分泄屋顶和屋后的积水，其中，北沟修在后墙之外，可分流县衙以北的山水；东沟和西沟依北高南低的地势修建，积水可南向穿过院落直通长江；南沟则专门排泄院内积水。排水系统的精心设计符合巴东城背山面江、邑内山水频发的地理特点。”①

庙宇区位于官署区与仓储区之南，临江而建，自隋唐时期一直沿用至宋代，其中隋唐时期的庙宇面积最大，建造工艺最好，保存的遗迹亦最多，面积约 366 平方米。遗迹主要有庭院、供台、南北廊道、北部墙体、部分柱洞和活动面。其中，庭院位于庙宇的北部，分为东西两院，西院保存相对完整。经复原，西院东西长 9.5 米，南北宽 2.4 米；东院的形状、大小应与西院相同，且东院内还可再分成东西两个小院。院落中有多处小巧精致、典雅美观的花坛。“供台或为当年佛塔的塔基，是这座庙宇中的核心建筑，其余建筑均围绕它来设计与建造；区内发现一对对称的莲花插座，从其结构与所在位置分析，或为经柱的基座；靠近供台的地砖表面，有因踩踏或跪祭而形成的两个并列浅凹坑。”②

旧县坪遗址还发掘了宋代仓屋八座，其中有五座为立柱仓屋，三座为石基仓屋。这八座仓屋位于整个遗址中唯一的一处土质细腻、含少量细沙的黄土地。这处黄土地位于宋代巴东县城内商业区西部、庙宇区

① 陈曦：《六朝至北宋巴东县城的初步研究》，《江汉考古》2009 年第 2 期。

② 陈曦：《六朝至北宋巴东县城的初步研究》，《江汉考古》2009 年第 2 期。

北部一处相对独立的高台地。在仓储建筑的形制和技术方面，该遗址的宋代仓窖和仓屋表现出了既遵守宋代官方仓储法令规定又因地制宜的特点。五座立柱仓屋均使用木柱来作为墙体和屋顶的支撑。“既有位于墙角的角柱，又有位于墙体正中的楹柱。楹柱既可以支撑墙体起到承重作用，又可以起到分间作用。”[①] 三座仓屋的墙基和地面均用石块铺成。墙基上面墙体的制作材料，参考民族学的资料，应该是木板，因为“墙基这种单体的木板仓房，在明清以来的土家族地区（包括巴东县）一直沿用”[②]。

二、荆楚名胜黄鹤楼

黄鹤楼耸峙于武汉长江南岸，蛇山西端的黄鹄矶头，面临长江，背倚青山，实为荆楚大地一绝景。蛇山古称黄鹄山或黄鹤山，故黄鹤楼一名或因此而得。据传，黄鹤楼始建于三国孙权黄武二年（223 年），建楼之初衷实为军事防御所需。登楼能俯望大江东去、百舸争流。自魏晋以降，历代文人墨客到此游览，留下不少吟咏黄鹤楼的诗文，唐代诗人崔颢更是因一首《黄鹤楼》而名载史册，流芳于世。众人的推崇与赞美使黄鹤楼名扬天下，成为荆楚名胜、千古名楼。

关于唐代黄鹤楼的景象，唐人阎伯理《黄鹤楼记》云：“州城西南隅有黄鹤楼者，《图经》云‘费祎登仙，尝驾黄鹤返憩于此，遂以名楼’是列神仙之传，迹存述异之志。观其耸构巍峨，高标巃嵸，上倚河汉，下临江流，重檐翼舒，四闼霞敞，坐窥井邑，俯拍云烟，亦荆、吴形胜之最也。”[③] 可见，黄鹤楼建筑雄伟，令人赞叹。

宋代的黄鹤楼位置沿袭前朝未变，仍在城西南隅。现藏于华南理工

---

① 官士刚、魏坚：《湖北巴东旧县坪遗址宋代仓储建筑研究——兼论宋代仓储建筑形制转变的时间》，《中原文物》2018 年第 6 期。

② 国务院三峡工程建设委员会办公室、国家文物局：《巴东旧县坪（上）》，科学出版社 2010 年版，第 297 页。

③ （清）胡丹凤：《黄鹄山志》卷六《艺文》，清同治十三年（1874 年）退补斋刻本，第 280 页。

大学的宋代界画《黄鹤楼》则为我们清晰地描绘了宋代黄鹤楼的形制。界画是中国绘画很特色的一个门类。在作画时使用界尺引线，故名。在宋代界画《黄鹤楼》中，黄鹤楼建于子城高台之上，楼城之间以台阶相连，直达城内。作为主楼的黄鹤楼四周有小轩、曲廊和重檐方亭围绕，构成一组建筑群，屋顶建筑样式不一，有单檐十字脊四歇山、重檐歇山、单檐歇山及庑殿式屋顶等，凸显宋代建筑布局的一个特点，就是沿着轴线排列若干四合院的组群布局。“特别是主楼上高矗的十字脊四歇山屋顶，由于厅、轩、廊、亭造型的烘托，重点突出。整个群体，给人以虽繁复而不乱，既华丽又庄重的感觉，强烈地吸引着游人。”[①] 画中楼上游人如织，或举杯畅饮与友人分享眼前美景；或登高览胜、吟诗作赋，一抒情怀；或临江洒泪，与故人依依惜别。观图可知，此时黄鹤楼俨然已成为人们登高望远、友人相聚、吟诗弄词、抒发情怀的场所。

宋代鄂州（今武汉市）为军事重镇，屡遭兵火，自然灾害不断，黄鹤楼或因此毁坏，仅存残檐断瓦，萧然伫立。黄鹤楼虽毁，但其代表的文化却永存于人们的心中，人们登临故址，极目远望，遥想黄鹤楼昔日的繁华风光，此时的黄鹤楼由宴饮游乐之地变成了人们抒发忧国忧民之情的场所，从而留下了大量的诗作，承载着中国古代优秀文化传统与人们情感和精神寄托，历千古而不朽。

三、巨舰与运舟

早在两晋南北朝时，荆楚地区已能建造千吨以上的大船。当时的造船技术，特别是战船建造，有明显的进步。一是适应水战的需要，战舰趋向于大型化。二是在战船上配备拍击敌船的“拍”。“拍”是利用杠杆原理装置拍竿抛射石块之类，或者直接用拍竿打击敌船的一种机械装置。隋军消灭南方陈国的战役中，4 艘装备了拍杆的隋军五牙船在一次

① 范勤年：《黄鹤楼沿革与历代形制考》，《建筑历史与理论（第一辑）》，江苏人民出版社 1981 年版，第 154 页。

战斗中就消灭了十余艘陈国主力战舰，足见其威猛。

在冶铁业快速发展的基础上，唐代荆楚造船业在继承传统的基础上又有新的发展，这主要表现在造船规模和造船工艺技术达到新的水平。唐代荆楚地区还能够建造巨型船舰，巨型船舰常常是“每舰载甲士千人，稻米倍之”[①]。唐代末年，成油担任荆南节度使，鄂州杜洪为淮南杨行密所袭。成油派遣水师支援，其中有一艘历时三年才建成的巨舰，号曰“和载”。舰上设置了厅、所、司、局等办公建筑，就像陆地上的官署。此外还有命名为“齐山”“截海”的巨舰，从名称上就可以想见其轮廓和体积的宏伟壮观。

民间也造巨型船舰，船上有船工数百人，商人在船上婚娶生活，养儿育女，甚至种植蔬菜，这样的庞然大物既反映出唐代私商雄厚的经济实力，又反映出唐代长江中游私营造船业高水平的造船能力。

江汉平原水系纵横，河湖密布，具有造船业发展的良好基础。宋元时期江汉平原的造船业是与其区域密布的河网相依存的，长江与汉水及其纵横的支流成为造船业发展的天然动力。同时，丰富的林业资源又为宋元时期江汉平原造船业的发展提供了条件。

宋初，江陵制造的舰船参加了平定南唐的统一战争。江陵作为重要的转运中心，常肩负巨大的转运任务，当转运物品需由水路分送时，荆南船场即承担起造船的任务。宋仁宗天圣六年（1028 年），荆南存放有十万匹布，于是“检会荆南先造船十只”，以备前往荆南搬布的州军使用。至北宋末，仍有荆湖北路造船的诏令。如宋徽宗政和四年（1114 年），诏令“两浙路转运司各打造三百料三百只，江南东西、荆湖南北路转运司各打造五百料三百只”[②]。荆湖南北路转运司承担的造船任务和造船业最发达的江南东西路一样重，超过了两浙路转运司。

与北宋相比，南宋荆楚地区造船业在造船数量和船舶规模上都有了

① （宋）司马光：《资治通鉴》卷二六四，第 8607 页。

② （清）徐松：《宋会要辑稿》卷四九二〇，第 5659 页。

明显的进步。宋高宗建炎二年（1128年）六月五日，发运副使吕源上表称："近江湖四路沿流州县打造粮船一千只，并潭、衡、虔、吉四州两年拖欠舟船八百三十九只，江东路打造未到船二百五只，乞限至年终一切了毕。"[①] 可见打造粮船是沿江官府造船业的一大任务。

官府造船业的另一大任务则是打造各种规格的战舰。宋高宗绍兴五年（1135年），荆湖地区所造的巨舰为人瞩目，当时造船技术较高的江东、浙西、浙东三路亦"仿其制为之"。大诗人陆游于宋孝宗乾道六年（1170年）在鄂州看到的七百艘大舰皆长二三十丈，上设城壁楼橹，旗帜精明，破巨浪往来，迅捷如飞。在车船制造方面，荆鄂地区至少具备打造五车、六车、七车、八车船的能力。而从七十料至三百料、一千料、一千五百料不等载重量的大小马船和脚船，则见诸于鄂州与汉阳军的造船厂。至南宋末年，因战事之需，战船打造量激增，有时一次战役即损失战船万艘，而且以巨舰为多。这与唐代本地以中小型船为打造主体的能力相比，无疑前进了一大步。

宋元在湖北地区争夺时，船是重要的战争物资。那些用于战争的大量战船，其中有相当部分为本地所造。元军攻襄阳之际，綦公直从攻宋，在归、峡一带与南宋军队作战。不久，"还至襄阳，枢密院命督造战舰、运舟"[②]。攻下襄阳的当年，元朝命令襄阳造战船千艘。元代水路交通的规整促进了造船业的进一步发展。在长江沿线，由于江夏、汉阳、江陵等地具有的沿江重要地位，吸引官船、商舟往来频繁，繁荣的贸易推动了船舶需求的增长，促进了江汉平原造船业的不断进步。

---

① （清）徐松：《宋会要辑稿》卷四九二〇，第5661页。

② （明）宋濂等：《元史》卷一六五《綦公直传》，第3883页。

第八节 医学

一、王彦伯、孙思邈

王伯彦，荆州人，生卒年不详，唐代荆楚道士中的代表性人物。记载王彦伯事迹的多见于杂传史籍。

段成式《酉阳杂俎》记：

> 荆人道士王彦伯，天性善医，尤别脉，断人生死寿夭，百不差一。裴胄尚书子忽暴中病，众医拱手，或说彦伯，遽迎使视。脉之良久，曰："都无疾。"乃煮散数味，入口而愈。裴问其状，彦伯曰"中无鳃鲤鱼毒也。"其子因鲙得病，裴初不信，乃鲙鲤鱼无鳃者，令左右食之，其候悉同，始大惊异焉。①

李肇《唐国史补》也记载了一则关于王彦伯高妙医术的案例。《唐国史补》云："王彦伯自言医道将行，时列三四灶煮药于庭。老幼塞门而请，彦伯指曰：'热者饮此，寒者饮此，风者饮此，气者饮此。'皆饮之而去。翌日，各负钱帛来酬，无不效者。"②

王彦伯无疑是唐代荆楚道医的佼佼者，殊不知唐代最有名的道医当数孙思邈，他曾隐于武当山五龙峰的灵虚岩修炼，并在荆楚行医，被后世尊称为"药王"。据《旧唐书》本传载，孙思邈，京兆华原人，生于北朝末年，高宗永淳元年（682年）逝世，寿百余岁；其人天资聪颖，七岁就学，日诵千余言。弱冠，善谈庄、老及百家之说，兼好释典。后归隐于太白山，深研度世救人之术，天文、历法、术数、医药，无所不精。曾自注《老子》《庄子》，著有《备急千金要方》（三十卷）、《千金

---

① （唐）段成式撰、曹中孚校点：《酉阳杂俎》前集卷七，第42页。

② （唐）李肇：《唐国史补》卷中，第46页。

翼方》（三十卷）等医书，以及《福禄论》（三卷）、《摄生真录》《枕中素书》《会三教论》各一卷等道书[①]，是中国著名的道学家、医学家。在唐贞观六年（632 年）至贞观二十三年（649 年），他曾两次南下四川，先后到过江州（今江西九江）、渝州（今重庆）、夏口（今武汉）等地，考察医药、采集药材，炼制丹药，沿途施诊[②]，故也是一位与湖北道教有关的人物。

唐代，与道教医学相关的还有炼丹术，外丹术臻于极盛。那时炼丹术士之众，流派之盛，外丹经诀之丰富，理论之繁荣与炼丹内容之繁复，都是前朝无法比拟的。炼丹服饵为求长生，但不少人非但没有能够长生，反而因此送命。著名文学家韩愈的侄婿、鄂州从事李干（一作李于）就在长庆三年（823 年）因服丹中毒而死，韩愈为作《故太学博士李君墓志铭》[③]，这是一篇揭示当时因炼丹服饵之消极面的极好材料。

二、庞安时与《伤寒总病论》

庞安时（1042—1099 年），字安常，宋代蕲州蕲水（今湖北浠水县）人，北宋时期著名伤寒学家。他出身于医学世家，年幼时其父授以脉诀。根据史书记载，庞安时认为："世所谓医书，予皆见之，惟扁鹊之言深矣。盖所谓《难经》者，扁鹊寓术于其书，而言之不详，意者使后人自求之欤！予之术盖出于此。以之视浅深，决死生，若合符节。且察脉之要，莫急于人迎、寸口。是二脉阴阳相应，如两引绳，阴阳均，则绳之大小等，……此皆扁鹊略开其端，而予参以《内经》诸书，考究而得其说。审而用之，顺而治之，病不得逃矣。"于是，他只拿黄帝和扁鹊的脉书研究，很快就能通晓书中全部内容，时常有自己的新见解，与他辩论驳诘不能使他屈服。不久，庞安时因患病而耳聋，于是他更加

---

① （后晋）刘昫：《旧唐书》卷一九一《孙思邈传》，第 5094—5097 页。

② 参见赵立纲主编：《历代名道传》，山东人民出版社 1996 年版，第 249 页。

③ （唐）韩愈：《故太学博士李君墓志铭》，见屈守元、常思春主编：《韩愈全集校注》（全 5 册），四川大学出版社 1996 年版，第 2571—2572 页。

刻苦研究阅读和钻研《灵枢》《太素》《甲乙经》《伤寒杂病论》等古代医书，尤精于医圣张仲景的《伤寒杂病论》。经史百家凡是涉及医学内容的，没有不能融会贯通的。他还坚持为百姓诊治疾病，由于治病效果好，名噪江淮一带，被誉为神医。

庞安时对伤寒的研究深得要领，独具创建，被公认为我国伤寒学派之大家，是温病学派形成和发展的奠基人之一。同时，他位居鄂东地区“四大名医”之首，与当地蕲春李时珍、罗田万全、武穴杨济泰等著名医药学家齐名。

《宋史·庞安时传》记载了庞安时许多神奇的治病案例，例如，庞安时曾治妇女难产。“尝诣舒之桐城，有民家妇孕将产，七日而子不下，百术无所效。安时之弟子李百全适在傍舍，邀安时往视之。才见，即连呼不死，令其家人以汤温其腰腹，自为上下拊摩。孕者觉肠胃微痛，呻吟间生一男子。其家惊喜，而不知因此然。安时曰：‘儿已出胞，而一手误执母肠不复能脱，故非符药所能为。吾隔腹扪儿手所在，针其虎口，既痛即缩手，所以遽生，无他术也。’取儿视之，右手虎口针痕存焉。其妙如此。”①

庞安时为人治病，达到了“审而用之，顺而治之”的造诣，大都十有八九痊愈。那些无法救治的病人，一定会如实告诉他们病情，不再为他们治疗。治好了的病人持金帛来感谢，他并不都收下。可见，庞安时不仅医术高明，而且医德十分高尚。庞安时著有《伤寒总病论》《难经辨》《本草补遗》《主对集》《验方集》《家藏秘宝方》等医书，但可惜除《伤寒总病论》外，其他书籍均已散佚。

《伤寒总病论》6卷，是庞安时多年潜心研究《伤寒论》并总结自身行医经验的结晶。书中前三卷论述伤寒六经证，后三卷论述暑病等热病。作者提出寒温分治的观点，认为伤寒与温病是性质不同的两类外感热病，对后世温病学说的创立和发展具有十分重要的启示作用。

---

① （元）脱脱等：《宋史》卷四六二，第13521—13522页。

《伤寒总病论》卷一对外感病的病因、病机、分类、传变、治疗、预后等进行了阐述，提出“寒毒”概念，并统论六经分证；卷二论述汗、吐、下、温、灸等治法，将《伤寒论》有关条文及汤方按治法归类加以论述，并补充了后世许多效验方剂；卷三论述与伤寒有关的临床病症如结胸、痞气、阴阳毒、狐惑、百合、劳复等；卷四论暑病、时行、寒疫、斑痘等；卷五论述天行温病、黄病、小儿伤寒等；卷六载伤寒杂方、妊娠杂方、伤寒暑病通用针刺法、伤寒温热病死生候、差后禁忌、仲景脉说等。每症之下，有论有方。其处方用药，在《伤寒论》的基础上，参考诸家学说并结合个人实践经验，有所补充和发挥。

庞安时有感于当时医家不能区别伤寒与温病，以及治疗上以伤寒方治温病的弊端，明确指出了辨别伤寒与温病的重要性。《伤寒总病论》卷六《上苏子瞻端明辨伤寒论书》云：“四种温病，败坏之候，自王叔和后，鲜有明然详辨者，故医家一例作伤寒行汗下。……温病若作伤寒行汗下必死，伤寒汗下尚或错谬，又况昧于温病乎？天下枉死者过半。”庞氏所谓四种温病，指风温、温疟、湿温、温毒。他认为，“风温与中风脉同，温疟与伤寒脉同，湿温与中湿脉同，温毒与热病脉同，唯证候异而用药有殊耳，误作伤寒发汗者，十死无一生。”[①] 温病与伤寒即便脉象相类，但总体症治各异，不可混同，如风温症见脉阴阳俱浮，颈痛身热，汗出体重，乃先伤于风，后伤于热而为病，与伤寒中风证汗出恶风，脉阴弱阳浮，因受风邪而致营卫不和之症不同，治当从厥阴风、少阴火入手。《伤寒总病论》第一次将温病放于同伤寒平等的地位认识和辨治，不再从属于伤寒，对后世中医温病学科的形成和发展产生了十分深远的影响。

《伤寒总病论》从病因上将温病分为两类，一类是伏气温病，由冬时感受寒毒之气，伏藏人体脏腑之间，至春夏阳气升发之时而引发，如《伤寒总病论》卷五《天行温病论》云：“辛苦之人，春夏多温热者，皆

① （宋）庞安时：《伤寒总病论》卷五，人民卫生出版社 1989 年版，第 138 页。

由冬时触冒寒毒所致。自春及夏至前为温病者，《素问》、仲景所谓伤寒也。”另一类是天行温病，由感受“异气”而发，具有流行性、传染性，“有冬时伤非节之暖，名曰冬温之毒，与伤寒大异，即时发病温者，乃天行之病耳。其冬月温暖之时，人感乖候之气，未即发病，至春或被积寒所折，毒气不得泄，至天气暄热，温毒乃发，则肌肉斑烂也。”① 此即后世所谓的温疫、疫疠。庞安时从其丰富的临床实践中观察到，发生这类疾病的主要原因，并非前人所说的“非其时而有其气”，而是感受了致病性很强的“异气”。书中认为，天行之病可以是感受“异气”而即时发病，也可以在患伤寒病的基础上再由感染“异气”所致。其感受异气而即时发病者，春有青筋牵，夏有赤泳攢，秋有白气狸，冬有黑骨温，四季有黄肉随。作者虽然针对异气的种类和发病机制没有详细论述，但已认识到上述病症均由感受异气引起，随四时季节不同而有不同表现，这一认识在温病病因学领域无疑是一个新的突破，对后世临床实践起到了重要的研究指导作用。

《伤寒总病论》认为，治疗温病必须重用寒凉药物，提倡采用清热解毒之法。书中治疗五脏温毒及四种温病等病症时，共选用 16 首方剂，其中用石膏者多达 13 方，少则一两，多至四两，或配知母、黄芩、大青叶以增强清热解毒之功；或配芒硝、大黄以攻下里热之积；或配淡竹叶、香豉以清浮游之热；或配玄参、生地黄、葳蕤以滋阴护液；或佐以桂枝、生姜以制其寒凉之性。同时，对温病兼有表症或属表里同病者，首倡以表里双解法治之。如论“温毒”症时说：“寸口脉洪而大，数而滑，洪大荣气长，数滑胃气实，荣长即阳盛，怫郁不得出，胃实即牢难，大便苦干燥，三焦闭塞，津液不通。医复发汗，令阳气盛不周；复重下之，大便遂秘，小便不利。”② 表里双解一法，实为庞氏开其先河，其后，诸家有所发挥，最终成为中医临床论治温病的重要治法之一。

---

① （宋）庞安时：《伤寒总病论》卷五，第 121 页。

② （宋）庞安时：《伤寒总病论》卷五，第 137 页。

庞安时从临床实际出发，对《伤寒论》方症作了进一步的补充和发挥，书中所引述的《伤寒论》方症，均属临床应用确切有效者。如论述桂枝汤适应证时说："凡桂枝汤证，病者常自汗出，小便不数，手足温和，或手足指稍露之，则微冷，覆之，则温浑身热，微烦而又憎寒，始可行之。"[①] 可见，作者对桂枝汤症自汗出恶风的症状描述可谓既细致入微，又准确明了。手足露之则冷，覆之又嫌热，病人自觉烦热却又怕冷，诚为实践之所得。同时，书中不仅强调临床应用桂枝汤时要辨症准确，亦要考虑到时令、地域等因素，灵活加减。书中还指出，治疗伤寒病要顾及到患者的体质因素及既往病史，此外，对众多伤寒杂症的辨治也进行了必要的补充说明，如治伤寒头痛者，用荆芥散；若头痛壮热，心中烦者，则用黄芩栀子汤等，均系补张仲景未备之全新内容，至今仍具有重要的临床指导意义。

值得一提的是，庞安时不仅自己治病救人，著书立说，他还培养了不少杰出的学生。"庞安时教授弟子达六十余人，其中较为知名者有张扩、李伯全、王实等。"[②] 张扩传其弟张挥，挥传其子彦仁，彦仁传其子张杲，张杲为古代徽州新安医学代表人物。

三、儒医郭雍

宋代是中医学发展史上一个十分重要的阶段。一方面由于印刷术的推广以及朝廷对医学事业和医疗设施的重视，大批医学著作得以出版和传播，医学分科日益精细，《宋史·艺文志》题录的医书多达 509 部，医学文献 114 种 3327 卷，比之唐代的数量大大增加。另一方面，医生队伍不断扩大，医者社会地位大大提高，"儒医"这个称呼首次见于史籍记载。

所谓儒医，是指修习儒学而又以行医为业的医者。宋代统治者夺取

① （宋）庞安时：《伤寒总病论》卷二，第 29 页。

② 严忠良：《明清时期鄂东医学重地》，《南京中医药大学学报（社科版）》2016 年第 1 期。

政权以后，推行“崇文抑武”的国策，儒士具有优越的社会地位和经济地位。受儒家济世救人的医德思想影响，统治者又高度重视医学与养生学，屡次颁布医学诏令，普及医学教育，大量吸收有文化素养的儒生学医，官方多次组织医学专家和文臣编修方书和本草著作等。这一系列的举措营造了社会上浓厚的重医风气，大大提高了当时医师的社会地位。另外，宋朝的几位皇帝大都爱好医学，对世人们学医起了一定的引导和示范作用。加之范仲淹“不为良相，则为良医”思想的传播和影响，鼓舞了众多的文人士大夫步入岐黄之路，为一代儒医成长开了风气之先。

文人士大夫普遍涉猎医学领域，他们整理编撰方书，探求中医之理，熟谙养生之道，在笔记杂著中记载丰富的医学史料，引用药名作诗作词等，促进了医学知识的广泛传播，推动了医学理论的发展，并因此而创造了丰富多彩的中医药文化。此外，他们借儒学研究医理，将仁义纳入医德，“仁爱”“修身”“孝亲”“利泽生民”等儒家思想渗透到医学的方方面面，使医学队伍素质明显提高，弘扬了“医乃仁术”的传统医道，提高了医家的人文境界。

宋代学风不同于汉唐，它一反汉唐的训诂注疏之学传统，而强调“穷理”，提倡“格物致知”，形成了颇具革新意味的“义理之学”。朱熹解释“格物致知”意谓穷究事物之理，而获取知识。新儒学提倡对自然界和人本身的观察，注重对客观事物一般规律的探讨，从而参悟出天地人之间的道理。在这一学术思潮的影响下，不少文人士大夫也把研讨医学作为格物致知的内容，穷究天人关系、医学原理以及医药知识。

郭雍（约 1106—1187 年），南宋医学家。字子和，号白云先生，祖籍洛阳。郭雍的父亲是北宋太中大夫郭忠孝，学于程颐，著《易说》。郭雍早年从父学习二程之学，对《易经》颇有研究，是兼山学派代表人物。靖康之难后，郭雍“隐居峡州（今湖北宜昌），放浪长杨山谷间，号白云先生”[①]。南宋孝宗乾道年间（1165—1173 年），知荆南府、荆

① （元）脱脱等:《宋史》卷四五九《隐逸下·郭雍传》，第 13465 页。

湖北路安抚使张孝祥将郭雍推荐给朝廷。宋孝宗欲授官，旌召不起，于是赐号“冲晦处士”。《宋史·谢谔传》记载：“上尝问曰：‘闻卿与郭雍游，雍学问甚好，岂曾见程颐乎？’谔奏：‘雍父忠孝尝事颐，雍盖得其传于父。’上遂封雍为颐正先生。”①

在荆楚隐居期间，郭雍钻研医书，尤其致力于攻克伤寒病，撰《伤寒补亡论》（一作《仲景伤寒补亡论》）二十卷。“卷第一为伤寒总论相关问题，卷第二至卷第十二以宋本《伤寒论》之体例编排辨脉法、平脉法、六经病、可与不可辨证内容，卷第十三至卷第十八为伤寒相关证候、病证内容，卷十九至卷二十为妇科及儿科伤寒相关内容。”②《伤寒补亡论》常能发医圣张仲景未尽之旨，而补其未备之方，且议论恰切，言多中肯，在中医理论发展史上具有重要的地位。

《伤寒补亡论》卷一极有特色，郭雍通过“问答”的形式，系统阐释了伤寒名例、叙论、治法大要、脉法刺法、仲景元化等 5 大方面 35 个具体问题。另外，卷四《六经统论二十二问》收载了有关伤寒六经的 22 个问题。用问答的形式对伤寒相关专题进行讨论，既能够引发读者的阅读兴趣和深入思考，又可以充分展示郭氏的医学思想，提高读者的阅读效率。

《伤寒补亡论》将疫病称为时行，将流行性和气候失和致病作为判断疫病的两大标准，在论及寒温两类疫病时特别强调要寒温分治。他指出疫病的发病方式多种多样，“既有即发又有经时而发，以及其他季节发病；既有新感又有伏发，既可单纯感非时之气而发，也可感他邪由非时之气引发，或感非时之气伏留至他邪引发”③。郭氏还提出疫病的传变规律有别于伤寒，不逐日传经，这对于疫病与伤寒的鉴别用药是很有意义的。

郭雍在临床实践中十分重视疾病的鉴别诊断，是“我国医学史上最

① （元）脱脱等：《宋史》卷三八九，第 11931 页。

② 张慧蕊：《现存宋代伤寒著作文献研究》，北京中医药大学 2015 年博士学位论文，第 209 页。

③ 黄玉燕：《〈仲景伤寒补亡论〉的疫病发病理论探讨》，《中国中医基础医学杂志》2012 年第 5 期。

早注重鉴别诊断的医家”[1]。例如，对于皮肤发疹性传染病，各家记载均很简略，唯有《伤寒补亡论》阐述甚详细。郭雍还引入了儒学考据方法，善于综合不同医家的观点，甄别理论是否得当，从而得出自己的结论。这部分内容除了在对仲景及各家条文之后加以补充之外，还在一些篇章之首用“雍曰”的形式加以概括性说明，体现郭氏对于该病症的总结和思考。

郭雍服膺儒学，又精研医理，士人注重校勘与对照的读书方法是他进入医学文本的基础。儒学中的宗经理念使他对《伤寒论》推重有加，来自程门的读书心法改变了他的阅读视角。万物一理的哲学观念使郭雍能够站在“理”的高度上发现不同症状、观点背后的相通之处。这是郭雍伤寒思想不断创新的源泉，所有这些都是他的伤寒学成就远高出家传世业医者的原因所在，也是士人习医促进伤寒学发展的重要体现。

① 秦进修：《郭雍的〈伤寒补亡论〉》，《河南中医》1981 年第 3 期。

第四章　宗教与民俗

宗教作为一种特殊的历史文化现象，与人类社会的政治生活、经济生活、文化生活等方面，无不发生着广泛而深刻的联系。

宗教在不同历史时期表现出发展的阶段性，佛教如此，道教也不例外。孙昌武先生认为，隋至初、盛唐时期，是中国佛教的成熟与兴盛时期，标志就是宗派佛教的形成与兴盛，“中国佛教诸宗并盛，整个佛教发展一时呈彬彬之盛”，而经唐五代的排佛和毁佛之后，“唐、宋之际社会政治方面的一大演变是专制体制的强化。……宋代形成的理学在思想意识领域的统治与这种专制体制想配合，亦成为遏制佛教的重要力量，特别是在高水平的思想领域更剥夺了佛教的生存条件。这些都是佛教终于走向衰败的重要因素”①；宋代及其以后的辽、金、元，“尽管佛教在这一时期从总体看在走向衰败，在社会上却一直能够保持相当的势力，特别是在思想文化领域继续发挥重大的影响”②。卿希泰先生则认为，对中国道教来说，在隋至盛唐时期是兴盛与教理大发展的时期，安史之乱以后至五代十国时期是曲折前进的时期，北宋是复兴和发展的时期，金与南宋是发展、改革及道派分化的时期，元代又是兴盛及道派合流的时期③。

隋唐时期，荆楚地区宗教繁荣发展。降至宋元，三教合流风气盛行，使荆楚宗教文化进一步朝着融合的方向发展。其中，“荆楚地区在佛教文化的传播和发展过程中有着举足轻重的作用，既是佛教初传南方

---

① 孙昌武：《中国佛教文化史》（第四册），中华书局 2010 年版，第 2199、2200—2201 页。

② 孙昌武：《中国佛教文化史》（第五册），第 2379 页。

③ 参见卿希泰主编：《中国道教史》（第二卷）（第三卷）目录页，四川人民出版社 1996 年版。

的重镇，又是隋唐之际孕育天台宗、禅宗发展的摇篮”[①]。荆楚地区名山古寺众多，高僧大德云集，佛教文化大事让人目不暇接：隋代“崇树宝刹”，寺庙林立，盛况空前，著名的有随州智门寺和安州方等寺；“智者大师”智𫖮创立天台宗，玉泉天台一脉成为“荆南正法”；玄奘大师曾在荆州开坛讲学；道信、弘忍“东山法门”创立禅宗；神秀迁隐荆州与“北宗禅”的创立；释僧伽与云梦泗洲寺信传的僧伽佛教；六祖惠能的杰出弟子神会是菏泽宗的创立者；道悟在荆州传播“南宗禅”；安陆寿山、白兆山信传禅音，随州洪山禅寺则是曹洞宗祖庭、楚天望刹。道教方面，道教名司马承祯、孟安排、王士元、李筌、陈抟、张君房，汉东道人胡紫阳，传奇道士罗公远。道教思想在湖北传播开来。真武信仰在武当山传播、张道清九宫山派的形成、白洑卢山人的仙道信仰在潜江出现，以及全真道在湖北传播、玄教在荆襄地区兴起。武当山道书集中编纂，另外，江陵成为湖北道教中心。湖北道教在整个中国道教中占有重要地位。

中国自古就有重视风俗的传统，所谓“观风俗，知得失”[②]，“为政必先究风俗”[③]，是历代君主恪守的祖训。中国民间文艺学和民俗学的开拓者和奠基人钟敬文先生曾指出：“民俗的发生是很久远的，从人脱离低级动物起，就有民俗。民俗不是别的东西，是社会生活所需要的人和事，加上有关的思维。”[④]荆楚地处华中腹地，悠远、漫长的历史发展进程，使荆楚文化逐渐形成了具有鲜明地域特色的民俗。“此地自古以来便是五方杂处、南北文化兼容并蓄之地。”[⑤]隋唐宋元时期，荆楚先

---

① 吴成国：《荆楚佛教文化简论》，《荆楚文化》2018 年创刊号。

② （汉）班固撰、（唐）颜师古注：《汉书》卷三〇《艺文志第十》，中华书局 1962 年版，第 1708 页。

③ （宋）欧阳修、宋祁：《新唐书》卷一六四《王质传》，第 5053 页。

④ 钟敬文：《总序·中国民俗史与民俗学史》，见钟敬文主编，萧放副主编，韩养民等著：《中国民俗史（隋唐卷）》，人民出版社 2008 年版，第 3 页。

⑤ 李惠芳主编：《中国民俗大系·湖北民俗》，甘肃人民出版社 2003 年版，第 7 页。

民们既广泛地吸纳了中原、吴越、巴蜀等地文化精华，又向外传播了端午、七夕等节日风俗，饮茶、饮酒等饮食风俗。

学术界关于民俗研究成果丰硕。《中国风俗通史》堪称“一部追溯华夏民族绵延生息的恢弘史篇，一部尽现中国风俗源远流长的辽阔画卷”[①]，而荆楚民俗的研究，章开沅、张正明、罗福惠主编的8卷本《湖北通史》各卷有不同程度的涉猎。

这些独具特色的风俗不仅凝聚着荆楚文化精神和民族感情，而且已经深深地内化为荆楚人民的道德意识和行为习惯。

第一节　佛教的兴盛

一、崇树宝刹：随州智门寺与安州方等寺

隋文帝杨坚为感念其父杨忠“开炎德之纪”“造我帝基”的功德，荆州成了隋代以佛教立国的重点区域，尤以随州、江陵、襄阳、安陆四地为最。

开皇元年（581年），杨坚下诏在杨忠当年金戈铁马征战过的襄阳、随州、江陵、晋阳“崇树宝刹，经始伽蓝”“立寺一所，建碑颂德”，以祈“同天地而长久”[②]。同时也为自己的建国功业营造寺庙，诏令“其龙潜所经四十五州，皆悉同时为大兴国寺”[③]，其中也包括了随、荆、襄、安等州郡。又因文帝杨坚曾在夺取政权之前“得舍利一裹”，因此在全国许多地方建舍利塔，以博瑞应。随州所建寺庙名智门寺，其建舍利塔时，当事者还编造了非常神奇的故事。《广弘明集》卷第十七云：

---

① 陈高华、徐吉军主编：《中国风俗通史》（12卷），上海文艺出版社2001年版，各卷封底语。

② （隋）李德林：《隋文帝为太祖武元皇帝行幸四处立寺建碑诏》，（唐）释道宣：《广弘明集》（宋思溪藏本，第11册）卷二八，国家图书馆出版社2018年版，第48—51页。

③ （唐）道宣撰、郭绍林点校：《续高僧传》卷二八《隋京师大兴善寺释道密传》，中华书局2014年版，第1084页。

> 隋州于智门寺起塔，十月六日掘基得神龟，七日甘露降于石桥旁之杨树，有黑蜂无算来绕之。八日旦大雾，舍利将之寺，天便开朗，历光化县。忽见门内木连理过杨树之下，甘露五道悬流，沾洒舆上。既而沉阴，舍利将下，日便朗照，始入函云复合。神龟色状时异，有文在其腹曰："王兴州，使参军献之。"日日开匣欲视其头，而缩藏不可见。敕使著作郎王劭审检，龟便长引颈足，恣人反转，连日如之。乃见有文在其头曰："上大王八十七千万年。"皇帝亲抚视之，入于怀袖，自然驯狎。放诸宫沼及草内，还来直至御前。每放，辄如之。①

神龟头腹部文字显然是有人作伪的结果，却迎合了隋文帝的内心期望，即兴佛、立寺、修塔是为了隋帝国国家长盛，江山万代。

《续高僧传》卷十二记载有隋终南山悟真寺名叫释净业的高僧，"汉东随人也"。从本传知，净业曾跟随释惠远学习《涅槃》等经，又就昙迁禅师学《摄论》，诸清信士为筑山房，即悟真寺。仁寿二年（602 年），净业被举送舍利于安州（今湖北安陆市）景藏寺。大业四年（608 年），净业被召入鸿胪馆教授番僧。大业十二年（616 年）殂化，春秋五十有三。《续高僧传》评价他："神岸温审，仪止雍容，敦仁尚德，有古贤才调。"②

安陆在隋代为郧州、安陆郡治所，《续高僧传》等佛教史书记载了多位高僧，或为安陆人，或在安陆弘扬佛法。如慧嵩为安陆人，自幼出家，虽然其大弘法务主要在隋朝，晚年才返回家乡安陆方等寺传经说法，"神望弥高"，直到贞观七年（633 年）才圆寂，活了 87 年，故《续

① （唐）释道宣：《广弘明集》（宋思溪藏本，第 6 册）卷一五，第 164—165 页。

② （唐）道宣撰、郭绍林点校：《续高僧传》卷一二，第 410 页。

高僧传》记为唐朝高僧[①]。唐安州沙门贾逸，不知何人，“隋仁寿初游于安陆”，是个言行诡异的妖僧，有未卜先知之能，曾帮助方等寺的高僧慧暠摆脱官司[②]。另有高僧法护，隋炀帝大业三年（607 年）曾到安陆修行佛法[③]。隋文帝时期，秦王杨俊还专门写信给天台高僧智颉，以安州方等寺奉为皇帝修立为由，已令所司，发遣供给，要智颉前往方等寺行道弘法[④]。但“从智者大师的经历看，没有前往安州行道的记载，似乎表明智者大师有意与隋文帝保持一定距离”[⑤]。王劭《舍利感应记别录》描述了隋代安陆民间崇奉佛教的狂热场面，可见隋代佛教在安陆的影响，《全隋文》卷二十二录有《舍利感应记别录》。

二、智者大师：智颉创立天台宗与玉泉天台一脉

天台宗是中国佛教史上的第一个宗派，也是系统地发挥中国佛教思想、具有高度理论水平、在中国思想史上造成巨大影响的宗派。创立天台宗的高僧是陈隋之际的智颉（538—597 年），俗姓陈，名王道、光道，字德安，又号“光宅禅师”“天台大师”“智者大师”，天台宗因智颉长期住在天台山（今浙江省天台县内）而得名。

智颉的佛教事业开始于南朝梁，成名于隋代。作为荆州人的智颉，其祖籍本在颍川（今河南许昌），西晋末年为躲避战火，先祖随中原流民南下，迁到了荆州华容县[⑥]。梁元帝承圣三年（554 年）十一月，西魏军队攻陷江陵。十二月，梁元帝与陈起祖等百官一同被杀，智颉的母亲徐氏也在这次战乱中丧命。智颉悲痛万分，他看破红尘，来到湘州果愿

---

① （唐）道宣撰、郭绍林点校：《续高僧传》卷一三《唐安州方等寺释慧暠传》，第 433—434 页。

② （唐）释道世：《法苑珠林》卷二八《神异篇感应缘》，上海古籍出版社 1991 年版，第 212 页。

③ （唐）道宣撰、郭绍林点校：《续高僧传》卷一三《唐东都天宫寺释法护传》，第 466 页。

④ （隋）杨俊：《与释智颉书》，见（清）严可均：《全隋文》卷八，第 85 页。

⑤ 齐子通：《湖北佛教史》，宗教文化出版社 2018 年版，第 73 页。

⑥ 目前，关于智者大师故里之争有 3 种说法：一说在今湖北潜江市西南；一说在今湖北监利县西北；一说在今湖北公安县毛家港镇茅穗村。

寺剃发出家[①]，拜法绪为师，取法号智𫖮。陈文帝天嘉元年（560年），智𫖮结束了潜修，慕名前往光州大苏山（在今河南潢川县），拜名僧慧思为师。这期间，他将南方佛教偏重义理和玄学化的传统，与北方佛教注重禅定和实用糅合起来，初步形成“法华三昧”理论，还练就了超群的辩才。

陈废帝光大元年（567年），智𫖮受陈朝廷迎请，告别慧思法师，率部分僧人南下陈朝都城建康（今江苏南京），入居名寺瓦官寺，开讲《大智度论》。两年后开讲《法华经》，判释经教，奠定了天台教观的基础；弟子灌顶随听随记，录成《法华文句》，后来智𫖮所讲经义，多由灌顶笔录成书。金陵八年弘法，智𫖮在禅修和义学上的双重优势有利于他推动禅法的弘扬，他辨析佛理、阐微掘幽的讲法之道受到了众僧的推崇，声名大振，“江表声望，皆舍其先讲，欲启禅门，率其学徒，问津取济”[②]。

陈宣帝太建七年（575年），智𫖮决定离开喧嚣的京城，远赴僻静的天台山去实修止观，创立伽蓝，在山九年。智𫖮通过在天台山的长期止观和习修，总结了慧思等法师的佛教思想，逐渐形成了自己的一套止观学说的理论体系。智𫖮住天台山后，四方道俗蜂拥而至。智𫖮于是大开讲席，一边讲经，一边传授佛法。

陈后主祯明三年（589年），隋军九路南征，攻克建康，陈朝灭

① 关于智𫖮出家的湘州果愿寺，人们长期以来认为在今湖南长沙。任林豪《智者大师疑问二则》（载《佛学研究》1997年第1期）一文对此提出了自己的质疑，他认为：这里的“湘州”不是今所在的长沙湘州，而是《魏书》卷一〇六《地形志》所载的“湘州”：“萧衍置，魏因之；治大活关城。领郡三、县三。安蛮郡，领县一新化（州、郡治）。梁宁郡，领县一灄阳。永安郡，领县一新城。”因此，他的结论是：“智者大师出家寺院‘湘州果愿寺’的‘湘州’，当是南朝萧衍设置、延续时间短、在历史上为人们所忽视、治所在大活关城的‘湘州’。至于‘果愿寺’，因时间久远和历史的变迁，早已湮灭，具体位置，应在今湖北省的大悟县和黄陂、黄冈县一带。”

② （唐）道宣撰，郭绍林点校：《续高僧传》卷一七《隋国师智者天台山国清寺释智𫖮传》，第625页。

亡。《续高僧传》说智𫖮“策杖荆、湘”，以避兵乱。隋文帝开皇十一年（591年），晋王杨广多次遣使请智𫖮到江都（今江苏扬州）弘法，智𫖮经使者反复敦促才成行。当年十一月二十三日，在江都晋王的金城殿为杨广举行的受戒千僧会上，智𫖮作为主持，为杨广授了一个“总持”（即功德圆满菩萨）的法号。为晋王杨广受戒后，智𫖮便离开了江都，先后到庐山、潭州、南岳、荆州等地弘法，宣传他的止观修学佛教思想。

隋代政治上的统一，既要求有统一的佛教与之相适应，也为统一佛教的南北不同学风提供了可能，智𫖮则是使这种可能变为现实的重要人物。开皇十五年（595年），智𫖮受晋王杨广之请，再到江都主持禅众寺，并写成了《净名义疏》。次年春重返天台山，重修寺院。开皇十七年（597年），晋王再遣使者入天台山迎智𫖮入江都。当年十月，智𫖮带着拟建天台山下寺院的图纸抱病随使者出山。十一月，智𫖮行至石城大佛寺（今浙江新昌县西南）病重，不能继续前行。晋王得此消息，即派王府名医李膺前往诊疗。智𫖮自知将不久于人世，于是在病榻上向弟子们口授了《遗书》，同时还向晋王口授《发愿疏文》。十一月二十四日，智𫖮寂然入灭，享年六十岁。第二年，晋王杨广遵智𫖮遗愿，在天台山南麓依图建寺，初名为天台寺。605年，杨广即帝位后，改名国清寺。智𫖮死后，其遗体送回了天台山，将其肉身葬入六角塔内。此塔今日仍在天台山真觉寺中。

智𫖮一生弘法三十余年，成就巨大。《续高僧传》说他：“东西垂范，化通万里，所造大寺三十五所，手度僧众四千余人，写一切经一十五藏，金檀画像十万许躯，五十余州道俗受菩萨戒者不可称纪，传业学士三十二人，习禅学士散流江汉，莫限其数。”[1] 又智𫖮一生计有著

① （唐）道宣撰，郭绍林点校：《续高僧传》卷一七，第635页。

述二十九部，一百五十一卷[①]。《法华文句》《法华玄义》《摩诃止观》，世称“天台三大部”；《观音玄义》《观音经》《观音义疏》《金光明经玄义》《金光明经文句》为“天台五小部”，是天台宗最主要的典籍。智𫖮的“天台三大部”和“天台五小部”构成了完整的天台宗教观体系。因该宗教义多取自《法华经》，故该宗也被称为法华宗。智𫖮专注于解经，尤用心于早期大乘的两部经典《法华经》和《维摩经》，开创“重经不重论”的风尚，在批判地总结前人各种判教学说的基础上，提出了其系统、严谨的“五时八教”[②]判教理论，作为天台宗立宗根据。对智𫖮的这套判教理论，有论者评价说：“其思想之开阔、析理之深微，前所未见，……从一定意义上说，智𫖮的判教在中国佛教思想史上的贡献，可以比拟先秦《庄子·天下》《荀子·非十二子》和经学中的董仲舒、新儒学中的朱熹等人总结学术的工作。”[③]还有论者称赞智𫖮为“诸家判释说之集大成者”[④]。随着天台宗的问世，中国化的佛教宗派相继出现。天台宗成为三论、唯识、华严、净土、禅、密、律八宗之首，在我国宗教史和哲学史上占有重要地位。

智𫖮在修道论方面，主张定慧双修，止观兼重。他发展了龙树空、假、中“三谛”和慧思“一心三观”思想，提出“三谛圆融”之说。他说，诸法都具有三轨，即真性、观照、资成；三轨体现为空、假、中“三谛”，本是同时存在、互不妨碍的；见空为一切智，见假为道种智，见中为一切种智。这就是他所称的“三谛圆融”，“三谛圆融”即是“三

---

① 中国大百科全书总编辑委员会：《中国大百科全书·宗教》，中国大百科全书出版社 1991 年版，第 525 页。

② 智𫖮所谓“五时”，就是把全部教法（即佛教发展中结集成的主要经典）安排在佛陀当年一生教化的五个时期（即“华严时”“阿含时”“方等时”“般若时”“法华时”）。在发挥《法华经》的要旨方面，智𫖮以“化仪四教”（顿教、渐教、秘密教、不定教）和“化法四教”（藏教、通教、别教、圆教）判释释迦一代时教。

③ 孙昌武：《中国佛教文化史》（第四册），第 1766 页。

④ 蒋维乔：《中国佛教史》，上海古籍出版社 2004 年版，第 104 页。

智圆融”。在此基础上，智顗发挥出止、观双运，解、行并重的修道论，配合三观提出三止，即体真止，方便随缘止，息二边分别止；所谓圆顿止观，观不思议境，破邪断惑，最后皆归结于此。智顗提出的具体修道方法，可以概括为定慧双修，止观兼重，反照心源，体得中道。他的《摩诃止观》集中而精彩地阐述了这方面的看法，“既表现出慧解即教理方面规模之庞大与思致之深刻，又体现了修持实践功夫的认真与圆融”[①]。

智顗创立天台宗的思想理论，可以说是融汇南北，打通中外，贯通古今，极具中国文化的实践意义和社会价值。智顗的“五时八教”就是在批判地借鉴南北义学纷杂的判教成果基础上所总结出来的严整、细密的判教体系。止观理论本是印度佛学所强调的内容，南北朝时期中国南北佛学在接受的过程中，已明显有实践与理论相脱离的倾向，经智顗的努力，“定慧双修，止观兼重”既富有学理又注重践行。至于智顗思想上“贯通古今”的例证也很多。陈寅恪先生曾指出，“天台宗者，佛教宗派中道教意义最富之一宗也”[②]；法舫法师也讲过，天台的学说很接近老、庄的思想，是根据中国人的思想发展成立的，乃中印思想融合的产物，所以中国人易于接受[③]。智顗也曾讲道家的丹道之术，他在《修习止观坐禅法要杂说》中说：“脐下一寸名优陀那，此云丹田，若能止心守此不散，经久即多有所治。”可见，天台宗并不拘泥于印度佛教的教义，对于其他宗教的可取之处也能做到兼收并蓄。其思想中充满了中国文化诸多元素，所著《法华玄义》卷八上中就说道：

若周孔经籍、治法、礼法、兵法、医法、天文、地理、八卦、

① 孙昌武：《中国佛教文化史》（第四册），第 1768—1769 页。

② 陈寅恪：《冯友兰中国哲学史下册审查报告》，见《陈寅恪集·金明馆丛稿二编》，生活·读书·新知三联书店 2001 年版，第 284 页。

③ 法舫：《唯识史观及其哲学》，慧日讲堂 1974 年版，第 25 页。转引自韦政通：《中国思想史》下册，上海书店出版社 2003 年版，第 549 页。

> 五行、世间坟典，孝以治家，忠以治国，各亲其亲，各子其子，敬上爱下，仁义揖让，安于百姓，霸立社稷。若失此法，强者陵弱，天下焦遑，民无聊生，鸟不暇栖，兽不暇伏。若依此法，天下太平，牛马内向。当知此法乃是爱民治国而称为实。

他又说：

> 若坚持五戒，兼行仁义，孝顺父母，信敬惭愧，即是人业。[①]

智𫖮的思想理论中尽显中国文化是一种伦理型文化的特征，他把出世与入世、佛法与伦理较好地统合起来，从而使其天台教理具有了与中国文化相符相合的实践意义和社会价值。

智𫖮思想的形成受荆楚文化影响的因素也是十分明显的。他出生在荆州，18 岁前往同在荆州的果愿寺出家。其思想中具有道家、道教色彩毫不奇怪，因为老子、庄子是楚国哲学家，楚地不仅是产生道家哲学的地方，荆楚地区也是道家、神仙家、黄老道家的渊源所在[②]。智𫖮还是使关羽神化和宗教化的一个关键人物。智𫖮在当阳玉泉山创立玉泉精舍时，灌顶《隋天台智者大师别传》、唐释道宣《续高僧传》均记“百姓咸谓神怒”，两传虽都没有指说这神是关羽，到了唐贞元十八年（802 年），董侹在他的《荆南节度使江陵尹裴公重修玉泉关庙记》中确认了这位神灵的身份，他就是关羽[③]。所以，所谓“神怒”应当是佛教史传书籍所载的“关公显灵”，智𫖮认识荆楚人民对关羽的崇敬之情，并以佛学家的宗教敏感，充分认识到关公显灵的传说对于佛教本土化

---

① （隋）智𫖮：《法华玄义》卷八上，《大正藏》卷三三，第 780 页中、第 759 页中。

② 吴成国：《楚文化中的星神崇拜及其对道教的影响》，载梁发、潘崇贤主编：《道教与星斗信仰》，齐鲁书社 2014 年版，第 218—219 页。

③ （唐）董侹：《荆南节度使江陵尹裴公重修玉泉关庙记》，见（清）董诰等：《全唐文》卷六八四，第 7001 页。

的意义，遂将关羽请进佛门，使关羽成为佛弟子[1]。根据北宋元丰四年（1081年）张商英所作《重建关将军庙记》知，“关羽已是被智者大师用悲悯之心降服的‘大力鬼神’，这已完全是佛门护法的形象了”[2]。至南宋，关羽成了佛教的护法伽蓝。智𫖮拉关羽进佛门的这一举措既突出了天台宗的中国文化特色，也使天台宗具有了荆楚文化的因子，因为荆楚大地是关羽的成名地、关羽的神化地和关公文化的最早传播地[3]。

智𫖮创立天台宗之外，他对中国佛教的影响是多方面的，也是长久的。从弟子灌顶编集的《国清百录》所收智𫖮的遗文看，智𫖮还在建全天台僧团制度、确立一宗的礼仪忏法和提倡放生等方面做出过不少努力。为了规范僧人们的行为，智𫖮创立了“制法十条”，规定僧人四时坐禅、六时礼佛，不得盗吃鱼肉辛酒、非时而食等。“制法十条”对僧人日常课诵、过堂用斋、修禅念佛等都作了具体规定。这一规矩历经1400余年一直沿用至今，这可以视作是智𫖮对其前辈东晋高僧、驻锡襄阳时间最长的释道安“制定僧伽寺规”[4]的继承和发展。智𫖮倡导“放生”理念并在寺庙中首建放生池，陈宣帝时，国子祭酒徐孝克撰写《天台山修禅寺智𫖮禅师放生碑并序》[5]，这是中国有放生池及放生会记载的开始，此后“放生”开始在中国盛行起来，延续至今。身处深山清修的智𫖮，为了解决僧人们的粮食问题，在中国佛教界首次提出了“农禅并重”的理论并付诸实施。智𫖮带领僧众白天劳作，晚上诵经，身体力行，自给自足。这一“农禅并重”的传统不仅在天台宗的寺院中代代传

① 吴成国：《论荆楚文化与关羽的神化》，载武清海主编：《荆楚文化与湖北人文精神》，湖北人民出版社2009年版，第389页。

② 王志远、康宇：《关公文化学》，中国社会科学出版社2015年版，第154页。

③ 吴成国：《湖北与关公文化——从几幅名联说开去》，载熊寿昌主编：《三国文化与鄂州》，湖北人民出版社2018年版，第11—17页。

④ 吴成国：《释道安与长安》，载增勤主编：《长安佛教的历史演进与传播》（上），陕西师范大学出版社2010年版，第67页。

⑤（隋）徐孝克：《天台山修禅寺智𫖮禅师放生碑并序》，见（清）严可均：《全隋文》卷一二，第125页。

承，还被唐代荆楚黄梅禅宗的创始人道信、弘忍所继承和弘扬。

智𫖮与荆楚丛林的关系特别是与当阳玉泉寺的关系更是非同一般。“天台三大部”中的《法华玄义》和《摩诃止观》，都是在荆州当阳玉泉寺完成的，尤其是《摩诃止观》代表了智𫖮的成熟思想，也奠定了天台宗的思想理论基础。玉泉寺位于湖北省当阳市城西南玉泉山东麓。因玉泉山形似覆船，故又名覆船山或覆舟山。隋文帝开皇十二年（592年）十二月，智𫖮回到荆州故乡，倡立法门，在当阳玉泉山创立精舍，重修十住寺；荆州道俗，延颈候望，扶老携幼，相趋戒场。从杨广与智者大师的书信看，杨广支持智𫖮在荆州的弘法活动，并遣书荆州官员派人奉迎智者。[①]次年四月，智𫖮于此讲述《法华玄义》。隋文帝原敕建寺额“一音寺”，后敕改“玉泉寺”，以其由洞穴出水，注凝视为泉，色似琉璃，味如甘露，故称玉泉。开皇十四年（594年），智𫖮在此讲说《摩诃止观》，玉泉寺之名由是大著，与栖霞、灵岩、天台并称天下丛林“四绝”，玉泉寺更被誉为“荆楚丛林之冠”。开皇十三年（593年），智𫖮还主持构筑长林县（今湖北荆门市）东山宝塔。宝塔建成后，使长林古城显得神采奕奕，因此民间流传有“立了东山塔，长林生头角”的谚语。

智者大师临终前与杨广书信，表达了对杨广成就他报恩荆土乡梓之愿的感激，也透露出地方官府对他的疑虑。遗书中写道：“荆州法集，听众一千余僧，学禅三百，州司惶虑，谓乖国式，岂可聚众，用恼官人？……慈恩已足，愿为玉泉作檀越主。”[②]“州司惶虑，谓乖国式”，表明地方州司对智者大师规模巨大的弘法活动曾持不信任态度，故而大师才有“岂可聚众，用恼官人”的感慨。智者大师希望杨广继续作玉泉檀越主，能确保玉泉法系维持以继，但他内心的无奈与遗憾跃然纸上，

① （宋）释志磐撰、释道法校注：《佛祖统纪校注》卷六，上海古籍出版社2012年版，第179页。

② （隋）智𫖮：《赴晋王召道病遗书告别》，见（清）严可均：《全隋文》卷三二，第363—364页。

他选择离开荆州，避地东南，恐怕与荆州地方司州对待他的弘法活动态度有一定关系。

智𫖮圆寂后，大师于荆州当阳玉泉寺播下的智慧法种生根发芽，世代相传，玉泉寺天台宗一脉堪称人才辈出。有玉泉道素、志果、道慧、道臻、道悦、道势、行简、法盛、法论、法偃、法才、法璨、义邃、当阳德抱等高僧传播“荆南正法”。其中，法盛曾在唐初入京师，据《佛祖统纪》卷九载：“每说法，口出光明，四众戴仰，同于真佛。朝廷尊其道，赐号悟真禅师。”[①] 而道素之弟子名弘景（又名宏景、恒景）者，武曌时期闻名天下，被称为“国都教宗，帝室尊奉”[②]。弘景自己天下闻名不说，他还培养了两个最著名的弟子，就是鉴真和兰若惠真。惠真也有两个著名的弟子，即一行和净土宗三祖弥陀和尚承远。可见，唐初至唐中期，“荆南玉泉便成为天台宗的又一中心……其与南岳、天台等遥相呼应，为天台宗的发展作出了巨大的贡献”[③]。有论者则说“天台宗的玉泉山一脉比之台岳更加兴盛”[④]。

三、“三论”传人：罗云、法安、慧哲

梁陈之际，法朗（507—581 年）在建康以兴皇寺为大本营，培养大批优秀弟子，弟子中有“二十五哲”之说，其中著名者十余人，罗云、法安、慧哲乃法朗荆楚籍的著名弟子，他们三人成为荆楚地区三论法系的传人。

所谓“三论”，指龙树的《中论》《十二门论》和提婆的《百论》，隋代以传播这三部佛经为宗旨的教派称三论宗。这三部佛教经典的思想核心在“诸法性空”，故该宗又名“法性宗”。龙树是佛教大乘空宗的代

① （宋）释志磐撰、释道法校注：《佛祖统纪校注》卷九，第 236 页。

② （唐）李华：《荆州南泉大云寺故兰若和尚碑》，见（清）董诰等：《全唐文》卷三一九，第 3237 页。

③ 徐文明：《天台宗玉泉一派的传承》，《佛学研究》1998 年第 1 期。

④ 王志远、康宇：《关公文化学》，第 151 页。

表人物，被称为“空宗鼻祖”，他的论著多以“一切皆空”思想为论述主题，他的弟子提婆著《百论》以弘扬其佛教“诸法性空”的思想而闻名。佛教三论思想后由从鸠摩罗什游学多年的道生大师（355—434年）传至南方，基本上形成了三论法系。

罗云（542—616年），俗姓邢，南郡松滋人。年十六便已游学金陵，师从法朗。据《续高僧传》记载：

> 云以三论奥义未被荆南，二障多阻，誓当弘演。有栖禅寺陟禅师，定慧兼修，注心开剖。于时六合混一，三楚全盛，众若稻麻，人多杞梓。云创还乡寺，乘此应机，居端座为请益之师，吐清言为住法之首。总管宜阳公王世积、诏使舍人萧子宝，躬临法席，咸诵德音。有龙泉寺，地隔嚣尘，心存闲旷，乃居之五十余年，修葺栋宇，常坐不卧，领徒五百，时呈翘楚。①

由此可见罗云师从法朗，研习三论自有心得，并于荆南开创一派佛教领地，讲四经三论，产生了很大的影响。隋炀帝因其声名远扬而敕令入京，不过罗云并不曾遵命，而是“以病而退”。《续高僧传》另载罗云虽没有著作传世，但他讲四经、三论各数十遍，皆心思口演，冰释理顺，故得空有两忘，教义双举，深得四经、三论之精髓。

法安，姓田，枝江人。《续高僧传》说他“春秋六十五，终于等界寺”，但生卒年均不详。法安当时就因“独标三绝”，而声闻楚越。后回荆州等界寺讲论四经、三论，理致宏远，流传江汉，也是一代名僧。《续高僧传》记载：

> （法安）神彩俊越，见称童幼。年十八，游学金陵，初听《成实》，后学中观于兴皇座下。十有余年，庶乎屡空，智乎特秀。

① （唐）道宣撰、郭绍林点校：《续高僧传》卷九《隋荆州龙泉寺释罗云传》，第300页。

三千学侣，独标三绝之名：形长八尺，风仪挺特，一也；解义穷深，二也；精进洁己，三也。时听《涅槃》，每立异义，令众难之，人虽巨众，无能屈者，由是声闻楚越。[①]

当时所有研习“三论”影响最为著名者当属释慧哲。慧哲（539—597年），襄阳赵氏，识度宏朗，业操清远，威容自矜，动止怀法，故有“象王哲”之誉。慧哲住襄阳城西望楚山龙泉寺，以弘法为务，讲授《涅槃》、三论，有学士三百余人，成器传灯者有惠品、法粲、智嵩等五十人，在荆楚佛教界有巨大影响[②]。

一般认为，以罗云、法安、慧哲为代表的荆襄高僧，深得法朗“三论”精髓，在荆楚大地弘扬佛法，扩大了“三论”的影响力，为吉藏创立“三论宗”打下了坚实的基础。虽然当时弘传三论的学者不少，但从法朗到吉藏，罗云、法安、慧哲是传习“三论”不可或缺的重要环节。

四、开坛讲学：玄奘大师的荆州之行

唐代有一位著名的佛学家、翻译家、旅行家，他就是西行求法、名震中外的高僧三藏法师玄奘（600—664年）[③]。俗姓陈，名祎，原籍河南陈留（今河南开封市），生于洛州缑氏县（今河南偃师市），出身官宦之家。祖父陈康，北齐礼部侍郎。父陈慧，曾任陈留、江陵等县令，隋末动乱，辞官隐居。玄奘的著作和译文，被历代学者广泛研究。人们折服于他的孤影西征，舍命求法的精神，仰慕他对唯识哲学的精微理解和对印度佛教的丰富知识。可能很少人知道，他在西行求法前，曾在荆州天皇寺开坛讲学。

按照《续高僧传》本传的记载，玄奘走上弘扬佛法的道路，其兄长

---

① （唐）道宣撰、郭绍林点校：《续高僧传》卷九《隋荆州等界寺释法安传》，第302页。

② （唐）道宣撰、郭绍林点校：《续高僧传》卷九《隋襄州龙泉寺释慧哲传》，第303—304页。

③ 关于玄奘生卒年，颇多异说，兹采用道宣《续传》卒于麟德元年、世寿65岁之说。详考参阅杨廷福：《玄奘年谱》，中华书局1988年版。

对他有影响。次兄陈素，出家为僧，法名长捷。生逢隋末动乱的玄奘，又当隋朝大力崇佛的时候。大业五年（609 年），10 岁的玄奘由兄长捷携往东都净土寺作童行，开始研习佛典；13 岁受度出家，得法号玄奘。因李渊太原起兵，中原群雄逐鹿，洛阳成为战场，玄奘与长捷西奔长安；又逢关中战乱，京师名僧相率奔蜀，玄奘兄弟二人相随入蜀。在蜀地四五年间，玄奘寻师受业，研读大、小乘经论和南、北《地论》《摄论》诸家师说，学解大为精进。唐武德六年（623 年），24 岁的玄奘与友人结伴离开蜀地，泛舟出峡，游学荆州，到达城东天皇寺。

玄奘在荆州天皇寺开坛讲学，驻留达半年之久，讲论《摄论》《毗昙》诸经，“自夏及冬，各得三遍”[①]，荆州讲学让玄奘声名大震，受到僧众与出任荆州都督的汉阳郡王李瓌[②]的极高礼遇。对于玄奘荆州之行，其弟子靖迈亦有比较详细的记载，据《古今译经图纪》卷四云：

> 洎武皇定鼎，文轨攸同，沿江徇友，途经鄢郢。于时汉阳王以磐石之寄，藩镇荆楚，先闻高誉，殷请敷扬。爰于荆府天皇寺，讲《摄大乘》及《阿毗昙》等论。淮海名僧，钦风云萃，王及群公，亲诣法筵。法师析微通质，妙尽理原，王公硕识，得未曾有。其时大德法师智琰等，并江汉英灵，解穷三藏，既觏法师，妙辩无碍，泣而叹曰：“岂期以桑榆未光，得遇大阳初辉乎！”遂以纵心之年，师奘卒礼。[③]

由此可见，玄奘开讲之时，荆州都督、汉阳郡王李瓌亲率荆州文武百官及各界名流前来听讲，淮海一带的名僧也云集荆州听其讲学，听者

---

① （唐）释慧立撰，（唐）释彦悰笺，孙毓棠、谢方点校：《大慈恩寺三藏法师传》卷一，中华书局 1983 年版，第 8 页。

② 李瓌（？—630 年），唐朝宗室，高祖李渊从子。高祖即位后，进封汉阳郡王，出任荆州都督，政务清静。唐太宗即位后，例降汉阳县公。贞观四年去世，追赠荆州都督。

③ （唐）靖迈：《古今译经图纪》卷四，《大正藏》卷五五，第 366 页。

向玄奘多询诘问难，法师酬对应答，令众人惑佩不已。荆州开坛讲学，无疑是青年玄奘佛学事业的一个重要起点。对于他为何选择荆州作为他讲学的起点站，有学者认为可能与他的父亲有一定的关系。据《续高僧传》卷四记载："（玄奘）父惠，早通经术，长八尺，明眉目，拜江陵令，解缨而退。"[①] 可见玄奘的父亲陈慧曾任江陵令，后因无心官场，解缨而返。由此，有论者推论陈慧在江陵出任地方长官时，玄奘应该随其父在荆州生活过，对这里较为熟悉，所以出川后即挂锡荆州，开始其弘法事业[②]。

释智琰眼中"大阳初辉"的青年玄奘，在荆州天皇寺开坛讲学达半年之久，更重要原因是与荆州在佛教界的地位与影响有着直接的关系。

大约在武德六年（623 年）冬或次年春，玄奘即离开荆州，东游扬州，又北上相州（今河北临漳县）、赵州（今河北赵县），到达长安。为求佛经原本，统一佛教义学，他萌生了"誓游西方，以问所惑"[③] 的志愿，贞观元年（627 年），28 岁的玄奘开始了他西天取经之路！

五、上接下传：东山法门与禅宗的创立

何谓"禅"？洪修平在《中国禅学思想史·序言》中指出："禅在印度有外道禅与佛教禅之分，佛教禅又有大小乘之别。佛教禅就其本义来说，有两层含义：一是使心绪意念宁静下来，与'止'或'定'相近；二是正审思虑，如实了知所对之境，与'观'或'慧'相近。中国佛教一般将禅与定并称为'禅定'，中国禅宗又以禅命宗，倡'定慧等学'，使禅具有了更广泛的含义。"[④]

湖北黄梅四祖寺山门殿有本焕法师撰联云："六代尊师大振宗风泽

---

① （唐）道宣撰、郭绍林点校：《续高僧传》卷四《唐京师大慈恩寺释玄奘传》，第 95 页。

② 参见徐文武：《论隋唐时期佛教在荆州的传播》，《荆楚学刊》2013 年第 5 期。

③ （唐）释慧立撰，（唐）释彦悰笺，孙毓棠、谢方点校：《大慈恩寺三藏法师传》卷一，第 8 页。

④ 洪修平：《中国禅学思想史》，《序言》第 4 页。

寰宇，一愧佛子继承四祖现重光。”五祖寺山门有茗山长老所书联云：“上接达摩一脉，下传能秀两家。”[①] 两副对联均画龙点睛般道出了四祖寺、五祖寺在中国佛教史上的地位。[②] 禅宗在东方的传法世系，一般以菩提达摩为初祖，五祖寺山门联“上接达摩一脉”由此而来；慧可为二世，僧璨为三世，道信为四世，弘忍为五世。目前学术界基本形成一致的看法：四祖道信在禅宗形成过程中起到了承上启下的作用；五祖弘忍在此基础上进一步完成了禅宗的创建；而弘忍的弟子神秀、慧能，则实现了禅宗思想的成熟和禅宗派别的壮大，以南能北秀为代表的南北禅宗成为中国禅宗的两大基本派别。这便是五祖寺山门联“下传能秀两家”之谓。道信开创、弘忍完成的东山法门，标志着中国禅宗的正式形成。

道信、弘忍创立的“东山法门”，已具有佛教宗派的特征，这便是中国佛教史上的禅宗。《宋高僧传》弘忍本传称“入其趣者号东山法门”[③]，神秀本传则称：“忍与信俱住东山，故谓其法为东山法门。”[④] 之所以将道信、弘忍作为禅宗的创始人，是因为这一时期，作为宗法重要标志的传法统绪才真正明确起来，并有了成规模的教团，有了被认可的称呼如“楞伽师”“东山法门”等，也有了更明确也较系统的宗义。黄钊先生认为，“东山法门”开创了禅门发展的新局面，“东山法门”时期的禅学理论创造达到了很高境界（深化了“心传”的理论；发展了“禅修”的理论；革新了“顿悟”的理论；创立了“明心见性”说），慧能的禅学思想渊源于“东山法门”，可以说，东山法门是禅宗形成的标

① 本焕法师（1907—2012 年），湖北武汉新洲人，当代著名高僧，中国佛教协会名誉会长。茗山长老（1914—2001 年），江苏盐城人，毕业于武昌佛学院，享有当代“书家诗僧”美誉，中国佛教协会副会长。

② 吴成国：《荆楚佛教文化简论》，《荆楚文化》2018 年创刊号。

③ （宋）赞宁撰、范祥雍点校：《宋高僧传》卷八《唐蕲州东山弘忍传》，中华书局 1987 年版，第 172 页。

④ （宋）赞宁撰、范祥雍点校：《宋高僧传》卷八《唐荆州当阳山度门寺神秀传》，第 177 页。

志[①]。孙昌武先生也认为，“到道信、弘忍师弟子在黄梅开创‘东山法门’，禅宗作为新宗派才算正式成立了”[②]。

“三代禅祖聚蕲黄”。在禅宗发展史上起到重要作用的四祖道信、五祖弘忍、六祖慧能都与湖北黄梅县关系密切。古代的蕲州黄梅，历史上被誉为“小天竺”，有“蕲黄禅宗甲天下”和“佛教大事问黄梅”之说。湖北也因此被公认为禅宗生长的沃土，禅宗从这里走向世界。在魏晋时期，黄梅地域就有了佛教徒的行踪。进入唐代，由道信、弘忍两代祖师改革首创的中国禅宗——“东山法门”在黄梅横空出世，经由弘忍十大弟子与嗣法慧能弘化全国。“东山法门”人气旺盛，有了众多比较固定的信徒，其活动区域也日益扩大，以黄梅为中心，遍及湖北，并逐渐在全国产生影响，后来许多流派的禅法基本上出自“东山法门”。

道信（580—651年），俗姓司马，祖籍河内（今河南沁阳县），其父司马申北周时曾任永宁（今湖北武穴市）县令，其母徐氏随其父寓居任所，北周大象二年（580年）生道信于齐昌郡蕲州永宁县（今湖北武穴市梅川镇）。道信自幼笃信佛教，颖悟过人。他7岁到附近横冈山寺庙出家，14岁问法于皖公山，拜见三祖僧璨，20岁时具足戒，24岁得承三祖衣钵，禀为四祖。道信7岁出家，因其师“戒行不纯”，遂拜僧璨为师，先后在吉寺、庐山大林寺止住，后“蕲州道俗请度江北黄梅县众造寺。依然山行，遂见双峰有好泉石，即住终志”[③]。道信确定在黄梅双峰山建寺传法，“计算起来，这大约是唐室初建的武德三年（620

① 黄钊：《东山法门是禅宗形成的标志》，《佛学研究》1994年第1期。时至今日，学界仍有一种意见认为，“东山法门”时代的“禅”，还未达到“禅宗境界”；禅宗的创始人是慧能，禅宗的发源地在岭南。黄钊先生该文对此进行了反驳。另，有日本学者认为的禅宗形成时间更晚，说到马祖道一、石头希迁活动的八世纪后半中国禅宗才算正式成立，参见（日）田中良昭：《禅学研究入门》，大东出版社1994年版，第53—54页；又见（日）柳田圣山：《纯禅の时代》，日本禅文化研究所1984年版；《续纯禅の时代》，日本禅文化研究所1985年版。

② 孙昌武：《中国佛教文化史》（第四册），第1804—1805页。

③ （唐）道宣撰，郭绍林点校：《续高僧传》卷二一《唐蕲州双峰山释道信传》，第807页。

年）的事”[①]。说他被蕲州道俗迎请，当是溢美之词，据说他初到双峰山，“当夜大有猛兽来绕”，可以想见当时开辟的艰难。在双峰山传法30多年，道信圆寂于唐高宗永徽辛亥年（651年），成为我国佛教禅宗公认的第四代祖师。

道信在黄梅开禅，继承了达摩以来的禅法会通空、有的思想特色，形成了以“一行三昧”为核心的独特禅风。道信曾明确说：“我此法要，依《楞伽经》诸佛心第一，又依《文殊说般若经》一行三昧。”[②]在修行观上，道信一方面提出了观心看净的方便法门，另一方面又依于无所得心而倡导一种随心自在、无碍纵横的修行观，这就为日后南北禅宗的分化埋下了种子。神秀北宗继承他的观心看净，而强调“时时勤拂拭，勿使惹尘埃”；慧能南宗则发挥他的随心自在，而突出了无相、无念，自在解脱。

在传法方式上，道信决定一改前人头陀苦行的做法，建立道场，住寺弘法。禅宗自创立以来，在东土历经达摩、慧可等数代相传，一直继承印度僧侣的头陀行。《传法宝记》称他们“行无辙迹，动无彰记，法匠潜运，学徒默修”[③]，其生活维艰，弟子们行头陀行，携一衣一钵，四处飘流，靠乞讨为生。这给传法课徒带来极大的不便，更不利于佛法的传播。道信来到蕲黄（今湖北黄梅县）地界的双峰山（亦称破额山）后，采取了定居传法的方式。他身体力行，率领僧众开荒种地，用自力更生、自给自足的方法解决了居住在双峰山上众多僧人的衣食问题。这一切对于推动达摩系禅法的发展起了极为重要的作用，因为这既便于诸州学人前来学道，更有利于禅法的展开和影响的扩大。

总之，道信为禅宗思想的发展开辟了道路，使禅宗在佛教屡遭打击之后能够生存下来，并发展成为中国佛教的主流。故释印顺《中国禅宗

① 孙昌武：《禅宗十五讲》，中华书局2016年版，第63页。

② 石峻等：《中国佛教思想资料选编》第二卷（第4册），中华书局1983年版，第160—161页。

③ 杨曾文校写：《新版·敦煌新本六祖坛经》，宗教文化出版社2001年版，第181页。

史》评价道信说：

> 禅宗四祖道信，在中国禅宗史上，是值得重视的承前启后的关键人物。达摩禅进入南方，而推向一新境界的，正是道信。他的事迹，禅学应给以特别的注意。①

孙昌武也认为："按之历史实际，道信乃是中国佛教宗派禅宗的真正奠基者。"②

四祖道信不仅佛法造诣极深，且精通医术。隋末唐初，社会动荡，盗匪蜂起，加之瘟疫流行，百姓惶恐不安。道信十分关心百姓疾苦，以一衣一钵，奔走四方，为苍生救苦救难。相传他还用芥菜掺和米粉做成菜粑，为身患疥疮的百姓治病，也很灵验。唐代宗追封他为"大医禅师"。人们为纪念四祖道信诞生，把每年三月初三定为庙会之日，后来又演化成了集市活动。至今，每到三月三日，黄梅、武穴一带，家家户户仍有做"芥菜粑"的习俗，以祭祀这位为民疗疾的师祖。

道信弟子中最重要的是弘忍（601—674年）。弘忍，俗姓周，祖籍浔阳（今江西九江），后迁居湖北黄梅县。据《楞伽师资记》《历代法宝记》《宋高僧传·弘忍传》等资料记载，弘忍七岁就随道信出家，三十年不离道信大师左右，白天劳作，夜晚坐禅，性情敦厚，与世无争。由于他独善其身，精进不懈，文化水平虽然不高，读经也不多，却能契悟佛法大义，从而深得道信的器重。道信圆寂之后，弘忍接过祖师的衣钵，定居于黄梅双峰山以东的冯茂山（又称东山）。弘忍门徒有七百多

---

① 释印顺：《中国禅宗史》，中华书局2010年版，第43页。释印顺（1906—2005年），当代著名高僧、百科全书式的佛学泰斗。1930年出家，追随太虚法师投身中国近现代佛教复兴运动，在当时便以学问精深享誉佛教界。印顺法师博通三藏，造诣精深，一生讲学不辍，著述宏富。1973年，日本大正大学因印顺法师《中国禅宗史》一书而特别授予他文学博士学位。由于他在介绍和弘扬印度佛学方面的杰出成就，被誉为"玄奘以来第一人"。

② 孙昌武：《禅宗十五讲》，第49页。

人，四方前来学道者更是数以千计。弘忍继承了道信“一行三昧”的禅法并使之进一步发展，形成了所谓的“东山法门”，完成了中国禅宗的创建，成为中国禅宗第五代祖师。

弘忍秉承道信完成了“东山法门”的创建，东山法门则是禅宗形成的标志。从修行态度来看，弘忍继承了道信的随心自在，而又有了进一步的发展，从而提倡日常生活就是禅修之道场。从僧团建设来看，弘忍继承并发扬了道信山林佛教的禅风，依山傍林，聚徒定居，自产自给，进一步倡导“农禅并作”，把禅的修行与生产劳动相结合，从而在根本上改造了达摩禅独自山居林处、乞食苦行的方式，为修“一行三昧”者提供了生活和经济上的保障，为禅学形成宗派提供了组织基础，并使达摩以来随缘自在的修行观真正得以具体落实到实际的禅行生活中。从对待经典的态度来看，弘忍发展了达摩以来的“藉教悟宗”，开启了“教外别传”之门。他的禅法并不要求借助经教来达到“理悟”，而是强调“心”为万法之源，“若了此心源者，一切心义自现”①，为教外别传确立了“心”的基础。“一切法行不出自心，唯心自知心无形色。诸佛只是以心传心，达者印可，更无别法。”②

弘忍的弟子来自全国各地，他把弟子分散到各地弘化。“其中慧能、印宗到广东，神秀到两京、荆州，玄赜、玄约、道俊到湖北，智诜到蜀中，义方、僧达到浙江，法照到安徽，慧明到江西，如此等等，把这个禅修的新佛教广传天下四方，扩大了影响。”③所谓“天下名山僧占多”，仅以唐末五代的禅僧群体与荆楚“名山”塑造为例，迅速崛起的荆土“名山”有25座之多，分别是：鄂州茱萸山、唐年山、黄龙山、清平山，襄州延庆山、清溪山、白马山、鹫岭、鹿门山、谷隐山、洞山、石门山、万铜山、含珠山，安州大安山、白兆山、九嵕山，郢州芭蕉山、

① （唐）弘忍：《最上乘论》，《大正藏》卷四八，第378页。

② （宋）延寿：《宗镜录》，《大正藏》卷四八，第940页。

③ 孙昌武：《禅宗十五讲》，第68页。

兴阳山、大阳山、桐泉山、蕲州三角山、乌牙山，随州双泉山等。[①]

有研究者关注到了禅宗与中国文化的关系。洪修平说："禅在中土的展开，既融合吸收传统的思想文化，又深深地渗透到了传统思想文化之中，成为华夏文化的重要组成部分。"[②]

还有学者的研究强调了禅宗思想的中国本源问题，主张"隋唐以下流传的禅宗思想，其主旨实在是产生于中国、塑造于中国的"[③]。麻天祥论曰：

> 史贵于征实，不靳于振奇。思想之发展，若不以历史的真实为基础，固然可以赏心悦目，令人叹为观止，但它只能是神话，是文学，而不是思想发展史。
>
> 其实，禅宗思想的发源并不像后世禅僧们说得那样神奇，这是大家都清楚的。说禅宗思想的形成受老庄思想影响，恐怕也没有太大的异议。但是，如果说，禅宗思想是任性逍遥、玩习老庄的中国知识分子，假佛教之名，对道家思想，特别是庄子思想的重新整合并予以大众化的阐扬，或者直接说，禅宗思想是大众化的老庄哲学，大概不会得到大多人的认同。然而，这却是事实。[④]

而且，他将其核心观点作为封面语呈现出来：

> 禅宗思想的形成，是以创造性翻译为前提，不断而又广泛地撷取庄、老思想，由道生、僧肇奠基，终至《坛经》而系统化、大众化的哲人之慧。
>
> 禅宗思想基于庄、老自然主义的立场，以见性成佛为宗旨，把

① 齐子通：《湖北佛教史》，第128—142页。

② 洪修平：《中国禅学思想史》，《序言》第4页。

③ 李学勤：《序》，见麻天祥：《中国禅宗思想发展史》，湖南教育出版社1997年版，第2页。

④ 麻天祥：《中国禅宗思想发展史》，《前言》第1页。

返归自然的外在超越变成反求诸心的内向追求，以筌蹄鱼兔、得意忘象的思辨方式，凸显离相、离念、离言的否定性思维，并强调禅、定分途。

不难看出，这种对禅宗思想的中国本源问题的思考，也就是对禅宗思想与荆楚文化关系的思考，从一定意义上说，也就回答了为什么荆楚大地上的黄梅能够产生禅宗的问题。因此，其认识是富有启迪意义的。

“东山法门”成为中国禅宗主流，有其深刻的社会历史原因。黄梅能产生新的佛教宗派——禅宗，主客观原因或许是多方面的，但道信、弘忍作为僧团领袖人物的人格、品德、才学、能力出众则是主观原因。客观原因有以下三点：

首先，道信、弘忍所处的时代，正值隋唐统一之际，南北文化趋向统一，南北禅学逐渐走向融合。道信、弘忍的禅学也体现了这种南北禅学融合的特点，影响遍及全国。显庆年间（656—660 年），唐高宗仰其德，慕其名，曾两次遣使请弘忍到京城，都被婉拒。高宗乃派人送衣、药到山供养。虽然弘忍保持了道信对统治者上层人物不合作的态度，但帝王的数次征召，表明禅宗被最高统治者所接受和认可。

其次，黄梅地处长江中游，是南北东西交汇的之所。由此北上，则是襄阳、南阳、洛阳等，为北方中枢；渡江而南，则是庐山、衡岳、岭南；顺江而东，为杭州、金陵等地；沿江而上，则由荆州而入四川。这对于禅宗思想的融合形成提供了天然的便利。

再次，唐代初期，佛教各教派组织上也开始形成规模。就在道信开拓黄梅禅居后的武德七年（624 年），唐朝廷颁布均田令。唐代均田本是沿袭北朝办法，一项重要变革是给僧、道授田，“凡道士给田三十亩，女冠二十亩，僧、尼亦如之”[①]。授田给僧、道，有利于社会安定，又可以增加朝廷赋税来源。黄梅山区荒僻，朝廷既然有政策，道信也就

① （唐）李林甫撰、陈仲夫点校：《唐六典》卷三《尚书户部》，中华书局 1956 年版，第 74 页。

可以名正言顺地收纳僧众大举拓殖，僧团生存、发展的基本条件也就具备了。特别是弘忍继承道信以来耕作自给的传统，保障了寺院经济的来源，“东山法门”声名远播，禅门隆盛。

“东山法门”一经形成，即得到当时人和后世学者的高度评价。《楞伽师资记》载曰：“则天曰：若论修道，更不过东山法门。”[①]李华撰《扬州龙兴寺经律院和尚碑》说：“天台止观是一切经义，东山法门是一切佛乘。”[②]印顺《中国禅宗史·序》说：“达摩禅到（四祖）道信而兴盛起来。经道信、弘忍、慧能的先后弘扬，禅宗成为中国佛教的主流。道信、弘忍、慧能，都有卓越的方便，但这是继往开来、递嬗演化而来的。”[③]萧萐父则称赞说，东山法门具有“勇于破旧立新的改革精神”“善于取精用宏的创造精神”“敢于广开法门的宽容精神”[④]。

六、开室岩居：神秀迁隐荆州与“北宗禅”的创立

神秀（606—706年），唐代高僧，俗姓李，汴州尉氏（今河南尉氏县）人，禅宗五祖弘忍弟子，北宗禅创始人。武德八年（625年），神秀在洛阳天宫寺受具足戒，到五十岁来到黄梅弘忍门下。禅宗发展到五祖弘忍晚年，分化出神秀的“北宗禅”与慧能的“南宗禅”。神秀的北宗禅是从荆州当阳玉泉寺隐居开始的，《宋高僧传》神秀本传说“忍于上元中卒，秀乃往江陵当阳山居焉。四海缁徒，向风而靡，道誉馨香，普蒙熏灼”[⑤]。就是说，神秀在弘忍处“服勤”，直到弘忍去世，方到当阳玉泉寺开法，二十年间，学徒众多，名声大噪。久视元年（700年），以九十高龄被女皇武则天迎请入东都洛阳。宋之问曾代东都诸僧草表，请

① （唐）净觉：《楞伽师资记》，《大正藏》第八五卷，第1290页中。

② （唐）李华：《扬州龙兴寺经律院和尚碑》，见董诰编：《全唐文》卷三二〇，第3245页。

③ 释印顺：《中国禅宗史》，《序》第9页。

④ 萧萐父：《首届禅宗与中国文化国际学术研讨会开幕词（代序）》，见萧萐父、黄钊主编：《“东山法门”与禅宗》，武汉出版社1996年版，第3—4页。

⑤ （宋）赞宁撰、范祥雍点校：《宋高僧传》卷八《唐荆州当阳山度门寺神秀传》，第177页。

与都城士庶以法事至龙门迎接，表文中说：

> 此僧契无生至理，传东山妙法，开室岩居，年过九十……九江道俗，恋之如父母；三河士女，仰之犹山岳。①

由此可见神秀从当阳玉泉寺出山名望之盛大。张说描写他入都盛况则说：

> 久视年中，禅师春秋高矣，诏请而来，趺坐觐君，肩舆上殿，屈万乘而稽首，洒九重而宴居。传圣道者不北面，有盛德者无臣礼，遂推为两京法主，三帝国师，仰佛日之再中，庆优昙之一现。②

张说所谓“两京法主，三帝国师”，“两京”指长安、洛阳，“三帝”指武后、中宗、睿宗，唐代与神秀取得同等声望和地位的高僧恐怕就玄奘和法藏。神秀以荆州为基地，经过二十多年的努力，创立禅宗北派，而后取得“两京法主，三帝国师”巨大的成功。据《大正藏》第八十五册净觉《楞伽师资记》记载，武则天曾问神秀：“所传之法，谁家宗旨？”神秀答道：“禀蕲州东山法门。”

关于神秀迁隐荆州的原因，历来人们有各种猜测。第一种说法是，永徽四年（653 年）浙江发生陈硕真起义，官方牵连的面极大，江左沙门受到普遍的打击。黄梅弘忍的弟子神秀、慧能可能也受到此事的牵连，神秀当时是为了逃避官府，所以隐居起来。③

第二种说法是，神秀迁隐荆州与弘忍的传位有关。如《宋高僧传》弘忍本传云：“初，忍于咸亨初命二三禅子各言其志，神秀先出偈，惠

① （唐）宋之问：《为洛下诸僧请法事迎秀禅师表》，见（清）董诰等：《全唐文》卷二四〇，第 2432 页。

② （唐）张说：《唐玉泉寺大通禅师碑铭》，见（清）董诰等：《全唐文》卷二三一，第 2335 页。

③ 参见杜继文、魏道儒：《中国禅宗通史》，江苏人民出版社 2007 年版，第 105、132 页。

能和焉。乃以法服付慧能，受衣化于韶阳。神秀传法荆门、洛下，南北之宗自兹始矣。”[①]历史上流传着神秀与慧能作偈的著名故事。神秀作偈云：

> 身是菩提树，心如明镜台。
> 时时勤拂拭，莫使惹尘埃。

弘忍认为神秀未见本性，难付衣钵。而慧能作两偈：

> 菩提本无树，明镜亦非台。
> 佛性常清静，何处有尘埃？

又云：

> 心是菩提树，身为明镜台。
> 明镜本清静，何处染尘埃？[②]

慧能偈语直指本心，意在顿悟成佛，与神秀大相径庭。于是，慧能甚得弘忍赞赏而授予衣钵，成为传法继承人，世称禅宗六祖。而唐高宗上元二年（675 年），弘忍卒，弟子神秀即前往荆州传播“东山法门”，仪凤二年（677 年），慧能到韶州（今广东韶关）主持宝林寺（即今南华寺），创建南宗。因此，这次传法标志着禅宗新的祖师诞生，使神秀永远失去了继承弘忍衣钵做祖师的权力和机会，在这种情况下，神秀因得

① （宋）赞宁撰、范祥雍点校：《宋高僧传》卷八《唐蕲州东山弘忍传》，第 172 页。

② （唐）慧能著、郭朋校释：《坛经校释》，中华书局 1983 年版，第 12—16 页。《坛经》的版本甚多，在宗宝本《坛经》中，慧能的偈变成了一首：“菩提本无树，明镜亦非台。本来无一物，何处惹尘埃。”

不到衣钵而愤然或惭愧地离去。[①]

第二种说法或许有一定的合理性，从现存的文献资料来看，神秀迁隐荆州的原因，与祖师衣钵的传承有极大的关系。据六祖《坛经》记载，神秀当初参加作偈是一个相当艰难的决定，“神秀思惟：诸人不呈心偈，缘我为教授师。我若不呈心偈，五祖如何见得我心中见解深浅。我将心偈上五祖呈意，求法即善，觅祖不善，却同凡心夺其圣位。若不呈心偈，终不得法。良久思惟，甚难，甚难。”[②]神秀在两难困境中作偈，还是被弘忍误以为神秀是觊觎祖师之位而将衣钵传与慧能。

神秀到达荆州后的行踪，亦有不甚清楚之处。弘忍去世后，净觉《楞伽师资记》说神秀“啼辞而去，退藏于密”。前引张说的《碑铭》也说神秀“涕辞而去，退藏于密”。唐杜朏《传法宝纪》则说：“自所证莫有知者。后随迁谪，潜为白衣，或在荆州天居寺十年所，时人不能测。”到荆州潜隐十多年后，于唐高宗仪凤年间（676—679年），“荆楚大德数十人，共举度住当阳玉泉寺”。神秀在荆州隐居期间，与荆州佛教界和本地士人保持着密切的关系，因年高德劭，享有极高的声誉。

神秀从迁隐荆州，到武则天久视元年（700年）入东都洛阳，时间长达25年。正是在荆州，神秀完成了从传播“东山法门”到创立北宗禅的历程。神秀在荆州、洛阳的传法，标志着北宗禅的正式形成。神秀入东都洛阳后，武则天“敕于昔住山置度门寺，以旌其德”[③]，“度门”取自《楞伽经》中“无量度门，随类普现”之句，度门寺建在当阳楞伽峰上。神龙二年（706年）神秀圆寂，谥号“大通禅师”，度门寺也因此改名为“大通寺”，唐睿宗曾赐三十万钱，作为扩建营造之资。一时之间，大通寺成为北宗禅弘法的重要道场。

神秀被请入都，是禅宗发展史上具有标志性意义的大事件。神秀一

---

① 黄夏年主编：《禅宗三百题》，上海古籍出版社2000年版，第134页。

② （唐）慧能著、郭朋校释：《坛经校释》，第12页。

③ （宋）赞宁撰、范祥雍点校：《宋高僧传》卷八《唐荆州当阳山度门寺神秀传》，第177页。

派“东山法门”称呼得到朝廷认可；他本人圆寂后，又得到朝廷“大通禅师”谥号，这是唐朝廷为禅师加封谥号之始；他的优秀弟子陆续进入朝廷权势圈子，入主两京及其附近大寺，取得了佛门中和社会上的显要地位。对此，日本学者柳田圣山指出：

（武则天时期）革命利用佛教、佛教利用革命的倾向是巨大的。许多高僧，姑且不问个人意志的善恶，都乘革命所带来的变化之机，各派佛教盛行帝都，形成所谓北宗禅的基础，确实是武周革命的结果。[①]

神秀之后，北宗的代表人物还有其弟子普寂（651—739 年）、义福（？—736 年）等人。普寂本为蒲州河东（今山西永济县）人，俗姓冯，初闻神秀在荆州玉泉寺为主持，前来拜师，师从神秀 6 年。据《宋高僧传》记载：

神秀奇之，尽以其道授焉。久视中，则天召神秀至东都论道，因荐寂，乃度为僧。及秀之卒，天下好释氏者，咸师事之。中宗闻秀高年，特下制令普寂代本师统其法众。[②]

可见神秀视普寂为奇才，然后，传授佛法与他。武则天诏神秀到东都洛阳讲论道法时，普寂得到神秀推荐，剃度为僧。神秀去世后，天下好佛法的人都拜普寂为师，普寂由此成为北宗的领袖人物。《宋高僧传》也记普寂：“神秀禅门之杰，……洎乎普寂，始于都城，传教二十余载，人皆仰之。”[③] 开元二十七年（739 年）普寂卒后，玄宗敕赐“大

① （日）柳田圣山：《初期禪宗史書の研究》，见《禪文化研究所研究报告》第一册，日本禅文化研究所 1967 年版，第 44—45 页。

② （宋）赞宁撰、范祥雍点校：《宋高僧传》卷八《唐京师兴唐寺普寂传》，第 198 页。

③ （宋）赞宁撰、范祥雍点校：《宋高僧传》卷八《唐京兆慈恩寺义福传》，第 197 页。

照禅师”。神秀的另一位弟子义福，载初（689年）年间落发，到荆州玉泉寺投奔神秀，开元十年（722年）被道俗迎请入都，往来两京，开元二十四年（736年）卒，玄宗敕赐“大智禅师”。

义福、普寂先后入灭，给义福作碑铭的是中书侍郎严挺之，给普寂作碑铭的是著名《文选》学者李善之子李邕。两篇碑铭按北宗勘定的系统，历数禅宗法系，为神秀争禅宗六祖的意味再明显不过：

禅师法轮，时自天竺达摩。大教东派三百余年，独称东山学门也。自可、璨、信、忍至大通，递相印属。大通之传付者，河东普寂与禅师二人。即东山继德，七代于兹矣。①

（开元）二十七年秋七月，诲门人曰：“吾受托先师，传兹密印。远自达摩菩萨导于可，可进于璨，璨钟于信，信传于忍，忍授于大通（神秀），大通贻于吾，今七叶矣。”②

除神秀、普寂、义福等人之外，荆州本地仍不乏师承“东山法门”者，江陵人道俊即是其一。《宋高僧传》：“住枝江碧涧精舍，修东山无生法门，即信、忍二祖号其所化之法也。”道俊继承了道信、弘忍的修禅之法，“勤洁苦行，迹不出寺，经四十余载。室迩人远，莫敢请谒者，唯事杜默。如是声闻于天。”道俊继承了道信、弘忍所倡导的修禅方法，却未能坚守两位祖师不与统治者合作的一贯态度，“天后、中宗二朝崇重高行之僧，俊同恒景，应诏入内供养”③，可能道俊感到这样有违“东山法门”原则，于是景龙年间，在道俊的请求下，中宗同意了他返归故乡的意愿，并赐御制诗，道俊同恒景（又叫弘景、宏景）和另一位

① （唐）严挺之：《大智禅师碑铭并序》，见（清）董诰：《全唐文》卷二八〇，第2843页。

② （唐）李邕：《大照禅师塔铭》，见（清）董诰：《全唐文》卷二六二，第2659页。

③ （宋）赞宁撰、范祥雍点校：《宋高僧传》卷八《唐荆州碧涧寺道俊传》，第183页。

也叫玄奘[①]的江陵僧人一起回到荆州，卒于本寺。

七、民俗信仰：释僧伽与云梦泗洲寺

唐代，有一位来自中亚的外籍僧人释僧伽（628—710年），又称泗州大圣、泗州佛，今湖北云梦县泗洲寺所信传的佛教就与他相关。

释僧伽从一个一般的佛教僧人成为神化人物，有一段漫长的历程。关于泗州大圣生平和诗赞方面的资料文献，开始于释僧伽进入中土的唐代。唐代有李白《僧伽歌》[②]、韩愈《送僧澄观》、李邕《大唐泗州临淮县普光王寺碑》、李肇《唐国史补》、敦煌写经中有《僧伽实录》一卷。北宋有赞宁《宋高僧传》卷18《唐泗州普光王寺僧伽传》，李昉《太平广记》卷96《异僧十·僧伽大师》，释道原《景德传灯录》卷27，蒋之奇撰《泗州大圣普照国师传》，释惠洪《冷斋夜话》卷9，苏轼、黄庭

---

① （宋）赞宁《宋高僧传》卷二四《唐荆州白马寺玄奘传》（第615页）知：唐代这位也叫“玄奘”的法师，唐中宗时湖北江陵人，荆州白马寺僧，玄奘与道俊、当阳玉泉寺僧弘景三人被召入京，景龙三年（709年）二月八日还荆州，唐中宗赋诗送行，李峤、李乂等奉和，李峤诗（一作宋之问诗）《送沙门弘景道俊玄奘还荆州应制》云：“三乘归净域，万骑饯通庄。就日离亭近，弥天别路长。荆南旋杖钵，渭北限津梁。何日纡真果，言（一作‘还’）来入帝乡？”李乂诗云：“初日承归旨，秋风起赠言。汉珠留道味，江璧返真源。地出南关远，天回北斗尊。宁知一柱观，却启四禅门。”李峤、李乂诗又分见《全唐诗》卷五八（第694页）、卷九二（第995页）。当阳玉泉寺僧弘景，在《宋高僧传》卷五（第90页）有传。

② 李白《僧伽歌》云：“真僧法号号僧伽，有时与我论三车。问言诵咒几千遍，口道恒河沙复沙。此僧本住南天竺，为法头陀来此国。戒得长天秋月明，心如世上青莲色。意清净，貌棱棱。亦不减，亦不增。瓶里千年铁柱骨，手中万岁胡孙藤。嗟予落魄江淮久，罕遇真僧说空有。一言散尽波罗夷，再礼浑除犯轻垢。”（见《全唐诗》卷一六六，第1720页。）古人对李白诗中所描述的僧伽为何人，多有争辩。今人刘友竹认为，此僧伽不是“泗州僧伽”，而是另一位外来胡僧（见刘友竹：《〈僧伽歌〉非伪作辨》，《天府新论》1987年第5期）。王虎则认为，作为一个具有浪漫主义色彩的诗人，凭借其天马行空的思维，加上此时的失意，很有可能是李白表达对僧伽的神往，与僧伽在精神上进行互动。另一种情况是，可能存在另外一位“僧伽”，此“僧伽”就和五代时期的“吴僧伽”一样，由于其神异性，被人们冠以“僧伽”之名。不管是哪种情况，都是在僧伽原有影响力之下衍生出来的（见王虎：《宋代僧伽信仰研究》，上海师范大学2014年硕士学位论文，第12页注释4）。

坚、李纲等关于僧伽大师的诗文。南宋李祥《大士灭度后灵异事迹》故事十八则，蔡绦《铁围山丛谈》卷5，释志磐《佛祖统纪》卷41，元赵孟頫《重修大圣寺灵瑞塔碑记》,《三教源流搜神大全》卷2也都有关于泗州大圣的文字记载。

关于释僧伽的姓名与国籍，各种记载无不增加了其神秘感。其名僧伽，僧伽本为佛教术语，意译为大众、僧众、僧团、教团、出家众、和合众，意指由佛教出家僧侣所组成的团体，也可用于泛指所有的佛教僧侣（出家人）。释迦牟尼佛传正法，由僧伽守护，使正法传承不绝，故僧伽又可被尊称为僧宝，与佛宝、法宝同为佛教三宝之一。因为三宝是佛教的基础，所以皈依三宝是信仰佛教和成为佛教徒的前提和标志。或许他作为外籍僧人，大唐人士即以“僧伽”名之。释惠洪《冷斋夜话》卷9记载了一则有趣的故事：

> 僧伽龙朔中游江淮间，其迹甚异。有问之曰：“汝何姓？”答曰：“姓何。”又问之曰：“何国人？”答曰：“何国人。”唐李邕作碑，不晓其言，乃书传曰：“大师姓何，何国人。”此正所谓对痴人说梦耳。

惠洪把此事当作“痴人说梦”的笑话，实际上僧伽没有说谎。据《魏书·西域传》《隋书·西域传》记载，何国是当时西域大国康国的附属小国[①]，位于今乌兹别克斯坦撒马尔罕西北。李邕在泗州大圣圆寂后，作《大唐泗州临淮县普光王寺碑》记载了僧伽的事迹。

综合多种记载知，释僧伽少年出家，誓志游方，被神化为观音菩萨的化身。唐高宗显庆三年（658年），僧伽31岁入中土，始至西凉，次历江淮；曾至长安、洛阳一带化缘，后来又来到了包括云梦在内的吴楚

---

① （北齐）魏收：《魏书·西域传》，北京：中华书局1974年版，第2281页；（唐）魏徵等：《隋书·西域传》，第1848页。

等地。高宗龙朔元年（661 年），他到了江苏泗州，建起了普照王寺，传经布道，为民治病、治水、降伏水母，安定淮泗，享有观音大士化身的盛誉。唐代，因文人的推波助澜，相信僧伽神力的民众越来越多。韩愈《宋僧澄观》诗云“僧伽后出淮泗上，势到众佛尤恢奇”[①]。唐人李肇《唐国史补》卷下载，唐代不光东南郡邑的水运篙工，连江西、湖北、巴蜀三峡遇“暴风之候，有抛车云，舟人必祭婆官而事僧伽”[②]。唐中宗曾问当时另一高僧万回大师：“僧伽大师何人？”万回回答：“观音菩萨化身也。”[③]中国的“观音菩萨像”早期就是仿照僧伽像造的，为男性特征，后来慢慢才演化为女性。五代末年，周世宗柴荣攻取泗州后，泗州大圣托梦于州民。因此周世宗曾钦命天下：“天下凡造精庐，必立伽真相，膀曰：大圣僧伽和尚。”[④]到了宋代，僧伽和尚的影响更为深广，各地纷纷建立泗洲寺。例如今江苏苏州市和无锡市、福建漳州市、广西梧州市、河南唐河县、湖北阳新县等都有泗洲寺。

现存的云梦泗洲寺，其建筑主体属元朝泰定四年（1327 年）重修，位于云梦县下辛店镇内，背靠汉丹铁路，紧邻汉宜公路。据寺前元代石碑[⑤]记载，泗洲寺始建于南朝萧梁时代，改建于唐朝。该石碑通高 2.35 米，上方为半圆形，碑额宽 1.2 米，中间宽 1.25 米，碑座宽 1.27 米。石碑正面额部篆刻“重建圣寿泗洲寺碑”，碑文纪年为“元泰定四年菊月”（1327 年 9 月），背面为重修泗洲寺的功德记载。

虽然僧伽信仰的兴起得到了皇帝、学士文人的推动，直至深入民间，但学术界基本接受日本学者牧田谛亮的观点，视僧伽信仰为一种“民俗信仰”。牧田谛亮著有《中国近世佛教史研究》一书认为僧伽信仰是一种“民俗信仰”。

---

① （唐）韩愈：《送僧澄观》，见（清）彭定求：《全唐诗》卷三四二，第 3830 页。

② （唐）李肇：《唐国史补》卷下，见影印文渊阁本《四库全书》第 1035 册，第 449 页。

③ （宋）赞宁撰、范祥雍点校：《宋高僧传》卷一八《唐泗州普光王寺僧伽传》，第 449 页。

④ （宋）赞宁撰、范祥雍点校：《宋高僧传》卷一八《唐泗州普光王寺僧伽传》，第 451 页。

⑤ 泗洲寺石碑原存于云梦县博物馆，2008 年又运回泗洲寺，立于鼓楼北面外墙边。

八、论证“顿悟”：神会与菏泽宗

神会（684—758 年）[①]，俗姓高，襄阳（今湖北襄阳市）人。幼学五经、老庄、诸史，投国昌寺颢元出家。神会曾到荆州师事神秀三年，久视元年（700 年）神秀被武则天召请入都，他遂南下岭南，于大足元年（701 年）抵曹溪，就学于慧能（628—713 年），成为慧能上首弟子。论者指出，“他如此先后就学于被南、北二宗分别尊为‘六祖’的两位大师门下，遂有可能接受、总结南北朝以来一百几十年各派禅学发展的成果，在此基础上接受、传继、发挥慧能的思想”[②]。

开元八年（720 年），神会被唐玄宗敕配南阳（今河南南阳市）龙兴寺。神会以南阳为活动基地，结交许多官僚士大夫，声望日盛，号称“南阳和尚”。今存《南阳和尚顿教解脱禅门直了性坛语》，应是神会在南阳登坛说法的记录。另有刘澄结集而成的《南阳和尚问答杂征义》，该书被近代学者胡适发现在敦煌文书里定名为《神会语录》。

开元十八年（730 年）及其以后的两年间，神会在滑台（今河南滑县）大云寺连续举行无遮大会，树立南宗宗旨。他与神秀门下弟子普寂展开辩论，向北宗所确立的禅宗法系发出质疑与挑战。从此南北两宗的界线更加分明，争论也更加激烈。

天宝四年（745 年），神会应请入住洛阳荷泽寺。由于他的努力，使慧能的顿悟法门在中原变得十分流行，因此他这一系又被称为“菏泽宗”。天宝十二年（753 年），信仰北宗禅的御史卢奕诬奏神会聚徒企图不利朝廷，唐玄宗听信卢奕的话，把神会贬往江西弋阳，不久又到湖北武当。天宝十三年春，再贬到襄州（今湖北襄阳）；七月间又到荆州开元寺。神会两年之间转徙四处，但他的声望并未下降。

天宝十四年（755 年），范阳节度使安禄山举兵，攻陷洛阳，玄宗仓

① 关于神会的生卒年，各种记载不一。此处从孙昌武《中国佛教文化史》（第四册）（中华书局 2010 年版，第 1821 页）的说法；详考可参孙昌武:《禅宗十五讲》，第 167—168 页。

② 孙昌武:《禅宗十五讲》，第 168 页。

皇逃往西蜀。副元帅郭子仪带兵征讨，因为军饷缺乏，采用右仆射裴冕的建议，通令全国郡府各置戒坛度僧，收取一定的税钱以助军需。这时神会谪居荆州，诬奏他的卢奕已被叛军所杀，群议请他出来主持设坛度僧，于是他才回到洛阳。至德元年（756 年），洛阳寺宇已被战火摧毁，神会临时创立寺院，中间建筑方坛，所有度僧的收入全部支援军费，对代宗、郭子仪收复两京起到了一定作用。

安禄山之乱平定以后，肃宗便诏他入内供养，并在他曾住过的荷泽寺中建造禅宇给他居住，荷泽宗之名再次叫响。乾元元年（758 年），神会圆寂于洛阳荷泽寺。肃宗敕建塔于洛阳宝应寺，谥“真宗大师”。

荷泽宗的基本理论，见于神会所著的《显宗记》和《传灯录》卷二八所保存的《荷泽神会语录》以及敦煌出土的《大乘开心显性顿悟真宗论》。神会的禅称为“无念禅”，谓“不作意即是无念”。南北二宗的根本不同是：北宗重行、南宗重知。北宗重在由定发慧，而南宗重在以慧摄定。“在思想上，神会引经据典地以‘自然’‘无念’的观念论证了南宗‘顿悟’思想的合理性。并以‘知’意来阐明不随分别起及自认本来空寂性的过程，为南宗‘顿悟’这一极具中国特色的思想提供了具体的理论支撑。在修行实践上，以‘无念’‘无住’的思想提倡积极参与到现实社会的方式使佛教的修行从北宗的‘坐禅’中解放出来……极大地扩大了南宗的群众基础，也推动了佛教的中国化、平民化。”[①] 胡适对神会的评价更高：

> 南宗的急先锋，北宗的毁灭者，新禅学的建立者，《坛经》的作者，——这是我们的神会。在中国佛教史上，没有第二个人有这样伟大的功勋，永久的影响。[②]

① 李广宇：《神会禅学思想对禅宗发展的贡献》，《湖北社会科学》2018 年第 4 期。

② 胡适：《胡适谈佛学》，哈尔滨出版社 2013 年版，第 183 页。

胡适把神会视作是“新禅学的建立者”与“《坛经》的作者”，显然有抬高神会之嫌，因为“此说尽管大胆而惊世骇俗，却缺乏小心求证的史料依据，完全是靠‘内证’，即对假设的推理，自我求证而得出的结论”①。但“综合而看，神会对顿悟思想的论证确实是禅宗发展史上一个重要环节，使佛教从印度佛教的影响转化为具有中国思想特色的文化，这是禅宗能够在中国一直流传并成为中国独特的传统文化的重要原因”②。

九、天皇门风：道悟与南宗禅在荆州的传播

南宗禅在慧能、神会之后，在荆州传播禅法的重要人物是道悟（748—807 年），道悟因在荆州城东天皇寺传播南宗而被名为“天皇道悟”,《宋高僧传》等佛教史传有记载。

从《宋高僧传》卷 10 本传知，道悟是婺州东阳（今浙江金华东阳）人，俗姓张。道悟自 15 岁往明州大德剃落，25 岁依杭州竹林寺大德具戒，然后相继参学于径山法钦、南昌道一、石头希迁等大德，前后历时十多年。从道悟的修学历程看，他应是南宗青原系下的第三代传人，也是中国禅宗发展史上具有一定地位的高僧。道悟最后选择了当阳柴紫山，即玉泉山。

道悟住持玉泉山以后，登门参学者如同“川流星聚”。随着道悟的信众日增，声誉扩大，地方官吏也深受影响，纷纷延请他到城内去弘法。道悟被延请到荆州城内弘法，一时名闻于整个荆州。他在荆州弘法时，玄奘法师当年开坛讲学的天皇寺不慎失火，化为灰烬。天皇寺主持灵鉴聚集僧众商议，一致认为只有迎请道悟前来住持，天皇寺才有修复的可能。灵鉴于是率众于半夜到柴紫山请道悟禅师下山，主持天皇寺的修复工作。道悟便往返于荆州城与玉泉山之间，一方面从事艰辛的修复

① 麻天祥：《中国禅宗思想史略》，第 475 页。

② 李广宇：《神会禅学思想对禅宗发展的贡献》，《湖北社会科学》2018 年第 4 期。

工作，同时也随缘度化众生，将禅宗的佛法传播于整个荆州地域。道悟门下慧真、文贲以及龙潭崇信等人，皆道悟得法弟子，他们“或继坐于道场，或分枝化导”，一时法席愈盛，被称为“天皇门风”。连江陵尹、右仆射裴公对道悟也“驱车盛礼，问法勤至”，道悟对这位地方官员“常秉贞操，不修逢迎，一无卑贵，坐而揖对”。

天皇道悟于元和二年（807 年）四月圆寂，葬于荆州城东，时年 60 岁。按照佛教习俗，时人为道悟安放有灵龛，建有墓塔。

十、安州禅音：寿山、白兆山与禅宗

安陆市位于湖北省东北部，处于大洪山、桐柏山余脉与江汉平原交会地带，地势北高南低，涢水纵贯全境，自古就有荆楚门户、鄂北咽喉之称。

唐代安陆佛教影响最大的名山是寿山和白兆山。主持寿山寺的是高僧玄赜及其弟子净觉。玄赜是禅宗高僧弘忍的弟子，玄赜自写《楞伽人法志》没有把自己列入弘忍十大弟子之中，当是忠实地记载了弘忍的意思。玄赜，生卒年不详。《楞伽师资记》记载：“有安州寿山大和上（尚）讳赜，俗姓王，太原祁县人也。”因“高祖作牧，生瞻云梦之泽”，是说因高祖为官，出生在今湖北云梦泽沿岸地带，即安州（治所在今湖北安陆市）。但即使玄赜不算弘忍的十大弟子之一，弘忍把神秀和玄赜却视为“佛日再晖，心灯重照”，当今学者把玄赜作为弘忍十一大弟子。玄赜长期在安州寿山寺居住修行，唐景龙二年（708 年）应诏入东京洛阳“广开禅法”。在前来受法的人中即有净觉，净觉所作《楞伽师资记》就是在玄赜的《楞伽人法志》的基础上编写成的。他在《楞伽师资记》的序中说玄赜“形类凡僧，证同佛地。帝师国宝，宇内归依”，可谓推崇有加。说经玄赜指点后，“方知方寸之内，具足真如。昔所未闻，今乃知耳”。可见玄赜的禅法是重心性之法的。[①] 弘忍死前命弟子玄赜等

① 杨曾文：《弘忍及记述其禅法的〈修心要论〉》，《中国文化》1996 年第 1 期。

在冯茂山（东山）造塔，以作安葬己身之所。

中唐时期，有天台宗高僧普岸曾驻锡寿山寺。普岸，《宋高僧传》记他为“汉东人”，即今湖北随州人，还说普岸被请来安陆寿山院坐道场时“环拱可四百余众，执器听瞿沙之说，投筹待毱多之度”[①]。瞿沙，意译曰妙音、美音，即瞿沙比丘尊者，五百罗汉第七十八尊，为婆娑四评家之一；毱多，即优波毱多尊者，五百罗汉第二十一尊，禅门西天第四代祖师，其度众无数，化缘事专，付法于提多迦，遂取灭度。普岸在寿山院传瞿沙尊者、毱多尊者之法，授徒四百多人，为一时之盛。

安陆地方历史文化研究专家朱绍斌先生认为，“密宗和禅宗在安陆都得到发扬光大，禅宗主要在寿山”“唐代密宗传播主要在白兆山”[②]。通过对寿山和白兆山佛教历史的考察，我们认为，寿山和白兆山传播的都是禅宗，只不过白兆山主要是南禅宗罢了，“唐代密宗传播主要在白兆山”一说恐误。因为，主持白兆山寺庙的高僧是神楷，神楷是跟随玄奘译经的再传弟子，于唐高宗时期来到白兆山开山立寺，在楷师岩下译注佛经，而玄奘作为创始人的佛教宗派是唯识宗，又叫“慈恩宗”，强调“万法唯识”。至于中国佛教一支的密宗，是唐玄宗开元年间三位印度僧人善无畏、不空和金刚智来到中国创立的。经发展，密宗成为中国佛教八大宗派之一，佛教史上称这三位僧人为“开元三大士”。

唐前期，主持白兆山寺庙的高僧是神楷。他在唐高宗时期来到白兆山开山立寺，在楷师岩下译注佛经，撰有《维摩经疏》六卷，对佛教发展有一定贡献。从李白诗篇可知，盛唐时期白兆山有般若寺：“翛然金园赏，远近含晴光。楼台成海气，草木皆天香。忽逢青云士，共解丹霞裳。水退池上热，风生松下凉。吞讨破万象，搴窥临众芳。而我遗有漏，与君用无方。心垢都已灭，永言题禅房。”[③]晚唐时期有竺乾院，宋

① （宋）赞宁撰、范祥雍点校：《宋高僧传》卷二七《唐天台山福田寺普岸传》，第681页。

② 朱绍斌主编：《历史名城话安陆》，中国文化出版社2016年版，第217页。

③ （唐）李白：《安州般若寺水阁纳凉，喜遇薛员外乂》，见（清）彭定求等编：《全唐诗》卷一八二，第1852页。

代称白兆寺。宋代《五灯会元》记载，竺乾院开山和尚是志圆，诗僧怀楚为第二世。《全唐诗》存怀楚诗二首，其一曰：“纡车谁肯到，泉石自相亲。暮雨凋残寺，秋风怅望人。庭新一片叶，衣故十年尘。赖有瑶华赠，清吟愈病身。”[①] 宋初，蕲州四祖山清皎禅师，安州志圆法嗣，福州人，俗姓王氏，初住郢州大阳山，后迁住安州白兆山慧白禅院。有僧问清皎禅师：“师唱谁家曲，宗风嗣阿谁？”师曰：“揩师岩畔祥云起，宝寿峰前震法雷。”临终遗偈云：“吾年八十八，满头垂白发。颙颙镇双峰，明明千江月。黄梅扬祖教，白兆承宗诀。日日告儿孙，勿令有断绝。”[②] 宋太宗淳化四年（993 年）八月二十三日圆寂，年八十八。清皎禅师与怀楚传播的是南宗的临济宗。

安陆西北太平寨一带有石岩寺，李白有《石岩寺》一首八韵，惜失传。该寺为龙王寺的前身。大安山也是佛教胜地，相传相府许氏故居后改为大安寺。中唐时期，禅宗北派高僧怀空于安陆定（大）安山创办禅院，见山中多虎，便应村民所求，以佛法驱除七虎，并带病部领工匠建设禅院，庙宇建成后病故，享年八十三。此期间，还有曹姓安陆人到五台山修行，即五台山巨玄禅师。《景德传灯录》记载：行思传法第六世时，弟子有安州大安山传性大师、安州大安山省禅师。同时，行思师兄弟怀让禅师的第四世也传法安州大安山清干禅师。后来。行思传法第七世时传法八人，其中有安州大安山能和尚崇教大师、安州大安山兴古禅师。当时，南宗禅五家中的临济宗、曹洞宗、云门宗等佛教支派在安州均有广泛传播。

中、晚唐时期，安陆城内最高处龙头崖上建有浮云寺，耸立城中的最高建筑为浮云寺楼，见于记载的还有金泉禅寺和胜业院。安陆城西胜业院，其前身据说是李白《春游救苦寺》中所述的救苦寺，惜李白此

① （唐）怀楚：《谢友人见访留诗》，见（清）彭定求等编：《全唐诗》卷八二三，第 9284 页。

② （宋）释普济著、苏渊雷点校：《五灯会元》卷八，中华书局 1984 年版，第 493—494 页。

诗失传，诗题见于其《上安州李长史书》①。相传五代时期后周世宗皇帝柴荣年轻微贱之时，往返安陆、江陵，靠贩卖布匹、生丝为生，曾在胜业院外的府河边巨石上濯足、小睡，留下龙蟠痕迹。北宋英宗末年，因皇子赵顼任安州观察使，安州废浮云寺楼为黄堂，作为赵顼的官衙。南宋时期，浮云寺得到恢复，词人廖世美有词《烛影摇红·题安陆浮云楼》。

十一、楚天望刹：随州洪山禅寺与曹洞宗中兴

洪山禅寺位于今湖北省随州市大洪山，居于大洪山山腰。洪山禅寺背靠巍巍雄峰，南临飞瀑瑶池，犹如跌落在人间的一座仙宫圣殿，有着“楚天望刹”之美誉。历史上，洪山禅寺也曾屡废屡建，全盛时庙宇上百间，僧众上千人。

洪山禅寺创建于唐代，曾经是禅宗南宗禅的著名寺院，开山祖师是著名禅僧善信（慈忍大师）。善信，南昌人（今江西南昌市），俗姓王，为六祖慧能门下第三代弟子。他曾得五台山长老“逢随即止，随湖即住”的禅语点拨后一路南下，到了现在湖北随州的大洪山。据《大洪山志》记载：“唐元和中，洪州（江西南昌）开元寺僧善信，即山之慈忍大师也。师从马祖密传心要。北游五台山礼文殊师利，瞻睹殊胜，自庆菩萨有缘，发愿为众僧炊三年。寺僧却之，流涕嗟戚。有老父曰：‘子缘不在此，往矣行焉。逢随即止，遇湖即住。’师即南迈。以宝历二年秋七月，抵随州远望高峰。问乡人曰：‘何山也？’乡人曰：‘大湖山也。’师默契前语。”

这里说的“大湖山”，就是现在的“大洪山”。善信到了大湖山，此地正在遭受干旱，乡人准备宰杀猪羊以祭天求雨，慈悲的善信禅师认为这种“害命济命”的方法是行不通的，他表示自己愿意为百姓求雨。关于这一段事迹，《释氏稽古略》卷三有较为详细的记载：“属时亢旱，

① （唐）李白：《上安州李长史书》，见（清）董诰：《全唐文》卷三四八，第3530—3531页。

乡人张武陵具羊豕以祈湖龙。师见而悲之曰：‘害命济命，重增乃罪。可且勿杀，小须三日，吾为尔祈。’师即入山北之岩穴宴坐冥祷，雷雨大作。数日后，武陵迹而求之，师方在定。武陵即施其山兴建精舍，以二子给侍左右。学侣依向遂成法席。”①

善信禅师为乡民求雨成功，因此取得了信众的信任，得以在大洪山建立寺院。不过，善信禅师最为人称道的是他的慈悲心。《释氏稽古略》记载：“太和元年（827 年）五月二十九日。师密语龙神曰：‘吾前以身代牲，辍汝血食。今舍身偿汝，可享吾肉。’即引刀截右膝，复截左膝。门人奔持其刀。白液涌流，俨然入寂。山南东道奏上其状。帝嘉之，赐所居额‘幽济禅院’。”② 原来，善信“以身代牲”，才求得龙神降雨，解一方干旱。他的慈悲心，不仅感动了民众，也让当时的皇帝唐文宗李昂感动，为此唐文宗赐给善信“慈忍大师”的法号，还御书了“幽济禅院”的匾额送给寺院。并将殿中 12 神像封为王、公、侯等职。从此，大洪山名扬四方，香火逐年旺盛。以后，随着禅寺影响的扩大，各朝皇帝也多有赐额，五代后晋天福四年（939 年）年，高祖皇帝赐名“奇峰寺”。北宋神宗元丰元年（1078 年），赐名“灵峰寺”。哲宗元祐二年（1087 年）诏改“十方禅寺”。历经几个王朝的更替，禅寺也几经易名。今天所谓的“洪山禅寺”是人们对禅寺的俗称。

绍圣元年（1094 年），宋哲宗诏嵩山少林寺报恩禅师为大洪山十方禅寺住持。报恩禅师（1058—1111 年），在河南嵩山少林寺出家，为达摩祖师第十五代弟子。报恩将主峰（宝珠峰）山顶推平，将荒废的殿堂重新修缮、扩建，使“大洪山精舍壮观天下”。山下洪山寺（下院）也得到扩建，上下寺院僧人达千人。与此同时，他又在宝珠峰南的大湖边建起寺院，取名为“随州大洪山十方崇宁保寿禅院”，上下两院住僧众千余人。在大洪山佛教发展的鼎盛时期，洪山禅寺与大洪山区其他 28

① （元）释觉岸撰：《释氏稽古略》卷三，见影印文渊阁本《四库全书》第 1054 册，第 129 页。

② （元）释觉岸撰：《释氏稽古略》卷三，见影印文渊阁本《四库全书》第 1054 册，第 129 页。

座寺庵彼此辉映，诸多寺院之间，晨钟暮鼓相应，香客络绎不绝，使得大洪山区成为当时湖北境内最大的佛教活动场所。

报恩禅师还非常重视佛教经典的整理和编纂。在他担任住持期间，编著《语录》三卷，集《曹洞宗派录》三卷，授《菩提心戒》仪文一卷。这些经典对后世佛教的发展以及当代的佛教研究工作均有十分重要的意义。

洪山禅寺不仅历史悠久、风景绝佳，还人才荟萃，历代以来，出了不少高僧。除了开山祖师善信禅师，还有重续洪山祖脉的报恩禅师。北宋中后期大洪山涌现了大阳警玄、投子义青、芙蓉道楷等一批曹洞宗的优秀传人。曹洞宗是南宗禅在唐末五代时期派生出来的五家流派之一。

接替报恩禅师出任洪山禅寺住持的是道楷法师（1043—1118 年）。道楷法师乃北宋沂州禅师，洞山嫡传云居道膺下六世、禅宗四十五世高僧。他曾游历国内名寺，诵经主持。大观中，敕赐“定照禅师”号，固辞不受，因而坐罪。1113 年道楷法师回到故乡芙蓉湖畔，建兴化寺，率领僧众引芙蓉湖水至洳河，得千顷良田耕作，于五年后圆寂。他的灵骨在华严寺供奉，后迁至随州大洪山佛塔。在道楷法师的主持下，洪山曹洞宗祖风大振，巩固了洪山禅寺作为曹洞宗祖庭的地位。

洪山禅寺还有一位名望很高的大德，他就是高僧善洪和尚。其为北宋名僧，生卒年不详。据《大洪山志》记载，原为襄阳鹫岭寺僧人，后慕名到随州洪山禅寺修行，他志向远大，修行刻苦。宋真宗咸平五年（1002 年）春，善洪和尚辞别洪山禅寺，自秦州（今甘肃天水）永宁寨出境前往天竺（今印度）取经。他不畏路途艰险，跋山涉水，途中翻越大小雪山 75 座，涉险渡过大小河流 33 条，历经 39 国，并在尸毗国得佛牙五枚，佛舍利数粒和大量佛经。历时 13 年，于大中祥符八年（1015 年）四月返回京都（北宋都城，今河南开封），受到宋真宗赵恒的召见，并恩赐“圣泉寺佛光塔”金匾和紫衣银绢。后来，已经声誉远播的善洪和尚辞别帝京，回到洪山禅寺继续修行。圆寂后，同佛牙、舍利并葬于大洪山。

北宋末年，金兵南进，当时随州一带成了战场。荆湖官吏撤离随州时，把大洪山的灵峰寺迁到武昌（今武汉市武昌区）东十里的东山。将东山弥陀寺加以扩建，改名为“崇宁万寿禅寺”，并改东山为洪山，以纪念随州大洪山。

五代至宋，随州佛教除了洪山禅寺是曹洞宗中兴之地外，智门寺是云门宗传人光祚禅师传法之地，《五灯会元》卷十五直云“随州智门光祚禅师”[①]。此外，随州人释智缘于北宋嘉祐末，召至京师，舍相国寺，《宋史》立有他的传记。不过，《宋史》为释智缘立传，不是因为其在佛教理论方面有什么建树，而是因为他利用佛法为维护边界稳定做出了贡献，被宋神宗称作“经略大师”[②]。

第二节　道教的盛衰嬗变

一、江陵：湖北道教的中心

隋唐宋元时期，道教大体走过了一个盛衰嬗变的轨迹。“由于得到李唐朝廷的大力支持，道教在唐代有了迅猛的发展，特别是玄宗朝社会经济的长期稳定发展，尤其是玄宗在他近半个世纪的统治中自始至终崇奉道教，从而把道教推向了全面发展的鼎盛时期。安史之乱后，中、晚唐的各位帝王虽仍然沿袭‘尊祖’‘崇本’的政策，但道教的发展明显跌入低潮。从鼎盛到低潮期间，道教外丹之学向内丹之学转化，道教神仙思想由出世向入世转变，为北宋时期道教的再度兴盛创造了历史条件”[③]。在唐朝崇道的历史文化背景下，荆州道教文化也得到了空前的发展与繁荣，江陵成为湖北道教的中心。

① （宋）释普济：《五灯会元》卷一五，见影印文渊阁本《四库全书》，第1053册第639页。

② （元）脱脱等：《宋史·方技下·释智缘传》，第13524页。

③ 吴成国、曾育荣：《从鼎盛到低潮：唐玄宗朝至五代十国道教的嬗变》，刘仲宇、吉宏忠主编：《正一道教研究》（第一辑），宗教文化出版社2012年版，第114页。

在此崇道背景下，湖北有数十个县兴建了近百座道观。以时间论，“则以太宗贞观年间至玄宗开元、天宝之际所建最多”。“以地域论则荆州为多。而荆州建道观最多的是江陵，约有 20 座，江陵成为唐代湖北道教中心，当阳、钟祥、监利、石首次之”[①]。唐代新建、有名可考的荆州道观至少有 11 座，江陵即占 7 座，分别为大崇福观、玄（元）妙观、开元观、佑圣观、荆台观、景明观、祈真观，余下 4 座为道德观（石首）、崇真观（公安）、兴真观（监利）、祖师殿（监利）。其中，大崇福观、玄（元）妙观、开元观最具代表性。

大崇福观，武周圣历二年（699 年）建于江陵。荆州著名道士孟安排上表朝廷，以荆州为武后父亲仕宦之地为由，请建道观于江陵。获准，并御赐观名。是观建成后，著名诗人陈子昂为其撰《荆州大崇福观碑记》[②]。

开元观位于江陵城西门，开元年间建。嘉靖《荆州府志》载：唐开元间，地涌铁天尊像，遂为之建观。因玄宗诏令州建“开元观”，故名。该观由三天门、雷神殿、三清殿、祖师殿四部分组成，三清殿为整个开元观的主体建筑。

玄妙观位于江陵城西北，开元年间建。该观前有玉皇阁，后为三天门和紫皇大殿。因玄宗曾于都城长安御注《老子道德经》，并诏令天下共藏其书，江陵开元观遂为之“勒石”，将“玄宗御注《道德经》石碑”藏于观中。

作为唐代湖北道教中心的江陵，曾吸引不少著名道士来此游历。如著名道教学者司马承祯曾游江陵。又据孙光宪《北梦琐言》卷九记载：“唐女道鱼玄机，字蕙兰，甚有才思。咸通中，为李亿补阙执箕帚，后爱衰下山，隶咸宜观为女道士。”[③] 晚唐著名诗人、长安咸宜观女道士鱼

① 湖北省地方志编纂委员会编纂：《湖北省志·宗教》，湖北人民出版社 1997 年版，第 67 页。

② （唐）陈子昂：《荆州大崇福观记》，见（清）董诰等编：《全唐文》，第 10540—10541 页。

③ （五代）孙光宪：《北梦琐言》卷九，第 76 页。

玄机也曾驻留江陵，并写下享誉后世的爱情诗《江陵愁望寄子安》。

二、司马承祯及其《坐忘论》

司马承祯（646—735年），唐代著名道士、道教学者；字子微，法号道隐，自号白云子，河内温（今河南温县）人，茅山宗封为十二代宗师。出身官宦之家，薄于为吏，遂为道士，师事潘师正。在世期间，历经太宗、高宗、中宗、武后（周）、睿宗、玄宗六朝，享年89岁。浪游名山，止于天台（今浙江台州天台山）。晚年，司马承祯在王屋山建阳台观（今河南省济源市境）居住。他对道家内丹功的研究早于钟吕，在唐代的社会地位高于钟吕，新旧《唐书》中均有详细的记载。

"心依道胜，理会玄远，遍游名山，密契仙洞。"[①] 这是唐玄宗对司马承祯的评语。的确，在许多道教名山中，都留下了司马承祯的足迹，荆楚山水自然也是司马承祯钟情之地。开元十三年（725年），"仗剑去国，辞亲远游"的诗人李白，在江陵遇到79岁高龄的司马承祯时，兴奋不已，即兴创作《大鹏遇稀有鸟赋》，后来定稿为《大鹏赋》，李白将自己比作大鹏，把司马承祯比作稀有鸟：

> 南华老仙，发天机于漆园，吐峥嵘之高论，开浩荡之奇言，征志怪于齐谐，谈北溟之有鱼，吾不知几千里，其句曰鲲。化成大鹏，质凝胚浑。……俄而希有鸟见谓之曰："伟哉鹏乎，此之乐也。吾右翼掩乎西极，左翼蔽乎东荒。跨蹑地络，周旋天纲。以恍惚为巢，以虚无为场。我呼尔游，尔同我翔。"于是乎大鹏许之，欣然相随。此二禽已登于寥廓，而斥鷃之辈，空见笑于藩篱。[②]

司马承祯与大诗人李白在江陵的相遇，成就了中国道教史和文学史

---

① （后晋）刘昫：《旧唐书》卷一九二《隐逸传·司马承祯传》，第5128页。

② （唐）李白：《大鹏赋》，见（清）董诰等编：《全唐文》卷三四七，第3523页。

上的一段佳话。荆州在唐代道教界巨大的影响力使江陵成为上演这段佳话的宝地。湖北荆门马良山云雾观，据《荆门州志》记载，曾为著名道士司马承祯修炼之地。相传司马承祯曾在马良山中炼丹，司马承祯炼丹处，后来成为马良山旧八景之一。

司马承祯的主要著作有《坐忘论》一卷，《天隐子》八篇，《修真秘旨》十二篇，《修身养气诀》一卷，《服气精义论》一卷，《修真精义杂论》一卷，《太上升玄经注》《太上升玄消灾护命妙经颂》一卷等。最能反映其道教哲学思想的代表作为《坐忘论》和《天隐子》。卿希泰先生在写《中国大百科全书·哲学》"司马承祯"词条和"《坐忘论》"词条时，认为司马承祯以老子、庄子的道德学说为基础，吸收儒家正心、诚意及佛家止观、禅定学说，系统地阐发了道家修持心性的理论，自称为"安心坐忘之法"①。

《坐忘论》系统阐述了道教的修道思想。它以《老子》《庄子》所说的"道"为"神异之物"②，认为人能得道，可以长生久视，成为神仙。书中提出修道有敬信、断缘、收心、简事、真观、泰定、得道等七个阶次，中心是守静去欲。它强调心为一身之主，"静则生慧，动则生昏"③，只有保持内心的安静，虚心无为，才能得道生慧。

司马承祯以"坐忘"为修道成仙之径，而"坐忘"一语源自《庄子》。所谓"坐忘"，源于《庄子·大宗师》："堕肢体，黜聪明，离形去智，同于大通，此谓坐忘。"④司马承祯解释说："夫坐忘者，何所不忘哉！内不觉其一身，外不知乎宇宙，与道冥一，万虑皆遗。"⑤要达到"坐忘"之境，不可能一蹴而就，必须渐而进之。坐忘得道是一个由低

---

① 中国大百科全书总编辑委员会：《中国大百科全书·哲学》，第827页、1273页。

② （唐）司马承祯：《坐忘论》，《道藏》第22册，文物出版社、上海书店、天津古籍出版社1988年版，第896页。

③ （唐）司马承祯：《坐忘论》，《道藏》第22册，第892—893页。

④ （战国）庄周：《庄子·大宗师》，见陈鼓应注译：《庄子今注今译》，第226页。

⑤ （唐）司马承祯：《坐忘论》，《道藏》第22册，第892页。

到高、循序渐进的过程，其间有五个“渐门”：“一曰斋戒，二曰安处，三曰存想，四曰坐忘，五曰神解。”他进一步解释说：“何谓斋戒？曰：澡身虚心。何谓安处？曰：深居静室。何谓存想？曰：收心复性。何谓坐忘？曰：遗形忘我。何谓神解？曰：万法神道。是故习此五渐之门者，了一则渐次至二，了二则渐次至三，了三则渐次至四，了四则渐次至五，神仙成矣。”① 他在《天隐子》中又说：“坐忘者，因存想而得也，因存想而忘也。……彼我两忘，了无所照。”② 就是说，不存想，不懂得坐忘之理；不用坐忘的理论来指导自己修炼，则达不到坐忘的境界。

司马承祯的修道思想和方法与佛教的“止观”“禅定”互有融摄，显然受智𫖮天台宗思想影响很深。天台宗的创始人智𫖮认为，一切诸法，皆由心生。要从现实世界中解脱出来，就必须控制心的意念活动，这就叫“安心”。安心之法就是“止观”，即通过心的自我修炼与证悟，达到与心的真如本性的契合。司马承祯坐忘得道的思想和方法在思路上与此是相似的。“司马承祯居天台山，其《坐忘论》所述坐忘之要，虽宗承庄子，但实际受天台宗止观学影响尤深。”③ 论者并将其坐忘学说视为“典型的心性论”④。

司马承祯的坐忘论涉及许多理论问题，反映了当时道教的理论水平。卢国龙认为：“坐忘主静则是司马承祯精神修养的核心，这里不但包含有宗教的心理构造，如超绝尘寰等；而且有其养生学上的意义，如精神内守则形体固全等。”⑤ 罗中枢认为：“虽然司马承祯的修道思想是从求长生出发的，但其最终目的是为人们指出一条内在超越之路。后世内丹道教正是循着这一思路拓展其道术的。”⑥ 张岫峰则认为：“《坐忘

① （唐）司马承祯：《天隐子》，《道藏》第21册，第699页。

② （唐）司马承祯：《天隐子》，《道藏》第21册，第700页。

③ 任继愈主编：《中国道教史》，上海人民出版社1990年版，第263页。

④ 任继愈主编：《中国道教史》，第5页。

⑤ 卢国龙：《道教哲学》，华夏出版社1997年版，第371页。

⑥ 罗中枢：《论司马承祯的修道思想和方法》，《社会科学研究》2003年第3期。

论》有两个突出的贡献：第一，上承老庄，下启钟吕，为道家内丹功的形成，作了理论上的准备。第二，它以老庄的道德学说为主体，吸收儒家修身养性和佛家明心见性学说，开创了三教合一的先声。”[①]

三、“青溪道士”孟安排及其《道教义枢》

《道教义枢》是一部阐述道教教义的重要著作，题“青溪道士孟安排集”。关于该书作者孟安排，陈国符《道教源流考》将其视为南朝梁道士。[②]日本多位学者虽在孟安排是唐朝何时期人上存在分歧，但都认为《道教义枢》是唐代道教著作。今人李刚、王卡均明确指出，陈子昂《荆州大崇福观记》中所提到的道士孟安排系唐高宗、武后时荆州道士，为《道教义枢》的编者。[③]

《荆州大崇福观记》一文中的大崇福观在湖北荆州。孟安排自号“青溪道士”，此所谓“青溪”，即指荆州临沮县之青溪山[④]。王卡根据《水经注》卷三二“沮水”条和《中国历史地图集》认为，临沮故城在湖北省远安县东南，当阳县西北，沮水自西北荆山向东南，流经远安、临沮、当阳县，至当阳东南汇合漳水，再向东南流至江陵（荆州治城），汇入长江。当沮水流经临沮县西，有青溪水注入。青溪水系沮水支流，源出临沮县西之滥泉。梁朝即有道士许明业隐居青溪山，梁元帝撰有《青溪山馆碑》，见于《艺文类聚》卷七八所引。唐初著名僧人法琳，曾于隋开皇末年隐于青溪山之鬼谷洞，并撰《青溪山记》一卷。唐代著名

① 张岫峰：《司马承祯的〈坐忘论〉》，《中国道教》2000 年第 1 期。

② 陈国符：《道教源流考》，中华书局 2012 年版，第 2 页。

③ 分见李刚：《孟安排〈道教义枢〉的教义思想》，见中国道教协会道教文化研究所、上海市道教协会、上海城隍庙合编：《道教教义的现代阐释：道教思想与中国社会发展进步研讨会论文集》，宗教文化出版社 2003 年版，第 121 页；王卡：《青溪小识》，见氏著《道教经史论丛》，巴蜀书社 2007 年版，第 98 页。

④ 李刚：《孟安排〈道教义枢〉的教义思想》，见中国道教协会道教文化研究所、上海市道教协会、上海城隍庙合编：《道教教义的现代阐释：道教思想与中国社会发展进步研讨会论文集》，第 120—169 页。

诗人王维《青溪》一诗所咏“青溪”亦即临沮县之青溪山。因而，王卡指出，荆州临沮县青溪山“为道士隐修胜地之一，至隋唐之际，青溪仍是道流释子聚集之所，……由晋至唐，青溪山对道释二教的发展，颇为重要”[①]。但王卡并未指明青溪山的准确方位，青溪山在今湖北远安、南漳、当阳三县市交界地带，山的主体部分在南漳县境内。从孟安排“青溪道士”的称号，可知他出家隐修于荆州临沮县之青溪山。大崇福观，武后圣历二年（699 年）建，位于荆州江陵。编撰有《道教义枢》、曾隐修于青溪山、有“青溪道士”之称的荆州著名道士孟安排上表朝廷，以荆州为武后父亲仕宦之地为由，请建道观于江陵。获准，并御赐观名。是观建成后，著名诗人陈子昂为撰《荆州大崇福观记》。

孟安排的《道教义枢》一书，主要根据隋代的《玄门大义》一书删削而成，全书共十卷，凡 37 条。卷一，道德义、法身义、三宝义、位业义；卷二，三洞义、七部义、十二部义；卷三，两半义、道意义、十善义、因果义；卷四，五荫义、六情义、三业义、十恶义；卷五，三一义、二观义、三乘义；卷六，六通义、四达义、六度义、四等义；卷七，三界义、五道义、混元义；卷八，理教义、境智义、自然义、道性义；卷九，福田义、净土义、三世义、五浊义；卷十，动寂义、感应义、有无义、假实义。其中三乘义、四达义、四等义、六通义、六度义今已佚，实存 32 条，今《道藏》第 24 册收有《道教义枢》[②]。《道教义枢》内容涉及《玄门大义》和 103 种道经，每条教义以“义曰”开始，而以“释曰”作解释，收集了当时道教的主要教义。“孟安排对每条教义作了系统的论述，使后人能大体了解到这些教义的历史演变和道教中的各种不同解释，可以说是集此前的道教教义之大成，为研究南北朝到隋唐的道教教义提供了宝贵资料”。[③]

---

① 王卡：《青溪小识》，见氏著《道教经史论丛》，第 101 页。

② （唐）孟安排集：《道教义枢》，见《道藏》第 24 册，第 803—837 页。

③ 刘固盛、梅莉、胡军等著：《湖北道教史》，第 80 页。

四、王士元与《亢仓子》

王士元，一作王士源，宜城（今湖北宜城市）人，生卒年不详，因其与孟浩然同乡兼好友，遂视其与孟浩然为同时代之人。18岁入恒山访道，又游苏门、太行、王屋、终南等山，采药习隐，不问世事。

要说王士元一生做过影响最大的一件事，当属他伪托老子弟子亢仓子所作的《亢仓子》一书。亢仓子本是道教祖师，老子弟子，又名“亢桑子”“庚桑子”，为道教四大真人之一。另有一说，亢仓子是《庄子》中的寓言人物，姓庚桑，名楚，陈国人，得老子之道，能以耳视目听，隐居毗陵孟峰，后登仙而去。亢仓子是《亢仓子》一书的作者，《亢仓子》无疑是道教经典之一。

《新唐书·艺文三》录有“王士元《亢仓子》二卷”，并注曰：“天宝元年，诏号《庄子》为《南华真经》，《列子》为《冲虚真经》，《文子》为《通玄真经》，《亢桑子》为《洞灵真经》。然《亢桑子》求之不获，襄阳处士王士元谓：《庄子》作‘庚桑子’。太史公、《列子》作‘亢仓子’，其实一也。取诸子文义类者补其亡。”[①]这段史料表明，崇奉道教的唐玄宗于天宝元年（742年）下诏求《庚桑子》不获。隐居在终南山的王士元，把自己以《庄子·庚桑楚》篇为基础，取诸子文义相类者编成的《亢仓子》献给了唐玄宗。唐玄宗对此书极为重视，追亢仓子为“洞灵真人”；将《亢仓子》赐名为《洞灵真经》，和《老子》《庄子》《列子》《文子》一起，诏封为道教“真经”，给予《亢仓子》很高的地位。

显然，王士元编造《亢仓子》一书在天宝元年之前的开元间。王士元编《孟浩然集》，集首有王士元自序，其自称于终南山“修《亢仓子》九篇”[②]。开元时任集贤殿修撰的韦縚，天宝九年（750年）在为王士元所编《孟浩然集》作序中写道：“宜城王士元者，藻思清远，深鉴文理，

---

① （宋）欧阳修、宋祁撰：《新唐书》卷五九《艺文三》，第1518页。

② （唐）王士元：《孟浩然集序》，见（清）董诰等编：《全唐文》卷三七八，第3838页。

常游山水，不在人间。著《亢仓子》数篇，传之于代。余久在集贤，尝与诸学士命此子，不可得见。”[①] 韦縚对王士元评价很高外，应当在开元时他任集贤殿修撰时就已见过王士元编的《亢仓子》一书。刘肃（元和中任江都主簿）《大唐新语》则明言《亢仓子》编于开元末年：“道家有庚桑子者，代无其书。开元末，襄阳处士王源撰《亢仓子》两卷以补之。”[②] 韦縚所说“传之于代”，刘肃所说“代无其书”，均是为避太宗李世民讳，用“代”而不用“世”。柳宗元（773—819年）也应当看到过这本《亢仓子》，他因为刘向、班固书中未见录有《亢仓子》而曾对该本《亢仓子》辨其伪，写下了《辨亢仓子》，见于《柳河东集》卷四。

《亢仓子》虽然是伪书，但王士元对其倾注了许多心血，其思想和学术价值仍值得肯定和重视。清代《四库全书总目提要》中评价《亢仓子》说：“然士元本亦文士，故其书虽杂剽《老子》《庄子》《列子》《文子》《商君书》《吕氏春秋》，刘向《说苑》《新序》之词，而联络贯通，亦殊亹亹有理致，非他伪书之比。”[③]

《亢仓子》以论道为中心，主要解说老子之言，阐发老子思想，继承和发展了道家“道”的学说。分为《全道》《用道》《政道》《君道》《臣道》《贤道》《训道》《农道》《兵道》九篇。《亢仓子》认为，道乃万物本根。作为全道之人，就是要达到一种清静无为的自然境界，超脱一切荣辱得失的思虑，容身于道中，从而获得至真之道。

《亢仓子》所论之“道”，有高士之道、人臣之道和人主之道。高士之道追求的是修己悟真体道：“咽气谷神，宰思损虑，超遥轻举，日精炼仙。”人臣之道应做到“专情端想，毕志所事，伦绥忘寝，谋效位司”；人主之道要义在于“清心省念，察验近习，务求贤良，以安万姓”[④]。

---

① （唐）韦縚：《孟浩然集序》，见（清）董诰等编：《全唐文》卷三〇七，第3124页。

② （唐）刘肃撰，许德楠、李鼎霞点校：《大唐新语》，中华书局1984年版，第137页。

③ （清）永瑢等撰：《四库全书总目提要》卷一四六子部56，见王云五主编《万有文库》本第28册，第61页。

④ （唐）王士元：《亢仓子·用道》，见影印文渊阁本《四库全书》第1059册，第513页。

人主要能很好地进行统治，就不能用人事或贪欲等来破坏自然规律，要按道为政，不用谋略欺诈，不加重民众负担，由此争取民众的拥护，争取政治上的胜利。《亢仓子》还注重“得人心”的政道方法，“政烦苛则人奸伪，政省一则人醇朴”[①]。《亢仓子》对于政治的看法，加入了很多内容，但都与《老子》之旨相合，故为道教一并崇奉。书中所蕴含的“诚信治国”“以人为本”的政治观和“忠孝仁义”的伦理观，反映了唐朝社会高度发达的政治与伦理思想，对于全面认识唐朝社会具有重要作用。王士元伪托老子弟子亢仓子所作的《亢仓子》一书，影响一直延续到当代，台湾学者陈茂仁著有《王士元〈亢仓子〉研究》一书。

王士元除了编写《亢仓子》外，另一大贡献，是收集整理孟浩然诗。王士元和孟浩然是同乡，更是好友。天宝四年（745 年），他应诏入京讨论《亢仓子》，得知孟浩然去世，于是敷求四方，收集孟诗，编成《孟浩然集》，并作《孟浩然集序》。后流传于世的孟浩然诗，基本都是源于王辑《孟浩然集》。

五、汉东道人胡紫阳

胡紫阳，唐代著名道士，随州人，俗姓胡，道名紫阳。学成回到随州后，胡紫阳在他居住的苦竹院里，亲手栽植了两株桂花树，修筑了餐霞楼。所谓“餐霞”，意思是服食朝霞之气，是道教的一种气功修炼术。胡紫阳修道，声名远播。当时“于神农之里，南抵朱陵，北越白水”[②]，前来拜师学习的弟子多达三千余人，就连随州周围太守一级的官员前去拜会，遇到胡紫阳静坐，也要像大雁飞行时一样摆成长长的队列等候。

在胡紫阳三千多弟子之中，有一位叫元丹丘的道人与诗仙李白非常要好。李白《将进酒》“岑夫子，丹丘生，将进酒，杯莫停。与君歌

① （唐）王士元：《亢仓子·政道》，见影印文渊阁本《四库全书》第 1059 册，第 517 页。

② （唐）李白：《唐汉东紫阳先生碑铭》，见（清）董诰等编：《全唐文》卷三五〇，第 3551 页。

一曲，请君为我侧耳听”诗句中所提到的“丹丘生”[①]，就是这位元丹丘。

开元年间，经元丹丘推荐，李白和好友元演来到随州，拜访了胡紫阳。胡紫阳对于李白、元演的到来十分高兴，当晚热情地在餐霞楼为他们接风洗尘。当年，英俊潇洒的青年诗人李白很想向已故宰相许圉师的孙女求婚，但苦于找不到有名望的人说媒。胡紫阳获悉李白的心思后，就与“郡督马公”马正公一道前往湖北安陆白兆山许家撮合了这段姻缘。此后，李白与胡紫阳交往频繁，写下了大量诗文，流传至今有《题随州紫阳先生壁》《冬夜于随州紫阳先生餐霞楼送烟子元演隐仙城山序》等。

唐玄宗天宝初年，道教受到推崇，宫中威仪带着皇上的聘礼，请紫阳先生为西京太微宫使，他多次推辞，后迫于皇帝诏书，只得入宫。当时聚集在京都的一些术士大搞敛形匿影、吞刀吐火的幻术，紫阳先生对此不屑一顾，每天只和弟子们讲述《道德经》，剖析它的要旨。他反对东汉魏伯阳服丹成仙之说，驳斥了种种谬论，自然遭到一些术士的反对和排挤。他本不想留在宫中，便以有病为由，奏请皇帝同意，回归故里。临别时他自祭说“神将厌予，予非厌世”。在他走时，王公卿士送到龙门。当他走到叶县（今河南省叶县），在王乔祠堂停留时，两眼突然向上好像看到了什么东西，“泊然而化（死亡）”，享年 62 岁。

胡紫阳去世后，李白受托撰写了《汉东紫阳先生碑铭》，称“先生含弘光大，不修小节。书不尽妙，郁有崩云之势；文非夙工，时动雕龙之作。存也，宇宙而无光；殁也，浪化而蝉蜕”。李白还称“予与紫阳神交，饱餐素论，十得其九”，为此“篆石颂德，名扬八区”[②]。

① （唐）李白：《将进酒》，见（清）彭定求等编：《全唐诗》卷一七，第 170 页。

② （唐）李白：《汉东紫阳先生碑铭》，见（清）董诰等编：《全唐文》卷三五〇，第 3551 页。

六、传奇道士罗公远

罗公远，又名思远，鄂州（今湖北大冶金牛镇）人[①]，唐代著名道士，是个十分具有传奇色彩的人物。

有关罗公远的传奇故事，不同史籍均加记载。《新唐书·方技传》记载他“能自隐”，连唐玄宗也想向他学习此项隐身术：

> 又有罗思远，能自隐。帝学，不肯尽其术，试自隐，常余衣带，及思远共试，则验。厚赐金帛，然卒不得。帝怒，裹以幞，压杀之。数日，有中使者自蜀还，逢思远驾而西，笑曰：“上为戏何虐也！”[②]

唐人张鷟所著《朝野佥载》卷三载有罗公远具有“预测”“隔空取物”等法术本领：

> 唐道士罗公远，幼时不慧。入梁山数年，忽有异见，言事皆中，敕追入京。先天中，皇太子设斋，远从太子乞金银器物，太子靳固不与。远曰：“少时自取。”太子自封署房门。须臾开视，器物一无所见。东房先封闭，往视之，器物并在其中。又借太子所乘马，太子怒，不与。远曰：“已取得来，见于后园中放在。”太子急往枥上检看，马在如故。侍御史袁守一将食器数枚，就罗公远看年命，奴擎衣袱在门外，不觉须臾在远公衣箱中。诸人大惊，莫知其然。[③]

---

① 据《黄石文化简史》一书称，今大冶市金牛镇堰口村还建有罗师庙，里面供奉的正是大唐国师罗公远。见《黄石文化简史》编撰委员会：《黄石文化简史》，第 182 页。

② （宋）欧阳修、宋祁：《新唐书》卷二〇四《方技传·罗公远传》，第 5811 页。

③ （唐）张鷟撰、赵守俨点校：《朝野佥载》卷三，中华书局 1979 年版，第 67 页。

宋代乐史撰《杨太真外传》引唐卢肇《逸史》，记载罗公远会“幻术”：

> 罗公远天宝初侍玄宗，八月十五日夜，宫中玩月，曰：“陛下能从臣月中游乎？”乃取一枝桂，向空掷之，化为一桥，其色如银。请上同登，约行数十里，遂至大城阙。公远曰：“此月宫也。”有仙女数百，素练宽衣，舞于广庭。上前问曰：“此何曲也？”曰：“《霓裳羽衣》也。”上密记其声调，遂回桥，却顾，随步而灭。旦谕伶官，象其声调，作《霓裳羽衣曲》。

记载罗公远传奇故事最系统的当属宋代李昉所编《太平广记》卷二十二《神仙·罗公远》[①]。《太平广记》虽属小说家言，专门收集自汉代到宋初的野史小说，不可当作真实历史，但是它仍然具有较高的历史价值和文学价值。唐王朝自认为是老子后裔，始终崇奉道教，神仙道教在唐代也发展到高峰，玄宗时期为朝廷效力的罗公远、孙思邈、叶法善、张果、杨通幽等入世神仙的大量出现[②]，正是社会历史文化现实的一种反映。

作为道教人物，罗公远和叶静能（又有著录为“叶法静”者，疑系一人）为《真龙虎九仙经》作注，表现了罗公远某些修道思想，后世《道藏》收其入洞真部方法类。《真龙虎九仙经》一卷，又名《天真皇人九仙经》。经多为五言诀，言内丹，以水火为大药，谓“心为火，应离；肾为水，应坎。凡修道造金丹，须凭龙虎水火也”。与一般内丹法不同，

① （宋）李昉等编：《太平广记》卷二二，第146—150页。

② 此处“入世神仙”一语援引自霍明琨的观点：“在唐人神仙世界中，神仙形象、身份特别多样化、复杂化，突出的表现是：出现了大量的当世之仙，其中包括谪世之仙、入世之仙和混世之仙”。“唐人后天仙真世界中还有大量积极入世，出将入相的仙人。”见霍明琨：《唐人的神仙世界：〈太平广记〉唐五代神仙小说的文化研究》，黑龙江大学出版社2007年版，第4、39页。

又多用观想存思，多言开顶出神，及出神后投胎移舍、夺位分身之术。题称九仙者，谓依炼丹功力之深浅，所成仙有九等之分，罗公远注曰从第一等到第九等分别为：天侠、仙侠、灵侠、风侠、水侠、火侠、气侠、鬼侠、剑侠。[①]

关于罗公远的事迹，道教内典籍《历世真仙体道通鉴》所记也较为详尽，该书所载其神异事迹当然不可全信，因为对法术的渲染是道教一贯的传统。但由此看来，“罗公远应是唐代一位深怀异术、见识高明的道士”[②]。

与罗公远同为唐代湖北有名的道士还有武昌人刘玄靖和江夏人李升。

七、李筌与《黄帝阴符经疏》

唐代湖北道教在教义理论方面有重要建树的一人是李筌。

据唐末杜光庭《神仙感遇传》记载，李筌号达观子，生卒年不详，陇西（今甘肃境内）人，生活在唐玄宗至肃宗年间。开元中，李筌曾出任荆南节度副使、御史中丞。时为李林甫所排，位不大显，遂入名山访道，后不知其所之。既然他担任过荆南节度副使，说他是一位与湖北道教有关的唐代道教人物，大致不误。

李筌的著述不少，最重要的是他的《黄帝阴符经疏》。《新唐书·艺文志》载有李筌所著《太白阴经》十卷、《六壬大玉帐歌》十卷、《阃外春秋》十卷、《中台志》十卷、《青囊括》一卷。此外，《新唐书·艺文志》还载有李筌《骊山母传阴符玄义》一卷，并注曰：“筌，号少室山达观子，于嵩山虎口岩石壁得《黄帝阴符》本，题云：‘魏道士寇谦之传诸名山。’筌至骊山，老母传其说。”[③] 对此，李筌《黄帝阴符经疏序》说：“少室山达观子李筌，好神仙之道，常历名山，博采方术。至嵩山

① （唐）罗公远、叶静能注：《真龙虎九仙经注》，见《道藏》第 4 册，第 317、320 页。

② 刘固盛、梅莉、胡军等著：《湖北道教史》，第 96 页。

③ （宋）欧阳修、宋祁撰：《新唐书·艺文三》，第 1521 页。

虎口岩，石壁中得《阴符》本，绢素书，朱漆轴，以绛缯缄之。封云：'魏真君二年七月七日，上清道士寇谦之藏诸名山，用传同好。'其本糜烂，应手灰灭。筌略抄记，虽诵在口，竟不能晓其义理。因入秦，至骊山下，逢一老母，……筌所注《阴符》，并依骊山母所说，非筌自能，后来同好，敬尔天机，无妄传也。"①

今《道藏》第2册收有《黄帝阴符经疏》，题"少室山李筌疏"。李筌的疏共三卷，卷上明神仙抱一之道，解说经文《神仙抱一演道章》一百五言，"使人明阴阳之道，察兴废之理，动用其机宜，然后修身炼行，以成圣人"②；卷中明富国安人之法，阐说经文《富国安人演法章》九十二言，"使人取舍合其机宜，明察神明之道，安化养命固躬之机也"③；卷下明强兵战胜之术，推演经文《强兵战胜演术章》一百三言，"使人深思静虑，恩害不生，晓达存亡，公私隐密，开物成务，观天相时"④。《道藏》第2册所收《黄帝阴符经》注本近20种，现今通行七家注本中即有李筌注疏本。如论者所言，"《阴符经》通天彻地，把握宇宙之道而后施行于天地万化、成仙、治国、用兵的原理全部包容其中。这是先民留给我们的宝贵文化遗产，其思想一向为历代学人所重视，其书之所以能风行于世，正是由于得李筌为之注释的缘故"⑤。

八、白洑卢山人与仙道信仰

白洑是湖北潜江历史上曾出现过的一个地名词汇，另有白洑铺、白洑垸、白洑套、白洑外套、白洑滩、白洑驿等地名，目前可知关于"白洑"的最早记载出现于唐代。唐人段成式著《酉阳杂俎》，记唐宝历年

① （唐）李筌：《黄帝阴符经疏序》，见（清）董诰等编：《全唐文》卷三六一，第3667—3668页。

② （唐）李筌：《黄帝阴符经疏》，见《道藏》第2册，第739页。

③ （唐）李筌：《黄帝阴符经疏》，见《道藏》第2册，第742页。

④ （唐）李筌：《黄帝阴符经疏》，见《道藏》第2册，第745页。

⑤ 刘固盛、梅莉、胡军等著：《湖北道教史》，第81页。

间（825—826 年）“白洑南草市”事迹。《旧唐书》记唐僖宗乾符四年（877 年）八月，农民军攻下随州，“屯于白洑”[①]，十一月王仙芝带农民军渡过汉水，攻下江陵。《太平寰宇记》记唐大中十一年（857 年），设白洑征科巡院，因“潜江县，东一百一十里，十二乡。新置。唐大中十一年以人户输纳不便，置征科巡院于白洑。皇朝乾德三年因之升为潜江县”[②]。后有白洑堤，是高氏堤的一段，相传为五代高季昌所筑。

唐代兴起诸多草市，所谓草市，是指相对于官方正式市场的所有民间交易场所，主要是指其中初具市镇规模者。唐代，江汉平原上草市众多，其中有汩口草市、白洑南草市等。“洑”为河水回流之处，显然也是津埠所在。据《太平广记》记载，白洑南草市既有行商来往，又有出赁客房的坐贾，还有售技为生的工匠。这个坐落在昔日云梦泽腹地的草市标志着江汉平原水网地带的显著开发，也为当地增加了一个商贸中心和与外地交流的窗口，后来又形成一个独立的县级行政实体。

草市的兴盛，也为仙道文化的传播，提供了有效路径。所谓仙道，可以说是“神仙道教”，属于宗教文化在时人心理中的一种折射[③]。据段成式《酉阳杂俎》载：

唐敬宗宝历（825—826 年）年间，古荆州地区的卢山人，常担卖烧朴石灰，来白洑南草的集市。他时时显露出一些奇异迹象，出于人们想象之外。

商人赵元卿想跟卢山人交游，就多次买他的货物，还摆下酒菜请卢山人吃，向他讨教赢利的方法。卢山人发觉他的意图，对他说：“我看你的用意似乎不在买卖，你到底想干什么呢？”赵元卿说：“我看你隐德埋形，实能未卜先知，想请你指教一二。”卢山人说：“好吧。你家房主今天午时有非常之祸，如信我的话，可以幸免。你可以告诉他，今天

① （后晋）刘昫：《旧唐书》卷一九《僖宗纪》，第 700 页。

② （宋）乐史撰、王文楚等点校：《太平寰宇记》卷一四六《山南东道五·潜江县》，第 2844 页。

③ 吴成国：《六朝巫术与社会研究》，武汉出版社 2007 年版，270—277 页。

午前会有一个工匠背着行李袋来，袋中有二两多银子。无论如何不要去理他，关紧大门才是。到了中午，那人一定会大骂，全家必须到河边躲避。这样，只不过化钱三千四百文罢了。”当时，赵元卿住在民户张生家，他马上回去转告了张家人。张生平时也很信服卢山人，于是关上门等着事情发生。将近中午，果然来了一个工匠敲门，要求买米。过了一会，他见没人答应，便大发雷霆，猛踢大门，张生就用竹床顶住。不多时，门前就聚满了几百个围观的人。张生于是和妻儿从后门出去躲避。过了正午，那人方才离去，走了几百步，忽然跌倒在地死了。其妻闻讯赶来，众人告诉她发生的事情，她痛哭流涕，来到张家，诬告丈夫暴死与张生有关。闹到官府，众人详细叙述了张家人关门逃避的情况，县官也无法断案，只能对张生说：“你确实无罪，但你应当为他办理丧事。”张生欣然从命，死者的妻子也很满意。他们到集市上买了一口薄棺材，还雇了送葬的车辆。全部花销正是三千四百文钱，与卢山人所说的丝毫不差。

据赵元卿说，卢山人的形貌不定，有时年轻，有时又像个老人。相处的日子不少，却不常看见他吃东西。卢山人曾对赵生说：“世间刺客隐形者不少，道者得隐形术，能不试二十年，可易形，名曰脱离。后二十年，名籍于地仙矣。”《酉阳杂俎》认为卢山人“所论多奇怪，盖神仙之流也”[①]。“山人”，即居住山中之人。后来山人又指隐逸山林的隐士。唐代山人的角色更为多元复杂，在唐代，山人并不都是雪眉霜须、仙风道骨的神仙特征，相反，一些平凡无奇的世俗之人反倒是埋形隐德的神仙。山人精于术数、占相、望气之法，能悬知灾异，预定吉凶。

卢山人的事迹，反映了唐代仙道文化的发展。唐代儒、释、道三教思想混融，统治阶级和上层文人过着风流富足的生活，人世的繁华享乐生活满足之后，唐人转而追求更高的境界，以满足心灵的渴望，这也是唐代佛道二教极度繁荣的重要原因。佛教以来世之说给人们以彼岸世界

① （唐）段成式撰、曹中孚校点：《酉阳杂俎》前集卷二《壶史》，第17页。

的希望和福祉，以此来抚慰现实世界中人们心灵的焦躁和不安；道教则以其现世精神虚构一个超越时空、无限美好的神仙世界，满足人们企图无限生存和享乐的欲望。唐人笔下的仙境和神仙意象是唐代特殊社会现实的曲折反映。

九、武当山隐修时的陈抟及其著述

陈抟是五代宋初时的一位传奇人物，他作为道门高隐和学术大师，功修精深，学识渊博，曾在武当山隐居修道二十余年并留下著述，在中国中古思想文化史上占有重要地位。

据史籍与道书的记载，陈抟在武当山隐修的地点有多处。陈抟（871—989 年），字图南，号扶摇子，亳州真源（今安徽亳州市十八里区陈庄村）人[①]。后唐明宗赐号“清虚处士”，宋太宗赐号“希夷先生”。《宋史·陈抟传》记载，后唐长兴（930—933 年）年间，因举进士不第，陈抟遂不求禄仕，以山水为乐。他“自言尝遇孙君仿、獐皮处士二人者，高尚之人也，语抟曰：‘武当山九室岩可以隐居。’”“抟往栖焉，因服气辟谷历二十余年，但日饮酒数杯”[②]。北宋时，湖北襄阳人魏泰《东轩笔录》卷一记陈抟武当山隐修事：“陈抟，字图南，有经世之才。生唐末，厌五代之乱，入武当山，学神仙导养之术，能辟谷，或一睡三年。”[③]元代，刘道明《武当福地总真集》也载：

> 陈希夷，言行现岩，名抟，字图南，亳州人也。少负逸材，有济物利人之志。五季之世，汴梁见宋太祖而异之曰：此真命也。笑坠白驴，遂有高举云烟之兴。入武当山隐居，诵《易》于五龙观侧，感五气龙君，授之睡法。声誉远著，谒者颇众，寻迁诵经台，

① 关于陈抟的生卒年和籍贯有不同记载，此处从其一说。参胡晓：《陈抟生平事迹述论》，《安徽史学》2007 年第 5 期。

② （元）脱脱等：《宋史》卷四五七《陈抟传》，第 13420 页。

③ （宋）魏泰：《东轩笔录》卷一，见影印文渊阁本《四库全书》第 1037 册，第 417 页。

研究画前之妙，再迁于白云岩。五代之末，四方鼎沸，移居华顶，传曰：五龙飞空送之。宋初累召不起，后赴阙乞归，诏许之。[①]

由上可见，陈抟在武当山隐居的地点不止一处，最初在九室岩，后居五龙观炼丹池、自然庵，因造访者太多迁往诵经台，又迁白云峰、白云岩，此外，落帽峰、俞公岩、玉虚岩、灵虚岩、南岩等地也曾留下陈抟的足迹。

陈抟在武当山隐居期间留下不少著述。宋人江少虞《宋朝事实类苑》载，“陈抟，谯郡真源人，与老聃同乡里，生尝举进士不第，去隐武当山九室岩，辟谷炼气，作诗八十一章，号《指玄篇》，言修养之事”[②]。《历世真仙体道通鉴》也说陈抟在武当山九室岩隐居，恬然自处凡二十余年，“撰《指玄篇》八十一章，《入室还丹诗》五十首，又作《钓潭集》万余字，皆罗缕道妙，包括至真”[③]。此外，还著有《无极图》《先天图》《易龙图》等。可见，陈抟的主要著述完成于武当山隐修期间。

《指玄篇》应为陈抟所著的一部重要著作，惜全书已佚。《指玄篇》共八十一章，显然是仿老子《道德经》八十一章所作，不同的是，它是以歌诀的形式讲述内丹修炼之术。《宋史·陈抟传》对该书载曰：“抟好读《易》，手不释卷。常自号扶摇子。著《指玄篇》八十一章，言导养及还丹之事。宰相王溥亦著八十一章，以笺其指。”[④]此书在南宋郑樵《通志·艺文略》道家吐纳类有目，作一卷。今人李远国先生从元人俞琰的《周易参同契发挥》《易外别传》及明代著作《性命圭旨》（作者不详）所引陈抟《指玄篇》诗文辑出十五条，见于其所撰《陈抟佚文汇

① （元）刘道明：《武当福地总真集》卷下，见《道藏》第19册，第666页。

② （宋）江少虞撰、霍济苍点校：《宋朝事实类苑》卷四一《旷达隐逸》，上海古籍出版社1981年版，第533页。

③ （元）赵道一：《历世真仙体道通鉴》卷四七，见《道藏》第5册，第368页。

④ （元）脱脱等：《宋史》卷四五七《陈抟传》，第13421页。

编》第一部分。虽仅存十五条，但将这些诗文与《入室还丹诗》所存诗文以及收录于《道藏》中的陈抟注《阴真君还丹歌注》相比较[①]，陈抟讲解的内丹修炼方法，可谓是淹通三教，自成一家，创立了独具特色的内丹理论。

陈抟的内丹实践还炼成了高卧而眠、超凡脱俗的“五龙睡法”，武当山附近至今流传着“彭祖修行八百年，不如陈抟一觉眠”的民谚。“睡”，是他处世态度的写照，又是他最好的修炼方法。通过安卧静养，凝神聚气，使元气自运于体内，阳神出游于碧空，纵横驰骋自由自在。后人称其为“陈抟老祖”“睡仙”等，今武当山南岩有陈抟草书“福”“寿”两字，字体巨大，笔划粗壮，传说他睡躺着书写这两个字，人称“卧福睡寿”。陈抟的内丹理论和修炼方法，成为武当道教内丹功、内家拳的直接理论来源。

陈抟是中国道教史上一个具有划时代意义的人物，他继承汉代以来的道教学术传统，将黄老学说、道教修炼方术与儒家、佛教理论融为一体，在内丹学、易学、老学等方面造诣高深，对后世影响甚大。

十、张君房董理《道藏》

每种宗教都有自己的教义和经典。后世教徒们为了便于保存、学习和研究，把这些典籍汇集起来编成一部大的丛书。佛教的典籍汇编起来叫《大藏经》，也称《大藏》。道教的典籍汇编起来叫《道藏经》，也称《道藏》。

道教创始于汉代，魏晋以前，道教的书籍不多。葛洪在《抱朴子·遐览篇》中所列道经有670卷，符箓500多卷，共1200卷。刘宋时道士陆修静广为搜集道书，编为《三洞经书目录》1228卷，其中除道经、符图之外，还包括一些医药书籍，这是《道藏》最早的结集。唐玄宗开元时下诏搜访道经，辑成《开元道藏》3744卷。宋太宗曾命徐铉等

---

① （宋）陈抟：《阴真君还丹歌注》，见《道藏》第2册，第878—880页。

校正道经，至宋真宗时，在徐铉等编校的基础上，由王钦若领衔、张君房主持辑成道藏凡4565卷，装为466函，每函按照《千字文》顺序编号，起“天”字，止于“宫”字，因此这部道藏就叫《大宋天宫宝藏》。张君房又摘其精要编为《云笈七签》122卷，因此《云笈七签》有“小道藏”之称。

张君房，字“允方”或“尹方”，北宋岳州安陆（今湖北安陆）人，生卒年均不详，有学者考证，张君房生于宋太祖乾德三年（965年）前的几年间，卒于庆历年间（1045年左右）[①]，是北宋著名的藏书家和道藏目录学家。《麈史》记载，张君房酷爱读书，家中藏书甚富，在家乡安陆居住时，同乡名儒令狐揆等人经常骑瘦马，携小童，冒积雪入城至张君房家中借书阅读。因此，令狐揆曾作有“借书离近廓，冒雪度寒溪”的诗句，成为中国古代文坛交友的佳话。宋真宗景德二年（1005年），张君房考中进士，以后历官尚书员外郎、充集贤校理。大中祥符年间，张君房从御史台谪官至浙江宁海县令，后转为钱塘县令。

张君房事迹，其安陆老乡王得臣《麈史》还有零星的记载。其文云：“集贤张君房，字尹方。壮岁从学，逮游场屋，甚有时名，登第时年已四十余。以校道书得馆职，后知随、郢、信阳三郡，年六十三分司，归安陆年六十九致仕。尝撰《乘异记》三编，《科名定分录》七卷，《儆戒会最》五十事，《丽情集》十二卷，又《潮说》《野语》各三篇，洎退居又撰《脞说》二十卷。年七十六仍著诗赋杂文，其子百药尝纂为《庆历集》三十卷。予惟《会最》《丽情集》外，昔尝见之，富哉所闻也。”[②]同书卷下又载：“予里集贤张君房，年六十三分司，六十九致仕。光禄卿张君靖，年六十六致仕，其子朝请大夫瓌，任京东提刑，年六十九致仕，三人皆康宁无疾。”[③]

① 刘全波：《〈云笈七签〉编纂者张君房事迹考》，《中国道教》2008年第4期。

② （北宋）王得臣：《麈史》卷中，第37页。

③ （北宋）王得臣：《麈史》卷下，第77页。

张君房中进士之前的事迹，史籍记载不详，加之他好神仙道术，因此其中进士之前的事迹，玄之又玄，处处透露着神秘的色彩。[①]范成大《吴郡志》卷四四引《集异记》云："咸平元年（998年）夏四月，昆山县有渔妇李氏……得一白龟……时陈省华守苏州之二岁也，异而神之……时张君房客于苏，省华以白龟事访之。君房曰：按孙氏《瑞应图》云'龟千岁巢莲叶之上，是龟之质固可巢于莲叶，而其出也，又将以应于千岁之运乎！且其色白；白，西方也，岂其应在西戎乎？龟者归也，西方其有逆命不廷之虏，畏威怀德归我乎哉'！明年，朔方叛帅李继迁贡马请命，遂有银、夏、绥、宥四镇之拜。"[②]这是说张君房能够根据吉凶征兆预言未来大事。宋代著作、不知撰者的《分门古今类事》一书，卷八"淳化看蛇""戴昭领钱""辟支佛记""张君房灵梦志"条[③]，在还没有中进士之前，曾多次梦到自己进士及第并做官。张君房热衷于功名，

景德二年（1005年）春，张君房进士及第担任知升州江宁县，开始了仕途生涯，史籍有他上疏言事的一些记载。大中祥符三年（1010年）九月戊戌，时任开封府功曹参军张君房上疏言事："唐土德，五运相承，国家当承唐室正统，用金德王……太祖以庚申岁（960年）受周禅，开宝乙亥岁（975年）平江南。及太宗即位，定并、汾，自是一统。是国家乘金德以受命，其验明矣。"并献所著论四卷。但他的上书并没有得到宋真宗的赞许，反而遭到了训斥。宋真宗批复说："言此者多矣。且国初徇群议为火德，今岂当骤改耶？"[④]《宋史》也记载了这件事："大中祥符三年，开封府功曹参军张君房上言：'自唐室下衰，土德隤圮，

① 刘全波：《〈云笈七签〉编纂者张君房事迹考》，《中国道教》2008年第4期。

② （南宋）范成大：《吴郡志》卷四四引《集异记》，见影印文渊阁本《四库全书》第485册，第298页。

③ （宋）不知撰者：《分门古今类事》卷八，见影印文渊阁本《四库全书》第1047册，第77、78、80、82页。

④ （宋）李焘：《续资治通鉴长编》卷七四，第1690页。

朱梁氏强称金统，而庄宗旋复旧邦，则朱梁氏不入正统明矣。晋氏又复称金，盖谓乘于唐氏，殊不知李昪建国于江南耳。汉家二主，共止三年，绍晋而兴，是为水德。洎广顺革命，二主九年，终于显德。以上三朝七主，共止二十四年，行运之间，阴隐而难赜。伏自太祖承周木德而王，当于火行，上系于商，开国在宋，自是三朝迄今以为然矣。愚臣详而辨之，若可疑者。太祖禅周之岁，岁在庚申。夫庚者，金也，申亦金位，纳音是木，盖周氏称木，为二金所胜之象也。太宗登极之后，诏开金明池于金方之上，此谁启之？乃天之灵符也。陛下履极当强圉之岁，握符在作噩之春，适宋道之隆兴，得金天之正气。臣试以瑞应言之，则当年丹徒贡白鹿，姑苏进白龟，条支之雀来，颍川之雉至；臣又闻当封禅之时，鲁郊贡白兔，郓上得金龟，皆金符之至验也。愿以臣章下三事大臣，参定其事。'疏奏，不报。"[①]可见，张君房喜欢道术，连上疏言事都用的道术一套说辞。

宋真宗崇尚道教，大中祥符二年（1009年）己酉，诏左右精选道士10人校定《道藏》经典。次年，又令于崇文院集馆阁官僚详校，命宰臣王钦若总领之。王钦若在很短的时间里就汇集了4359卷道经，撰成篇目呈送皇帝，赐名《宝文统录》，宋真宗还亲自作序。但是，《宝文统录》的质量不高，连总领其事的王钦若也不很满意。于是，编修一部体例更加完备、质量更高的《道藏》就成了宋真宗的夙愿。

大中祥符四年（1011年），张君房调入御史台为官，离中枢更近了一步，有了更大的发展空间。但大中祥符五年（1012年），他又因"鞫狱无状，谪掾于宁海"[②]，贬官来到宁海，正巧遇到了在杭州编纂《道藏》的戚纶、陈尧佐等人。《道藏》的编纂也进入一个相对困难时期，正需要像张君房这样学问渊博的人来主持编修工作，因此张君房的出现可谓是及时雨。于是，张君房得到了宋真宗的信任，很顺利地接手了

① （元）脱脱等：《宋史》卷七〇《律历志三》，第1597—1598页。

② （宋）张君房纂辑、蒋力生等校注：《云笈七签》，《序》第1页。

《道藏》的编纂任务。

大中祥符六年（1013年），张君房任著作佐郎，开始接手《道藏》编辑工作。张君房览遍朝中所藏道书及苏州、越州、台州旧道藏，并率领道士10余人从事修校之事，编次为《大宋天宫宝藏》，一共4565卷，以七部分类法排列子书，但以千字文为函目，便于查找，是了不起的进步。至天禧三年（1019年），书成，献给朝廷。

《道藏》即道经总集。"藏"是从佛教借用的概念，原意是"筐"的意思。后来转义为放书的地方，再后来就成为全书的意思。《道藏》的编纂与道教的兴衰，以及与国家的治乱息息相关。前者是后者的"晴雨表"。它再一次证明文化事业的发展有赖于太平盛世。

《道藏》应具备三项最基本的特征：所收道经相对来说是比较全的；独自成为丛书；有分类和目录。以此标准去衡量，最早的《道藏》应是《抱朴子·遐览》所记录的"郑隐藏书"。东晋葛洪在《遐览》中介绍并著录了其师郑隐的藏书。《遐览》将郑隐藏书分为道经和诸符两大类。无论是郑隐还是葛洪，均不是有计划、有目的地收集道经和编纂《道藏》。由于郑隐藏书丰富和葛洪著录经目，郑隐藏书具备了《道藏》的基本特征。郑隐藏书有两个缺点：不仅缺斋仪之书，原始道教经典还遗漏很多；葛洪的著录过简，且不规范。①

《道藏》编撰大功告成之后，张君房得到了朝廷奖赏，官职升迁，历任随州、郢州、信阳等地知州。功成名就的张君房本可以安度晚年，但他为了"上以酬真宗皇帝委遇之恩，次以备皇帝陛下乙夜之览，下以裨文馆校雠之职"②，又借编纂《道藏》的机会，修成《云笈七签》122卷。《云笈七签》在道教界的影响很大，素有"小道藏"和"道教小百科"之称。更为重要的是，张君房据以编修《云笈七签》的底本《大宋天宫宝藏》在流传中佚失，《云笈七签》这一《大宋天宫宝藏》的"简

① 朱越利：《〈道藏〉总说》，载朱越利主编：《道藏说略》，北京燕山出版社2009年版，第6页。

② （宋）张君房纂辑、蒋力生等校注：《云笈七签》，《序》第1页。

抄本”的史料价值就变得更加重要。

《云笈七签》的价值是多方面的，并不只限于道教。按周生春先生的考证，《云笈七签》编修完成的时间，当在天圣五年（1027 年）八月至七年（1029 年）二月之间。①《云笈七签》除了道教本身的东西外，还涉及大量的道教以外内容，如有关宇宙构成、天地化生、人类由来，乃至天文地理、药物化学、民俗风情等，这对我们研究古代中国传统文化是非常有价值的材料。值得注意的是，《云笈七签》的编撰体例不再沿用南朝陆修静、孟法师以来的三洞四辅七部分类法，而是注意到了内容与形式的统一，创立了更科学、更准确、更细致的部类编排法。张君房把道经丰富的内容分为三大块，以“道德”为起始，以“灵验”为终结，以“法术”为主干的整体格局，在一定程度上反映了道教内容的体系性、完整性。《四库全书总目提要》称赞说：“类例既明，指归略备，纲条科格，无不兼该，《道藏》菁华，亦大略具于是矣。”②

张君房 69 岁时告老还乡，80 多岁去世，死后葬于故乡安陆。《明一统志》卷六一记载：“张君房冢，在安陆县东董店，俗呼张金紫坟。”③张君房是中国道教史不容忘却的人物，他一生经历了宋太祖、宋太宗、宋真宗、宋仁宗四朝。纵观他的一生，最大的贡献是修纂了《大宋天宫宝藏》和《云笈七签》。虽然《大宋天宫宝藏》已经佚失，但《云笈七签》一书的流传足以使他名垂青史。

十一、真武信仰与武当道教的形成

道教是一个尊奉主神的多神教，武当道教也不例外。武当道教的发展与形成与真武信仰息息相关。

真武信仰的前身叫玄武信仰。玄武又叫真武大帝、真武帝君、北极

---

① 周生春：《四库全书总目子部释家类、道家类提要补正》，《世界宗教研究》2000 年第 1 期。

② （清）永瑢、纪昀等：《四库全书总目》卷一四六《子部・道家类》，中华书局 1965 年版，第 1252 页。

③ （明）李贤等：《明一统志》卷八一，见影印文渊阁本《四库全书》第 473 册，第 266 页。

真武佑圣真君、玄天上帝、玄帝、北帝、黑帝、荡魔天尊等，民间称他为报恩祖师、披发祖师、祖师爷、上帝公等，是武当道教信奉的主神。北宋大中祥符五年（1012年），宋真宗为避宋室“圣祖赵玄朗”之讳，改玄武为真武。《续资治通鉴长编》卷七十九载，诏曰：“圣祖名，上曰‘玄’，下曰‘朗’，不得斥犯。”

玄天上帝真武之神具有多样的神性特征，主要有：北方之神、水神、生殖之神、司命之神、武曲之神、福神。[①]在早期民间信仰中，玄武信仰源于古老的星辰崇拜，玄武作为二十八星宿中的北方七宿，与朱雀、青龙、白虎合称四象、四灵。道教形成之后，吸收四灵作为四方的代表和护法神将，玄武逐渐被赋予了前述更多的神性，地位日益提高。

玄天上帝真武之神神格地位的演变主要是在宋元时期完成的，皇室的尊崇是玄武信仰兴起和发展的重要条件。史籍和道书均记载了宋真宗对真武的封号。《续资治通鉴长编》卷九十二载，天禧二年（1018年）六月“己未加号真武将军曰真武灵应真君”。真宗加封真武的诏文见于《武当福地总真集》，诏文中的封号为“真武灵应佑圣真君”，诏书落款时间则为“天禧二年七月七日”[②]。而考查真武——玄帝历代封号后，有个规律是“后一代皇帝的封号是在承认前一代皇帝封号的基础上再加新号或提高一格加新号，而不会只重复以前皇帝的封号”[③]。宋仁宗的封号为“北极右垣镇天真武灵应真君”，宋徽宗增上尊号为“佑圣真武灵应真君”，宋钦宗封号为“佑圣助顺真武灵应真君”，宋宁宗封号为“北极佑圣助顺真武灵应福德真君”，宋理宗封号为“北极佑圣助顺真武福德衍庆仁济正烈真君”[④]。元成宗封号为“元圣仁威玄天上帝”[⑤]。所以，有研究者指出，“在使真武神格逐步抬升的过程中，大体有三种社

① 杨立志：《武当文化概论》，北京：社科文献出版社，2008年版，第93—96页。

② （元）刘道明：《武当福地总真集》卷下，见《道藏》第19册，第662页。

③ 杨立志：《武当文化概论》，第126页。

④ 宋代诸帝加封真武封号史料与考证，参考杨立志：《武当文化概论》第126—131页。

⑤ （明）宋濂等：《元史》，第456页。

会力量（皇室、道教、民众）起过作用，其中起决定作用的为宋元明三代皇室”①。

玄武由星宿神上升为玄武将军、真武真君直至玄天上帝，其神化的过程中蕴含着武当道教的思想意蕴。其一，玄武就是“道”的化身。在宋代真武经典如《真武本传妙经》《降笔实录》中，玄武已不再是龟蛇合体的北方星神，而是“老君变化之身”“元始化身”“太极别体”，直接与“道”发生联系。其二，真武真君通过内丹修炼上通而登天界的“真人”“真君”。《太上说真武本传妙经注》视“真人”是修炼内丹的成功者。玄天上帝作为天神，有苦行修炼的经历，因炼成内丹而登天界，故也为道教内丹派所崇奉。其三，真武大帝能度人济物，扬善抑恶。《太上说真武本传妙经注》《真武神咒》《玄帝实录》等道经将神仙信仰与度人济物思想结合起来，宣扬真武大帝能改变现实的苦难，真武神有执掌功过、录善罚恶之职能。其四，真武信仰还宣扬忠孝伦理、三教融合等思想。《北极真武普慈度世法忏》《北极真武佑圣真君礼文》《真武灵应真君报父母恩重经》都在融合三教，宣扬忠孝伦理。②

在宋元皇室的支持下，武当山玄武信仰迅速发展，宫观遍建，经典迭出，灵应广传。在此背景下，宋代武当山开始出现以信奉真武神为主要标志的道团组织，武当道教逐渐形成。因之，“以武当山为本山，以信仰真武——玄帝，重视内丹修炼，擅长雷法及符箓禳禬，强调忠孝伦理、三教融合为主要特征的武当道教形成于宋代”③。

十二、张道清及其九宫山派

在湖北道教的发展历史上，九宫山道教在南宋时期盛况空前，并在元朝得到继续发展。这一方面在于张道清发挥其引领作用，他抓住时机弘道阐教，开辟道场，九宫山由此成为南宋江南道教的中心；另一方

① 曾召南：《宋元明皇室崇信真武缘由刍议》，《宗教学研究》1996年第2期。

② 参杨立志：《武当文化概论》，第104—109页。

③ 王光德、杨立志：《武当道教史略》，华文出版社1993年版，第104页。

面，南宋皇室对道教的优渥而使九宫山成为道教御制派的祖庭。所谓御制派，即由皇帝钦赐道派传承的派字，由于御制派以九宫山为本山，亦被称为“九宫山派”。[①]九宫山派虽传承不绝，但因没有著述传世，张道清及其九宫山派道教思想与传统的天师道不同：一是道契天师，但崇奉玉帝和真武；二是在崇尚符箓道术的同时，亦重性命双修。

张道清（1136—1207年），字得一，号三峰，郢之蒲骚里（今湖北京山）人。淳熙元年（1174年），张道清出游龙虎山，朝礼天师府，受正一法箓。淳熙十五年（1188年），张道清来到九宫山开创道业。天师道用符咒法术为国建醮祈福、为民祈雨治病，但张道清不同于传统的天师派道士，他崇奉玉帝信仰。早年在家乡长森湾兴建万寿观时，张道清首建玉帝殿。在玉帝指引下，他来到九宫山，也是先建玉帝殿以便祈祷。从张道清开始，九宫山派也崇奉真武。《九宫山志》记载：“真牧开山，建佑圣、天师二堂，一奉真武，一奉道陵，此即其师承所自。”[②]《九宫山志》的作者是清人傅燮鼎，他为了突出九宫山及张道清的地位，认为九宫山祀真武早于武当山：“顾吾思真牧开山之日，九宫且突过武当。据明方升《太岳志》载，元至元初有《崇封真武诰碑》及揭傒斯《宫记》《瑞应》二碑，而元以前则未之有。广惠此时问道，固应先造九宫，且真武非必武当独祀也。章鉴《柳贞公祠记》谓：‘九宫道士余惟铃奉武当神’，是真武亦九宫所祖。真牧建佑圣堂，佑圣之名缘于北方太极佑圣真君，是即真武。以故驱役百神，感召雷雨，真牧优为之云门诀，岂必舍九宫而他求哉？”[③]武当山各宫观以真武大帝为主神，由于缺少史料记载，研究者无法判定武当山崇奉真武的准确时间，但还是认为武当山祀真武在九宫山之前。傅燮鼎提到的余惟铃是张道清第六代传人，表明九宫山真武信仰是素有传承的。

---

① 卿希泰主编：《中国道教史》（第三卷），四川人民出版社1996年版，第134页。

② （清）傅燮鼎：《九宫山志》卷一四《杂志》，见《中国道观志丛刊》第7册，江苏古籍出版社2000年版，第447页。

③ （清）傅燮鼎：《九宫山志》卷一〇《艺文二》，见《中国道观志丛刊》第7册，第271页。

张道清没有著述传世，仅留下诗文数篇，仍可看到其修道思想。如《中都晤皇甫清虚赠句》："久恋帝乡春，虚名空系身。何如清嶂里，认取自家真。"[①] 此诗为张道清淳熙十年（1183 年）游中都（今北京，元至元九年即 1272 年改称大都）时遇见当时的著名道士皇甫坦（其居庐山清虚庵时，清虚庵一度名震江南，成为庐山著名道观之一，因而皇甫坦也被称作皇甫清虚）所写。南宗始祖张伯端《悟真篇》有诗云："要知炼养还丹法，自向家园下种栽。不假吹嘘并着力，自然果熟脱灵胎。"[②] 这里，张伯端所谓"自向家园下种栽"，即从自己本身寻找修炼之法，明了本心真性，获得解脱。张道清诗中"认取自家真"之意与此契合，其临终遗言和留给弟子的颂文也体现出内丹性命学说"先命后性，性命双修"的意味[③]，印证了张道清及其九宫山御制派传人确实受过金丹派南宗的深刻影响。而这一点恰恰是张道清与传统天师道最大的区别。

十三、张守清与"武当清微派"

在宋元皇室的支持下，武当山玄武信仰兴盛和武当山道教发展的表现之一，就是宫观遍建，宫观数量迅速增加，规模日益扩大。

宋代武当山较为著名的宫观仅五龙灵应观和紫霄宫。五龙灵应万寿宫是武当山历史最早的宫观，宋真宗时将建于唐代的五龙祠升为五龙观。据《武当福地总真集》等的记载，靖康之变后，武当山宫观毁坏殆尽，南宋上清派道士孙寂然带领邓真官等人一面运用上清五雷妙法为民除疾禳灾，一面不辞辛劳地兴建宫观，"数年之间，殿宇悉备"[④]，只可

① （清）傅燮鼎：《九宫山志》卷八《玄空》，见《中国道观志丛刊》第 7 册，第 181 页。

② （南宋）张伯端：《悟真篇》卷五，见《道藏》第 2 册，第 940 页。

③ 张道清临终遗言和颂文，分别见于《九宫山志》卷九《艺文一》和卷八《玄空》的记载。（清）傅燮鼎：《九宫山志》，《中国道观志丛刊》第 7 册，第 226 页，第 183—184 页。

④ （元）刘道明：《武当福地总真集》卷下，见《道藏》第 19 册，第 666 页。

惜“又废于金末之兵”[①]。

到元代，武当山已形成的宫观格局是“九宫八观”[②]。“九宫”即大五龙灵应万寿宫、大万寿紫霄元圣宫、大天一真庆万寿宫、王母宫、太和宫、琼台宫、紫虚宫、紫极宫、延长宫，“八观”为佑圣观、云霞观、常真观、三茅观、三清观、修真观、玉仙观、紫霞观。另据杨立志先生的研究，武当山还有五龙行宫、清微行宫、榔梅仙翁祠、黑虎祠、冲虚庵、白云庵、玉虚岩、华阳岩等道教建筑40余处。[③]

元初，全真派道士汪贞常、鲁大宥等开复武当，率领徒众重修五龙观、紫霄宫等金末毁坏的重要宫观，汪贞常“开复五龙，……兴建殿宇，改观为宫，四方师礼之，度徒众百余人，任本宫提点”[④]。由于五龙宫在武当山的地位特殊，元代皇帝纷纷赐额、建醮，并大建玄武殿。元顺帝至元二年（1336年），玄武殿建成，“其屋壮丽严峻，洞达高广，盖与兹山相雄”[⑤]。

武当清微派高道张守清对南岩真庆宫建成做出了重大贡献，让南岩真庆宫成为武当山影响最大的玄武专祀宫观之一。据程钜夫《大元敕赐武当山大天一真庆万寿宫碑》知，鲁大宥于元世祖忽必烈至元十二年（1275年），“与道士汪贞常等修复五龙、紫霄坛宇，独结茅南岩”，后武当清微派张守清从至元二十二年（1285年）起，经过二十余年的努力，建成南岩真庆宫：

> 明年（至元二十二年）春正月，大宥仙去，师躬执耕爨，垦

---

① （元）揭傒斯：《大五龙灵应万寿宫碑》，陈垣编：《道家金石略》，文物出版社1988年版，第946页。

② （明）任自垣：《敕建大岳太和山志》卷一二《录金石·白浪双峪黑龙洞记碑》，见《武当山历代志书集注》（一），湖北科学技术出版社2003年版，第325页。

③ 杨立志：《元代武当道教》，《宗教学研究》1991年第1期。

④ （元）刘道明：《武当福地总真集》卷下，见《道藏》第19册，第667页。

⑤ （元）揭傒斯：《大五龙灵应万寿宫碑》，陈垣编：《道家金石略》，第946页。

山凿谷，种粟为食。继率其徒，翦桧翳，驱㝹兽。通道东自山趾绞口，七十里至紫霄宫，五里至南岩。岩北下三十里五龙宫，又四十里抵山趾蒿口。三月三日，相传神始降之辰，士女会者数万，金帛之施，云委川赴。乃构虚夷峻，拔木穷谷，刊石穷岩，即岩为宫，广殿大廷，高堂飞阁，庖库寮次，既严且备。炫晃丹碧，轇轕云汉。像设端伟，钟鼓壮亮。引以石径，荫以杉松，积工累资巨万计，历二十余载乃成。垦田数百顷，养众万指。①

张守清建成南岩天一真庆宫，为武当道教的发展做出了巨大贡献。南岩真庆宫“规模宏丽，古昔未有”②，专祀真武。对此，程钜夫给予张守清高度评价：“师以云栖遐举之侣，而能振道濯德，焦心苦志，奋树堂坛，以承天庥，亦可谓豪杰之士矣。”③延祐元年（1314年），元仁宗颁布诏诰，对张守清在武当山修建宫观、奉祀玄武之功大加赞赏，并赐号“体玄妙应太和真人”④。在张守清的影响下，其传人王道清、秦明德、文道可、革道谨、张道源、吴冲和、彭明德以及汪贞常再传弟子李明良等人，为了方便修行道人和朝山信众，披荆斩棘，架屋筑室，修路凿池，不辞辛劳不说，还拿出自己的私钱用作修造之资，令人钦佩。

张守清一系将全真血液注入清微道法之中，卿希泰先生认为，应名之为“武当清微派”，也可以称之为“武当全真派”。张守清为湖北宜都（今湖北宜都市）人，在师从张道贵之前，曾投鲁大宥门下，修炼金丹大道，成绩斐然。后得叶云莱、刘道明、张道贵传授清微道法，并奉诏祷雨祈福，受到皇室优宠，《敕建大岳太和山志》说：“张守清，讳洞

① （明）任自垣：《敕建大岳太和山志》卷一二，见《武当山历代志书集注》（一），第303—304页。

② （元）徐世隆：《玄天上帝启圣灵异录》，见《道藏》第19册，第647页。

③ （元）程钜夫：《大天一真庆万寿宫碑》，陈垣编：《道家金石略》，第744页。

④ （明）任自垣：《敕建大岳太和山志》卷一《诰副墨》，见《武当山历代志书集注》（一），第88页。

困，号月峡叟。……修炼金丹大道，绍兴香火，丕阐玄风，开化人天，恢宣道化。清微、正一、先天、后天，靡不精通，以道一贯，十方皈响，四海流传，独冠武当。”① 卿希泰对张守清一派的认识与把握是非常准确的：

> 张道贵、张守清一系，虽传行清微符箓，但又均出全真，遂将全真血液注入清微道法之中，故（清微派）北支当为全真与清微的融合，当名为“武当清微派”。……全真道由汪贞常、鲁大有传入武当，亦因张道贵、张守清之变革而在武当得以盛行，他们所倡导的全真道已渗入了清微派的义理，并大讲雷法，从这个意义上来看，实际已非原有的全真，而是属于全真的一个别派，也可以称之为“武当全真派”。②

十四、武昌长春观与荆门长春道院

在湖北的名山宫观中，长春观之名始于元代。据 1936 年成书的《长春观志》作者李理安说：“元世祖时，因邱祖栖真于此，遂改为长春观。”③ 但据相关史料，长春真人丘处机并没有到过今武汉市武昌，也未曾在此修行。因此，武昌长春观应是丘处机弟子所建。

元初，丘处机派弟子到荆楚地区创办道教丛林。丘处机（1148—1227 年），又作邱处机，字通密，道号长春子，登州栖霞（今山东栖霞）人，世称长春真人，金、元之际最著名的全真教领袖，全真道龙门派的创始人。丘处机道高德著，知识渊博，思想丰赡。④ 丘处机以 74 岁高龄远赴西域劝说成吉思汗止杀爱民而闻名，《元史》有传。清朝乾隆皇帝

---

① （明）任自垣：《敕建大岳太和山志》卷六，见《武当山历代志书集注》（一），第 258 页。

② 卿希泰：《武当清微派与武当全真道的问题》，《社会科学研究》1995 年第 6 期。

③ 李理安：《长春观志》卷一《沿革》，《中国道观志丛刊》第 8 册，第 15 页。

④ 吴成国：《丘处机和谐观与老庄思想论略》，《宗教学研究》2009 年第 3 期。

为其书联颂曰："万古长生，不用餐霞求秘诀；一言止杀，始知济世有奇功。"[①]据目前所见资料，湖北地区元代修建的宫观以"长春"冠名的有两处：一处为武昌的长春观，一处为荆门的长春道院。

武昌长春观是一座具有代表性的古老宫观，历史悠久，景色清幽。长春观位于武昌大东门双峰山麓，相传古代江夏双峰山麓为湖汉，多松树，被称为"松岛"。楚地崇巫，秦汉以后，此地建有"先农坛""神祇坛""太极宫"等，为王侯祭祀天地、祖先之所。南宋时，双峰山在社坛基础上建起了天庆观，嗣承江西阁皂山符箓派教义，为天师道道场。在元政府支持下，丘处机以长春宫（今北京市白云观）为全真教大本营，又在各地建立道观把全真道推向全国，全真道乃至整个道教的发展进入兴盛时期。武昌长春观即是丘处机弟子们为了纪念他，在原来松岛天庆观基础上扩建道观改名长春观，内设丘祖殿、七真殿等。每年农历正月十九为长春真人圣诞，长春观都要举行盛大的邱祖会，武汉民俗称之为"迎春会"，也叫"燕九节"。

相传姬志真（1192—1267 年）担任过武昌长春观的监院。姬志真，原名翼，字辅之，全真道第三代弟子，道号知常子。他精通诗词歌赋、天文地理、阴阳律历之学。至元四年（1267 年）二月，元世祖诏赐他"文醇德懿知常真人"[②]，有《云山集》八卷传世。此后，长春观"仙真代出，为湖北丛林特著。屋宇千间，道友万数，香火辉煌，绳绳弗替，可谓盛矣"[③]。

据《长春道院题字碑》知[④]，荆门长春道院建于至元十七年（1280 年），并于泰定元年（1324 年）重建。同样，相传丘处机到荆门传道之说，也只是传说罢了，长春道院实际上是元至元年间道人程道隆所建。

荆门城元妙观即长春道院的遗址，长春道院临近"三十六小洞天"

---

① （清）于敏中等编纂：《日下旧闻考》卷九四，第 1575 页。

② （元）李道谦：《知常姬真人事迹》，见（元）李道谦：《甘水仙源录》卷八，《道藏》第 19 册，

③ 李理安：《长春观志》卷一《沿革》，《中国道观志丛刊》第 8 册，第 15 页。

④ 陈垣编：《道家金石略》，第 628 页。

之一的紫盖山。张君房《云笈七签》“第三十三紫盖山洞”条云：“周回八十里，名紫玄洞照天，在荆州常阳县属，公羽真人治之。”[①]因此，长春道院与其临近的紫盖山成为元代文人墨客访道游览和吟咏的胜地和对象。元代湖北地区武昌长春观和荆门长春道院的修建和兴盛，反映了全真道特别是丘处机一系的传播与影响。

十五、陈致虚与九宫山“二宗合并”的实践

陈致虚（1290—？年），号观吾，又号上阳子，江右庐陵（今江西吉安）人。陈致虚曾师事著名南宗道士李钰、赵友钦，“深得内丹之诀”[②]，有《金丹大要》《悟真篇注》《周易参同契分章注》等著作传世，是元代最重要的道教内丹学家之一。陈致虚虽是金丹派南宗传人，但他又以全真嫡传自居，被学者称作是“元代中后期二宗合并的积极推动者”[③]。

陈致虚与九宫山往来十分密切，他第一个遇见的是希字辈中的代表人物罗希注，二人书信往来论道。在《与罗洞云书》中，陈致虚对罗希注的内丹修炼成就充分肯定，并认为罗希注志趣高远，继承并发展了张道清和许旌阳的丹术，也与罗氏交流自己的修炼体会：“内丹已成，婴儿渐大，隐显灵变，莫测神通，出入去来，安居平易，泰然自得，无所不通。”[④]

明天琮（明素蟾），丹号宗阳子，弱冠出家，敏而好学，博采雄览，凡来九宫山访问的有道者，他都虔诚请教，自以为已得金丹之道，后经陈致虚点化，方才步入金丹正途。致虚赴九宫山访道，与明素蟾交流后发现他于丹经符契背诵如流，在内丹修炼方面亦有自己的一些体悟，但多似是而非，滞于邪说癖见，却又自视甚高。陈致虚有心对他加以点

① （宋）张君房纂辑、蒋力生等校注：《云笈七签》卷二七，第155页。

② （清）傅燮鼎：《九宫山志》卷四《仙释》，《中国道观志丛刊》第7册，第95页。

③ 卿希泰主编：《中国道教史》第三卷，第375页。

④ （清）傅燮鼎：《九宫山志》卷八《玄空》，《中国道观志丛刊》第7册，第198页。

化："首须降其骄心，摄其狂心，去其放心，移其疑心，正其邪心，开以道心。明素蟾忽于言下幡然大改，顿然大悟，于是指令脚跟踏在实处，然后授以先天烹炼神气之道也。"[①] 明素蟾改投师门，拜陈致虚为师，并对老师金丹性命之学予以总结：

金丹之妙在乎三大要：一曰鼎器，二曰药物，三曰火候。然鼎器有阴阳，药物有内外，火候有时节，三者实为金丹之枢要。知此则到家有期，可罢问程矣。所冀头头会合，口口参同；慨兴进道之心，高中选仙之举。千年铁柱，久缔龙沙之盟；万朵玉莲，嘉庆天元之会。凡我同志，各宜勉旃。[②]

研究者认为，"明素蟾对陈致虚的尊崇和对内丹之学的认识过程反映了融入全真道的金丹派南宗对九宫山御制派教义的深刻影响"[③]。

陈致虚与九宫山御制派可字辈中的高道车可诏亦有师徒之谊。时车可诏身处九宫山道观住持提点，却能虚心向陈致虚问道，"碧阳子闻一必问二，二复问三，既不以才自矜，复愈高而愈远"，陈致虚与车可诏一见如故，"睹其神气裕如，遂将祖师先天后天金丹之旨悉以授之"[④]。在向陈致虚问道、修道过程中，车可诏以陈致虚弟子的名义弘传金丹大道，例如，车可诏曾以"嗣派徒孙"的名义为陈致虚老师的赵友钦弘道事迹的《仙佛同源》一书作序，为全真道在九宫山的传播做出了贡献。

除罗希注、明素蟾、车可诏三人外，陈致虚还与九宫山道士余舜申、徐仁寿有书信往来。从名号上看，这两人并非御制派传人，与陈致

① （元）陈致虚：《与宗阳子明素蟾》，《上阳子金丹大要》卷一二《累行》，《道藏》第24册，第45页。

② （元）明素蟾：《上阳子金丹大要序》，《道藏》第24册，第1页。

③ 刘固盛、梅莉、胡军等著：《湖北道教史》，第131页。

④ （元）陈致虚：《与九宫碧阳子车兰谷》，见（清）傅燮鼎：《九宫山志》卷八《玄空》，《中国道观志丛刊》第7册，第204、202页。

虚书信内容谈论的多是内丹修炼及其体悟，与明素蟾、车可诏一样，是陈致虚的弟子。随着全真道的南传，南宗和全真道都以钟离权、吕洞宾为自己的始祖，但传承谱系有所不同，可谓同源异流。为了使二宗合为一宗，陈致虚作出了自己的努力，将两派的传承谱系联系起来并略作调整，形成了一个双方都能接受的传承体系，促成南北宗的融合。陈致虚在九宫山上对道教的作为，可以看作是他对南北二宗合二为一的具体实践，既说明了九宫山道教在元代受全真道的影响很大，也反映了在元代社会政治统一的大格局下道教道派大融合的特点。

十六、武当山道书的集中编纂

元代，武当山编纂了多部道书，是武当道教兴盛的一大表现。

《武当福地总真集》（简称《武当总真集》）三卷，元代武当清微派道士刘道明编撰。刘道明，生卒年不详，荆门（今湖北省荆门市）人，号“洞阳子”，人称“道学进士”，他是“武当清微派”创立人之一。《武当总真集》前有刘道明序，序云：“予也覃怀末裔、荆门鄙夫，叩嗣法源，尝籍贤馆。欣逢治化，无补明时，退居山林，修真养性。然游人达士登陟者匪一，往往探迹索隐，令指渝峰峦；林下久居，精神内守，存心摄气，倦于应酬。敬搜摘群书，询诸耆旧，加以耳濡目染，究其的论确辞，笔之曰《武当总真集》，会万古之精华，敛一山之风月，开卷了然。”[①] 篇末有德至（应为“大德”）辛丑（1301 年）奉训大夫前佥淮西江北道肃政廉访司事古寿吕师顺的跋。

《武当总真集》卷上记述七十二峰，卷中记三十六岩、二十四涧及台、池、潭、洞。所述“玄帝传记”基本上是以宋代的《玄帝实录》为依据，略加撮述而成。值得注意的是，该书着重宣传玄帝在武当山的各种灵迹、传说，有意识地宣扬武当道教供奉的主神，增强武当福地的玄妙气氛，真正达到如刘道明自序所言“会万古之精华，敛一山之风月”

① （元）刘道明：《武当福地总真集·序》，见《道藏》第 19 册，第 647 页。

之效。

《武当纪胜集》一卷，原题“龙兴路云麓樵翁罗霆震撰”[①]。龙兴路是元代所置，故治即今江西省南昌市。云麓当是指云山之麓，云山在今江西临川县北三十五里，元代属龙兴路管辖。可知罗霆震是江西龙兴路临川云山隐士，又号“云麓仙人”。从《武当纪胜集》内容看，当作于元朝中期，如一诗题为《南岩改天乙真庆万寿宫》，此事发生在元仁宗皇庆二年（1313 年），故可知该诗集作于元仁宗时。

《武当纪胜集》系武当名胜题咏，除卷首二章及卷末一章为七律外，其余均为七言绝句，共 209 首诗。举凡武当山之宫观祠庙、楼台殿阁、峰岩涧谷，潭泉溪池以及奇草灵木，仙禽神兽等，皆一一为之题咏。诗的编排次序以元代朝山神路为线索按景点排列。又以宫观为中心咏颂武当诸名胜，故可称之为导游诗。诗颇平淡，难称上品，但从中可以了解元代中期以前武当山的宫观建筑，神迹传说、民间信仰等情况。

元代中期以后，以张守清为首的武当道士更加重视编撰刊印有关玄帝的道经图书，先后编刊了《玄天上帝启圣录》《启圣嘉庆图》等图书，以扩大武当道教的影响。《玄天上帝启圣录》8 卷，原不著撰人及成书时代。一般认为，该书编成于元朝中叶，其编撰者当是武当山天一真庆宫提点张守清及其弟子。《启圣嘉庆图》与《玄天上帝启圣录》内容相同而略简，故疑《启圣嘉庆图》为《玄天上帝启圣录》之节本。另有《玄天上帝启圣灵异录》1 卷，原不著撰者及成书时代，是书系元明武当道士汇集元代崇祀真武玄帝之碑记诏旨而成。其最早者为至元七年（1270 年）徐世隆所撰《元创建真武庙灵异记》，最晚者为泰定二年（1325 年）封水神、火神之诏旨。卷末为《启圣嘉庆图序》七篇。今三家本《道藏》第 19 册收有《玄天上帝启圣录》《玄天上帝启圣灵异录》。

元代武当山是清微道法向北传播的中心，《道藏》中的不少清微派的丹诀、雷法等道书与武当道士有关，这些道书较多，又多不著撰者及

① （元）罗霆震撰：《武当纪胜集》，见《道藏》第 19 册，第 668 页。

成书时代，有的可以推断为元代武当道士所编制。

《清微玄枢奏告仪》1卷，经中启请的多名祖师之后，列“宗师云莱叶真人”[①]，可知此仪为元代武当山道士创制传承。此仪用以启奏清微派列代祖师、宗师，朝告斗极、顺禳星度、请福消灾。内有入坛、念天地咒、跪启、修斋、云舆、散花、献茶、念金光咒、存神、步罡、焚符召将、卫灵、鸣鼓、燃灯、降九星、谢恩、发愿等奏告仪法。

《清微神烈秘法》2卷，卷上所列清微派师承，与武当山相关的即有元初黄舜申，碧水雷渊真人黄舜申后尚有四人“清微冲道使叶云莱、清微冲和使张道贵、冲元雷使张守清、紫玄散吏张守一”[②]，故此书当出自元末武当山清微派道士之手。是书列叙清微雷法，分《雷奥秘论》《师派》《圣位》《习定坐法》《祈祷建四溟外坛式》《符命一宗》《祈祷建内雷坛式》等节，具述清微雷法之要。宗派源流、内修习定坐功法、驱治大祟符法及其他符咒多种，并书符降神、建坛下劄之法式，而以符为主。其符皆用祈请勑召、驱邪治祟、兴云降雨、安镇家宅、辟除瘟疫治疗诸病。

《清微元降大法》25卷，《清微斋法》2卷，二书中所列清微道宗谱系，下迄元初黄舜申，故此二书盖为元人所撰集，武当清微派道士自然也要受持习用。前书乃清微派道法汇编，以天书灵符为主，略可分为前后两部分，前述道法源流，有《元始清微应运》《师承集要宗会》《道原》等题；后述各种道法，以雷法为主。后书述清微派之斋法、内容略分为三：一为宗派源流，二为《道法驱疑说》，三为《灵宝大斋醮法》。[③]

《清微丹诀》一卷，内有雷囦真人（黄舜申）语录，故本书也为元

① （元）武当山道士：《清微玄枢奏告仪》，见《道藏》第3册，第609页。

② （元）武当山道士：《清微神烈秘法》，见《道藏》第4册，第136页。

③ （元）武当山道士：《清微元降大法》《清微斋法》，见《道藏》第4册，第153页、第282页。

代清微派道士所撰。[1]是书所述《清微坐功》与《清微神烈秘法》中的《习定坐法》内容基本相同，且"内炼阴阳雷神"也为苟、毕二将。故是书也有可能是元代武当道士所撰，与《清微神烈秘法》渊源相同。清微一系颇重金丹大道，以融合内丹与符箓为其特色，主张内炼为本，符箓为末，而内道外法皆以本体灵光为体为要，具有金丹派南宗的特色。

十七、唐洞云与玄教的传播

在元代统治者的扶持下，湖北地区的道教有不同程度的发展。正一各支派、金丹派南宗、全真道均在湖北地区传播并产生了较大的影响。荆襄地区是元代玄教传播的中心之一，出现了玄教领袖人物唐洞云，唐洞云是湖北道教史上有较大影响的人物。

玄教是元代从道教龙虎宗分化出来的一个重要派别，政治地位很高。在元朝统治者的优崇和授权下，元一代的龙虎山天师统领江南各符箓派道教的事务。龙虎宗逐渐成为南方道教的核心，其余符箓各派逐渐汇集到它的周围。玄教的创始人张留孙，原是龙虎山上的一名道士，在大都从事传教活动时，因祷雨和为皇太后祷疾有验而获得了元世祖的宠信。此后历经成宗、武宗、仁宗、英宗等朝，宠信不衰，不但被封为大真人，还官至一品，管理天下道教。张留孙借机在各地发展了许多教徒，一个以他为中心的龙虎宗的支派"玄教"就形成了。玄教在"以清净无为为本，慈俭不敢为天下先"的立教宗旨的指导下，向元朝皇室尽力效忠，玄教的掌教人积极参与元室的政治活动，深得元王朝统治者的信任。

元代荆州道教诸宗派中，玄教具有较大影响。反映玄教传播的重要文献史料有《九老仙都宫记》碑。该碑刻位于今荆州市荆州区荆州北路玄妙观玉皇阁前的碑亭中，全名为"中兴路创建九老仙都宫记"，题为"翰林学士、资善大夫、知制诰、同修国史庐陵欧阳玄记，宣文阁授经

---

① （元）武当山道士：《清微丹诀》，见《道藏》第4册，第961页。

郎、文林郎兼经筵译文官临川危素丹书，通议大夫、礼部尚书宛邱赵期颐篆额”。元至正三年（1343年）三月立，碑通高2.85米，宽1.45米，厚0.18米，保存完好，文字清晰可读。正文1023字，楷书正体，笔力遒劲。

据《九老仙都宫记》碑文记载：“九老仙都宫者，中贞明教玄静真人唐公洞云之所建者也。玄静遭遇圣代，肆扬玄风，晚岁被旨领中兴之玄妙观。既而汉源县令松滋陈君一宁以中统楮币一万五千二百余缗，得城中公子衖张氏故居，愿建真馆，以奉祝釐。未几，前江浙榷茶副提举同邑傅君文鼎又以楮币一万七千五百缗增助之，请为众倡。已而四方乐助者襁属，其不葴者，玄静悉济以己资。乃作三清正殿，至于门庑、法堂、方丈、云堂等屋，以次兴举。荆门义士陈君该父子，又割楮币六千七百余缗，壕天尊真人像，金碧眩耀，甲于城堙。至元五年岁己卯，有旨特赐九老仙都宫之绩，俾洞云并玄妙两山主之，仍饬有司加庇卫焉。”[①]元代九老仙都宫的创建者是“中贞明教玄静真人”唐洞云，在修建的过程中得到了各方人士的大力资助。宫观建成之后，至元五年（1339年），元顺帝下旨赐额，命名为“九老仙都宫”。至正三年（1343年），立石以记其事。

《九老仙都宫记》不见于欧阳玄的文集，但清康熙二十四年（1685年）、乾隆二十二年（1757年）和光绪六年（1880年）刻印的《荆州府志》，以及清人杨守敬撰《湖北金石志》、近人陈垣所编《道家金石略》都收录了此碑全文。国家图书馆藏有此碑的拓片，是近代湖北篆刻家陆和九的藏品。该碑文为了解九老仙都宫的创建历史以及玄教在荆州的传播情况提供了十分宝贵的史料。

元代中后期荆襄地区的玄教领袖首推唐洞云。唐洞云为北宋名臣、江陵人唐介之后，因“世远家寒，父母遣从老氏学”。先后师事荆州佑圣堂李云庵、紫府观骆逊斋等道士，并兼习儒经。他勤勉苦学，数年后

① （元）欧阳玄：《九老仙都宫记》，见陈垣编：《道家金石略》，第958—959页。

便通晓大义。亦擅诗文，作品常获士大夫称颂。大德（1297—1307年）初入京，深受玄教领袖张留孙器重。时张留孙正奉旨建崇真万寿宫，遂命其监督管理。唐洞云不负所托，“克称厥任”。不久，玄教在湖北地区设立作为府路一级的教务管理机构——“荆襄道教都提点所”，唐洞云获选“掌书记”，辅佐玄教嗣师和宗师。唐洞云出任斯职，充分显示其在玄教中的重要地位。

九老仙都宫供奉的神仙九老仙都君，在南朝道士陶弘景所撰《真灵位业图》中位列第四左位中，本是道教上清派的重要神仙。传说玄教宗师吴全节曾经获得上清派的传法信物“九老仙都君印”。唐洞云将新建宫观命名为九老仙都宫，奉祀上清派尊神九老仙都君，说明当时玄教具有领导江南道教符箓派的雄心。由于唐洞云在玄教中的重要地位和影响，新建的九老仙都宫遂成为元代玄教在荆襄等地传教中心。

唐真人在元代士大夫群体中享有很高的社会声望，著名文士与唐洞云之间有交游和酬唱。九老仙都宫内有“逸老堂”，为唐洞云居所，文学家宋本之弟宋褧曾作《逸老堂（九老仙都宫唐真人）》诗赞之，诗曰：

临水垂杨遶院松，高堂仙客养疏慵。
道存柱史五千字，心在蓬莱第一峰。
未可逍遥空看鹤，不妨劳动急呼龙。
我惭不得金丹术，尘满衣襟抗俗容。[①]

① （元）宋褧：《逸老堂（九老仙都宫唐真人）》，载（元）宋褧：《燕石集》卷七，见影印文渊阁本《四库全书》第1212册，第426页。

第三节　节会风俗

一、端午节

在各种节日中，端午节无疑是最具有荆楚渊源和特色的节日之一。端午节为每年农历五月初五，又称端阳节、午日节、五月节、五日节、艾节、端五、重午、午日、夏节。古人认为五月是阳气盛极而转衰，阴气潜滋暗长时期，因此被认为是一个凶险的“恶月”。五月五日又是恶月中的“恶日”。但到东汉时期，荆楚先民已经将五月五日端午节与屈原联系在一起。《风俗通义》云：“屈原以是日死投汨罗，人伤其死，所以并将舟楫以拯之，今之竞渡，是其遗迹。”①唐人徐坚《初学记》卷四引《风俗通》云：“五月五日以五彩丝系臂者，辟兵及鬼，令人不病温（瘟）。又曰亦因屈原。”②屈原在汉朝开始被神化，前秦王嘉在《拾遗记》中记载道：“怀王好进奸雄，群贤逃越。屈原以忠见斥，隐于沅湘，披蓁如草，混同禽兽，不交世务，采柏实以合桂膏，用养心神；被王逼逐，乃赴清冷之水。楚人思慕，谓之‘水仙’，其神游于天河，精灵时降湘浦。楚人为之立祠，汉末犹在。”③当然，关于端午节的由来，还有数种不同的说法，但随着历史的推移，逐渐以纪念屈原说为主。纪念历史英雄人物的文化内涵与五月五日节期的成功结合使端午节的文化内涵成功实现了升华。她不单单是先民们对于原始自然神的崇拜，不再是对于各种疾病、瘟疫的盲目恐惧，而是将具有人文气息的历史人物赋予其中，表达了人们对于屈原精神品格的认同与褒扬。

到了唐代，端午“恶日”已经不恶，逢凶化吉，原本有特定意义的荆楚端午节日民俗活动，到此时大多演变为一种节日娱乐活动。龙舟竞渡则是端午节最具标志性的活动。

---

① （东汉）应劭著，王利器校注：《风俗通义校注》，中华书局 1981 年版，第 95 页。

② （唐）徐坚：《初学记》卷四，第 74 页。

③ （前秦）王嘉撰，王根林校点：《拾遗记》卷一〇，上海古籍出版社 2012 年版，第 66 页。

龙舟的起源与汉水流域的送魂丧俗有关。送魂丧俗起源于万物有灵、灵魂不灭的原始崇拜，楚人有灵魂回归的信仰。在其宇宙观中，水天相接之处就是最接近天堂的地方。龙舟送魂可以将灵魂送入天堂安息，故人们又将龙舟称为载魂之舟。端午龙舟竞渡风俗最早见于南朝时期宗懔的《荆楚岁时记》一书。该书记述此风俗出现于汉水下游地区。该书又详细记述了作者家乡所在地荆州端午节的诸多风俗，其中关于飞舟竞渡的文字："五月五日，竞渡，俗为屈原投汨罗日。……一自为水军，一自为水马。州将及士人悉临水而观之。"①

《隋书》记录了隋朝荆楚地区端午竞渡的热闹景象："屈原以五月望日赴汨罗，土人追到洞庭不见，湖大船小，莫得济者，乃歌曰：'何由得渡湖！'因尔鼓棹争归，竞会亭上，习以相传，为竞渡之戏。其迅楫齐驰，棹歌乱响，喧振水陆，观者如云，诸郡率然，而南郡、襄阳尤甚。"②竞渡活动需要有宽阔、平缓的水道。此外，农历五月又正值稻田用水之际，如果当地没有完备的水利设施，那就无法提供竞渡活动所需要的水量，也无法使人们产生参加竞渡活动的愉悦心情。而汉水下游地区具备上述水文和社会条件，因此，荆楚地区成为端午龙舟竞渡风俗的起源地也就十分自然了。

由于赛龙舟动辄吸引成千上万的民众参与，又时值农忙时节，一些文士还担忧竞渡活动耽误农时。唐宪宗元和五年（810 年），著名诗人元稹被贬为江陵府士曹参军，从此开始了流放荆楚十年的贬谪生活。在此期间，元稹创作《竞舟》诗，生动地描述了唐代江陵民众端午竞渡的场景，立意却是批评竞渡耽误农时。"楚俗不爱力，费力为竞舟。买舟俟一竞，竞敛贫者赇。年年四五月，茧实麦小秋。积水堰堤坏，拔秧蒲稗稠。此时集丁壮，习竞南亩头。朝饮村社酒，暮椎邻舍牛。祭船如祭祖，习竞如习雠。连延数十日，作业不复忧。君侯馔良吉，会客陈膳

① （南朝）宗懔：《荆楚岁时记》，岳麓书社 1986 年版，第 36 页。

② （唐）魏徵等：《隋书》卷三一《地理志下》，第 897 页。

羞。画鹢四来合，大竞长江流。建标明取舍，胜负死生求。一时欢呼罢，三月农事休。”他还认为，必须移风易俗，至少应缩减竞渡活动的规模：“岳阳贤刺史，念此为俗疣。习俗难尽去，聊用去其尤。百船不留一，一竞不滞留。自为里中戏，我亦不寓游。吾闻管仲教，沐树惩堕游。节此淫竞俗，得为良政不。我来歌此事，非独歌此州。此事数州有，亦欲闻数州。”①

有论者指出，唐代荆楚龙舟竞渡代表的民俗观念主要是祈望秋季丰收。此外，这项水上运动“显示了齐心协力、同舟共济、力争上游的进取精神”②。可见，元稹的担心有点杞人忧天，端午竞渡也绝不是“俗疣”或“淫俗”，其与元稹极力抨击的“赛神”习俗有很大的区别。

节日习俗作为特定的文化现象，在个人社会化的过程中对个人的成长及其人格的塑造具有重要影响。具体节日习俗的潜移默化作用，不仅可以使人们认识和了解自己民族的文化和历史，而且可以培养人的社会道德情操，传播传统美德，还可以使人产生强烈的民族认同感和凝聚力。换言之，节日习俗不仅将群体选择的行为方式予以肯定，使其成为群体成员统一的行为模式，规范并制约着他们的行动，而且还维系着群体或民族的文化心理，使群体成员从该文化环境中得到熏陶和教化，形成相同或相近的思维方式和价值理念。因此，节日习俗是人们认同自己族群的主要标志之一，更是同一文化心理的重要表现之一。端午节的民俗活动围绕才华横溢、遗世独立的楚国大夫屈原而展开，传播至华夏各地，对于激励人们热爱自己的国家和民族，培养民族团结精神起到了十分积极的作用。因此，诸如“赛神”“瓦卜”等民间祭祀活动已经成为历史陈迹，而端午民俗却历久弥新，更有活力，更显价值。

① （唐）元稹：《竞舟》，见（清）彭定求等编《全唐诗》卷三九八，第4465页。

② 李文澜：《湖北通史·隋唐五代卷》，第393页。

二、七夕节

七夕节是汉族十分重要的节日之一，起源于中国古代的天体日月星辰崇拜，七夕节亦称“乞子节”“乞巧节”“乞爱节”等。七夕节的活动内容丰富多彩，“乞巧”成为最普遍、最具特色的民俗活动，表达了女子追求幸福生活的美好愿望。多数学者认为，七夕原本与牛郎织女神话无关，但因牛郎织女的故事不仅哀婉感人，而且表达了鲜明爱憎的思想倾向，易为群众接受，加之在流传过程中又和“天帝”“王母”等神话人物发生瓜葛，成为神话与传说的杂糅，最终与七夕节固定在一起。①

南朝梁宗懔《荆楚岁时记》已将“穿针”之事与牵牛、织女二星相联系，并指明“穿针”行为之目的在于“乞巧”。《荆楚岁时记》载：“七月七日，为牵牛织女聚会之夜。是夕人家妇女结彩缕，穿七孔针，或以金银鍮石为针，陈几筵酒脯瓜果于庭中，以乞巧。有蟢子网于瓜上，则以为符应。”②

唐宋时期荆楚地区七夕节民俗活动可分为曝衣晒书、制药养生、升仙访道、穿针乞巧、乞子、宴游、登高等七类。其中，穿针乞巧，拜祀牵牛织女二星是最重要的风俗。七月七日夜间举行的拜祀牵牛、织女二星神的活动已形成一定的仪式，需要洒扫、设筵、设祭品，仪式本身已经糅合了一定的信仰因素，体现了人们“愿天下有情人终成眷属”的美好祝愿和对幸福生活的向往。这种仪式规模不大，在民间十分普及。

至宋元时代，七夕节更是成为荆楚地区上至达官贵人、下至庶民百姓，两性都乐于参与乞巧、乞愿的节日。七夕节傍晚，“妇女和儿童穿上新衣，在庭院中立长竹竿，上置莲花，称‘花竿’。设香桌，摆出摩喉罗、酒果、花瓜、笔砚、针线，姑娘们个个呈巧、焚香列拜，称‘乞巧’。有些妇女对月穿针，或把蜘蛛放入盒子内，次日观看网丝圆正，

① 杨琳：《七夕节的起源》，《学术集林》卷一五，上海远东出版社 1999 年版，第 342—372 页。

② （南朝梁）宗懔：《荆楚岁时记》，第 44 页。

即为‘得巧’”[①]。乞巧与乞子显然与女性有关，乞富和乞寿却是男女共同从事的。当男性也加入到了“乞”于双星的活动当中，七夕节遂实现了全民化。

有趣的是，宋代朝廷还将此日设为晒书节。中央政府三省六部以下，各赐钱设宴，为晒书会。宋人蔡绦《铁围山丛谈》卷一说：“秘书省岁曝书，则有会号曰曝书会。侍从皆集，以爵为位叙。”[②]另据南宋洪迈《容斋四笔》、南宋陈骙《南宋馆阁录》和南宋逸名《南宋馆阁续录》等书记载，宋高宗绍兴、宋孝宗淳熙以及宋宁宗庆元年间都有“晒书会”这样的文化活动。这又为七夕节增添了浓厚的书卷气息。

三、穿天节

蓦山溪·天穿节

望云门外，油壁如流水。空巷逐朱幡，步春风、香河七里。冶容炫服，摸石道宜男，穿翠霭，度飞桥，影在清漪里。

秦头楚尾，千古风流地。试问汉江边，有解珮、行云旧事。主人是客，一笑强颁春，烧灯后，赏花前，遥忆年年醉。

宋代诗人葛胜仲《蓦山溪·天穿节》一词，详细记录了襄阳“穿天节”的盛况。葛胜仲，《宋史》有传，字鲁卿，丹阳人，北宋绍圣四年（1097 年）进士第，官至太常少卿，国子祭酒。[③]

葛胜仲所称“天穿节”，后世称为“穿天节”，是古代湖北襄阳地区特有的风俗。穿天节的习俗源远流长，最初的传说可以追溯到公元前 10 世纪的周朝，到唐宋时期，已成为具有固定仪式的民俗节日。其早期当源于“游女弄珠”的故事，刘向《列仙传·江妃二女》记载：

---

① 朱瑞熙：《辽宋金社会生活史》，中国社会科学出版社 1998 年版，第 445 页。

② （宋）蔡绦：《铁围山丛谈》卷一，中华书局 1983 年版，第 20 页。

③ （元）脱脱等：《宋史》卷四四五《文苑七·葛胜仲传》，第 13142 页。

江妃二女者，不知何所人也。出游于江汉之湄，逢郑交甫。见而悦之，不知其神人也，谓其仆曰："我欲下，请其佩。"仆曰："此间之人皆习于辞，不得，恐罹悔焉。"交甫不听，遂下与之言。曰："二女劳矣。"二女曰："客子有劳，妾何劳之有？"交甫曰："橘是柚也，我盛之以笥，令附汉水，将流而下。我遵其傍，采其芝而茹之，以知吾为不逊也，愿请子之佩。"二女曰："橘是柚也，我盛之以筥，令附汉水，顺流而下。我遵其傍，采其芝而茹之。"遂手解佩与交甫。交甫悦，受而怀之，中当心，趋去数十步，视佩，空怀无佩。顾二女，忽然不见。诗曰："汉有游女，不可求思。"此之谓也。①

"神女弄珠"故事的成型，有一个从东晋习凿齿、前秦王嘉到唐代李善的过程。东晋襄阳人习凿齿在《襄阳耆旧记》明确记载"游女弄珠"发生在襄阳万山北面的汉水对岸，前秦王嘉则为"游女弄珠"故事寻找了历史依据，而把"游女弄珠"故事写完整的则是唐代鄂州江夏人李善。《襄阳耆旧记》卷三"万山"条下说，襄阳县西八里有万山，一名汉皋山，"万山北隔沔（实为"汉"）水，父老相传，即交甫见游女弄珠之处"。就是说，"万山北面汉水对岸那里，据老年人相传，就是交甫看见正在出游的姑娘把玩珠子的地方"②。襄阳万山之所以出现"游女弄珠"传说，是有其历史依据的。《史记·周本纪》记载"昭王南巡狩不返，卒于江上。其卒不赴告，讳之也"。唐人张守节《史记正义》引《帝王世纪》云："昭王德衰，南征，济于汉。船人恶之，以胶船进王，王御船至中流，胶液船解，王及祭公俱没于水中而崩。……周人

① （汉）刘向撰，李剑雄译注：《列仙传全译》，贵州人民出版社 1999 年版，第 44—45 页。

② （晋）习凿齿原著，舒焚、张林川校注：《襄阳耆旧记校注》，荆楚书社 1986 年版，第 234—285 页。

讳之。”[①] 王嘉《拾遗记》说，昭王的两位侍女延娟、延娱“夹拥王身，同溺于水”，化为神女。之所以为神，是因为二女无辜而死，深得荆楚人民的同情，“数十年间，人于江汉之上，犹见王与二女乘舟戏于水际”；“故江汉之人，到今思之，立祀于江湄”，“至暮春上巳之日，禊集祠间”。王嘉叹曰：“嗟二姬之殉死，三良之贞节，精诚一至，视殒若生。……楚人怜之，失其死矣。”[②] 郑交甫所遇见的两位神女，或许与两位侍女有关。唐代李善在注《文选·江赋》“感交甫之丧珮，愍神使之婴罗”句时引《韩诗内传》曰：“郑交甫遵彼汉皋台下，遇二女，与言曰：‘愿请子之佩。’二女与交甫，交甫受而怀之，超然而去。十步循探之，即亡矣。回顾二女，亦即亡矣。”[③] 汉皋台即汉皋山，一名“万山”，位于襄阳城西，北临汉江，传为神女解佩处，后来汉江中的一个沙洲也因此得名“解佩渚”。

故唐代时，“神女弄珠”的神话故事最终形成，成为中国文化史上一道浪漫的风景，文人学士留下不少歌咏的诗篇。仅唐代就有李百药、孟浩然、张子容、李白、杜甫、陆龟蒙等30多位诗人，或亲临游览，或互趋唱和。唐太宗时中书舍人、史学家李百药在《渡汉江》和《王师渡汉水经襄阳》诗中有名句“水激沈碑岸，波骇弄珠皋”“高岸沉碑影，曲溆丽珠光”。[④] 孟浩然《登安阳城楼》云：“向夕波摇明月动，更疑神女弄珠游。”[⑤] 张子容在《春江花月夜二首》之二中写道：“交甫怜瑶珮，仙妃难重期。沉沉绿江晚，惆怅碧云姿。初逢花上月，言是弄珠时。”[⑥]

① （汉）司马迁撰、（南朝宋）裴骃集解、（唐）司马贞索隐、（唐）张守节正义：《史记》卷四《周本纪》，第134—135页。

② （前秦）王嘉撰，王根林校点：《拾遗记》卷二，第21—22页。

③ （南朝梁）萧统选、（唐）李善注：《昭明文选》，第348页。

④ （唐）李百药：《王师渡汉水经襄阳》，见（清）彭定求等：《全唐诗》卷四三，第533、534页。

⑤ （唐）孟浩然：《登安阳城楼》，见（清）彭定求等：《全唐诗》卷一六〇，第1657页。

⑥ （唐）张子容：《春江花月夜二首》，见（清）彭定求等：《全唐诗》卷一一六，第1175页。

李白在《岘山怀古》中云：

> 访古登岘首，凭高眺襄中。天清远峰出，水落寒沙空。
> 弄珠见游女，醉酒怀山公。感叹发秋兴，长松鸣夜风。①

到了宋代，“神女弄珠”的传说被宋人进一步演绎，附会于节令之中。苏门“四学士”之一的晁补之写有一组《调笑词》，其中《宋玉》《大堤》《解珮》《回纹》四首与襄阳有关，《解珮》描述的就是汉水神女的传说：

> 当年二女出江滨，容止光辉非世人。明珰戏解赠行客，意比骖鸾天汉津。恍如梦觉空江暮，云雨无踪珮何处。君非玉斧望归来，流水桃花定相误。②

宋朝人庄绰，字季裕，自署清源人，曾任襄阳县尉，与米芾有交游，也曾仕宦鄂州等地，游历湖北多地，他在《鸡肋编》中写道：

> 襄阳正月二十一日谓“穿天节”，云交甫解佩之日。郡中移会汉水之滨，倾城自万山泛彩舟而下。妇女于滩中求小白石有孔可穿者，以色丝贯之，悬插于首，以为得子之祥。③

庄绰这段记载与前述晁补之的词相印证，不仅介绍了节日的由来、具体的日期，还记载了当时人们欢度节日的盛况。正月二十一日这一天，襄阳全城的百姓都来到万山，乘船沿汉江而下，在江边聚会，妇女

① （唐）李白：《岘山怀古》，见（清）彭定求等：《全唐诗》卷一八一，第1847页。

② （宋）曾慥：《解珮》，载（宋）曾慥：《乐府雅词》卷一，中华书局1985年版，第13页。

③ （宋）庄绰撰、萧鲁阳点校：《鸡肋编》卷上，中华书局1983年版，第20页。

们则在沙滩上捡拾有孔的小石头，用丝线穿起来，戴在头上，以祈求吉祥幸福。说明“神女弄珠”的故事传说已经演变成为襄阳老百姓的民俗节日。以上这些记载表明，宋朝时的襄阳已经形成了自己特有的民俗节日——穿天节。

有种看法认为，可能是在宋末元初襄阳战役时，襄阳被围困达六年之久，“穿天节”因此中断，但从元明清文人的诗文中依然可以看到，与穿天节相关联的汉水神女故事继续传唱不衰。元代著名诗人虞集在《题张令鹿门图》诗中写道：“弄珠月冷识游女，沉剑潭深知卧龙。”[①] 明代文学家李梦阳途经襄阳解佩滩，“忆交甫遇女之事，于心感焉，作《汉滨赋》”[②]。明末清初著名诗人吴伟业在《襄阳乐》中吟咏道：“高斋学士宜城酒，江皋游女铜鞮曲。”[③]

四、吊柳会

北宋时的襄阳除穿天节外，还兴起了一种新兴的习俗——吊柳会。“吊柳会”又称“吊柳七”，指的是对宋代词人柳永的凭吊活动，流行于襄阳、枣阳一带。柳永（约 984—约 1053 年），原名三变，字景庄，后改名柳永，字耆卿，因排行第七，又称柳七，崇安（今福建武夷山）人，北宋著名词人，婉约派代表人物。

柳永还是个年轻举子时，常与歌妓交游，为她们写词。宋人叶梦得《避暑录话》说，“教坊乐工每得新腔，必求永为词，始行于世。于是声

---

① （元）虞集：《题张令鹿门图》，见（元）虞集著、王颋点校：《虞集全集》（上册），天津古籍出版社 2007 年版，第 41 页。

② （明）李梦阳：《汉滨赋》，载（明）李梦阳：《空同集》卷二，见影印文渊阁本《四库全书》第 1262 册，第 21—22 页。

③ （清）吴伟业：《襄阳乐》，见（清）吴伟业著、李学颖集评标校：《吴梅村全集》（全三册），上海古籍出版社 1990 年版，第 48 页。

传一时”[①]。在进士应试之前，他曾写过一首《鹤冲天》：

黄金榜上。偶失龙头望。明代暂遗贤，如何向。未遂风云便，争不恣狂荡。何须论得丧。才子词人，自是白衣卿相。

烟花巷陌，依约丹青屏障。幸有意中人，堪寻芳。且恁偎红翠，风流事、平生畅。青春都一饷。忍把浮名，换了浅斟低唱。[②]

这首词不胫而走，传到了宋仁宗的耳朵里，给皇帝留下了不好的印象，以致在柳永考进士临发榜时，皇帝特地把他的名字勾掉，导致柳永初试不及第。宋人胡仔《苕溪渔隐丛话后集》引绍兴年间（1131—1162年）严有翼《艺苑雌黄》云：

柳三变，字景庄；一名永，字耆卿，喜作小词，然薄于操行。当时有荐其才者，上曰：“得非填词柳三变乎？”曰：“然。”上曰：“且去填词。”由是不得志，日与猥子纵游娼馆酒楼间，无复检约，自称云“奉圣旨填词柳三变”。[③]

宋元时期的典籍对“吊柳会”有诸多记载，且多言明吊柳会产生的缘由。如宋代祝穆在《方舆胜览》中载曰：

范蜀公尝曰：“仁宗四十二年太平，镇在翰苑十余载，不能出一语歌咏乃于耆卿词见之。”仁宗尝曰：“此人任从风前月下，浅斟

① （宋）叶梦得：《避暑录话》卷三，见上海古籍出版社编：《宋元笔记小说大观》（第三册），上海古籍出版社 2001 年版，第 2628 页。

② （宋）柳永：《鹤冲天》，见（宋）柳永著、谢桃坊导读：《柳永词集》，上海古籍出版社 2009 年版，第 115 页。

③ （宋）胡仔纂集、廖德明校点：《苕溪渔隐丛话后集》卷三九，人民文学出版社 1962 年版，第 319 页。

低唱，岂可令仕宦？”遂流落不偶，卒于襄阳。死之日，家无余财，群妓合金葬之于南门外。每春月上冢，谓之“吊柳七”。①

宋人王辟之和宋末元初的福建崇安人陈元靓，他们的记载提供了宋仁宗不喜欢柳永的另一原因。王辟之《渑水燕谈录》卷八言：

柳三变景祐末登进士第。少有俊才，尤精乐章。后以疾更名永，字耆卿。皇祐中，久困选调，入内都知史某爱其才而怜其潦倒，会教坊进新曲《醉蓬莱》，时司天台奏老人星见，史乘仁宗之悦，以耆卿应制。耆卿方冀进用，欣然走笔，甚自得意，词名《醉蓬莱慢》。比进呈，上见首有“渐”字，色若不悦。读至“宸游凤辇何处”，乃与御制真宗挽词暗合，上惨然。又读至“太液波翻”，曰“何不言‘波澄’？”乃掷之于地。永自此不复进用。②

王辟之所言，涉及柳永另一词作《醉蓬莱》，陈元靓《岁时广记》卷十七引南宋学者杨湜的《古今词话》把该首词作与宋仁宗的生日庆贺相联系：

柳耆卿祝仁宗皇帝圣寿，作《醉蓬莱》一曲云：“渐亭皋叶下，陇首云飞，素秋新霁。华阙中天，锁葱葱佳气。嫩菊黄深，拒霜红浅，近宝阶香砌。玉宇无尘，金茎有露，碧天如水。 整值升平，万机多暇，夜色澄鲜，漏声迢递。南极星中，有老人呈瑞。此际宸游，凤辇何处，动管弦清脆。太一波翻，披香帘卷，月明风细。”此词一传，天下皆称妙绝。盖中间误使“宸游凤辇”挽章句，耆卿

① （宋）祝穆撰、祝洙增订；施和金点校：《方舆胜览》卷一一《福建路·建宁府·人物》，第197页。

② （宋）王辟之：《渑水燕谈录》卷八，见上海古籍出版社编：《宋元笔记小说大观》（第二册），第1295页。

作此词，惟务钩摘好语，却不参考出处，仁宗皇帝览而恶之。及御注差，注至耆卿，抹其名曰："此人不可仕宦，尽从他花下浅斟低唱。"由是沦落贫窘，终老无子，掩骸僧舍，京西妓者鸠钱葬于枣阳县花山。既出郊原，有浪子数人戏曰："这大伯做鬼也爱打哄。"其后遇清明日，游人多狎饮坟墓之侧，谓之"吊柳七"。①

其实，柳永《醉蓬莱》这首词非为仁宗祝寿词已得到今人的考证认定②，但柳永的仕途却从此止步，他不得不在"浅斟低唱"中寻找寄托。虽然仕途断送，柳永与歌伎、乐工之间的友谊却更为深厚。柳永的词，写出了对歌伎的深切同情，他置身于歌伎、乐工之间，与他们建立了深厚的友谊。正因为柳永把歌伎视为知己，倾心相交，因而赢得了歌伎的尊敬和爱戴。在其死后，群伎一起凑钱将其安葬，并在清明时节到其墓前凭吊，逐渐形成一种民俗活动。宋代曾敏行在其《独醒杂志》中清楚记载柳永墓在襄阳枣阳县花山：

柳耆卿风流俊迈，闻于一时。既死，葬于枣阳县花山。远近之人，每遇清明日，多载酒肴饮于耆卿墓侧，谓之"吊柳会"。③

作为北宋第一个专心作词的词人，柳永在词史上具有重要地位。他扩大了词境，开拓了词的题材内容，佳作极多，而且流传极广，有"凡有井水饮处，皆能歌柳词"④的说法。

---

① （元）陈元靓：《岁时广记》卷一七，见王云五主编：《丛书集成初编》，商务印书馆 1937 年版，第 190—191 页。

② 王星琦编选：《柳永集》，凤凰出版社 2007 年版，第 136 页。

③ （宋）曾敏行：《独醒杂志》卷四，见上海古籍出版社编：《宋元笔记小说大观》（第三册），第 3234 页。

④ （宋）叶梦得：《避暑录话》卷三，见上海古籍出版社编：《宋元笔记小说大观》（第三册），第 2628 页。

明代小说家冯梦龙的《喻世明言》第十二卷《众名姬春风吊柳七》，就是以吊柳会为素材创作出来的。小说的结尾这样写道：

> 自葬后，每年清明左右，春风骀荡，诸名姬不约而同，各备祭礼，往柳七官人坟上，挂纸钱拜扫，唤做“吊柳七”，又唤做“上风流冢”。未曾“吊柳七”“上风流冢”者，不敢到乐游原上踏青。后来成了个风俗，直到高宗南渡之后，此风方止。后人有诗题柳墓云：乐游原上妓如云，尽上风流柳七坟。可笑纷纷缙绅辈，怜才不及众红裙。[①]

第四节　饮食风俗

一、饮茶习俗

我国是世界上最早种茶、制茶和饮茶的国家。茶最初发现于今西南地区。西汉以后，逐渐向长江中下游传播。包括今湖北在内的两湖地区。唐代，佛教兴起，寺僧以饮茶清思。打坐入静，修身养性，并于寺周围植茶，增加收入，从而引领饮茶之风。饮茶逐渐成为开门七件事（柴米油盐酱醋茶）之一，蔚然成风。由于社会对茶叶的需求日益扩大，这对茶叶的发展形成强有力的刺激。到唐宋时期，我国茶叶产地的基本格局已形成。湖北成为当时的主要茶叶产区之一，主要产茶州有荆州、峡州、襄州、蕲州、安州、黄州和鄂州等地。

唐人记载当时名茶最称周备的要推李肇的《唐国史补》卷下的“叙诸茶品目”条，列举了闻名全国的21种名茶，其中长江中游有9种，而荆楚大地的有6种，包括峡州碧涧、明月、芳蕊、茱萸簝，江陵南木和蕲门团黄茶。

---

① （明）冯梦龙：《喻世明言》，华夏出版社2013年版，第137页。

峡州，即今湖北宜昌市，地处大巴山和长江西陵峡两岸，山峦叠嶂，群山起伏，四季分明，水热同季，十分适宜茶树生长，茶叶利用自得风气之先。陆羽《茶经》卷下“八之出”首列峡州，将该州远安、宜都、夷陵三县所出茶叶列为上等，只有淮南光州、湖州顾渚、越州余姚和剑南彭州所出的茶能够与之媲美。峡州碧涧、明月、茱萸簝诸品在唐代茶叶中始终名列前茅。唐代前期饮茶之风还未盛行时，峡州就是贡茶州。碧涧和明月茶是半烘炒条形绿茶。其品质特征是：外形条索紧秀显毫，色泽翠绿油润，内质香高持久，滋味鲜爽回甘，汤色黄绿明亮，叶底嫩绿匀整。宋代文学家欧阳修经过夷陵（今属宜昌）时创作七律《夷陵书事寄谢三舍人》，赞誉此地为“春秋楚国西偏境，陆羽茶经第一州”。这两句诗词不仅成为后世茶界评价峡州茶的名言，而且欧阳修“借对茶的评价，表达他虽贬谪夷陵，在‘陆羽茶经第一州’任职期间的乐趣与自豪，此可谓，君子坦荡荡”[①]。茶本身不具感情色彩，但它的高洁又能成为感情的媒介，转化为高尚的忧民情结。

中唐以后，夷陵又出现了小江源茶，产量不高，质量更好。但它有个特点，就是只能用江水煎煮，如果用井水，茶汤就呈赤色而无味。

鄂东气候温和，雨量充沛，山丘肥沃，云雾缭绕，茶叶生态条件十分优越。大部分茶园分布在海拔 200 米到 800 米高中低山和丘陵上，茶树生长旺盛，芽叶肥壮，持嫩性强，内含物丰富，自然品质好。蕲州茶中唐以后以量大闻名，又出现精品露消茶，在唐后期成为贡品。对此，成书于唐宣宗大中十年（856 年）的《膳夫经》指出：“蕲州茶、鄂州茶、至德茶，以上三处出处者，并方斤厚片，自陈、蔡以北，幽、并以南，人皆尚之。其济生、收藏、榷税，十倍于浮梁矣。……蕲州蕲水团黄、团薄饼，每斤至百余片，率不甚粗弱。其有露消者，片尤小，而味

① 龚永新：《三峡茶诗散论——茶与文化名人的情结透视》，《三峡大学学报（人文社科版）》2005 年第 2 期。

甚美。”[①]

当时茶叶已是普遍种植的饮料，成为人们生活必需品。“茶为食物，无异米、盐，人之所资，远近同俗。既祛竭乏，难舍斯须，田闾之间，嗜好尤切。”[②]除了上文提到的峡州茶和蕲州茶，其他地区如荆州也产茶。李白在《答族侄僧中孚赠玉泉仙人掌茶》序中说：“余闻荆州玉泉寺近清溪诸山，山洞往往有乳窟，窟中多玉泉交流，其中有白蝙蝠，大如鸦。按《仙经》，蝙蝠一名仙鼠，千岁之后，体白如雪，栖则倒悬，盖饮乳水而长生也。其水边处处有茗草罗生，枝叶如碧玉。惟玉泉真公常采而饮之，年八十余岁，颜色如桃李。而此茗清香滑熟，异于他者，所以能还童振枯，扶人寿也。余游金陵，见宗僧中孚，示余茶数十片，拳然重叠，其状如手，号为‘仙人掌茶’。盖新出乎玉泉之山，旷古未觌。因持之见遗，兼赠诗，要余答之，遂有此作。后之高僧大隐，知仙人掌茶发乎中孚禅子及青莲居士李白也。”[③]此诗生动形象地描写了荆州玉泉山上仙人掌茶的独特之处，不仅“清香滑熟”，更有“还童振枯，扶人寿”的神奇功效。

诗人元稹贬谪江陵，也以能喝上江陵的“紫芽嫩茗”聊以自慰。他作诗云：“想到江陵无一事，酒杯书卷缀新文。紫芽嫩茗和枝采，朱橘香苞数瓣分。暇日上山狂逐鹿，凌晨过寺饱看云。算缗草诏终须解，不敢将心远羡君。”[④]

唐中期以后，愈来愈多的荆楚农户专门从事茶叶生产，茶叶生产专业化水平日益提高，规模较大，需雇工经营或租佃经营的大茶园也出现

① （唐）杨晔：《膳夫经》，见（清）阮元辑：《宛委别藏》第71册，江苏古籍出版社1988年版，第6、7、9页。

② （后晋）刘昫：《旧唐书》卷一七三《李珏传》，第4503、4504页。

③ （唐）李白：《答族侄僧中孚赠玉泉仙人掌茶》，见（清）彭定求等：《全唐诗》卷一七八，第1817页。

④ （唐）元稹：《贬江陵途中寄乐天杓直杓直以员外郎判盐铁乐天以拾遗在翰林》，见（清）彭定求等：《全唐诗》卷四一二，第4571页。

了。《膳夫经》记载，蜀茶自谷雨节气之后，能采摘数百万斤；江西的浮梁茶，产量百倍于蜀茶；荆楚的蕲州、鄂州茶，其出产又倍于浮梁。中国北方各地由于地理条件的限制，一般不出产茶叶，因此，每年的采茶季节，大量商业资本涌入荆楚进行茶叶交易，规模十分惊人。

西南大学的卢华语教授总结了唐代茶叶经济的五大功能：增加财政收入，繁荣商品经济；加速经济重心的南移和江南地区的开发；激发农业活力，解决农民生计；推动制瓷业的进步；促进交通运输业的发展等，都是比较准确的。[①] 由于荆楚植茶业的发达，因此才出现了被后人尊为“茶圣”的陆羽。他的《茶经》成为中国乃至世界第一部茶学专著。

五代十国到宋元时期，湖北地区经济作物的种植，仍以茶叶为大宗。割据江陵的楚王马殷每年除了向中原王朝贡茶 25 万斤，还能大量出售茶叶以换取北方的丝绸和战马。宋代湖北茶叶产地主要分布在蕲、黄、荆、鄂、归、峡六州和荆门、兴国军，为宋代主要茶区之一，其产茶地及茶产量：绍兴三十二年（1162 年），兴国军（今阳新等县）936 555 斤，鄂州 177 710 斤，蕲州 7 132 斤，归州 48 500 斤，峡州 30 880 斤，荆南荆州 3 025 斤。以兴国军产量最高，次为鄂州，再次为归州、峡州，即鄂东南、鄂西南，这是湖北茶叶两大传统产区。还有一些州县也生产茶叶，只是因为产量小，没有计算在内。

北宋乾德二年（964 年），朝廷在蕲口等六处设置“榷货务”机构，负责江南、两浙、荆湖、福建等地茶叶专卖。其中蕲口榷货务负责收购淮南十三山场、兴国军、潭州、建州、剑州、洪州等地的茶叶。因此，蕲口逐渐成为全国闻名的长江中游贸易中心城市之一。官府垄断茶叶货源，低价收购园户茶叶，高价卖给商人，居中取利，赚取丰厚的利润，以此作为税源。淮南十三山场、兴国军、潭州、建州、剑州、洪州等地的茶叶必须运至蕲口，茶商必须凭京师榷货务或东南各地官府发给

① 卢华语：《〈全唐诗〉经济资料辑释与研究》，重庆出版社 2006 年版。

商人的交引，才能到蕲口榷货务或蕲黄二州四个山场取茶，并从事茶叶贸易。因此，蕲口榷货务具有垄断性，职权较大。蕲口商业贸易活动以茶叶贸易为主体，规模很大。据沈括《梦溪笔谈》的记载，北宋嘉祐六年（1061 年），全国六大榷货务茶叶专卖量为 5 736 786.5 斤，其中蕲口的专卖量达 500 000 斤，占全国六大榷货务茶叶专卖量的 8.7%，全国六大榷货务的茶叶祖额钱（以钱物代替的税收）为 1 964 647.278 贯，其中蕲口的祖额钱达 359 839.814 贯，占全国六大榷货务的祖额钱总量的 13.2%，可见蕲口茶市之盛。到南宋，蕲口仍保持全国茶叶贸易中心城镇之一的地位。蕲春监遗址还出土了大量包括吉州窑系黑釉瓷茶盏、茶碾具、灸茶鼎等，从侧面反映了蕲州在宋代茶叶贸易和民间饮茶消费的繁荣。

茶叶生产的组织形式是茶园，有官营、民营两种。官茶园的规模较大，谓之茶场，所采之茶须全部卖给官家。宋政府在淮南盛产茶叶的地区，设立了十三茶场，其中属湖北的蕲州和黄州设有四个茶场，分别为蕲州的王棋茶场、石桥茶场和洗马茶场，黄州的麻城场。种茶的园户一律隶属所在茶场。园户除所输茶租和自己所食之茶外，余茶均按照官府牌价卖给官家。

私人茶园则广布于产茶州郡，其经营者有官僚士大夫、地主和小茶农，而以后二者为主。一般的茶农是个体小生产者，他们一家一户经营自己的小片茶园．从种植到采摘制作，全靠自己的力量，较为富裕的茶农雇募少量日工佣作。大茶园主或由园主雇募贫民自己经营，或者采取租佃方式。这些茶园主的大多数也从粮食种植业中分离出来。北宋初年，张咏担任崇阳知县时，“崇阳多旷土，民不务耕织，唯以植茶为业”。[①] 他们以自产茶叶作为自家生活的基本来源，他们从事的已是商品性生产。因此，茶叶种植业已成为宋代鄂东农业中的一个独立分支。

宋代湖北既生产片茶即饼茶，又生产散茶。《宋史·食货志下五》

① （宋）沈括撰、施适校点：《梦溪笔谈》，第 202 页。

云："茶有二类，曰片茶，曰散茶。片茶蒸造，实卷模中串之，唯建、剑则既蒸而研，编竹为格，置焙室中，最为精洁，他处不能造。有龙、凤、石乳、白乳之类十二等，以充岁贡及邦国之用。其出虔、袁、饶、池、光、歙、潭、岳、辰、澧州、江陵府、兴国临江军，有仙芝、玉津、先春、绿芽之类二十六等，两浙及宣、江、鼎州又以上、中、下或第一至第五为号。散茶出淮南、归州、江南、荆湖，有龙溪、雨前、雨后之类十一等，江、浙，又有以上、中、下或第一至第五为号者。"[①] 江陵府的片茶天下闻名，被选为贡品。荆湖路则是全国散茶的主产区。大冶的桃花茶、黄州的松罗茶、蕲门团黄茶也很有名。团黄茶鲜叶细嫩，栗香浓郁，条索紧秀，醇厚温和，耐久冲泡，深受欢迎，被列入朝廷贡品，苏东坡在担任黄州团练使任上曾亲自护送团黄茶进京。

二、饮酒习俗

荆楚地区的酒文化源远流长，今天湖北境内出土的史前时代陶酒器和先秦青铜酒器分布广，种类繁多，工艺精美。尤其是那些青铜酒器，壶大，尊深，盘阔，充分显示出荆楚酒文化精细巧丽而又大气的神韵。这些出土的青铜酒器，是先秦酒文化发展历史的主要见证。

宜城酒早在汉代即享誉天下，东汉著名学者郑玄在为《周礼》作注时，就引用了宜城酒，他在为《天官·酒正》中"泛齐"一语作注时说："泛者，成而滓浮，泛然如宜成（城）醪矣。"[②] 可见，宜城酒在汉代已是名酒。到三国时期，曹植写了一篇《酒赋》，其中有句云："宜城浓醪，苍梧漂清。"[③] 所谓"醪"，是指味醇浓而甘甜的酒。晋人傅玄《酒赋》在列举华夏名酒产地时说："课长安与中山，比苍梧与宜城。"《北堂书钞》引傅玄《七谟》说："甘醪贡于宜城。"宜城出产的"醪醴"是敬献朝廷的贡品。

---

① （元）脱脱等：《宋史》，第 4477、4478 页。

② （清）孙诒让撰：《周礼正义》，中华书局 1987 年版，第 342 页。

③ （三国）曹植著、赵幼文校注：《曹植集校注》，人民文学出版社 1984 年版，第 184 页。

隋唐时代，宜城美酒仍为诗人所咏颂，很多诗人都爱饮宜城美酒。《隋书》记载了孙万寿（？—608年）创作的诗歌《远戍江南寄京师亲友》，诗中有句云："祓除临灞岸，供帐出东郊。宜城酝始熟，阳翟曲新调。"[①] 孟浩然《九日怀襄阳》云："祖席宜城酒，征途云梦林。"《途中九日怀襄阳》云："去国似如昨，倏然经杪秋。岘山不可见，风景令人愁。谁采篱下菊，应闲池上楼。宜城多美酒，归与葛强游。"[②] 由此可知，孟浩然爱喝并且常饮宜城酒。

王维《过李揖宅》云："一罢宜城酌，还归洛阳社。"当时宜城县东一里有金沙泉，泉水酿酒极美。戴叔伦（约732—约789年）《汉南遇方评事》云："移家汉阴住，不复问华簪。赊酒宜城近，烧田梦泽深。"[③] 温庭筠《常林欢》云："宜城酒熟花覆桥，沙晴绿鸭鸣咬咬。"[④] 李商隐在《自桂林奉使江陵途中感怀寄献尚书》诗中咏道："前席惊虚辱，华樽许细斟。尚怜秦痔苦，不遣楚醪沉。"[⑤] 可见，宜城美酒是官僚士大夫们的筵宴佳酿。

宜城酒在宋代依然驰名全国，苏轼有一首诗，取名《竹叶酒》。其诗曰："楚人汲汉水，酿酒古宜城。春风吹酒熟，犹似汉江清。耆旧何人在，五坟应已平。惟余竹叶在，留此千古情。"[⑥] 诗中所咏正是宜城美酒。"竹叶"乃酒名，又称"竹叶杯"。

北宋仁宗嘉祐四年（1059年）十月，苏洵、苏轼、苏辙父子三人在游访襄樊时，品尝了襄阳出产的美味佳肴——缩项鳊，饮用了宜城美酒——竹叶杯，苏东坡有诗纪其事，在食缩项鳊鱼时，苏东坡想到了杜

① （唐）魏徵等：《隋书》卷七六，第1736页。

② （唐）孟浩然著，佟培基笺注：《孟浩然集笺注》，上海古籍出版社2000年版，第310页。

③ （唐）戴叔伦：《汉南遇方评事》，见（清）彭定求等：《全唐诗》卷二七三，第3081页。

④ （唐）温庭筠：《常林欢》，见（清）彭定求等：《全唐诗》卷二一，第276页。

⑤ （唐）李商隐：《自桂林奉使江陵途中感怀寄献尚书》，见（清）彭定求等编：《全唐诗》卷五四一，第6239页。

⑥ （清）王文诰辑注，孔凡礼点校：《苏轼诗集》卷二，中华书局1982年版，第77页。

甫怀念孟浩然的诗句："复忆襄阳孟浩然，清诗句句尽堪传。即今耆旧无新语，漫钓槎头缩颈鳊。"[①] 由此勾起了对这位襄阳才子的同情，因而写下了《鳊鱼》一诗。其文曰："晓日照江水，游鱼似玉瓶。谁言解缩项，贪饵每遭烹。杜老当年意，临江忆孟生。吾今又悲子，辍箸涕纵横。"[②] 诗里流露出命运似游鱼漂泊，怀才终不遇的遗憾与悲苦，借酒浇愁愁更愁。

今湖北钟祥在唐代出产一种名叫"郢州春酒"的白酒。《大唐六典·光禄寺》记载："今内有郢州春酒，本因其州出美酒。初，张去奢为刺史，进其法。今则取郢州人为酒匠，以供御及特燕赐。"[③] 也就是说，唐代郢州（今湖北钟祥）春酒名扬天下。光禄寺特地从郢州征发多名酿酒工人，到长安来为皇帝及宫廷宴会准备佳酿。

李肇撰写的《唐国史补》所载唐代名酒有："郢州之富水，乌程之若下，荥阳之土窟春，富平之石冻春，剑南之烧春，河东之乾和、葡萄，岭南之灵溪、博罗，宜城之九酝，浔阳之湓水，京城之西市腔、虾蟆陵、郎官清、阿婆清。又有三勒浆类酒，法出波斯，三勒者，谓庵摩勒，毗梨勒，诃梨勒。"[④] 其中就列举了宜城九酝酒和郢州春酒。所谓"九酝春酒法"，就是在一个发酵周期中，原料不是一次性都加入进去，而是分为 9 次投入。这个方法就是在酿酒史上具有重要意义的补料发酵法，现代称为"喂饭法"。唐代宜城九酝酒可能正是采用这种酿制工艺酿造出来的。

当时的宜城九酝酒面临着数十种名酒的激烈竞争，顶住了压力，受到文人学士们的青睐。宋朝大文学家苏轼，以《竹叶酒》为题咏宜城酒道："楚人汲汉水，酿酒古宜城。春风吹酒熟，犹似汉江清。耆旧人何

---

① （唐）杜甫：《解闷十二首》，见（清）彭定求等：《全唐诗》卷二三〇，第 2517 页。

② （宋）苏轼：《鳊鱼》，见《苏东坡全集》卷二，第 37 页。

③ （唐）李林甫等撰，陈仲夫点校：《唐六典》卷一五《光禄寺》，中华书局 1992 年版，第 448 页。

④ （唐）李肇《唐国史补》，上海古籍出版社 1987 年版，第 447 页。

在，丘垅应已平。惟余竹叶在，留此千古情。”①从这首诗可知，宜城竹叶酒是汲汉江水酿造，酒色清冽，犹如汉江水。“惟余竹叶在，留此千古情”一句则可与三国曹操《短歌行》“何以解忧，唯有杜康”媲美，代表了中国酿酒文化和饮酒精神。

三、美食佳肴

荆楚大地是中国主要的鱼米之乡，境内河网纵横交错，湖泊星罗棋布，因而在饮食上也形成了与此相应的文化习俗。其饮食文化更具有兼容并蓄的包容性，成为历史上中国饮食文化融合和创新之地。

唐宋时期，荆楚饮食文化有了长足的发展，“出现工价高达百匹锦绢的江陵厨娘，五祖寺素菜闻名一时，苏东坡黄州美食脍炙人口，晚唐诗人罗隐的《忆夏口》‘汉阳渡口兰为舟，汉阳城下多酒楼。当年不得尽一醉，别梦有时还重游。’充分反映了武汉地区1000多年前规模繁盛的餐饮业”②。从唐人的诗文看，荆州荆门有道冷盘名菜“饧丝结”，见于诗人司空曙的诗作《长林令卫象饧丝结歌》，诗人笔下的饧丝结，“主人雕盘盘素丝”“手援玉箸不敢持，始状芙蓉新出水。仰坼重衣倾万蕊，又如合欢交乱枝，红茸向暮花参差”“我爱此丝巧，妙绝世间无”③。芙蓉出水，衣倾万蕊，合欢交枝，红花参差，简直就是一件艺术品，叫人想象无穷。

前文曾述及宋代也有两道名菜见于文献记载，似乎这两道名菜——鱼子饭、鳖裙羹沿传至今。宋仁宗（应为宋真宗）问张景家乡胜景风物和所食何物。张景是江陵府公安县人，他回答说：“新粟米炊鱼子饭，嫩冬瓜煮鳖裙羹。”④鱼子饭、鳖裙羹都是典型的水乡美食，可见，宋代

---

① （宋）苏轼：《竹叶酒》，见《苏东坡全集》卷二，第37页。

② 李双莲：《湖北饮食文化旅游资源及其开发研究》，华中师范大学2011年硕士学位论文，第17页。

③ （唐）司空曙：《长林令卫象饧丝结歌》，（清）彭定求等编：《全唐诗》卷二九三，第3329页。

④ （元）祝诚：《莲堂诗话》卷上，中华书局1985年版，第6页。

荆楚饮食已然形成了水产为本，鱼馔为主，口鲜味醇的特色，在烹调技法上，蒸、煨、炸、烧应用最广，也最为擅长。蒸，原料在锅或笼内，人的眼睛无法观察它的成熟度，全凭厨师的经验来控制火候的大小和时间的长短，有的菜肴须用大火长时间蒸，有的用大火短时间蒸，有的须用中小火短时间蒸，否则，不及则生，过之则烂，没有丰富的经验是难以掌握的。由此反映了鄂厨对火候的考究。

湖北襄阳檀溪宋代壁画墓 M196 东壁绘制的庖厨图，展现了 10 位侍者在厨房中劳作的场景："一人蹲于灶前，正在向灶内加柴，两灶口前置有木柴。南面灶眼上放一带盖大锅，北面垛有五扇蒸笼，蒸笼由上到下书'一二三四五'，蒸笼边灶台上放一红色水瓢。灶台后置一朱色桌。灶台北侧有一大水缸，水缸边悬挂肉类。另三人在一朱色四脚桌边，一人擀皮，一人制作包子，一人残泐不清。北侧一组共六人，皆双手托盘，盘中置碗、筷瓶等。"①

宋神宗元丰三年（1080 年），经历了乌台诗案之后，苏轼被贬谪到黄州做了 4 年团练副使。这是他仕途的低谷，但也成为其提升精神境界的契机。在这里，苏轼写下了《赤壁赋》《记承天寺夜游》,《念奴娇·赤壁怀古》等名篇。黄州苏东坡的文学作品是闪闪夺目的瑰宝，历经千年仍然魅力无限。苏轼不仅是一位多才多艺的大文豪，而且是一位美食家。他喜欢自己做菜，也善于做菜，从实践中品尝饮食的乐趣，特别注重食疗养生之道。苏轼在黄州留下了很多自制美食的民间传说，例如著名的东坡肉、东坡饼、东坡鲫鱼、东坡春鸠脍、东坡回鱼、东坡荠羹等。

东坡肉是一种炖肉，为黄州传统名菜。苏轼谪居黄州时常烧此菜，用以待客，无客自食。他还写过一首《猪肉颂》："净洗铛，少著水，柴头罨烟焰不起。待他自熟莫催他，火候足时他自美。黄州好猪肉，价贱如泥土。贵者不肯吃，贫者不解煮，早晨起来打两碗，饱得自家君莫

① 襄阳市文物考古研究所:《湖北襄阳檀溪宋代壁画墓》,《文物》2015 年第 2 期。

管。”[①]

元祐四年（1089 年），苏轼任龙图阁学士、知杭州。次年，他率众疏浚西湖，动用民工二十余万，开除葑田，恢复旧观，并在湖水最深处建立三塔作为标志。他把挖出的淤泥集中起来，筑成一条纵贯西湖的长堤，堤有六桥相接，以便行人，后人名之曰“苏堤”。据传，当时杭州百姓为感谢苏轼送来黄酒、猪肉。苏轼便令家人按照他的烹调方法炖肉与民共食，传为佳话。东坡肉之名遂走出湖北，传遍大江南北，成为中国名菜之一。

关于“东坡饼”的由来，源于苏轼在黄州所作《记游定惠院》。其文云：“有刘唐年主簿者，馈油煎饵，其名为甚酥，味极美。客尚欲饮，而予忽兴尽，乃径归。”[②] 苏轼到黄州定惠院游览，主簿刘唐年馈赠油煎饵，名为“为甚酥”，这时候还不叫东坡饼。到宋人周紫芝所作《竹坡诗话》，就演变成苏轼为这种小食命名“为甚酥”。其文曰：“东坡在黄州时，尝赴何秀才会，食油果甚酥。因问主人此名为何。主人对以无名。东坡又问为甚酥，坐客皆曰：‘是可以为名矣。’又潘长官以东坡不能饮，每为设醴。坡笑曰：‘此必错煮水也。’他日忽思油果，作诗求之云：‘野饮花前百事无，腰间唯系一葫芦。已倾潘子错煮水，更觅君家为甚酥。’”[③] 当代黄冈流传的东坡饼传说，则增添了东坡改良饼的情节，并穿插了东坡与文人和诗、东坡与僧人参寥交往的内容。“这一类传说得以广泛地流传，其原因在于当地民众对家乡风物的热爱和对东坡的深厚感情。社会往往是通过形成相关的集体记忆来传达文化的，口头传说是传承集体记忆的一种重要方式。东坡对生活之热爱、与黄州民众相处之融洽都体现在传说当中。”[④]

“东坡鲫鱼”是苏轼居黄州时以鲜活鲫鱼为主料烹制的菜。据《苏

① （北宋）苏轼：《苏轼文集》卷二〇《猪肉颂》，中华书局 1986 年版，第 597 页。

② 张春林编：《苏轼全集》，中国文史出版社 1999 年版，第 1469 页。

③ （清）梁廷楠：《东坡事类》，暨南大学出版社 1992 年版，第 179 页。

④ 庄茵茜：《黄州东坡传说的生成与传承研究》，华中师范大学 2017 年硕士学位论文，第 32 页。

轼文集·煮鱼法》载:“子瞻在黄州,好自煮鱼。其法,以鲜鲫鱼或鲤治斫冷水下入盐如常法,以菘菜心芼之,仍入浑葱白数茎,不得搅。半熟,入生姜萝卜汁及酒各少许,三物相等,调匀乃下。临熟,入橘皮线,乃食之。”[①]其主料为活鲫鱼一尾,白菜心少许,葱白数茎,橘皮一片即可。其后苏轼在杭州任职时做了这道菜给朋友和门生们品尝,众人纷纷称赞说:“此羹超然有高韵,非世俗庖人所能彷佛。”[②]

“东坡春鸠脍”是一道川菜,脍是指切细或切片的肉或鱼。苏轼在出川前就爱吃此菜,曾说“蜀人贵芹菜脍,杂鸠肉为之。”来到黄州之后,他也经常制作和食用春鸠脍。《东坡八首(其三)》中写道:“泥芹有宿根,一寸差独在。雪芹何时动,春鸠行可脍。”[③]芹菜,品种繁多,在我国有着悠久的种植历史和大范围的种植面积,是国人常吃的蔬菜之一。其富含多种对人体有利的微量元素,具有平肝清热、凉血止血、润肺止咳和降低血压等功效。苏轼创新性地选用芹荬丝拌着斑鸠胸脯肉,制成东坡春鸠脍这道传世佳肴,既美味,又健康。

“东坡回鱼”,回鱼,亦称鮰鱼,是东坡喜食并曾制作的菜肴,故名东坡回鱼。他写有《戏作回鱼一绝》,“粉红石首仍无骨,雪白河豚不药人。寄于天公与河泊,何妨乞与水精鳞”。东坡回鱼,鱼肉肥嫩,滑润鲜美,为湖北黄州传统名菜。

“东坡荠羹”,这是苏轼在黄州首创的滋补素肴。荠菜属十字花科,春天开花,性喜温和,耐寒力强,不仅口味甘甜,且有止血、止痢等药物功效,被古代药书称作“护生草”。苏轼在《与徐十二尺牍》中讲述了制作荠羹的方法:“今日食荠甚美,念君卧疾,而醋酒皆不可近,唯有天然之珍,虽不甘于五味而有味外之美。《本草》荠,和肝气、明目,君今患疮故宜食荠。其法取荠一二升许,净择,入淘米三合,冷水三

① (北宋)苏轼:《苏轼文集》卷七三《煮鱼法》,第2371页。

② (北宋)苏轼:《苏轼文集》附《苏轼佚文汇编》卷6《书煮鱼羹》,第2592页。

③ (清)王文诰辑注,孔凡礼点校:《苏轼诗集》卷二一,第1080页。

升，生姜不去皮，槌两指大，同入釜中，浇生油一蚬壳，当于羹面上。不得触，触则生油气，不可食。不得入盐醋。君若如此味，则陆海八珍皆可鄙厌也。”[①]经过细心制作，荠菜不仅能够治疗疾病，还很美味。

第五节 民间歌谣

民间歌谣是人类历史上最为古老的艺术样式之一，起着记录生产生活、抒发情感和表达愿望的重要作用。春秋时期的楚国文化，热烈奔放，人民能歌善舞。在这种文化母体中，楚歌应运而生。楚歌是一种具有浓郁地方色彩的楚地歌曲，它既包括可供吟唱的歌词，也包括吟唱时特殊的节奏声调。先秦楚歌内涵丰富，叙事抒情，富于浪漫主义色彩。这些特点对于楚辞的影响十分深远。楚辞被喻为中国浪漫主义文字的源头，对于其后产生的汉赋更有直接的影响。

一、郢中田歌

郢中田歌别称“扬歌”，是荆楚农民在田间边劳动、边喊歌的一种唱腔牌名，可能是“秧歌”的谐音。郢中田歌在一领众和的演唱形式中，和声衬词以当地人们习惯性的语气助词为主，其旋律既有节奏舒展的散板式音调，也有节奏较紧凑的口语化韵腔。这种来自田间的表演形式，具有十分广泛的群众基础，其领和相间的表现形式，极大地增强了歌曲的感染力。

据今人罗来国考证，扬歌是阳水一带的扬越人所唱的歌。“阳水在古夏洲的今湖北潜江市境内，有一部分则在汉水北岸的今天门市境内，这条古河流从江陵向东流入潜江，而后北折注入汉水。这条阳水在古籍中分别记为‘漾水’‘阳水’‘杨水’。春秋时期居住在阳水一带的越人因水得名，谓之‘扬越’。‘杨歌’是屈、宋在《楚辞》中经常提及的民

① （清）汪灏等:《广群芳谱》卷一五，上海辞书出版社 1985 年影印版，第 357 页。

歌。汉代的‘楚艳’必以‘扬歌’为乐府之重点。”①

流传于潜江的鸡鸣歌是楚歌遗风、郢中田歌的典型代表之一。刘邦与项羽在垓下决战时，以“四面楚歌”加速了项羽的失败。据东汉应昭注“四面楚歌”之“楚歌”曰：“楚歌者，谓鸡鸣歌也。”②宋代苏轼在《书鸡鸣歌》中解释了鸡鸣歌得名的由来：“余来黄州，闻黄人二三月皆群聚讴歌，其词固不可分，而其音亦不中律吕，但宛转其声，往反高下，如鸡唱尔。与庙堂中所闻鸡人传漏，微有相似，但极鄙野耳。”③

近代学者梁启超把《鸡鸣》分作五解，每解六句。他认为：“各解似皆独立，文义不相连属。”④郑振铎则指出：“真正民歌的本色，只是声调铿锵，并没有什么意义。《乌生八九子》也是这样无甚意义（还有《鸡鸣高树巅》也是如此），而只是顺口歌唱着的。”⑤

鸡鸣歌，是潜江人民在劳作、生活及风俗习尚等活动中创造，是劳动的号令，抒情的载体，娱乐的工具。鸡鸣歌根植于潜江方言，除《楚辞》的“兮”“些”之楚语仍是这一带常用的“口头禅”外，从语言声调色彩分析：潜江、天门、仙桃（原沔阳）为一个色彩区，这一带由于受外界的影响较少，有相对的独立性，并对江汉平原有一定的影响。而潜江则是这一色彩区的中心，语言声调呈放射状向周边县市漫延形成变异。其语言声调特征是：高声为色彩音，归为语音声调中四声之阴平、去声；中音为核音，归为阳平；低音为支柱音，归为上声。

二、采莲歌

采莲是古代荆楚水乡常见的农事和民俗活动，采莲歌就产生于采

---

① 罗来国：《论“楚歌曰艳”与“鸡鸣歌”》，《黄钟（武汉音乐学院学报）》1998 年第 1 期。

② （西汉）司马迁：《史记》卷七《项羽本纪》引《史记集解》，第 333 页。

③ （宋）苏轼：《书鸡鸣歌》，见李之亮笺注：《苏轼文集编年笺注（诗词附）》（九），巴蜀书社 2011 年版，第 165 页。

④ 梁启超：《中国文学讲义》，湖南人民出版社 2010 年版，第 55 页。

⑤ 郑振铎：《中国俗文学史（上）》，北京联合出版公司 2014 年版，第 60 页。

莲过程中，具有十分鲜活的民间特色。南朝梁武帝在登基之前曾经担任郢州刺史，他模仿采莲歌，自制《采莲曲》，由此采莲从民歌走向文学，成为当时文学中常见的题材。《古今乐录》还记载：“梁天监十一年（512年）冬，武帝改《西曲》，制《江南上云乐》十四曲。《江南弄》七曲：一曰《江南弄》，二曰《龙笛曲》，三曰《采莲曲》，四曰《凤笛曲》，五曰《采菱曲》，六曰《游女曲》，七曰《朝云曲》。”[①] 从此，采莲曲开始流行开来，但受南朝后期靡靡之风的文学风格影响，《采莲曲》成为宫体诗同调。唐朝初年，以《采莲曲》为代表的南方清乐传入北方。唐太宗等人也从事采莲歌曲创作，但仍因袭南朝宫体诗风。此后，采莲歌从宫廷走向民间，经过贺知章、王昌龄、李白等诗人的努力，采莲歌恢复民间本色。

采莲歌蕴含丰富，是一幅荆楚风情画卷，既是采莲女子的恋歌，也是游子思乡的离歌。采莲歌成为中国古代文学的一个母题，具有多重象征功能。

从渊源上来说，屈原是楚文化的代表，开创了“善鸟香花，以比忠贞”的比兴传统。莲花（荷花）是其作品中出现频率最高的“香花”之一。而关于采莲曲最早的文献记载，见于汉乐府《江南》：“江南可采莲，莲叶何田田。鱼戏莲叶间：鱼戏莲叶东，鱼戏莲叶西。鱼戏莲叶南，鱼戏莲叶北。”《江南》是汉武帝时乐府采之于“吴楚汝南”的歌诗之一。“江南”的地域概念有一个变迁过程，汉代的江南一般指今湖北省长江以南部分及湖南省、江西省一带。

南朝梁简文帝萧纲所作的《采莲曲二首》其一云：“晚日照空矶，采莲承晚晖。风起湖难度，莲多采未稀。棹动芙蓉落，船移白鹭飞。荷丝傍绕腕，菱角远牵衣。”[②] 这首诗用清丽浅显的语言，描绘诗人泛舟湖

① （宋）郭茂倩：《乐府诗集》卷五〇《清商曲辞七·江南弄七首》，中华书局1979年版，第726页。

② （宋）郭茂倩：《乐府诗集》卷五〇《清商曲辞七·采莲曲二首》，第731页。

上采摘莲蓬的图景，表现了他悠然闲适的情趣。

梁元帝萧绎《采莲赋》是一篇体物抒情小赋，云："紫茎兮文波，红莲兮芰荷。绿房兮翠盖，素实兮黄螺。于是妖童媛女，荡舟心许，鹢首徐回，兼传羽杯。棹将移而藻挂，船欲动而萍开。尔其纤腰束素，迁延顾步。夏始春余，叶嫩花初。恐沾裳而浅笑，畏倾船而敛裾，故以水溅兰桡，芦侵罗袴。菊泽未反，梧台迥见，荇湿沾衫，菱长绕钏。泛柏舟而容与，歌采莲于江渚。歌曰：'碧玉小家女，来嫁汝南王。莲花乱脸色，荷叶杂衣香。因持荐君子，愿袭芙蓉裳。'"[①] 全篇以莲起，以莲结，中间部分写少男少女的荡舟嬉游，抓住采莲过程中的"棹移"和"船动"等动态渲染。赋中的采莲之欢愉，人物体态之优美，小家碧玉与荷花相映媲美，体现了江南特有的生活情调。全篇语言整饬，音节谐美。

唐宋时期，采莲曲仍然是荆楚达官贵人、文人墨客之歌舞酒宴中盛行不衰、经常演出的曲目。如唐代荆楚诗人戎昱曾创作《采莲曲二首》："虽听采莲曲，讵识采莲心。漾楫爱花远，回船愁浪深。烟生极浦色，日落半江阴。同侣怜波静，看妆堕玉簪。""涔阳女儿花满头，毵毵同泛木兰舟。秋风日暮南湖里，争唱菱歌不肯休。"[②] 涔阳在湖北公安县东南，当地盛产木兰树，木兰舟就是用木兰树造的船。秋风中，夕阳下，涔阳镇的年青女子们乘坐木兰舟，在南湖里划船，"争唱菱歌不肯休"。

"据《全唐诗》统计，唐代……诗歌中有采莲一词的唐诗多达七十余首。"[③] "而至宋代，仅据《全宋词》统计的采莲词作就已达到一百一十余首，宋代写作的频率明显高于唐代……七百多年的沿袭与创新，采莲类诗歌终于在宋代迎来了巅峰时期，这里所说的巅峰不仅仅是

① （清）严可均：《全上古三代秦汉三国六朝文》，中华书局 1991 年版，第 3038 页

② （唐）戎昱：《采莲曲二首》，见（清）彭定求等编：《全唐诗》卷二七〇，第 3022 页。

③ 张鹏：《乐府古辞〈江南〉考论》，中国社会科学院研究生院 2003 年硕士学位论文，第 16 页。

作品及创作者数量上的巅峰，更是它在内容艺术上的多样与完备。”[①]

宋代诗人李九龄作《荆溪夜泊》，诗云：“点点渔灯照浪清，水烟疏碧月胧明。小滩惊起鸳鸯处，一双采莲船过声。”[②]这首诗既写景，又写情。采莲船在月夜中缓缓在荷花丛中驶过，摇曳生姿，诗歌如画。

同样是宋代诗人的李曾伯作《咏荆州瑞莲》，诗云：“莲之为瑞固有之，水神岂肯轻种奇。双花仅见子辱表，并蒂尝著原父诗。未如今年荆州幕，拔萃出类罗方池。二花三花四五花，至于六花同一枝。根荄太华玉井藕，彷佛函德铜池芝。晓来朝日千叶开，宛若群玉齐顷葵。花工示人厥有象，岂止绿沉而红依。花中独此号君子，爱莲有说闻濂溪。方今众贤聚本朝，左右周召而皋夔。朝和物和天地和，荐之千载之一时。主人生平不好异，一见错愕开双眉。此天产也岂人力，赋此直欲同僚知。”[③]莲花成了花中君子，人们像周敦颐一样喜爱莲花。而写作这首诗的那一年，荆州莲花盛开，格外出类拔萃，象征“朝和物和天地和”。正是在这种爱莲的文化氛围，宋代采莲歌继续得到发展，显示着来自荆楚鱼米之乡的万种风情。

三、襄阳白铜鞮

古代襄阳民间文艺活动非常活跃，到了唐朝，《大堤曲》《白铜鞮》《襄阳歌》《常林欢》等襄阳地方民歌广为传唱，名播全国。李白漫游襄阳时作《襄阳歌》云：“落日欲没岘山西，倒着接䍦花下迷。襄阳小儿齐拍手，拦街争唱《白铜鞮》。”[④]他创作的《襄阳曲》亦云：“襄阳行乐处，歌舞白铜鞮。江城回绿水，花月使人迷。”[⑤]李白在这两首诗歌中提到的《白铜鞮》，是南朝齐梁时期产生于襄阳的一首古乐府曲名，又

① 马茜：《宋代采莲词研究》，广西师范大学 2014 年硕士学位论文，第 4 页。

② （宋）李九龄：《荆溪夜泊》，见傅璇琮：《全宋诗》第 1 册，第 266 页。

③ （宋）李曾伯：《咏荆州瑞莲》，见傅璇琮：《全宋诗》第 62 册，第 38705 页。

④ （唐）李白：《襄阳歌》，见（清）彭定求等：《全唐诗》卷一六六，第 1715 页。

⑤ （唐）李白：《襄阳曲》，见（清）彭定求等：《全唐诗》卷一六四，第 1701 页。

称襄阳白铜蹄、铜鞮谣、铜鞮歌、白铜鞮歌、襄阳白铜歌等，是从《襄阳蹋铜蹄歌》演化而来，最初由梁武帝萧衍创作而成，后经民间艺人加工改编并形成一种独特的歌舞形式。

梁武帝萧衍（464—549年）曾是南朝萧齐王朝的宗室。他博学多闻，诗词曲赋、经史子集、音乐书法等无不精通，并与谢朓、沈约等人合称“竟陵八友”，特别是在乐府创作上颇有建树。建武五年（498年），齐明帝任命萧衍为雍州刺史，镇守襄阳。《隋书·音乐志上》记载说：“初武帝之在雍镇，有童谣云：‘襄阳白铜蹄，反缚扬州儿。’识者言，白铜蹄谓马也；白，金色也。及义师之兴，实以铁骑，扬州之士，皆面缚，果如谣言。故即位之后，更造新声，帝自为之词三曲，又令沈约为三曲，以被弦管。”①

梁武帝称帝以后，对襄阳儿歌进行改造，创作了一首新的乐府曲——《襄阳蹋铜蹄歌》，并一连写了三首。其一“陌头征人去，闺中女下机。含情不能言，送别沾罗衣。”其二“草树非一香，花叶百种色。寄语故情人，知我心相忆。”其三“龙马紫金鞍，翠毦白玉羁。照耀双阙下，知是襄阳儿。”梁武帝又下令尚书令沈约合诗三首，并让他制成曲目，配上舞蹈，加以传唱。沈约是南朝史学家、文学家、音乐家，当即奉和了三首《襄阳蹋铜蹄歌》。其一“分手桃林岸，望别岘山头。若欲寄音信，汉水向东流。”其二“生长宛水上，从事襄阳城。一朝遇神武，奋翼起先鸣。”其三“蹀鞚飞尘起，左右自生光。男儿得富贵，何必在归乡。”②

这三首曲辞从男子的角度分述了三个场景：首先是男女分别，男子嘱咐女子；其次是男子到了襄阳城，遇明主，乘时而起；再次是男子得到了富贵，不愿意返回家乡。它们的故事性非常完整，且与梁武帝的曲辞一一对应：“分手桃林岸”一首对应着梁武帝的“陌头征人去”；“奋

① （唐）魏征：《隋书》卷一三《音乐志上》，第287、305页。

② （宋）郭茂倩：《乐府诗集》卷四八，第708页。

翼起先鸣”一首则是与梁武帝的“知我心相忆”并列，分述男子的境况；“蹀鞚飞尘起”一首对应着梁武帝的“龙马紫金鞍”，是男子对女子期待的否定性回复。将两人各自的三首曲辞联系起来，可以发现，他们实际上分别从女子和男子的角度入手，合作编排了一出痴情女子负心汉的活剧：梁武帝先讲述了一个严肃的痴情故事，沈约却以一种戏谑的态度将这种严肃瓦解了。一唱一和，十分默契，表现出了《襄阳蹋铜蹄歌》的娱乐特质。就这样，襄阳白铜鞮传唱天下，襄阳也因之而名声大振。

《襄阳蹋铜蹄歌》的歌舞形式早已失传，据推测，可能“此舞在表演时以铜铃绑在身上，踏足而舞，模仿战争之景”①。绑缚铜铃，踢蹋而歌，也能增强节奏和音律感。由于襄阳白铜鞮且歌且舞，并且规制严密，既有民间之风，又有王者气派，很快风靡大江南北，广为传播。一些诗人也纷纷撰诗填词，促进了该歌的普及与推广。如晚唐诗人韦庄《浣溪沙》云：“绿树藏莺莺正啼，柳丝斜拂白铜鞮，弄珠江上草萋萋。日暮饮归何处客？绣鞍骢马一声嘶，满身兰麝醉如泥。”② 这首词塑造了一名襄阳醉客的形象。上片写白铜堤畔，弄珠江边，柳丝斜拂，青草萋萋，黄莺啼鸣。下片写襄阳一客，烂醉如泥，马嘶而归。

唐朝诗人崔国辅《襄阳曲二首》则描写了襄阳城中青年男女约会时同唱白铜鞮的情景：“蕙草娇红萼，时光舞碧鸡。城中美年少，相见白铜鞮。”“少年襄阳地，来往襄阳城。城中轻薄子，知妾解秦筝。”③

雍陶《送客归襄阳旧居》云：“襄阳耆旧别来稀，此去何人共掩扉。唯有白铜鞮上月，水楼闲处待君归。”④ 分析这些唐人诗句，可知襄阳无论成人小孩均能歌唱《白铜鞮》，载歌载舞，逍遥自在。

---

① 杨名：《从〈全唐诗〉看唐代踏歌的舞曲、舞容和情境》，《北京舞蹈学院学报》2013 年第 1 期。

② （唐）韦庄：《浣溪沙》，见（清）彭定求等：《全唐诗》卷八九二，第 10145 页。

③ （唐）崔国辅：《襄阳曲二首》，见（清）彭定求等：《全唐诗》卷一一九，第 1202 页。

④ （唐）雍陶：《送客归襄阳旧居》，见（清）彭定求等：《全唐诗》卷五一八，第 5928 页。

到了宋代，襄阳出现了以“铜鞮”为名的街坊，如南宋诗人刘过《襄阳歌》云：“十年着脚走四方，胡不归来兮襄阳？襄阳真是用武国，上下吴蜀天中央。铜鞮坊里弓作市，八邑田熟麦当粮。一条路入秦陇去，落日仿佛见太行。土风沉浑士奇杰，乌乌酒后歌声发。歌曰人定兮胜天，半壁久无胡日月。买剑倾家资，市马托生死。科举非不好，行都兮万里。人言边人尽粗材，卧龙高卧不肯来。杜甫诗成米芾写，二三子亦英雄哉！”[①]这首诗赞叹了宋代襄阳城极其重要的战略地位，歌颂这里民风深沉浑厚，英雄豪杰辈出。铜鞮坊居民爱国尚武，豪饮之后放声高歌。歌唱的内容是，人定胜天，襄阳城阻挡北方游牧民族南下，保护了南宋的半壁江山，颇有“但使龙城飞将在，不教胡马度阴山”的豪情。

① （南宋）刘过《龙洲集》卷一《歌行・襄阳歌》，上海古籍出版社 1979 年版，第 1 页。

参考文献

一、史籍与考古资料

（清）陈廷钧撰:《安陆县志补正》，成文出版社 1970 年版。

（五代）孙光宪:《北梦琐言》，中华书局 1960 年版。

（宋）严羽著、朱刚批注:《沧浪诗话》，凤凰出版社 2009 年版。

（宋）严羽著、郭绍虞校释:《沧浪诗话校释》，人民文学出版社 1983 年版。

（唐）张鷟撰、赵守俨点校:《朝野佥载》，中华书局 1979 年版。

（唐）岑参著，陈铁民、侯忠义校注，陈铁民修订:《岑参集校注》，上海古籍出版社 2004 年版。

（唐）姚思廉:《陈书》，中华书局 1972 年版。

（宋）高斯得:《耻堂存稿》，中华书局 1975 年版。

（明）周圣楷编纂、（清）邓显鹤增辑、廖承良、杨云辉等点校:《楚宝》，岳麓书社 2016 年版。

（唐）徐坚:《初学记》，京华出版社 2000 年版。

唐圭璋主编:《词话丛编》，中华书局 1986 年版。

（清）朱彝尊、汪森编:《词综》，上海古籍出版社 1978 年版。

（唐）刘肃撰，许德楠、李鼎霞点校:《大唐新语》，中华书局 1984 年版。

（明）朱衡:《道南源委》，中华书局 1985 年版。

《道藏》，文物出版社、上海书店、天津古籍出版社 1988 年版。

（清）徐松:《登科记考》，中华书局 1984 年版。

（宋）苏轼撰、王松龄点校:《东坡志林》，中华书局 1981 年版。

（宋）范镇：《东斋记事》，中华书局 1980 年版。

（唐）杜甫著、（清）仇兆鳌注：《杜诗详注》，中华书局 1979 年版。

（宋）程颢、程颐：《二程遗书》，中华书局 1981 年版。

（唐）释道世：《法苑珠林》，上海古籍出版社 1991 年版。

（唐）杜牧：《樊川文集》，上海古籍出版社 1978 年版。

（宋）祝穆撰、（宋）祝洙增订、施和金点校：《方舆胜览》，中华书局 2003 年版。

（东汉）应劭著、王利器点校：《风俗通义校注》，中华书局 1981 年版。

（宋）志磐撰、释道法校注：《佛祖统纪校注》，上海古籍出版社 2012 年版。

（清）孙承泽：《庚子销夏记》，上海古籍出版社 1991 年版。

（清）汪灏等：《广群芳谱》，上海辞书出版社 1985 年影印版。

刘纬毅：《汉唐方志辑佚》，北京图书馆出版社 1997 年版。

（东汉）班固：《汉书》，中华书局 1962 年版。

（唐）韩愈著，屈守元、常思春主编：《韩愈全集校注》（全 5 册），四川大学出版社 1996 年版。

（元）郝经：《郝文忠公陵川文集》，山西人民出版社 2006 年版。

（宋）罗大经：《鹤林玉露》，中华书局 1983 年版。

（宋）刘克庄撰、王秀梅点校：《后村诗话》，中华书局 1983 年版。

（南朝宋）范晔：《后汉书》，中华书局 1965 年版。

（清）陈诗著，姚勇、邱蕤、杨晓兰点校：《湖北旧闻录》，湖北人民出版社 1999 年版。

（明）薛刚：《湖广图经志书》，书目文献出版社 1991 年版。

（宋）黄升辑，王雪玲、周晓薇校点：《花庵词选》，辽宁教育出版社 1997 年版。

（宋）邓椿：《画继》，人民美术出版社 1964 年版。

（宋）杨仲良：《皇宋通鉴长编纪事本末》，江苏古籍出版社 1988 年版。

（宋）黄庭坚著、刘琳等校点：《黄庭坚全集》，四川大学出版社 2001 年版。

（宋）黄庭坚：《黄庭坚全集》，江西人民出版社 2011 年版。

（宋）欧阳修：《集古录跋尾》，人民美术出版社 2010 年版。

（宋）陆游著，钱仲联校注：《剑南诗稿校注》，上海古籍出版社 2008 年版。

（宋）李心传：《建炎以来系年要录》，上海古籍出版社 1992 年版。

（唐）房玄龄：《晋书》，中华书局 1974 年版。

王宗昱编：《金元全真教石刻新编》，北京大学出版社 2005 年版。

（梁）宗懔：《荆楚岁时记》，岳麓书社 1986 年版。

（宋）道元辑、朱俊红点校：《景德传灯录》，海南出版社 2011 年版。

（清）皮锡瑞：《经学历史》，中华书局 1959 年版。

（清）傅燮鼎：《九宫山志》，见《中国道观志丛刊》第 7 册，江苏古籍出版社 2000 年版。

（宋）刘询：《九国志》，齐鲁书社 2000 年版。

（宋）路振撰、吴在庆、吴嘉骐校点：《九国志》，杭州出版社 2004 年版。

（后晋）刘昫：《旧唐书》，中华书局 1975 年版。

（宋）薛居正：《旧五代史》，中华书局 1976 年版。

（宋）晁公武撰、孙猛校证：《郡斋读书志校证》，上海古籍出版社 2011 年版。

（宋）张师正撰、许德楠点校：《括异志》，中华书局 1996 年版。

（宋）陆游：《老学庵笔记》，中华书局 1979 年版。

（宋）惠洪：《冷斋夜话》，上海古籍出版社 2012 年版。

（唐）李白著、瞿蜕园、朱金城校注：《李白集校注》，上海古籍出版社 1980 年版。

王利器等编:《历代竹枝词》,陕西人民出版社 2003 年版。

(宋)李觏:《李觏集》,中华书局 1987 年版。

(唐)姚思廉:《梁书》,中华书局 1973 年版。

马曙民、任林豪:《临海墓志集录》,宗教文化出版社 2002 年版。

(梁)萧统编、(唐)李善等注:《六臣注文选》,中华书局 2012 年版。

(宋)柳永著、谢桃坊导读:《柳永词集》,上海古籍出版社 2009 年版。

王星琦编选:《柳永集》,凤凰出版社 2007 年版。

(宋)刘过《龙洲集》,上海古籍出版社 1979 年版。

(宋)陆九渊著、钟哲点校:《陆九渊集》,中华书局 1980 年版。

(宋)陆游著、钱仲联、马亚中主编:《陆游全集校注》,浙江教育出版社 2011 年版。

(唐)陆羽著,傅树勤、欧阳勋译注:《陆羽茶经译注》,湖北人民出版社 1983 年版。

杨天宇撰:《礼记译注》,上海古籍出版社 1997 年版。

周振甫译注:《诗经译注》,中华书局 2002 年版。

杨伯峻译注:《论语译注》,中华书局 2004 年版。

(唐)孟浩然著、徐鹏校注:《孟浩然集》,人民出版社 1989 年版。

(宋)沈括撰、施适校点:《梦溪笔谈》,上海古籍出版社 2015 年版。

(战国)孟轲撰、杨伯峻译注:《孟子译注》,中华书局 2005 年版。

(宋)米芾:《米芾集》,湖北教育出版社 2003 年版。

(宋)王辟之:《渑水燕谈录》,中华书局 1997 年版。

(战国)墨翟著、(清)毕沅校注、吴旭民校点:《墨子》,上海古籍出版社 2014 年版。

(元)陶宗仪撰、李梦生校点:《南村辍耕录》,上海古籍出版社

2012 年版。
（南朝梁）萧子显：《南齐书》，中华书局 1972 年版。
（唐）李延寿：《南史》，中华书局 1975 年版。
（清）赵翼：《廿二史札记》，中华书局 1984 年版。
（清）缪荃孙编：《藕香零拾》，中华书局 1999 年版。
（宋）欧阳修著、李逸安点校：《欧阳修全集》，中华书局 2001 年版。
（宋）欧阳修著，刘德清、顾宝林笺注：《欧阳修诗编年笺注》，中华书局 2012 年版。
（唐）皮日休著，萧涤非、郑庆笃整理：《皮子文薮》，上海古籍出版社 1981 年版。
（清）甘鹏云原著，吴勇点校：《潜江旧闻录》，湖北教育出版社 2002 年版。
（清）刘焕原修，史致谟续纂：《潜江县志》，（台北）成文出版社 1970 年版。
沈粹芬、黄人等辑：《清文汇》，北京出版社 1996 年版。
（清）严可均：《全上古三代秦汉三国六朝文》，中华书局 1991 年版。
傅璇琮等编：《全宋诗》，北京大学出版社 1998 年版。
曾枣庄、刘琳主编：《全宋文》（全 360 册），上海辞书出版社 2006 年版。
（清）彭定求等：《全唐诗》，中华书局 1960 年版。
（清）董诰编：《全唐文》，中华书局 1983 年版。
陈尚君：《全唐文补编》，中华书局 2005 年版。
（清）于敏中等编纂：《日下旧闻考》，北京古籍出版社 1985 年版。
（宋）陆游著、蒋方校注：《入蜀记校注》，湖北人民出版社 2004 年版。
（西晋）陈寿：《三国志》，中华书局 1971 年版。

（宋）庞安时：《伤寒总病论》，人民卫生出版社 1989 年版。

（宋）胡仔纂集、廖德明校点：《苕溪渔隐丛话后集》，人民文学出版社 1962 年版。

（明）杨慎著、王仲镛笺证：《升庵诗话笺证》，上海古籍出版社 1987 年版。

（西汉）司马迁：《史记》，中华书局 1959 年版。

（明）胡应麟：《诗薮》，上海古籍出版社 1979 年版。

（北魏）郦道元著、陈桥驿校证：《水经注校证》，中华书局 2013 年版。

（清）永瑢、纪昀等：《四库全书总目》，中华书局 1983 年版。

（宋）江少虞撰、霍济苍点校：《宋朝事实类苑》，上海古籍出版社 1981 年版。

（宋）赞宁撰、范祥雍点校：《宋高僧传》，中华书局 1987 年版。

（清）徐松辑：《宋会要辑稿》，中华书局 1956 年版。

（元）脱脱等：《宋史》，中华书局 1977 年版。

（南朝梁）沈约：《宋书》，中华书局 1974 年版。

（唐）释道宣撰：《宋思溪藏本广弘明集》（全十二册），国家图书馆出版社 2018 年版。

（清）黄宗羲原著、全祖望补修：《宋元学案》，中华书局 1986 年版。

（宋）苏轼：《苏东坡全集》，北京燕山出版社 2009 年版。

（宋）苏轼著，张志烈、马德福、周裕锴校注：《苏轼全集校注》，河北人民出版社 2010 年版。

（宋）苏轼：《苏东坡诗集》，珠海出版社 1996 年版。

（宋）苏轼：《苏轼集》，凤凰出版社 2006 年版。

（宋）苏轼：《苏轼文集》，中华书局 1986 年版。

（唐）魏徵等：《隋书》，中华书局 1973 年版。

（清）袁枚：《随园诗话》，人民文学出版社 1982 年版。

（宋）李昉等撰：《太平广记》，中华书局1961年版。

（宋）乐史撰、王文楚等点校：《太平寰宇记》，中华书局2007年版。

（宋）李昉等撰：《太平御览》，中华书局1960年版。

（唐）慧能著、郭朋校释：《坛经校释》，中华书局1983年版。

（元）辛文房：《唐才子传》，古典文学出版社1957年版。

（元）辛文房撰、徐明霞校点：《唐才子传》，辽宁教育出版社1998年版。

（唐）李肇：《唐国史补》，上海古籍出版社1979年版。

（唐）李林甫：《唐六典》，中华书局1992年版。

（五代）王定保撰、阳羡生校点：《唐摭言》，上海古籍出版社2012年版。

（宋）计有功：《唐诗纪事》，中华书局1965年版。

（宋）王安石撰、（南宋）李壁注、李之亮补笺：《王荆公诗注补笺》，巴蜀书社2002年版。

（宋）王十朋：《王十朋全集》，上海古籍出版社2012年版。

（宋）文天祥：《文天祥全集》，中国书店1985年版。

（元）马端临撰：《文献通考》，中华书局1986年版。

（梁）萧统编、（唐）李善注：《文选》，上海古籍出版社1998年版。

余文祥编注：《问津诗赋》，中国文史出版社2014年版。

（宋）普济著、苏渊雷点校：《五灯会元》，中华书局1984年版。

中国武当文化丛书编纂委员会：《武当山历代志书集注》，湖北科学技术出版社2003年版。

逯钦立辑校：《先秦汉魏晋南北朝诗》，中华书局1998年重印本。

（宋）释文莹：《湘山野录》，中华书局1984年版。

王文濡编，李之亮、徐飞点校，《香艳丛书精选本》，岳麓书社1994年版。

（宋）欧阳修、宋祁：《新唐书》，中华书局 1975 年版。

柯劭忞：《新元史》，上海古籍出版社 1989 年版。

（宋）欧阳修：《新五代史》，中华书局 1974 年版。

（唐）释道宣撰，郭绍林点校：《续高僧传》，中华书局 2014 年版。

（宋）李焘：《续资治通鉴长编》，中华书局 2004 年版。

（宋）佚名：《宣和书谱》，上海书画出版社 1984 年版。

（清）刘熙载著、王气中笺注：《艺概笺注》，贵州人民出版社 1986 年版。

（明）王世贞编、罗仲鼎校注：《艺苑卮言校注》，齐鲁书社 1992 年版。

（明）张岱：《夜航船》，四川文艺出版社 1996 年版。

（宋）王象之撰：《舆地纪胜》，中华书局 1992 年版。

（明）冯梦龙：《喻世明言》，华夏出版社 2013 年版。

（元）苏天爵：《元朝名臣事略》，中华书局 1996 年版。

（唐）李吉甫撰、贺次君点校：《元和郡县图志》，中华书局 1983 年版。

（明）宋濂等：《元史》，中华书局 1976 年版。

（宋）王存：《元丰九域志》，中华书局 1984 年版。

（唐）元稹：《元氏长庆集》，上海古籍出版社 1994 年版。

（唐）元稹：《元稹集》，中华书局 1982 年版。

（宋）郭茂倩：《乐府诗集》，中华书局 1979 年版。

（宋）张君房纂辑、蒋力生等校注：《云笈七签》，华夏出版社 1996 年版。

（宋）李献民：《云斋广录》，中华书局 1997 年版。

（唐）段成式撰、曹中孚校点：《酉阳杂俎》，上海古籍出版社 2012 年版。

（宋）张耒：《张耒集》，中华书局 1990 年版。

（梁）萧统选、（唐）李善注：《昭明文选》，京华出版社 2000

年版。

（宋）陈振孙撰、尹小林整理：《直斋书录解题》，山东画报出版社2004年版。

梁启超：《中国文学讲义》，湖南人民出版社2010年版。

雷梦水等编：《中华竹枝词》，北京古籍出版社1997年版。

（宋）熊克：《中兴小纪》，福建人民出版社1985年版。

（唐）余知古著，袁华忠译注：《渚宫旧事译注》，湖北人民出版社1999年版。

（宋）王得臣：《麈史》，上海古籍出版社1986年版。

（宋）朱震撰，王婷、王心田编辑点校：《朱震集》，岳麓书社2007年版。

（宋）朱熹撰、朱杰人等主编：《朱子全书》，上海古籍出版社、安徽教育出版社2002年版。

（宋）黎靖德编、王星贤点校：《朱子语类》，中华书局1986年版。

（战国）庄周撰、陈鼓应注译：《庄子今注今译》，中华书局2012年版。

（元）苏天爵：《滋溪文稿》，中华书局1997年版。

（宋）司马光：《资治通鉴》，中华书局1956年版。

二、研究论著

李焕明：《比较易学论衡》，文史哲出版社1995年版。

（日）柳田圣山：《禅の語錄》，筑摩书房1971年版。

黄夏年主编：《禅宗三百题》，上海古籍出版社2000年版。

孙昌武：《禅宗十五讲》，中华书局2016年版。

谭其骧：《长水集》，人民出版社1987年版。

陈寅恪：《陈寅恪集》，生活·读书·新知三联书店2001年版。

（日）柳田圣山：《初期禪宗史書の研究》，见《禪文化研究所研究报告》第一册，日本禅文化研究所1967年版。

饶宗颐:《词集考》，中华书局 1992 年版。

王明:《道家和道教思想研究》，中国社会科学出版社 1984 年版。

陈垣编:《道家金石略》，文物出版社 1988 年版。

中国道教协会道教文化研究所、上海市道教协会、上海城隍庙合编:《道教教义的现代阐释：道教思想与中国社会发展进步研讨会论文集》，宗教文化出版社 2003 年版。

王卡:《道教经史论丛》，巴蜀书社 2007 年版。

陈国符:《道教源流考》，中华书局 2012 年版。

卢国龙:《道教哲学》，华夏出版社 1997 年版。

朱越利主编:《道藏说略》，北京燕山出版社 2009 年版。

陈国符:《道藏源流考》，中华书局 1985 年版。

萧萐父、黄钊主编:《“东山法门”与禅宗》，武汉出版社 1996 年版。

缪钺:《杜牧传》，河北教育出版社 1999 年版。

《恩施文化简史》编撰委员会:《恩施文化简史》，湖北人民出版社 2018 年版。

石泉、蔡述明:《古云梦泽研究》，湖北教育出版社 1996 年版。

王志远、康宇:《关公文化学》，中国社会科学出版社 2015 年版。

胥惠民、张玉声、杨镰:《贯云石作品辑注》，新疆人民出版社 1986 年版。

钱钟书:《管锥编》，中华书局 1979 年版。

金春峰:《汉代思想史》，中国社会科学出版社 1987 年版。

刘固盛、梅莉、胡军等著:《湖北道教史》，华中师范大学出版社 2018 年版。

齐子通:《湖北佛教史》，宗教文化出版社 2018 年版。

罗福惠:《湖北近三百年学术文化》，武汉出版社 1994 年版。

皮明庥、何浩等编:《湖北历史人物辞典》，湖北人民出版社 1984 年版。

湖北省地方志编撰委员会编:《湖北省志·地理》，湖北人民出版社1987年版。

雷家宏、王瑞明:《湖北通史·宋元卷》(荆楚文库)，华中师范大学出版社2018年版。

李文澜:《湖北通史·隋唐五代卷》(荆楚文库)，华中师范大学出版社2018年版。

周积明:《湖北文化史》，湖北教育出版社2006年版。

王齐洲、王泽龙:《湖北文学史》，华中理工大学出版社1996年版。

王齐洲主编:《湖北文学通史·先秦至五代卷》，长江文艺出版社2014年版。

王齐洲主编:《湖北文学通史·宋元明清卷》，长江文艺出版社2014年版。

胡适:《胡适谈佛学》，哈尔滨出版社2013年版。

黄冈市政协主编:《黄冈文化简史》，湖北人民出版社2016年版。

《黄石文化简史》编撰委员会:《黄石文化简史》，湖北人民出版社2017年版。

黄君主编:《黄庭坚研究论文选》，江西教育出版社2005年版。

《纪念科学家竺可桢论文集》，科学普及出版社1982年版。

(日)镰田茂雄:《简明中国佛教史》，上海译文出版社1986年版。

(英)崔瑞德:《剑桥隋唐史》，中国社会科学出版社1990年版。

李森林:《江黄学府——问津书院》，香港天马图书出版社2002年版。

武清海主编:《荆楚文化与湖北人文精神》，湖北人民出版社2009年版。

荆门政协文史委编:《荆门文化简史》，湖北人民出版社2018年版。

《荆州文化简史》编撰委员会:《荆州文化简史》，湖北人民出版社

2019 年版。

朱绍斌主编:《历代名人咏安陆》,珠江文艺出版社 2014 年版。

朱绍斌主编:《历史名城话安陆》,中国文化出版社 2016 年版。

赵立纲主编:《历代名道传》,山东人民出版社 1996 年版。

储仲君:《刘长卿诗编年笺注》,中华书局 1996 年版。

吴成国:《六朝巫术与社会研究》,武汉出版社 2007 年版。

白新良:《明清书院研究》,故宫出版社 2012 年版。

毛道海:《潜江风情录》,武汉出版社 2009 年版。

吴成国:《潜江文化简史》,湖北人民出版社 2019 年版。

卢华语:《〈全唐诗〉经济资料辑释与研究》,重庆出版社 2006 年版。

王国维:《人间词话》,广西人民出版社 2017 年版。

熊寿昌主编:《三国文化与鄂州》,湖北人民出版社 2018 年版。

沙孟海:《沙孟海论书丛稿》,上海书画出版社 1987 年版。

葛晓音:《山水田园诗派研究》,辽宁大学出版社 1993 年版。

缪钺:《诗词散论》,陕西师范大学出版社 2008 年版。

俞陛云:《诗境浅说正续编》,中华书局 2015 年版。

夏传才:《诗经研究史概要》,清华大学出版社 2007 年版。

蔡志荣:《书院与地方社会:以明清湖北书院为中心考察》,中国社会科学出版社 2014 年版。

徐洪兴:《思想的转型——理学发生过程研究》,上海人民出版社 1996 年版。

王兆鹏、郁玉英、郭红欣:《宋词排行榜》,中华书局 2012 年版。

程民生:《宋代地域经济》,河南大学出版社 1992 年版。

葛金芳:《宋辽夏金经济研析》,武汉出版社 1992 年版。

陈来:《宋明理学》,辽宁教育出版社 1991 年版。

钱锺书:《宋诗选注》,生活·读书·新知三联书店 2002 年版。

邓广铭、漆侠:《宋史专题课》,北京大学出版社 2008 年版。

上海古籍出版社编:《宋元笔记小说大观》,上海古籍出版社 2001 年版。

王国维:《宋元戏曲考》,东方出版社 1996 年版。

王文虎:《随州文化简史》,湖北人民出版社 2018 年版。

牟发松:《唐代长江中游的经济与社会》,武汉大学出版社 1989 年版。

傅璇琮:《唐代诗人丛考》,中华书局 1980 年版。

辉斌选注:《唐代诗人咏湖北》,湖北人民出版社 1987 年版。

陈尚君:《唐代文学丛考》,中国社会科学出版社 1997 年版。

萧涤非、程千帆、马茂元等:《唐诗鉴赏辞典》,上海辞书出版社 1983 年版。

王兆鹏、邵大为、张静、唐元:《唐诗排行榜》,中华书局 2011 年版。

上海古籍出版社编:《唐五代笔记小说大观》,上海古籍出版社 2001 年版。

李剑国:《唐五代志怪传奇叙录》,南开大学 1993 年版。

唐长孺:《唐长孺社会文化史论丛》,武汉大学出版社 2001 年版。

钱钟书:《谈艺录》,三联书店 2007 年版。

吴成国:《天造地设——长江流域的大小三峡》,中国言实出版社、武汉出版社 2006 年版。

陈茂仁:《王士源〈亢仓子〉研究》,文津出版社 2007 年版。

屈守元:《文选导读》,巴蜀书社 1996 年版。

余文祥编注:《问津诗赋》,中国文史出版社 2014 年版。

闻一多著、徐少舟整理:《闻一多全集》,湖北人民出版社 1993 年版。

襄阳市政协文史委:《襄阳文化简史》,湖北人民出版社 2018 年版。

刘少峰:《孝感历代名人名官》,(香港)环球出版社 2013 年版。

吴成国:《孝感文化简史》，湖北人民出版社 2018 年版。

李治安:《行省制度研究》，南开大学出版社 2000 年版。

徐规:《王禹偁事迹著作编年》，商务印书馆 2003 年版。

王光德、杨立志:《武当道教史略》，华文出版社 1993 年版。

陈洁等主编:《武当山诗歌全集》，华中科技大学出版社 2014 年版。

杨立志:《武当文化概论》，社科文献出版社 2008 年版。

武汉市政协文化文史和学习委员会编:《武汉文化简史》，湖北人民出版社 2019 年版。

武汉市地方志编纂委员会:《武汉市志·社会志》，武汉大学出版社 1997 年版。

李怀军主编:《武汉通史·宋元明清卷》，武汉出版社 2006 年版。

宜昌政协主编:《宜昌文化简史》，湖北人民出版社 2016 年版。

杨宪益:《译余偶拾》，山东画报出版社 2006 年版。

（美）麦克·哈特著，赵梅等译:《影响人类历史进程的 100 名人排行榜》，海南出版社 2017 年版。

刘维治:《元白研究》，人民教育出版社 1999 年版。

潘桂明:《智𫖮评传》，南京大学出版社 1996 年版。

葛兆光:《中国禅思想史》，北京大学出版社 1995 年版。

洪修平:《中国禅学思想史》，中国人民大学出版社 2007 年版。

释印顺:《中国禅宗史》，中华书局 2010 年版。

麻天祥:《中国禅宗思想发展史》，湖南教育出版社 1997 年版。

杜继文、魏道儒:《中国禅宗通史》，江苏人民出版社 2007 年版。

中国大百科全书总编辑委员会:《中国大百科全书·哲学》，中国大百科全书出版社 2002 年版。

中国大百科全书总编辑委员会:《中国大百科全书·宗教》，中国大百科全书出版社 1991 年版。

卿希泰主编:《中国道教史》，四川人民出版社 1996 年版。

刘玉堂、赵毓清主编:《中国地域文化通览·湖北卷》，中华书局 2013 年版。

中共随州市曾都区委宣传部、随州市曾都区文学艺术界联合会、随州市曾都区诗词楹联学会编:《中国对联集成·湖北卷·曾都分卷》，延边人民出版社 2009 年版。

陈高华、徐吉军主编:《中国风俗通史》(12 卷)，上海文艺出版社 2001 年版。

任继愈主编:《中国佛教史》，中国社会科学出版社 1985 年版。

蒋维乔:《中国佛教史》，上海古籍出版社 2004 年版。

郭朋:《中国佛教思想史》，福建人民出版社 1994 年版。

石峻、楼宇烈等编:《中国佛教思想资料选编》(全十册)，中华书局 2014 年版。

孙昌武:《中国佛教文化史》，中华书局 2010 年版。

王兆春:《中国火器史》，军事科学出版社 1991 年版。

王崇焕:《中国古代交通》，天津教育出版社 1991 年版。

白新良:《中国古代书院发展史》，天津大学出版社 1995 年版。

(英)李约瑟著、刘晓燕等译:《中国科学技术史》，科学出版社、上海古籍出版社 2005 年版。

孙培青主编:《中国教育史(第三版)》，华东师范大学出版社 2015 年版。

(日)牧田谛亮:《中国近世佛教史研究》，台北：华宇出版社 1985 年版。

马宗霍:《中国经学史》，商务印书馆 1998 年版。

周永胜、程国强主编:《中国矿冶历史文化名城——黄石》，湖北人民出版社 2010 年版。

吕宗力主编:《中国历代官职大辞典》，商务印书馆 2015 年版。

傅抱石:《中国美术年表》，上海书店 1989 年版。

李惠芳主编:《中国民俗大系·湖北民俗》，甘肃人民出版社 2003

年版。

钟敬文主编、萧放副主编、韩养民等著:《中国民俗史(隋唐卷)》,人民出版社2008年版。

顾建华:《中国全史·中国元代文学史》,人民出版社1994年版。

吴成国:《中国人的礼仪生活》,湖北教育出版社1999年版。

陈传席:《中国山水画史》,天津人民美术出版社2001年版。

凌云超著、李名方校订:《中国书法三千年》,南京大学出版社1987年版。

曹宝麟:《中国书法史·宋辽元卷》,江苏教育出版社2007年版。

朱关田:《中国书法史·隋唐五代卷》,江苏教育出版社2007年版。

卢辅胜主编:《中国书画全书》,上海书画出版社1993年版。

李国钧:《中国书院史》,湖南教育出版社1994年版。

邓洪波:《中国书院史》,东方出版中心2004年版。

韦政通:《中国思想史》,上海书店出版社2003年版。

张岂之主编:《中国思想史》(修订本),西北大学出版社2016年版。

郑振铎:《中国俗文学史》,北京联合出版公司2014年版。

冯天瑜:《中国文化生成史》,武汉大学出版社2013年版。

舒怀、罗逸群主编:《中国文化世家(荆楚卷)》,湖北教育出版社2004年版。

周振鹤主编、李昌宪著:《中国行政区划通史·宋西夏卷》,复旦大学出版社2017年版。

张秀民:《中国印刷术的发明及其影响》,人民出版社1958年版。

张正明、刘玉堂:《中华文化通志·荆楚文化志》,上海人民出版社1999年版。

俞绍初、许逸民主编:《中外学者文选学论集》,中华书局1998年版。

张立文:《朱熹思想研究》,中国社会科学出版社1981年版。

后记一

“人事有代谢，往来成古今。”从我承担《荆楚文化史》（隋唐宋元卷）撰著与分卷主编的任务到该书的出版，时间已历八个春秋。

“江山留胜迹，我辈复登临。”八年中，随着研究的深入，我们对隋唐宋元时期荆楚文化的认知也不断得到提升。隋唐宋元时期，凭借全国经济文化重心南移的天时地利，依靠本地和寓居才俊的人和，荆楚文化进入了一个勃发期，荆楚文化在思想与学术、文学与艺术、教育与科技、风俗与宗教等方方面面得到繁荣发展。后来，在撰写《荆楚文化简史》时，我们把隋唐宋元时期荆楚文化的发展特征用“恢弘”与“雅致”两个关键词来展现。荆楚文化在中华文化版图中的地位日益重要，为中华文明的演进与发展做出了巨大贡献。全面分析和解释隋唐宋元时期荆楚文化如何兴盛、演变、发展与影响等问题，是我作为一名湖北学者守望荆楚传统文化应尽的义务与责任，也是向荆楚先祖创造辉煌灿烂文明成果的致敬态度。

“文章千古事，得失寸心知。”本书从撰写到付梓，需要感谢的人很多很多。首先应该感谢我的同事张敏副教授，他是本书的第二作者，对本书的贡献几乎与我持平；我指导的硕士研究生程程、张强、周梦梦、谭超、武亚洲、吴珽世等同学，博士研究生李明晨、刘淑华、康长乐、王秦江等同学在资料检索、书稿校对等方面提供了帮助；湖北省荆楚文化研究会众多老领导的大力支持和悉心指导，令我铭记在心；书稿先后经过三轮专家评审，武汉大学历史学院覃启勋教授、魏斌教授，华中师范大学历史文化学院姚伟钧教授，北京大学历史系张帆教授等人作为本卷评审专家，在百忙之中抽出宝贵的时间，对本书进行了全面而细致的评审，他们提出了大量专业意见和修改建议，无疑为本书的质量提升提供了有力的保障；后期阶段，又得到过湖北省社科院楚史所夏日新研究员，华中师范大学历史文化学院赵国华教授、黄尚明教授等人的指导。谢谢你们！此外，还要衷心感谢湖北教育出版社及本书的责任编辑朱思思，你们高度的责任心和敬业精神，确保了本书的顺利出版。

“吟咏留千古，声名动四夷。”从远古的文明曙光初现到今日的现代化进程，荆楚文化始终以其独特的魅力和深厚底蕴书写着中华文明的辉煌篇章。笔者也将一如既往地投身于荆楚文化的研究当中，来日方长，再续新章！

吴成国

2021年10月19日于沙湖之滨

后记二

组织撰写《荆楚文化史》是湖北省荆楚文化研究会近十年来最重要的工作之一。研究会自成立以来，一直致力于荆楚文化的研究、宣传和普及工作，每年召开学术年会和青年学者论坛，先后出版了“荆楚八个一百”、《楚文化概要》等荆楚文化普及丛书、学术专著和一大批研讨会论文集，并且与中央新影集团联合拍摄《凤舞神州》电视纪录片（十集），纪录片经中央电视台播出后在国内外产生良好反响。在此基础上，有些专家建议应当撰写一部全面阐述荆楚文化的专著。时任省九届政协主席、省荆楚文化研究会名誉会长王生铁同志高度重视这一建议，在同荆州博物馆原馆长滕壬生等几位资深专家进行深入讨论后，考虑到湖北发现年代最早的新石器时代文化——宜都城背溪文化距今八千年左右，故暂定书名为《荆楚文化八千年》。

王生铁同志一贯关心、支持荆楚文化的研究与普及工作。他在任荆州地委书记时紧抓不放建成了以楚文化藏品为镇馆之宝而闻名的荆州博物馆，并在全省成立了第一个荆楚文化研究所；他任省委常委、副省长、省委副书记和省九届政协主席时，依然将考古发掘、遗址保护等荆楚文化工作时刻挂在心头，并经常关心和请益于张正明、魏昌等一批楚文化研究专家。2010 年 3 月 23 日，他与时任会长武清海同志研究工作时，正式提出研究会要尽快组织专家学者撰写《荆楚文化八千年》，并强调，本书的写作原则是“无据不入书”，其核心要义是为中华文化“充实内容，填补空白，纠正误差，还原真实”，要在对长江文明集中梳理研究的基础上，充分展现荆楚大地辉煌灿烂的历史文化。武清海会长在随后的会长办公会上要求秘书处对此展开调查研究和意见征询。经过一年多的筹备，2012 年 1 月 11 日，会长办公会正式确定，将成立写作班子和拟定写作提纲列入研究会的主要工作日程。此后武清海会长多次召开调研会反复讨论，密切关注工作进展。

2014 年 2 月 22 日，我会将本书列为第三届理事会工作的重中之重，并于同年 3 月 8 日召开了《荆楚文化八千年》项目启动会，武清海会长代表研究会作了动员讲话，围绕“提高认识、统一思想，把握原则、深入发掘，广集史料、科学利用，明确体例、严格要求，组织专班、精心运作”五个方面提出了具体要求。会议确定由张硕、尹弘兵、叶植、吴成国、任放、严昌洪、袁北星等 7 位专家担任分卷主编，组织各分卷撰写团队，拟定写作提纲和安排写作进度，《荆楚文化八千年》一书的撰写工作正式拉开帷幕。工作一段时间后，张硕研究员因任务分工、严昌洪教授因健康原因辞去分卷主编一职，并推荐宋海超副教授、张继才教授分别担任史前卷、近代卷主编，继续编撰工作。

为争取有关方面的重视和支持，武清海会长率相关同志两次向省委宣传部主要领导汇报《荆楚文化八千年》的工作进度，并积极争取省新闻出版局的支持。2014 年 11 月，本书被湖北省社科工作领导小组列入湖北省社科基金重点项目。为加快写作进度和提高书稿质量，研究会确定由七位时任副会长陈昆满、柳菊兴、刘玉堂、邱久钦、李德华、张武、杜建国分别担任七个分卷的联系人，以利工作推进。

在中共中央组织部作出有关离退休领导干部在群团任职一般不得超过 70 岁的规定以后，王生铁同志和武清海同志先后辞去了名誉会长和会长职务。2017 年 9 月 23 日，研究会召开三届三次理事会，选举省十届政协常务副主席李佑才同志为会长。李佑才会长强调要一以贯之地继续抓好《荆楚文化八千年》的编撰工作，并聘请了一批热衷于荆楚文化研究的老领导和老专家担任研究会的特邀研究员，按原定计划不断推进《荆楚文化八千年》的编撰工作。

为更好地开展相关工作，研究会成立《荆楚文化八千年》编辑出版委员会，王生铁同志担任主任，武清海、李佑才同志担任副主任；聘请省社科院原副院长、知名荆楚文化研究专家刘玉堂研究员担任主编，省委宣传部原常务副部长李德华、省社科联原党组书记陈昆满、原省文化厅厅长杜建国担任副主编。

为保证书稿质量，编委会聘请省内相关领域的知名学者担任各分卷一审、二审的评审专家，并且委托有相当理论素养和工作经验的武清海、李德华、陈昆满3位特邀研究员再次对各分卷进行详细审读。

2018年8月，研究会在《荆楚文化八千年》申请湖北省学术著作出版专项资金资助项目过程中，经编辑出版委员会研究，决定将本书更名为《荆楚文化史》，并成功申报2018年省级和2019年国家级出版基金资助项目。2018年11月19日省委办公厅、省政府办公厅印发《关于传承发展中华优秀传统文化的实施意见》（鄂办发［2018］44号文）确定《荆楚文化史》为湖北传承发展优秀传统文化重点项目中的优秀传统文化出版项目，由省委宣传部牵头负责。

为切实提高《荆楚文化史》一书的质量，根据王生铁同志的提议，2019年6月，研究会副会长兼秘书长杜建国、主编刘玉堂及特邀研究员陈昆满代表编委会专程赴京，聘请中国社会科学院荣誉学部委员、中国历史学会原会长张海鹏教授担任北京专家审稿组组长，邀请北京大学、中国社科院等单位的知名专家分别对各卷进行终审。

在多方力量的支持下，7个分卷写作团队的专家们废寝忘食、呕心沥血地开展工作。经过数载披阅增删，各卷初审稿、二审稿、终审稿次第送审，最后由主编刘玉堂研究员精心修改、定稿并撰写总序。惜在明清卷即将定稿之际，该卷主编任放教授不幸英年早逝。经武汉大学陈锋教授推荐，武汉大学历史学院杨国安教授不顾工作任务繁重，毅然承担了明清卷的修改完善工作。

近十年来，王生铁、武清海、李佑才等几位老领导高度重视《荆楚文化史》的编撰出版工作，先后17次带领相关专家学者前往省内外进行考察调研，搜集第一手材料；前后20余次主持召开编撰工作会议，从确定写作提纲、选定分卷主编、召集全体写作人员进行动员，到了解各阶段研究进展情况、解决所遇到的各类难题，以及参与每卷的多次审稿会，每个环节都浸透着他们的心血。

此外，还有一大批领导、专家、工作人员密切关注着书稿的进展。如：研究会特邀研究员胡嘉猷，时任副秘书长古红英、刘胜瑜，荆楚文化研究中心原主任劳志强、副主任张艳鸽和工作人员陈波、肖幼琴、吴胡珂曜、段帅等，都为本书的出版做了大量具体工作。

在本书撰写、修改和审定过程中，还得到了省委宣传部、省政协办公厅、省政协文史和学习委员会、省财政厅、省新闻出版局、省社科联、省社科院、湖北教育出版社等单位的大力支持和帮助，在此，谨一并表示衷心感谢！

由于研究团队水平所限，本书不足之处在所难免，敬请读者批评指正。

湖北省荆楚文化研究会

2021 年 11 月 8 日